HÔTEL ADLON

La Tour d'Abraham, 1993.
Cinq ans de réflexion, 1998.
Le sang des hommes, 1999.
Le chiffre de l'alchimiste, 2007.
La paix des dupes, 2007.
La trilogie berlinoise, 2008.
La mort, entre autres, 2009.
Une douce flamme, 2010.
Une enquête philosophique, 2011.

Philip Kerr

HÔTEL ADLON

Traduit de l'anglais par Philippe Bonnet

ÉDITIONS DU MASQUE
17, rue Jacob 75006 Paris

Titre original
If The Dead Rise Not
publié par Quercus

Maquette de couverture : WE-WE

ISBN : 978-2-7024-3494-9

Pour Caradoc King

Si c'est dans des vues humaines que j'ai combattu contre les bêtes à Éphèse, quel avantage m'en revient-il ? Si les morts ne ressuscitent pas, mangeons et buvons, car demain nous mourrons.

Livre de la prière commune, 1559

Première partie

BERLIN, 1934

1

C'était le genre de bruit qu'on entend au loin et qu'on prend pour
autre chose : un bateau à vapeur crasseux ahanant le long de la Spree ;
la lente manœuvre d'une locomotive sous l'immense toit en verre de
la gare d'Anhalter ; le souffle torride, coléreux, d'un énorme dragon,
à croire qu'un des dinosaures en pierre du zoo de Berlin avait pris
vie et remontait d'un pas lourd la Wilhelmstrasse. Cela n'avait pas
grand-chose de musical, jusqu'à ce que vous songiez à une fanfare
militaire, mais c'était quand même trop mécanique pour ressembler
à une musique faite par l'homme. Soudain, l'air se remplit de coups
de cymbales et de tintements de glockenspiels, et je finis par les apercevoir : un détachement de soldats marchant au pas comme s'ils voulaient donner du travail aux cantonniers. Rien que de voir ces types,
j'en avais des ampoules aux pieds. Ils avançaient en cadence, leur
carabine Mauser tenue à gauche, leur bras droit musclé se balançant
avec l'exactitude d'un pendule entre le coude et la boucle de ceinturon ornée d'un aigle, leur tête surmontée d'un casque gris acier
levée haut et leurs pensées, si tant est qu'ils en avaient, occupées
par des sornettes sur un peuple, un chef, un empire – occupées par
l'Allemagne !
     Des gens s'arrêtaient pour regarder et saluer le flot de drapeaux
et de bannières nazis qu'arboraient les soldats – toute une mercerie
de tissu d'ameublement rouge, blanc et noir. D'autres accouraient,
pleins de ferveur patriotique, pour en faire autant. Des enfants

étaient hissés sur de robustes épaules ou poussés entre les jambes d'un policier pour ne pas rater une miette du spectacle. Seul le quidam planté à côté de moi ne semblait pas vraiment enthousiaste.

« Souvenez-vous de ce que je vous dis, grommela-t-il. Cet imbécile d'Hitler est bien résolu à avoir une nouvelle guerre avec l'Angleterre et la France. Comme si on n'avait pas perdu assez d'hommes la dernière fois. Tous ces défilés me rendent malade. C'est peut-être Dieu qui a inventé le diable, mais c'est l'Autriche qui nous a donné le Führer. »

L'homme ayant prononcé ces mots avait la tête du Golem de Prague et un corps en forme de tonneau qui aurait été plus à sa place sur la charrette d'un brasseur de bière. Vêtu d'un manteau court en cuir et d'une casquette dont la visière lui sortait tout droit du front. Des oreilles d'éléphant d'Asie, une moustache pareille à une balayette de W.-C. et plus de menton qu'une pagode chinoise. Avant même qu'il eût expédié le mégot de sa cigarette en direction de la fanfare et atteint la grosse caisse, un vide s'était formé autour du commentateur malavisé comme s'il était porteur d'une maladie mortelle. Et personne ne tenait à se trouver dans les parages quand la Gestapo rappliquerait avec un traitement de son cru.

Tournant les talons, je descendis rapidement la Hedemann Strasse. C'était une journée chaude, presque la fin septembre, quand le mot « été » m'évoquait une chose précieuse à laquelle il faudrait bientôt dire adieu. À l'instar de la liberté et de la justice. Le slogan « Allemagne réveille-toi » était sur toutes les lèvres, mais j'avais le sentiment que nous nous acheminions lentement mais sûrement, tels des somnambules, vers quelque désastre terrible bien qu'encore indéterminé. Ce qui ne signifiait pas que j'étais assez stupide pour le crier sur la place publique. Certainement pas quand des inconnus écoutaient. J'avais des principes, c'est sûr, mais j'avais aussi toutes mes dents.

« Hé vous! cria une voix derrière moi. Attendez un instant. Je veux vous parler. »

Je continuai à marcher, et c'est seulement dans la Saarland Strasse — anciennement Königgrätzer Strasse, jusqu'à ce que les nazis décident que nous avions tous besoin qu'on nous rappelle le Traité de Versailles et l'attitude inique de la Société des Nations – que le propriétaire de la voix finit par me rattraper.

« Vous ne m'avez pas entendu ? »

Me saisissant par l'épaule, il me poussa contre une colonne d'affichage et exhiba une plaque en bronze dans le creux de sa main. Ce faisant, il était difficile de dire s'il appartenait à la police urbaine ou à la police criminelle, mais, d'après ce que je savais de la nouvelle police prussienne de Hermann Goering, seuls les sous-fifres se baladaient avec des jetons à bière en bronze. Il n'y avait personne d'autre sur le trottoir, et la colonne d'affichage empêchait qu'on nous voie de la chaussée. Non qu'il y eût beaucoup de vraies publicités collées dessus. Ces temps-ci, la publicité se résumait à des panneaux ordonnant aux Juifs de débarrasser le plancher.

« Non, répondis-je.

– L'individu qui a proféré des propos calomnieux contre le Führer. Vous l'avez sûrement entendu. Vous vous trouviez juste à côté de lui.

– Je n'ai pas souvenir d'avoir entendu quoi que ce soit de calomnieux sur le Führer.

– Alors pourquoi êtes-vous parti subitement ?

– Je me suis rappelé que j'avais un rendez-vous. »

Les joues du flic s'empourprèrent quelque peu. Ce n'était pas un visage sympathique. Il avait un regard sombre, ténébreux ; une bouche rigide, dédaigneuse et une mâchoire légèrement saillante. Un visage n'ayant rien à craindre de la mort, dans la mesure où il ressemblait déjà à une tête de mort. Si Goebbels avait eu un frère plus grand et encore plus farouchement nazi, ç'aurait pu être lui.

« Je ne vous crois pas, dit le flic, avant d'ajouter en faisant claquer ses doigts avec impatience : Papiers, s'il vous plaît. »

Le « s'il vous plaît » avait beau être agréable, je n'avais guère envie de lui montrer ma carte. La section huit de la page deux indiquait ma situation professionnelle passée et présente. Et, comme je n'étais plus policier mais employé d'hôtel, cela revenait à dire que je n'étais pas un nazi. Pire que ça. Un homme forcé de quitter la police judiciaire de Berlin en raison de son allégeance à la vieille République de Weimar pouvait fort bien être du genre à se rendre complice de quelqu'un portant des accusations traîtresses à l'encontre du Führer. Si ce n'était pas de la trahison. Mais je savais que le flic m'arrêterait probablement rien que pour me gâcher la journée, arrestation ayant de fortes chances de se traduire par deux semaines dans un camp de concentration.

Avec un nouveau claquement de doigts, il détourna les yeux, d'un air presque las.

« Allons, allons, je n'ai pas que ça à faire. »

Pendant un instant, je me mordis la lèvre, irrité de me faire encore une fois malmener, pas seulement par ce flic à tête de cadavre, mais par l'État nazi tout entier. On m'avait chassé de mon boulot d'inspecteur principal à la Kripo – un boulot que j'aimais – et traité comme un paria du fait de mon adhésion à la République de Weimar. Certes, la République avait commis bien des erreurs, mais au moins elle avait été démocratique. Et, depuis sa chute, Berlin, ma ville natale, était presque méconnaissable. Elle avait été auparavant l'un des endroits les plus libéraux du monde. À présent, elle ressemblait à un champ de manœuvres. Les dictatures semblent toujours séduisantes, jusqu'au jour où quelqu'un se met à vous faire la dictée.

« Vous êtes sourd ? Montrez-moi cette fichue carte ! »

Le flic fit à nouveau claquer ses doigts.

Mon irritation se changea en colère. Je glissai ma main gauche dans ma veste afin de prendre la carte, pivotant juste assez pour masquer le poing formé par ma main droite. Et quand je le lui enfonçai dans le bide, ce fut de toutes mes forces.

Je le frappai sec. Beaucoup trop sec. Le coup chassa l'air de ses poumons, et le reste. Vous frappez un type au ventre de cette manière, il en reste baba pendant un bon moment. Je tins le corps inerte du flic contre moi, puis lui fis exécuter un tour de valse à travers la porte à tambour de l'hôtel Deutscher Kaiser. Ma colère virait déjà à ce qui ressemblait à de la panique.

« J'ai l'impression qu'il a eu une sorte d'attaque, expliquai-je au portier fronçant les sourcils, et je déposai le corps du policier dans un fauteuil en cuir. Où sont les cabines téléphoniques ? Que j'appelle une ambulance. »

Le portier indiqua un endroit derrière la réception.

Je desserrai la cravate du flic, histoire de donner le change, et fis mine de me rendre aux cabines. Mais, dès que j'eus tourné le coin, je poussai une porte de service et dévalai quelques marches avant de quitter l'hôtel par les cuisines. Émergeant dans une ruelle qui coupait la Saarland Strasse, je me dirigeai à grands pas vers la gare d'Anhalter. J'envisageai un instant de prendre un train. Puis j'aperçus le passage souterrain reliant la gare à l'Excelsior, qui était le deuxième meilleur hôtel de Berlin. Personne n'aurait l'idée de me chercher là. Pas aussi près d'un moyen d'évasion évident. De surcroît, l'Excelsior possédait un excellent bar. Rien de tel que de mettre un poulet K.-O. pour vous donner soif.

2

J'allai directement au bar, commandai un grand schnaps et l'avalai d'un trait comme si on était à la mi-janvier.

L'Excelsior regorgeait de flics, mais le seul que je connaissais, c'était le détective maison, Rolf Kuhnast. Avant la purge de 1933, Kuhnast avait appartenu à la police politique de Potsdam, et il aurait pu raisonnablement s'attendre à entrer dans la Gestapo, mis à part deux choses. La première, c'est qu'il avait dirigé l'unité envoyée pour arrêter le comte Helldorf, le chef SA, en avril 1932, sur les ordres de Hindenburg afin de prévenir une éventuelle tentative de coup d'État des nazis. La seconde, c'est que ce même Helldorf était maintenant président de la police de Potsdam.

« Salut, dis-je.

— Bernie Gunther. Qu'est-ce qui peut bien amener le détective de l'hôtel Adlon à l'Excelsior?

— J'oublie toujours que c'est un hôtel. J'étais venu acheter un billet de train.

— Tu es un marrant, Bernie. Tu l'as toujours été.

— Je me marrerais bien moi aussi sans toute cette flicaille. Qu'est-ce qui se passe? Je sais que l'Excelsior est l'abreuvoir favori de la Gestapo, mais d'habitude ils s'arrangent pour que ça ne saute pas aux yeux. Il y a ici des lascars dont le front laisserait supposer qu'ils viennent de sortir de la vallée de Neander. À quatre pattes.

– Nous avons un hôte de marque, expliqua Kuhnast. Quelqu'un du Comité olympique américain.

– Je croyais que l'hôtel olympique officiel était le Kaiserhof.

– Exact. Mais c'était un truc de dernière minute, et le Kaiserhof ne pouvait pas le loger.

– Alors l'Adlon devait être plein également, j'imagine.

– C'est ça, moque-toi de moi. Je t'en prie. Ces mangeurs de queues de bœuf de la Gestapo n'ont pas arrêté de me tirer les oreilles toute la journée. Alors qu'un petit futé du grand hôtel Adlon s'amène pour me remonter les bretelles, il ne me manquait plus que ça.

– Je ne me moque pas de toi, Rolf. Sérieusement. Tiens, pourquoi est-ce que tu ne me laisserais pas t'offrir un verre?

– Je doute que tu puisses te le permettre, Bernie.

– Ça ne me dérangerait pas de l'avoir gratis. Un détective d'hôtel ne ferait pas son boulot s'il n'avait pas quelque chose sur le barman. Passe un de ces jours à l'Adlon, je te montrerai combien le nôtre peut se montrer philanthrope une fois qu'on l'a surpris à puiser dans la caisse.

– Otto? Je n'y crois pas.

– Toi, non, Rolf. Mais Frau Adlon le croira certainement, et elle n'est pas aussi compréhensive que moi. » Je commandai un deuxième schnaps. « Allons, bois quelque chose. Après ce qui vient de m'arriver, j'ai besoin d'un remontant.

– Qu'est-ce qui t'est arrivé?

– Peu importe. Disons que de la bière n'y suffirait pas. »

Je vidai le second schnaps à la suite de l'autre.

« Je ne demanderais pas mieux, Bernie. Mais Herr Elschner l'aurait mauvaise si je n'étais pas dans le coin pour empêcher ces salopards de nazis de voler les cendriers. »

Cette remarque apparemment inconsidérée était guidée par la connaissance de mon passé de sympathisant républicain. Ce qui ne l'empêcha pas d'éprouver le besoin d'une certaine prudence. M'entraînant hors du bar, il traversa le hall d'entrée pour gagner la palmeraie. Il était plus facile de s'exprimer librement quand personne ne pouvait vous entendre par-dessus l'orchestre de l'Excelsior. Ces jours-ci, il n'y avait que le temps dont on pouvait vraiment parler sans danger en Allemagne.

« Alors comme ça, la Gestapo est ici pour protéger un Amerloque. Je croyais que Hitler ne pouvait pas les sentir.

— Celui-là fait un tour à Berlin pour décider si nous sommes dignes d'accueillir les Jeux dans deux ans.

— Il y a deux mille ouvriers à l'ouest de Charlottenburg qui ont fortement l'impression que c'est déjà le cas.

— Il semble qu'un tas de Ricains veuillent boycotter les Jeux en prétextant de l'antisémitisme de notre gouvernement. L'Amerloque est ici pour une mission d'enquête, afin de voir par lui-même si l'Allemagne exerce une discrimination envers les Juifs.

— Pour une mission d'enquête d'une clarté aussi aveuglante, je m'étonne qu'il ait pris la peine de remplir une fiche d'hôtel. »

Rolf Kuhnast se fendit d'un grand sourire.

« D'après ce que j'ai entendu dire, il s'agit d'une simple formalité. En ce moment même, il est en haut, dans une des salles de réception, pour recevoir une liste de faits rassemblés à son intention par le ministère de la Propagande.

— Ah, ce genre de faits. Oui, bien sûr, nous ne voudrions pas que quiconque se fasse une fausse idée de l'Allemagne de Hitler, pas vrai ? Je veux dire, ce n'est pas comme si nous avions quelque chose contre les Juifs. Mais, hé, il y a un nouveau peuple élu en ville. »

On comprenait mal pourquoi un Américain serait prêt à fermer les yeux sur les mesures antijuives du nouveau régime. Surtout alors qu'il y en avait tellement d'exemples flagrants à travers toute la capitale. Seul un aveugle aurait pu ne pas remarquer les caricatures terriblement choquantes en première page des journaux nazis les plus fanatiques, les étoiles de David peintes sur les vitrines des magasins possédés par des Juifs et les écriteaux « Réservé aux Allemands » dans les jardins publics – sans parler de la véritable peur se lisant dans les yeux de chaque Juif de la mère patrie.

« Brundage... c'est le nom de l'Amerloque...

— On dirait un nom allemand.

— Il ne parle même pas l'allemand, répondit Kuhnast. Alors tant qu'il ne rencontre pas de Juifs parlant l'anglais, tout devrait marcher comme sur des roulettes. »

Je parcourus la palmeraie du regard.

« Y a-t-il un risque que ça se produise ?

— Ça m'étonnerait qu'il y ait un Juif à moins de cent mètres d'ici, compte tenu de la personne qui doit venir le voir.

— Pas le Führer.

— Non, son démon.

— Le Führer adjoint va venir à l'Excelsior ? J'espère que tu as nettoyé les toilettes. »

Tout à coup, l'orchestre interrompit le morceau qu'il était en train de jouer pour entonner l'hymne national allemand, et les clients de l'hôtel sautèrent sur leurs pieds pour pointer leur bras droit vers le hall d'entrée. Je n'eus pas d'autre choix que de me joindre à eux.

Entouré par des membres des troupes d'assaut et de la Gestapo, Rudolf Hess pénétra dans l'hôtel d'un pas énergique, vêtu de l'uniforme des SA. Il avait un visage aussi carré qu'un tapis-brosse, mais nettement moins convivial. De taille moyenne ; mince, avec des cheveux bruns ondulés ; un front transylvanien ; des yeux de loup-garou et une bouche en lame de couteau. Nous retournant nos saluts patriotiques d'un air indifférent, il grimpa les marches de l'hôtel deux par deux. Avec son air avide, il me faisait penser à un berger allemand auquel son maître autrichien aurait ôté sa laisse pour qu'il puisse lécher la main de l'homme du Comité olympique américain.

En l'occurrence, il y avait une main que je devais moi-même aller lécher. Une main appartenant à un homme de la Gestapo.

3

En tant que détective – parmi d'autres – de l'Adlon, j'étais censé interdire l'accès de l'hôtel aux voyous et aux assassins. Ce qui pouvait se révéler épineux quand les voyous et les assassins en question étaient des responsables du Parti nazi. Certains d'entre eux, comme Wilhelm Frick, le ministre de l'Intérieur, avaient même purgé une peine de prison. Le ministère se trouvait dans Unter den Linden, juste à côté de l'Adlon ; et Frick, un authentique Teuton bavarois avec une verrue au milieu de la figure et une petite amie qui n'était autre que la femme d'un éminent architecte nazi, passait très souvent à l'hôtel. La fille aussi, probablement.

Non moins problématique pour un détective d'hôtel, le taux élevé de changement du personnel, les employés honnêtes et dévoués ayant le malheur d'être juifs cédant la place à des individus qui se révélaient beaucoup moins honnêtes et dévoués, mais qui, en apparence du moins, étaient beaucoup plus allemands.

En général, je ne me mêlais pas de ces questions, mais, lorsque la seule femme détective de l'Adlon décida de quitter Berlin pour de bon, je me sentis l'obligation d'essayer de l'aider.

Frieda Bamberger était plus qu'une vieille amie. De temps à autre, il nous arrivait de jouer les amants de passage, ce qui est une façon élégante de dire que nous aimions bien coucher ensemble, mais ça n'allait pas plus loin, dans la mesure où elle avait un mari à Hambourg dont elle était à moitié séparée. Ancienne escrimeuse olympique,

Frieda était également juive, raison pour laquelle on l'avait chassée du Club d'escrime de Berlin en novembre 1933. Presque tous les Juifs d'Allemagne membres d'un gymnase ou d'une association sportive avaient connu un sort identique. Être juif à l'été 1934 faisait un peu l'effet d'un conte des frères Grimm dans lequel deux enfants abandonnés se retrouvent au milieu d'une forêt infestée de loups affamés.

Non que Frieda crût que la situation à Hambourg serait meilleure qu'à Berlin, mais elle espérait que la discrimination dont elle souffrait actuellement serait plus facile à supporter avec l'aide de son goy de mari.

« Écoute, lui dis-je, j'ai une relation à la section juive de la Gestapo. Un flic que je connaissais à l'Alex. Je l'ai recommandé une fois pour une promotion, si bien qu'il me doit un service. Je vais aller lui parler pour savoir ce qu'il faut faire.

— Tu ne peux pas changer ce que je suis, Bernie.

— Possible. Mais je peux peut-être changer ce que les autres disent que tu es. »

À l'époque, j'habitais la Schlesische Strasse, dans l'est de la ville. Le jour de mon rendez-vous à la Gestapo, j'avais donc pris l'U-Bahn jusqu'à Hallesches Tor et remonté à pied la Wilhelmstrasse. Ce qui m'avait valu ce petit incident avec le policier en face de l'hôtel Deutscher Kaiser. De l'asile temporaire de l'Excelsior, on n'était qu'à deux pas du siège de la Gestapo, au 8 Prinz-Albrecht-Strasse – dont le bâtiment ressemblait moins au quartier général de la police secrète de la nouvelle Allemagne qu'à un élégant hôtel wilhelmien, impression renforcée par la proximité du vieil hôtel Prinz-Albrecht, lequel abritait à présent la direction administrative de la SS. Rares étaient ceux qui empruntaient la Prinz-Albrecht-Strasse, sauf en cas de nécessité absolue. Surtout quand ils venaient de se livrer à des voies de fait sur un policier. Pour cette raison sans doute, je pensais que c'était le dernier endroit où l'on aurait l'idée de me chercher.

Avec ses balustrades en marbre, ses hauts plafonds voûtés et un escalier aussi large qu'une voie de chemin de fer, le siège de la Gestapo avait tout d'un musée. Ou peut-être d'un monastère, pourvu que ce soit un ordre monastique vêtu de noir et prenant plaisir à tourmenter ses congénères pour les inciter à confesser leurs péchés.

Une fois dans le bâtiment, je m'approchai de la réception, où une fille en uniforme, pas déplaisante du tout, m'accompagna au premier jusqu'à la Section II.

À la vue de ma vieille connaissance, je souris en faisant un signe de la main, et deux femmes du pool de dactylos voisin me fixèrent avec un regard de surprise teinté d'ironie, comme si mon sourire et mon geste étaient ridiculement déplacés. Ce qui était évidemment le cas. Cela faisait à peine dix-huit mois que la Gestapo existait qu'elle jouissait déjà d'une réputation effroyable, d'où ma nervosité et le signe de la main à Otto Schuchardt en premier lieu. Il ne répondit pas à mon salut. Ne sourit pas non plus. Schuchardt n'avait jamais été précisément un boute-en-train, mais il me semblait bien l'avoir entendu rire quand nous étions tous les deux flics à l'Alex. D'un autre côté, peut-être ne riait-il que parce que j'étais son supérieur, et, alors que nous nous serrions la main, je commençais déjà à me dire que j'avais commis une erreur et que le jeune flic coriace dont j'avais gardé le souvenir ne valait guère mieux à présent que les balustrades et l'escalier devant la porte de la section. C'était comme serrer la main à un entrepreneur des pompes funèbres.

Schuchardt était bel homme, si on aime les hommes aux cheveux blond filasse et aux yeux bleus. Étant moi-même un blond aux yeux bleus, je trouvais qu'il avait l'air d'une version nazie nettement améliorée et plus efficace de moi-même : un demi-dieu plutôt qu'un pauvre Fritz nanti d'une petite amie juive. Mais enfin, je n'avais jamais eu tellement envie d'être un dieu ni même d'aller au paradis, pas quand toutes les vilaines filles comme Frieda se trouvaient dans le Berlin de Weimar.

Il me fit entrer dans son bureau exigu et referma une porte en verre dépoli, ce qui nous laissa tous les deux seuls avec une petite table en bois, un régiment de placards gris métallisé et une jolie vue sur les jardins de la Gestapo, où un homme prenait soin des plates-bandes.

« Café ?

– Merci. »

Schuchardt plongea une résistance électrique dans une carafe d'eau du robinet. Il semblait amusé de me voir, ce qui veut dire qu'il avait la tête d'un faucon ayant dévoré plusieurs moineaux au déjeuner.

« Tiens, tiens, fit-il. Bernie Gunther. Cela fait deux ans, n'est-ce pas ?

– Ça doit être ça.

– Arthur Nebe est ici, naturellement. Il est commissaire adjoint. Et il y en a beaucoup d'autres que tu reconnaîtrais, je présume. Personnellement, je n'ai jamais compris pourquoi tu avais quitté la Kripo.

– J'ai pensé qu'il valait mieux que je parte avant de me faire virer.

– À mon avis, tu te trompes complètement. Le parti préfère de beaucoup les purs criminalistes tels que toi à une bande de violettes de mars ayant pris le train en marche par calcul. » Son nez effilé se fronça de dégoût. « Et bien sûr, ils sont encore quelques-uns à la Kripo à n'avoir jamais été membres du parti. On les respecte même pour ça. Ernst Gennat, par exemple.

– Je suppose que tu as raison. »

J'aurais pu citer tous les bons flics qu'on avait flanqués à la porte de la Kripo lors de la grande purge de la police en 1933 : Kopp, Klingelhöller, Rodenberg et bien d'autres. Mais je n'étais pas là pour discuter politique. J'allumai une Muratti et m'enfumai un instant les poumons en me demandant si j'aurais le courage d'aborder le motif qui m'avait amené au bureau d'Otto Schuchardt.

« Détends-toi, mon vieux, dit-il, et il me tendit une tasse de café ayant étonnamment bon goût. C'est toi qui m'as permis de laisser tomber l'uniforme pour entrer à la Kripo. Je n'oublie jamais mes amis.

– Je suis heureux de l'entendre.

– En tout état de cause, je n'ai pas l'impression que tu sois venu dénoncer quelqu'un. Non, je ne crois pas que ce soit ton genre. Alors, que puis-je pour toi ?

– J'ai une amie juive, répondis-je. C'est une bonne Allemande. Elle a même représenté l'Allemagne aux Jeux olympiques de Paris. Elle ne pratique pas la religion. Et elle est mariée à un non-Juif. Elle veut quitter Berlin. J'espère pouvoir la persuader de changer d'avis. Je me demandais s'il n'y avait pas un moyen pour qu'on oublie sa judaïté ou qu'on fasse comme si de rien n'était. Il paraît que ça arrive quelquefois.

– Vraiment ?

– Euh, oui, je pense.

– À ta place, j'éviterais de colporter ce genre de rumeurs. Quand bien même elles seraient vraies. Dis-moi, à quel degré ton amie est-elle juive ?

– Comme je viens de le mentionner, aux Jeux olympiques de Paris…

– Non, je veux dire, de sang. Vois-tu, aujourd'hui, c'est ce qui compte vraiment. Le sang. Ton amie aurait beau ressembler à Leni Riefenstahl et être mariée à Julius Streicher, ça ne ferait pas la plus petite différence si elle est de sang juif.

– Ses parents sont juifs tous les deux.

– Alors, il n'y a rien que je puisse faire. De surcroît, si j'ai un conseil à te donner, c'est de renoncer à l'idée de lui venir en aide. Tu dis qu'elle compte quitter Berlin ?

– Elle envisage d'aller vivre à Hambourg.

– Hambourg ? » Cette fois, Schuchardt parut franchement amusé. « Je ne pense pas qu'aller vivre là-bas va résoudre son problème. Non, je lui conseillerais plutôt de quitter définitivement l'Allemagne.

– Tu plaisantes.

– Je crains bien que non, Bernie. Il y a de nouvelles lois en préparation qui dénaturaliseront en réalité tous les Juifs d'Allemagne. Je ne devrais pas te le dire, mais beaucoup de vieux militants entrés au parti avant 1930 trouvent qu'on n'a pas encore fait suffisamment pour régler le problème juif dans ce pays. Certains, moi y compris, estiment qu'on devrait donner un tour de vis supplémentaire.

– Je vois.

– Hélas, non. Du moins, pas encore. Mais ça viendra. En fait, j'en suis certain. Laisse-moi t'expliquer. D'après mon patron, le commissaire adjoint Volk, voici comment ça marchera : une personne ne sera considérée comme allemande que si quatre de ses grands-parents sont de sang allemand. Elle sera considérée officiellement comme juive si elle descend de trois ou quatre grands-parents juifs.

— Et si cette personne n'a qu'un grand-parent juif ? demandai-je.

— Alors, elle sera considérée comme de sang mêlé. Un métis.

— Et qu'est-ce que tout ça signifiera, Otto ? Sur le plan pratique.

— Les Juifs se verront priver de la citoyenneté allemande et ne pourront pas se marier ni avoir de relations sexuelles avec de purs Allemands. Il leur sera totalement interdit de travailler dans la fonction publique et leur accès à la propriété foncière sera restreint. Les métis devront s'adresser au Führer lui-même pour une reclassification ou une assimilation.

— Doux Jésus. »

Otto Schuchardt sourit.

« Oh, je ne pense pas qu'il aurait la moindre chance d'obtenir sa reclassification. Pas à moins de pouvoir prouver que son père céleste était allemand. »

J'aspirai la fumée de ma cigarette comme si c'était du lait maternel et l'écrasai dans un cendrier en aluminium de la taille d'un mamelon. Il existait probablement un mot composé, un mot à rallonge – formé de vieux bouts d'allemand –, pour décrire ce que je ressentais, simplement je ne l'avais pas encore trouvé. Mais j'étais à peu près sûr qu'il inclurait des termes comme « horreur » et « stupéfaction », « direct » et « estomac ». Cependant, je n'en savais pas la moitié. Pas encore.

« J'apprécie ta franchise. »

Une expression d'amusement peiné se peignit à nouveau sur son visage.

« Non, j'en doute. Mais ça ne va pas tarder. »

Il ouvrit le tiroir de son bureau et en sortit un énorme dossier beige. Dans le coin supérieur gauche de la couverture était collée une étiquette blanche indiquant le sujet du dossier ainsi que le service et la section chargés de s'en s'occuper. Le nom sur le dossier était le mien.

« C'est ton dossier personnel. Toute police en a. Et tous les anciens policiers tels que toi. » Schuchardt l'ouvrit et retira la première page.

« L'index. Chaque article ajouté se voit attribuer un numéro sur cette feuille. Attends. Voilà. Article vingt-trois. »

Il tourna les pages du dossier jusqu'à ce qu'il trouve une autre feuille de papier, qu'il me tendit.

C'était une lettre anonyme me dénonçant comme ayant un grand-parent juif. L'écriture me rappelait vaguement quelque chose, mais je ne me ressentais pas d'essayer de deviner l'identité de l'auteur devant Otto Schuchardt.

« Je suppose que ça n'aurait guère de sens que je nie ceci, dis-je en la lui rendant.

— Au contraire, il y aurait toutes les raisons du monde. » Il gratta une allumette, mit le feu à la feuille et la laissa tomber dans la corbeille à papier. « Comme je te l'ai dit tout à l'heure, je n'oublie jamais mes amis. » Puis il prit son stylo à plume, dévissa le capuchon et se mit à écrire dans la partie « Remarques » de l'index. « Pas de suite à donner, dit-il tout en griffonnant. Néanmoins, il serait préférable que tu essaies de régler ça.

— Maintenant, ça paraît un peu tard, rétorquai-je. Il y a vingt ans que ma grand-mère est morte.

— En tant que métis au second degré, continua-t-il, ignorant ma facétie, tu risques de t'apercevoir, dans l'avenir, que certaines restrictions te seront imposées. Par exemple, si tu essayais de monter une affaire, tu aurais l'obligation, en vertu des nouvelles lois juives, de faire une déclaration raciale.

— Justement, j'avais songé à commencer une carrière de détective privé. Si j'arrive à réunir l'argent. Être détective à l'Adlon est plutôt soporifique après avoir travaillé aux homicides à l'Alex.

— Dans ce cas, tu aurais intérêt à faire disparaître ton grand-parent juif de ton état civil. Crois-moi, tu ne serais pas le premier. Il y a bien plus de métis à la ronde qu'on ne pourrait le penser. Dans le gouvernement, j'en connais au moins trois.

— On vit vraiment dans un monde de fous. » Je sortis mes cigarettes, en glissai une entre mes lèvres, changeai d'avis et la replaçai dans le paquet. « Et comment est-ce que tu t'y prendrais au juste ? Pour faire disparaître un grand-parent.

— Franchement, Bernie, je n'en sais rien. Mais tu peux toujours en parler à Otto Trettin à l'Alex.

— Trettin ? Qu'est-ce qu'il a à voir là-dedans ?

— Otto est un homme plein de ressources. Très bien introduit. Tu sais qu'il a repris le département de Liebermann von Sonnenberg lorsque Erich est devenu le nouveau chef de la Kripo.

— Celui de la lutte contre la contrefaçon et la falsification, dis-je. Je commence à comprendre. Oui, Otto a toujours été du genre très entreprenant.

— Ce n'est pas moi qui t'en ai parlé. »

Je me levai.

« Je ne suis même jamais venu ici. »

Nous nous serrâmes la main.

« Rapporte à ton amie juive ce que je t'ai dit. Qu'elle parte sans attendre, pendant qu'il en est encore temps. L'Allemagne est pour les Allemands à présent. » Puis il leva son bras droit et ajouta un « Heil Hitler » presque contrit où la conviction se mêlait peut-être à l'habitude.

Ailleurs, je n'y aurais sans doute prêté aucune attention. Mais pas au siège de la Gestapo. De plus, je lui étais reconnaissant. Pas seulement pour moi, mais aussi pour Frieda. Et je ne tenais pas à paraître grossier. Aussi, je lui rendis son salut hitlérien. Ce qui en faisait deux dans la même journée. À ce rythme, j'allais devenir un fumier de nazi convaincu avant la fin de la semaine. Aux trois quarts, en tout cas.

Schuchardt me raccompagna en bas, où plusieurs policiers allaient et venaient dans le hall, tout excités. Il s'arrêta et parla à l'un d'eux tandis que nous nous dirigions vers la porte d'entrée.

« Qu'est-ce que c'est que ce remue-ménage ? demandai-je lorsque Schuchardt me rejoignit.

— On a retrouvé un flic mort à l'hôtel Deutscher Kaiser, répondit-il.

— Voilà qui est fâcheux, dis-je en m'efforçant de réprimer la vague de nausée qui m'envahit subitement. Que s'est-il passé ?

— Personne n'a rien vu. Mais, d'après l'hôpital, il aurait reçu une sorte de coup de poing dans le ventre. »

4

Le départ de Frieda pour Hambourg sembla être le prélude à un exode des Juifs de l'Adlon. Max Prenn, le chef de réception et cousin du meilleur joueur de tennis du pays, Daniel Prenn, annonça qu'il quittait l'Allemagne en compagnie d'un parent, à la suite de l'expulsion de ce dernier de la Deutscher Tennis Bund, ajoutant qu'il allait s'installer en Angleterre. Puis Isaac quelque chose, un des musiciens de l'orchestre, partit travailler au Ritz, à Paris. Pour finir, il y eut le départ d'Ilse Szrajbman, une sténographe qui tapait à la machine et faisait du boulot de secrétariat pour les clients de l'hôtel : elle retourna dans son Dantzig natal, qui était soit une ville de Pologne soit une ville libre de l'ancienne Prusse, selon le point de vue où l'on se place.

Je préférais ne pas en avoir, de même que j'essayais de ne pas voir un tas de choses en cet automne 1934. Dantzig n'était qu'un prétexte parmi d'autres pour remettre sur le tapis les clauses du Traité de Versailles concernant la Rhénanie, la Sarre, l'Alsace-Lorraine, nos colonies d'Afrique et la taille de nos forces armées. À cet égard, en tout cas, j'étais un Allemand beaucoup moins typique que les trois quarts de ceux qui seraient autorisés à faire partie de la nouvelle Allemagne.

Le responsable commercial de l'hôtel – pour donner à Georg Behlert, le directeur de l'Adlon, son véritable titre – prenait les hommes d'affaires et leur capacité à mener leurs activités au sein de l'établissement très au sérieux ; de sorte que le fait qu'un des clients les plus importants et les plus prodigues, un Américain nommé Max Reles, occupant la suite 114, en soit venu à se reposer sur Ilse Szrajbman signifiait que c'était son départ, parmi tous les départs de Juifs de l'Adlon, qui tracassait le plus Behlert.

« Le confort et la satisfaction des clients de l'Adlon passent avant tout », proclama-t-il sur un ton impliquant qu'il pensait que je l'ignorais.

Je me trouvais dans son bureau, qui donnait sur le jardin Goethe, où, tous les jours en été, Behlert prélevait une fleur pour sa boutonnière. Du moins, jusqu'à ce que le jardinier lui explique qu'à Berlin en tout cas, un œillet rouge était traditionnellement un symbole communiste et, par conséquent, illégal. Pauvre Behlert. Il n'était pas plus communiste que nazi ; sa seule idéologie résidait dans la supériorité de l'Adlon sur les autres hôtels de Berlin, et on ne le vit plus jamais avec une fleur à la boutonnière.

« Certes, un réceptionniste, un violoniste, même un détective contribuent à la bonne marche de l'hôtel. Cependant, ils sont relativement anonymes, et il semble peu probable qu'un client serait grandement incommodé par leur départ. Mais Fräulein Szrajbman voyait Herr Reles chaque jour. Il avait confiance en elle. Il sera difficile de trouver une remplaçante dont la dactylographie et la sténographie soient aussi solides que sa moralité. »

Behlert n'était pas du genre prétentieux, il en avait seulement l'air. De quelques années plus jeune que moi – trop jeune pour avoir fait la guerre –, il portait une queue-de-pie, un col aussi raide que le sourire sur son visage, des demi-guêtres et une fine moustache à la Zorro qui donnait l'impression que Ronald Colman l'avait fait pousser spécialement pour lui.

« Je suppose que je devrais passer une annonce dans *Das Deutsches Mädchen*, reprit-il.

— C'est un magazine nazi. Vous mettez une annonce là-dedans, et vous allez finir en espion de la Gestapo, je vous le garantis. »

Behlert se leva et ferma la porte.

« Je vous en prie, Herr Gunther. Je ne pense pas qu'il soit très recommandé de parler de cette façon. Vous pourriez nous attirer des ennuis à tous les deux. À vous entendre, on croirait qu'il y a quelque chose de mal à employer une personne nationale-socialiste. »

Behlert était trop délicat pour se servir d'un mot comme « nazi ».

« Ne vous y trompez pas. J'adore les nazis. Simplement, je ne peux pas m'empêcher de soupçonner que quatre-vingt-dix-neuf virgule neuf pour cent d'entre eux donnent au zéro virgule un pour cent restant une mauvaise réputation qu'il ne mérite pas.

— S'il vous plaît, Herr Gunther.

— Je suppose qu'il y a dans le lot d'excellentes secrétaires. En fait, j'en ai vu plusieurs l'autre jour, quand je me trouvais au quartier général de la Gestapo.

— Vous êtes allé au quartier général de la Gestapo ? »

Behlert ajusta son col de chemise afin de contenir une pomme d'Adam qui montait et descendait le long de son cou à la manière d'un ascenseur.

« Oui. J'ai été flic, vous vous souvenez ? Toujours est-il que ce copain dirige un service de la Gestapo employant tout un régiment de secrétaires. Blondes, les yeux bleus, une centaine de mots à la minute – ça, pour les aveux obtenus sans contrainte. Quand ils se mettent à sortir le chevalet et les poucettes, ces dames sont obligées de taper encore plus vite. »

Il restait toujours cette gêne profonde entre nous, qui bourdonnait comme un frelon devant le nez de Behlert.

« Vous êtes un homme peu commun, Herr Gunther, dit-il à voix basse.

— C'est aussi ce que prétendait mon ami à la Gestapo. Enfin, quelque chose d'approchant. Écoutez, Herr Behlert, ne m'en veuillez pas si j'ai l'air de connaître votre boulot mieux que vous, mais il me semble que la dernière chose que nous voulons à l'Adlon, c'est quelqu'un qui effarouche les clients en faisant un tas de remarques politiques. Certains d'entre eux sont des étrangers. Bon nombre sont également juifs. Et ils sont un peu plus exigeants que nous sur des notions telles que la liberté d'expression. Sans compter la liberté des Juifs. Pourquoi ne pas me laisser le soin de dénicher quelqu'un qui convienne ? Quelqu'un qui ne s'intéresse aucunement à la politique.

Quelle que soit la candidate retenue, il faudra que je prenne des renseignements sur elle, de toute façon. En outre, j'adore chercher des filles. Même quand elles sont capables de gagner honnêtement leur vie.

– Très bien. Si vous y tenez. »

Il sourit d'un air penaud.

« Qu'est-ce qu'il y a?

– Ce que vous venez de dire, cela m'a fait penser à quelque chose, répondit Behlert. Je me suis souvenu de ce que c'était que de parler sans regarder par-dessus son épaule.

– Vous savez quel est le problème, à mon avis? Avant les nazis, rien de ce qu'on exprimait librement ne méritait qu'on l'écoute. »

Ce soir-là, je mis le cap sur un des bars de l'Europahaus, une construction géométrique tout en verre et béton. Il avait plu, les rues étaient noires et luisantes, et l'énorme assemblage de bureaux modernes – Odol, Allianz, Mercedes – ressemblait à un paquebot de grande ligne croisant dans l'Atlantique avec tous ses ponts éclairés. Un taxi me déposa à proximité de la proue, et j'entrai dans le Café Pavillon pour épisser le hauban principal et mettre la main sur un membre d'équipage adéquat en remplacement d'Ilse Szrajbman.

Naturellement, j'avais une arrière-pensée en me portant volontaire pour une mission aussi hasardeuse. Ça me donnait quelque chose à faire pendant que je levais le coude. Quelque chose de mieux que de me sentir coupable au sujet du type que j'avais tué. Ou, du moins, je l'espérais.

Il s'appelait August Krichbaum, et la plupart des journaux avaient signalé le meurtre car, était-il apparu, il y avait eu un témoin, si l'on peut dire, qui m'avait vu assener le coup mortel. Heureusement, ce témoin se penchait à une fenêtre du dernier étage de l'hôtel Deutscher Kaiser au moment de la mort de Krichbaum et n'avait aperçu que le haut de mon chapeau marron. Le portier me décrivait comme un homme d'une trentaine d'années avec une moustache. En lisant ça, je me serais sans doute rasé la moustache si j'en avais porté une. Seul motif de consolation : Krichbaum n'avait laissé derrière lui ni femme ni enfants. Ça plus le fait que c'était un ancien SA, membre du Parti nazi depuis 1929. En tout cas, je n'avais jamais eu l'intention de le tuer. Pas d'un seul coup de poing, même si le coup de poing en question avait diminué sa tension artérielle, ralenti son cœur avant de finir par l'arrêter complètement.

Comme à l'accoutumée, le Pavillon était plein de sténographes coiffées de chapeaux-cloches. J'allai jusqu'à parler avec plusieurs, mais aucune ne me sembla posséder ce que les clients de l'hôtel recherchaient avant tout chez une secrétaire, au-delà de son aptitude à taper à la machine et à prendre un texte en sténo. Et je savais quoi, même si Georg Behlert l'ignorait : la fille devait posséder un brin de glamour. Tout comme l'hôtel lui-même. Qualité et efficacité, telles étaient les caractéristiques qui faisaient le succès de l'Adlon. Mais le glamour, c'est ce qui faisait sa célébrité, et ce qui lui valait d'être toujours rempli de gens du meilleur monde. Bien sûr, cela le rendait aussi attirant pour des individus de la pire espèce. Mais c'est là que j'intervenais, et, dernièrement, un peu plus souvent le soir depuis le départ de Frieda. Car, en dépit du fait que les nazis avaient fermé presque tous les bars et cabarets qui avaient permis autrefois à Berlin de devenir synonyme de vice et de dépravation, il existait encore un nombre considérable de filles de joie qui se livraient à un commerce beaucoup plus discret dans les *maisons* de Friedrichstadt ou, plus fréquemment, au bar ou dans le hall des grands hôtels. Et, en quittant le Pavillon, je décidai de faire un saut à l'Adlon avant de rentrer chez moi. Histoire de prendre la température.

Alors que je descendais de taxi, Carl, le portier, s'approcha en tenant un parapluie. Il se débrouillait plutôt bien avec un pébroque, un sourire, la porte et pas grand-chose d'autre. Ce n'était pas ce que j'aurais appelé un métier, mais, en comptant les pourboires, il arrivait à se faire plus que moi. Beaucoup plus. Frieda le soupçonnait fortement d'avoir l'habitude d'accepter des bakchichs des prostituées pour les laisser entrer dans l'hôtel, mais aucun de nous n'avait jamais pu le prendre sur le fait ni en apporter la preuve. Flanqués de deux colonnes en pierre supportant chacune une lanterne de la grosseur d'un projectile d'obusier de 42 centimètres, nous restâmes un moment sur le trottoir, Carl et moi, pour fumer une cigarette et, de manière générale, exercer nos poumons. Au-dessus de la porte se trouvait un visage en pierre à l'expression hilare. Nul doute qu'il avait dû voir le tarif des chambres. À quinze marks la nuit, c'était presque un tiers de ce que je gagnais en une semaine.

Je pénétrai dans le hall d'entrée, saluai le nouveau réceptionniste en levant mon chapeau humide et adressai un clin d'œil aux chasseurs. Ils étaient environ huit. Assis sur une banquette en bois ciré, à bâiller comme une colonie de singes somnolents en attendant qu'une lumière les appelle à une tâche. À l'Adlon, il n'y avait pas de sonnettes. L'hôtel était toujours aussi tranquille que la grande salle de lecture de la Bibliothèque de Prusse. Les clients devaient sûrement apprécier, mais, pour ma part, j'aurais préféré un peu plus d'action et de vulgarité. Le buste en bronze du Kaiser, au sommet de la cheminée en marbre de Sienne aussi imposante que la porte de Brandebourg voisine, semblait l'avoir bien compris.

« Hé !

— Qui ? Moi, majesté ?

— Qu'est-ce que vous faites là, Gunther ? lança-t-il en tortillant le bout de sa moustache semblable à un albatros en vol. Vous devriez vous mettre à votre compte. L'époque que nous vivons est faite pour la racaille de votre espèce. Avec tous les gens qui disparaissent dans cette ville, un gaillard aussi dynamique que vous pourrait gagner grassement sa vie comme enquêteur privé. Et le plus tôt sera le mieux, je dirais. Après tout, vous n'avez pas vraiment le style de la maison, n'est-ce pas ? Pas avec des pieds pareils. Sans parler de vos manières.

— Qu'est-ce qu'elles ont mes manières, majesté ? »

Le Kaiser se mit à rire.

« Écoutez-vous. Cet accent, tout d'abord. Terrifiant. D'ailleurs, vous n'êtes même pas capable de dire "majesté" avec un semblant de conviction. Vous n'avez absolument aucun sens de la servilité. Ce qui vous rend plus ou moins inapte à l'industrie hôtelière. Je me demande comment Louis Adlon a bien pu vous embaucher. Vous êtes une brute. Et vous le serez toujours. Sinon, auriez-vous tué ce pauvre garçon, Krichbaum ? Croyez-moi. Vous n'avez pas votre place ici. »

Je regardai autour de moi le hall d'entrée au décor somptueux. Les piliers en marbre couleur de beurre clarifié. Il y avait encore plus de marbre sur le sol et les murs, comme si une carrière avait fait une vente promotionnelle de ce truc. Le Kaiser avait raison. Si je restais là plus longtemps, je risquais de me changer moi-même en marbre, un héros grec au torse musclé et aux fesses à l'air.

« J'aimerais bien m'en aller, majesté, dis-je au Kaiser. Malheureusement, je n'en ai pas les moyens. Pas encore. S'établir à son compte nécessite de l'argent.

— Pourquoi ne pas vous adresser à quelqu'un de votre tribu ? Et lui en emprunter ?

— Ma tribu ? Vous voulez dire… ?

— Un quart de sang juif ? Certainement, cela compte quand on essaie de trouver des fonds. »

Je me sentis en proie à l'indignation et à la colère, comme si on m'avait giflé. J'aurais pu lui répondre par une grossièreté. Comme la brute que j'étais. Sur ce point, il n'avait pas entièrement tort. Au lieu de ça, je décidai d'ignorer sa remarque. C'était le Kaiser, tout de même.

Montant au dernier étage, je commençai une ronde de fin de soirée du no man's land que constituaient, à cette heure tardive, les paliers et couloirs mal éclairés. Certes, j'avais de grands pieds, mais ils étaient parfaitement silencieux sur les épais tapis turcs. Hormis le léger craquement du cuir de mes meilleures Salamander, j'aurais pu passer pour le fantôme de Herr Jansen, le sous-directeur de l'hôtel qui s'était tiré une balle dans le crâne en 1913 à la suite d'un scandale impliquant un espion russe. On racontait que Jansen avait enveloppé le revolver dans une grosse serviette de bain pour que le bruit de la détonation ne dérange pas les clients. Je suis sûr qu'ils avaient été sensibles à cette délicatesse.

Comme je pénétrais dans l'extension de la Wilhelmstrasse, j'aperçus, au détour d'un couloir, la silhouette d'une femme en manteau d'été. Elle frappa doucement à une porte. Je me figeai, attendant de voir la suite. La porte demeura fermée. Elle frappa à nouveau et, cette fois, pressa son visage contre le panneau en bois.

« Hé, ouvrez-moi. Vous avez appelé la Pension Schmidt pour avoir de la compagnie féminine. Vous vous souvenez ? Eh bien, me voilà. » Elle attendit un instant avant d'ajouter : « Vous avez envie que je vous suce la bite ? J'aime bien sucer les bites. Et en plus, je m'y entends. » Elle poussa un soupir exaspéré. « Écoutez, m'sieur, je sais que je suis un peu en retard, mais ce n'est pas facile de dégoter un taxi quand il tombe des cordes, alors laissez-moi entrer, d'accord ?

– Pour ça, vous avez raison. J'ai dû pas mal chercher, moi aussi, pour en avoir un. De taxi. »

Elle pivota avec nervosité pour me faire face. Posant une main sur sa poitrine, elle laissa échapper une bouffée d'air qui se changea en rire.

« Oh, vous m'avez causé un sacré choc.

– Excusez-moi. Je ne voulais pas vous faire peur.

– Y a pas de mal. C'est votre chambre ?

– Hélas, non. »

Et je le pensais. Malgré le faible éclairage, on pouvait voir que c'était une beauté. Et assurément le sentir. Je m'avançai vers elle.

« Vous allez probablement me prendre pour la dernière des gourdes. Mais il semble que j'aie oublié mon numéro de chambre. Je dînais en bas avec mon mari, nous avons eu une dispute, et il est parti, vexé. Et voilà que je n'arrive plus à me rappeler si c'est notre chambre ou pas. »

Frieda Bamberger l'aurait jetée dehors et aurait averti la police. Et moi aussi, normalement. Mais, quelque part entre le Pavillon et l'Adlon, j'avais fait vœu de me montrer un peu plus indulgent, un peu moins enclin à juger. Sans parler d'être un peu moins prompt à donner des coups de poing dans le ventre à mon prochain. Je souris, admirant son toupet.

« Peut-être puis-je vous aider. Je travaille pour l'hôtel. Comment s'appelle votre mari ?

– Schmidt. »

Un choix judicieux, étant donné qu'elle avait déjà mentionné ce nom. Le seul problème, c'est que je savais que la Pension Schmidt était le bordel le plus chic de Berlin.

« Mmm-hmm.

– Nous ferions peut-être bien de descendre et de demander au réceptionniste s'il peut me dire quelle chambre je suis supposée avoir. »

C'était elle, pas moi. D'un sang-froid à toute épreuve.

« Oh, je parie que vous êtes à la bonne chambre. S'il faut en croire sa réputation, Kitty Schmidt n'est pas du genre à se tromper s'agissant d'une chose aussi élémentaire que communiquer le bon numéro de chambre à une de ses filles de joie. » Je tapai contre la porte avec le bord de mon chapeau. « Simplement, il arrive quelquefois que les cafards changent d'avis. Ils songent à leur femme, à leurs gosses et à leur santé sexuelle, et alors ils se mettent à paniquer. Il est probablement à l'intérieur, épiant chaque mot tout en faisant semblant de dormir, et prêt à se plaindre à la direction si jamais je le tire du lit en l'accusant de solliciter les services d'une fille.

— J'ai l'impression qu'il y a eu une erreur.

— Et c'est vous qui l'avez commise. » Je l'empoignai par le bras. « Vous feriez mieux de venir avec moi, Fräulein.

— Et si je me mettais à crier ? »

Je souris.

« Vous réveilleriez les clients. Vous ne voudriez pas faire une chose pareille. Le directeur de nuit viendrait, et je me verrais dans l'obligation d'appeler les flics, qui colleraient votre joli petit cul dans une cellule pour la nuit. » Je poussai un soupir. « D'un autre côté, il est tard, je suis fatigué, et je préférerais vous flanquer à la porte.

— Très bien », répondit-elle d'un ton jovial, et elle me laissa la ramener jusqu'à l'escalier, où la visibilité était meilleure.

En l'examinant plus attentivement, je vis que le manteau long qu'elle portait était joliment garni de fourrure. En dessous, elle avait une robe violette faite d'un tissu arachnéen, des bas de soie noirs à reflets argentés, une paire d'élégantes chaussures grises, deux longs rangs de perles, sans compter un petit chapeau-cloche violet également. Ses cheveux étaient châtains, coupés assez court, ses yeux verts, et elle était ravissante, dans le style mince et garçonnier encore à la mode malgré tous les efforts déployés par les nazis pour convaincre les femmes allemandes que c'était très bien d'avoir l'allure, la tenue et, qui sait, probablement aussi l'odeur d'une laitière. La fille en haut des marches à côté de moi n'aurait pas pu moins ressembler à une laitière si elle était arrivée là sur l'aile d'un obus poussé par des zéphyrs.

« Promettez-moi que vous n'allez pas me livrer aux flics, dit-elle tout en descendant l'escalier.

— Tant que vous êtes sage, entendu. Vous avez ma parole.

– Parce que, si je me retrouve devant un juge, il m'expédiera en taule et je perdrai mon boulot.

– C'est le nom que vous donnez à ça ?

– Oh, je ne parle pas des passes. Je michetonne seulement quand j'ai besoin de me faire des petits à-côtés pour aider ma mère. Non, je veux dire, mon vrai boulot. Si jamais je le perdais, je devrais devenir putain à plein temps, et ça ne me plairait pas. C'était peut-être différent il y a quelques années. Mais ça a changé. En beaucoup moins tolérant.

– Qu'est-ce qui a bien pu vous donner cette idée ?

– N'empêche, vous avez l'air d'un brave type.

– Certains ne partagent peut-être pas le même point de vue, remarquai-je d'un ton amer.

– Que voulez-vous dire ?

– Rien.

– Vous n'êtes pas juif ?

– J'en ai l'air ?

– Non. C'est la manière dont vous avez dit… ce que vous avez dit. Comme il arrive parfois aux Juifs. Notez que, pour moi, ce qu'est un homme n'a aucune importance. Je ne comprends pas qu'on fasse autant d'histoires autour de ça. Je n'ai encore jamais rencontré de Juif qui ressemble à ces caricatures stupides. Et je suis bien placée pour le savoir. Je travaille pour un Juif qui est l'homme le plus doux qu'on puisse espérer rencontrer.

– À quoi faire au juste ?

– Pas la peine de prendre ce ton, vous savez. Je ne suis pas assise sur sa figure, si c'est ce que vous insinuez. Je suis sténographe, chez Odol. La société de dentifrice. »

Elle sourit d'un air radieux, comme pour mettre ses dents en valeur.

« À l'Europa Haus ?

– Oui. Qu'est-ce qu'il y a de si drôle ?

– Rien. C'est seulement que j'en reviens. En fait, je vous cherchais.

– Vous me cherchiez ? Comment ça ?

– Laissez tomber. Qu'est-ce que fait votre patron ?

– Il dirige le service juridique. » Elle sourit à nouveau. « Je sais. C'est plutôt contradictoire, hein ? Que je travaille dans le juridique.

– Alors, vendre votre minou est juste un hobby, quoi ? »

Elle eut un haussement d'épaules.

« J'ai dit que j'avais besoin d'argent en plus, mais ce n'est qu'un aspect. Vous avez vu *Grand Hôtel* ?

– Le film ? Oui, bien sûr.

– Formidable, non ?

– Pas mal.

– Je crois que je suis un peu comme Flaemmchen. La fille que joue Joan Crawford. J'adore les grands hôtels comme celui du film. Comme l'Adlon. "Les gens vont et viennent, et il ne se passe rien." Mais ce n'est pas du tout comme ça, pas vrai ? Il se passe sûrement un tas de choses dans un endroit de ce genre. Beaucoup plus de choses que dans la vie de la plupart des gens ordinaires. J'adore en particulier l'atmosphère de cet hôtel. La classe. Le contact des draps. Et les salles de bains immenses. Vous n'avez pas idée combien j'aime les salles de bains de cet hôtel.

– Ce n'est pas un peu dangereux ? Les prostituées peuvent en voir de toutes les couleurs. Il y a un tas d'hommes à Berlin qui se plaisent à distiller la douleur. Hitler. Goering. Hess. Pour ne citer que ces trois-là.

– Raison de plus pour venir dans un hôtel comme l'Adlon. La plupart des types qui descendent ici savent se conduire. Ils traitent les filles gentiment. Poliment. De plus, si un truc tourne mal, je n'ai qu'à me mettre à crier pour que quelqu'un comme vous accoure. Bon, vous êtes quoi ? Vous ne faites pas l'effet de travailler à la réception. Pas avec les paluches que vous avez. Et vous n'êtes pas le flic maison. Pas celui que j'ai vu auparavant.

– Vous semblez avoir pensé à tout, dis-je, ignorant ses questions.

– Dans ce genre de métier, il vaut mieux avoir la tête sur les épaules.

– Et vous êtes une bonne sténographe ?

– Je n'ai jamais eu de plaintes. Je possède des diplômes de sténo et de dactylographie de l'école de secrétariat de Kürfurstendamm. Et avant ça, mon *Abitur*. »

Nous atteignîmes le hall, où le nouveau réceptionniste nous toisa avec suspicion. Je fis prendre à la fille un autre escalier, qui menait au sous-sol.

« Je pensais que vous alliez me flanquer dehors », dit-elle en jetant un regard en arrière à la porte d'entrée.

Je ne répondis pas. Je réfléchissais. Je me demandais : pourquoi ne pas remplacer Ilse Szrajbman par cette fille ? Elle est jolie, bien habillée, sympathique, intelligente et, à l'en croire, c'est une bonne sténographe par-dessus le marché. Ce qui était facile à vérifier. Il suffisait que je la mette devant une machine à écrire. Et, après tout, me disais-je, j'aurais très bien pu me rendre à l'Europahaus, tomber sur cette nana et lui offrir du travail sans me douter un instant de la manière dont elle jugeait bon de se faire de petits suppléments.

« Des condamnations ? »

Pour la plupart des Allemands, les putains ne différaient guère des criminels, mais j'avais connu suffisamment de femmes de plaisir dans ma vie pour savoir que nombre d'entre elles valaient beaucoup mieux que ça. Elles étaient souvent réfléchies, cultivées, astucieuses. En outre, celle-ci n'était pas précisément une novice. Elle connaissait parfaitement les façons de se comporter dans un grand hôtel comme l'Adlon. Ce n'était pas une dame, mais elle pouvait en donner l'illusion.

« Moi ? Aucune jusqu'à présent. »

Et pourtant. Toute mon expérience de policier me disait de ne pas me fier à elle. Il est vrai que mon expérience récente en tant qu'Allemand me disait de ne me fier à personne.

« Très bien. Venez à mon bureau. J'ai une proposition à vous faire. »

Elle se figea sur les marches.

« Je ne suis pas la soupe populaire, m'sieur.

— Relax. Ce n'est pas ce que je cherche. D'ailleurs, je suis du genre romantique. Au minimum, je m'attends à être invité à dîner au Kroll's Garten. J'aime les fleurs et le champagne, et une boîte de chocolats de chez Von Hövel. Puis, si la dame me plaît, il se peut que je la laisse m'emmener faire des emplettes à Gersons. Mais je tiens à vous avertir. Cela risque de prendre du temps avant que je me sente suffisamment à l'aise pour passer le week-end avec vous à Baden-Baden.

— Vous avez des goûts de luxe, Herr… ?

— Gunther.

— J'approuve. Ça coïncide avec les miens, à peu de choses près.

— Je l'aurais parié. »

Nous entrâmes dans le bureau des détectives. C'était une pièce sans fenêtre avec un lit de camp, une cheminée vide, une chaise, une table et un lavabo. Il y avait un rasoir et un bol à barbe sur une étagère au-dessus du lavabo, une planche à repasser et un fer à vapeur pour pouvoir donner un coup de fer à une chemise et avoir l'air vaguement convenable. Fritz Muller, l'autre détective maison, avait laissé une forte odeur de transpiration dans la pièce, mais l'odeur de cigarette et d'ennui venait entièrement de moi. Elle plissa le nez de dégoût.

« Alors, c'est comme ça, la vie sous les escaliers, hein ? Ne le prenez pas mal, mais, comparé au reste de l'hôtel, ça paraît un peu minable.

— Si l'on se base là-dessus, le château de Charlottenburg aussi. Bon, au sujet de cette proposition, Fräulein… ?

— Bauer. Dora Bauer.

— C'est votre vrai nom ?

— Vous ne voudriez pas que je vous en donne un autre.

— Et vous pouvez le prouver ?

— Monsieur, on est en Allemagne. »

Elle ouvrit son sac dont elle sortit plusieurs documents. L'un d'entre eux, en porc rouge, attira mon attention.

« Vous êtes membre du parti ?

— Quand on fait ce que je fais, il est préférable d'avoir des papiers de premier ordre. Celui-ci permet d'éviter toutes sortes de questions indésirables. La plupart des flics vous fichent la paix dès qu'ils voient une carte du parti.

— Je n'en doute pas. Et le jaune ?

— Ma carte de la Chambre de la culture. Quand je ne tape pas à la machine ou que je ne vends pas mon minou, je suis actrice. Je pensais qu'être membre du parti m'aiderait à décrocher quelques rôles.

Mais pas jusqu'ici. La dernière pièce où j'ai joué, c'était *La Boîte de Pandore*[1], au Kammerspiele, dans la Schumannstrasse. Je faisais Loulou. Il y a trois ans de ça. Alors je tape à la machine pour Herr Weiss chez Odol, en attendant mieux. Eh bien, de quoi s'agit-il?

— Simplement de ceci. Nous recevons un tas d'hommes d'affaires à l'Adlon. Quelques-uns ont besoin des services d'une sténographe à titre temporaire. Ils paient bien. Beaucoup plus que le tarif en vigueur pour un emploi de bureau. Peut-être pas autant que ce que vous gagneriez sur le dos en une heure, mais beaucoup mieux qu'Odol. De plus, c'est honnête et, par-dessus tout, sans risque. Et cela voudrait dire que vous pourriez entrer et sortir de l'Adlon de façon parfaitement licite.

— Vous êtes sérieux? » Il y avait un intérêt et un enthousiasme bien réels dans le ton de sa voix. « Travailler ici? À l'Adlon? Vraiment?

— Bien sûr que je suis sérieux.

— En haut? »

Je souris et hochai la tête.

« Vous souriez, Gunther, mais aujourd'hui, presque tous les boulots qu'on propose à une fille ont quelque chose de louche, croyez-moi.

— Pensez-vous que Herr Weiss vous donnerait une lettre de référence?

— Si je lui demandais gentiment, il me donnerait n'importe quoi, répondit-elle avec une expression suffisante. Merci. Merci bien, Gunther.

— Mais ne me laissez pas tomber, Dora. Si vous… » Je secouai la tête. « Ne faites pas ça, d'accord? Qui sait? Vous finirez peut-être même par épouser le ministre de l'Intérieur. Avec ce qu'il y a dans votre sac à main, je n'en serais pas du tout surpris.

— Eh, vous turbinez pour lui?

— Si seulement c'était vrai, Dora, si seulement c'était vrai. »

---

1. Pièce du dramaturge allemand Frank Wedekind (1902), dans laquelle Loulou, prostituée à Londres, est tuée par Jack l'Éventreur.

5

Le lendemain même, le client de la suite 114 signala un vol. C'était une des chambres de luxe, juste en face des bureaux de North German Lloyds, et, accompagné de Herr Behlert, le directeur de l'hôtel, j'allai l'interroger.

Max Reles était un Germano-Américain de New York. Grand, costaud, atteint d'un début de calvitie, avec des pieds comme des boîtes à chaussures et des poings aussi gros que des ballons de basket, il avait davantage l'allure d'un poulet que d'un homme d'affaires – du moins un poulet ayant les moyens d'acheter des cravates en soie chez Sparmann et ses costumes (à supposer qu'il n'ait pas prêté attention au boycott des magasins juifs) chez Rudolf Hertzog. Il sentait l'eau de Cologne, et ses boutons de manchettes en diamant n'étaient pas moins astiqués et luisants que ses chaussures.

Nous nous avançâmes dans la suite, Behlert et moi. Reles nous considéra tour à tour avec des yeux aussi minces que sa bouche. Ses traits taillés à la serpe affichaient une expression perpétuellement renfrognée. J'avais déjà vu des visages moins belliqueux sur des murs d'église.

« Eh bien, ce n'est pas trop tôt, s'exclama-t-il d'un ton bourru en me toisant de haut en bas comme si j'étais la recrue la plus mal dégrossie de son peloton. Vous êtes quoi ? Un flic ? En tout cas, on dirait. » Se tournant vers Behlert avec ce qui ressemblait à de la pitié, il ajouta : « Merde, Behlert, espèce de timbré, c'est quoi ce cirque de puces que vous dirigez ? Jésus Marie, si c'est ça le meilleur hôtel de Berlin, je préfère ne pas voir le pire. Je pensais que vous les nazis meniez une guerre impitoyable contre le crime. Dieu sait que vous ne vous privez pas de le clamer sur les toits, hein ? Ou c'est juste des salades pour les masses ? »

Behlert tenta de l'apaiser, mais sans résultat. Je décidai de le laisser rouspéter un moment.

De l'autre côté des hautes portes-fenêtres, il y avait un grand balcon en pierre, depuis lequel vous pouviez, selon votre humeur, saluer de la main votre public en adoration ou fulminer contre les Juifs. Voire les deux à la fois. Je m'approchai de la fenêtre, écartai le voilage et regardai à l'extérieur en attendant qu'il se calme. Si tant est que ce fût possible. Ce qui me paraissait douteux. Il parlait un excellent allemand pour un Américain, bien qu'avec une intonation plus chantante que nous les Berlinois, un peu comme un Bavarois, ce qui le trahissait.

« Vous ne le trouverez pas là, mon vieux.

— Pourtant, c'est probablement là qu'il se trouve. Je ne peux pas imaginer que le voleur soit encore dans l'hôtel. Et vous ?

— Qu'est-ce que c'est que ça ? La logique allemande ? Bon Dieu, mais qu'est-ce que vous avez, vous autres ? Vous pourriez peut-être essayer d'avoir l'air un peu plus inquiet. »

Il expédia un cigare comme une grenade à gaz vers la fenêtre devant moi. Behlert se précipita pour le ramasser. C'était ça ou laisser brûler le tapis.

« Peut-être que si vous nous disiez ce qui a disparu, monsieur, dis-je en me plantant en face de lui. Et ce qui vous fait penser au juste qu'on vous l'a volé.

— Ce qui me le fait penser ? Sapristi, est-ce que vous me traitez de menteur ?

— Pas du tout, Herr Reles. Ça ne me viendrait pas à l'idée avant d'avoir examiné tous les faits. »

La mine hargneuse de Reles fit place à de la perplexité tandis qu'il cherchait à comprendre si j'étais en train de l'insulter. Ce dont je n'étais pas certain moi-même.

Pendant ce temps, Behlert tenait le cendrier en cristal devant Reles tel un enfant de chœur s'apprêtant à aider un prêtre à donner la communion. Le cigare lui-même, humide et brun, faisait penser à une chose abandonnée par un petit chien, ce qui expliquait peut-être que Reles ne le remette pas dans sa bouche. Avec un ricanement dédaigneux, il repoussa le cendrier du revers de la main. C'est alors que j'aperçus les bagues en diamant à ses auriculaires, sans parler de ses ongles roses parfaitement manucurés. C'était comme trouver un camélia au fond d'un crachoir de boxeur.

Avec Behlert debout entre Reles et moi, je m'attendais presque à ce qu'il nous rappelle les règles du ring. Je n'avais pas une grande affection pour les Américains braillards, même quand ils braillaient dans un allemand parfait, et, hors de l'hôtel, ça ne m'aurait pas dérangé d'en faire la démonstration.

« Alors, quelle est votre version, Fritz ? me demanda Reles. Vous avez l'air trop jeune pour être détective d'hôtel. C'est un boulot pour un flic à la retraite, pas un blanc-bec comme vous. Sauf, bien sûr, si vous êtes un coco. Les nazis ne voudraient pas d'un flic qui a été coco. Le fait est que je n'ai pas beaucoup d'affection pour les rouges moi non plus.

— Je ne travaillerais pas ici si j'étais un rouge, Herr Reles. La décoratrice florale de l'hôtel n'aimerait pas beaucoup. Elle préfère le blanc au rouge. Et moi également. De plus, ce n'est pas ma version qui importe dans l'immédiat, c'est la vôtre. Aussi, essayons de nous en tenir là, voulez-vous ? Écoutez, monsieur, je vois bien que vous êtes contrarié. Même Helen Keller[1] s'en rendrait compte, mais, à moins de garder tous notre calme afin d'établir ce qui s'est passé ici, nous n'arriverons à rien. »

Reles sourit puis reprit le cigare juste au moment où Behlert enlevait le cendrier.

« Helen Keller, hein ? »

Avec un gloussement, il fourra le cigare dans sa bouche, tirant dessus pour le rallumer. Mais le tabac sembla consumer les quelques

---

1. Célèbre écrivaine, activiste et conférencière américaine (1880-1968). Bien que sourde et aveugle, elle devint la première handicapée à obtenir un diplôme universitaire.

traces de bonne humeur qu'il y avait en lui, et il revint à son état normal, qui semblait être une sorte de rage latente. Il désigna une commode. Comme la plus grande partie du mobilier de la suite, elle était en bois blond, style Biedermeier, et paraissait avoir été rôtie avec glaçage au miel.

— Sur ce meuble se trouvait une boîte chinoise en laque et bambou. Datant du début du dix-septième siècle, dynastie Ming, et de grande valeur. Je l'avais fait emballer et je m'apprêtais à l'expédier à quelqu'un aux États-Unis. J'ignore quand exactement elle a disparu. Peut-être hier. Ou peut-être la veille.

— Cette boîte avait quelle taille ?

— Environ vingt pouces de long sur un pied de large et trois ou quatre pouces de profondeur. »

Je tentai de convertir ça dans le système métrique et finis par y renoncer.

« Il y a une scène facilement reconnaissable peinte sur le couvercle. Des fonctionnaires chinois assis au bord d'un lac.

— Vous êtes collectionneur d'art chinois, monsieur ?

— Vous rigolez. Beaucoup trop… chinois à mon goût. J'aime mieux l'art un peu plus local.

— Dans la mesure où elle était emballée, auriez-vous pu demander au concierge de l'emporter et oublier ensuite ? Il nous arrive quelquefois d'être trop efficaces pour notre propre bien.

— Je n'avais pas remarqué.

— Si vous pouviez répondre à la question.

— Vous avez été flic, pas vrai ? » Reles poussa un soupir et se passa la main dans les cheveux comme pour s'assurer qu'ils étaient toujours là. « J'ai vérifié, d'accord ? Personne ne l'a envoyée.

— Dans ce cas, j'ai une autre question, monsieur. Qui d'autre a accès à cette chambre ? Cela pourrait être quelqu'un possédant une clé. Ou que vous auriez invité ici.

— Ce qui signifie ?

— Rien d'autre que ce que j'ai dit. Voyez-vous une personne qui aurait pu prendre cette boîte ?

— Vous voulez dire, à part la femme de chambre ?

— Je lui poserai la question, bien évidemment. »

Reles secoua la tête. Behlert se racla la gorge et leva la main pour intervenir.

« Il y a bien quelqu'un, hasarda-t-il.

— De quoi parlez-vous, Behlert ? » fit Reles d'un ton rogue.

Le directeur montra une table où, entre deux blocs de papier à lettres, trônait une machine à écrire portative Torpedo flambant neuve.

« Fräulein Szrajbman n'avait-elle pas l'habitude de venir prendre du courrier en sténo et de le taper ? Jusqu'à il y a deux ou trois jours ? »

Reles se mordit l'articulation.

« La sale garce ! » aboya-t-il avant de jeter à nouveau son cigare.

En l'occurrence, il fila à travers la porte de la salle de bains attenante, rebondit contre le mur carrelé et atterrit gentiment dans la baignoire de la dimension d'un U-boat. Behlert haussa derechef les sourcils et alla le récupérer encore une fois.

« Vous avez raison, dis-je. J'ai été flic. J'ai travaillé aux Homicides pendant près de dix ans, jusqu'à ce que mon allégeance à la vieille république et aux principes fondamentaux de la justice me fasse considérer comme excédant les nouveaux besoins. Mais, en cours de route, j'ai acquis pas mal de flair en matière d'enquête criminelle. Bon. Il est clair pour moi que vous la soupçonnez de l'avoir prise et, qui plus est, que vous avez une assez bonne idée du motif. Si nous étions dans un poste de police, je vous interrogerais probablement sur ce point. Mais, en tant que client de cet hôtel, vous êtes libre de me le dire ou non. Monsieur.

— Nous nous sommes disputés à propos d'argent, répondit-il tranquillement. De son nombre d'heures de travail.

— C'est tout ?

— Naturellement. Qu'est-ce que vous insinuez ?

— Je n'insinue rien. Mais je connaissais assez bien Fräulein Szrajbman. Elle était très consciencieuse. Raison pour laquelle l'Adlon vous l'a recommandée en premier lieu.

— C'est une voleuse, rétorqua Reles d'un ton sans appel. Eh bien, qu'avez-vous l'intention de faire à ce sujet ?

– Je remettrai sur-le-champ l'affaire entre les mains de la police, si c'est ce que vous désirez.

– Vous avez sacrément raison. Dites à vos vieux copains de se grouiller, et je témoignerai sous serment, ou ce que font d'habitude les pieds-plats de votre espèce dans cette usine à saucisses qui vous sert de pays. Quand ils veulent. Et maintenant, sortez d'ici avant que je perde mon sang-froid. »

Je faillis lui répondre qu'avant de perdre son sang-froid encore faudrait-il qu'il soit capable de le garder, et que, si ses parents lui avaient appris à parler un bon allemand, ils avaient apparemment oublié de lui inculquer les bonnes manières allemandes allant avec. Au lieu de ça, je restai bouche cousue, ce qui, comme Hedda Adlon se plaisait à me le rappeler, entrait pour une grande partie dans le fonctionnement d'un hôtel convenable.

Que, désormais, cela entrât également pour une grande partie dans la définition d'un Allemand convenable n'était pas la question.

6

Deux schupos, avec des bandes molletières et des imperméables en caoutchouc à cause de la pluie battante, montaient la garde à l'entrée principale du Präsidium de la police sur l'Alexanderplatz. « Präsidium » vient d'un mot latin signifiant « protection », mais, dans la mesure où l'Alex se trouvait désormais sous la coupe d'une bande de voyous et d'assassins, il était difficile de savoir qui protégeait qui contre qui. Un problème semblable se posa aux deux agents en uniforme. En me reconnaissant, ils se demandèrent s'ils devaient me saluer ou m'étendre raide.

Comme d'habitude, le hall d'entrée empestait la cigarette, le café bon marché, les corps sales et le graillon. Lorsque j'arrivai, le marchand de Würste du coin venait juste de passer pour vendre des saucisses bouillies aux flics déjeunant à leur bureau. Le Max — on les appelait toujours Max — portait un manteau blanc, un chapeau haut-de-forme et, comme le voulait la tradition, une petite moustache qu'il avait dessinée avec un crayon à sourcils. Ses moustaches étaient plus longues que dans mon souvenir et continueraient probablement à l'être tandis que Hitler continuerait avec un timbre-poste sur la lèvre supérieure. Une question qu'il m'arrivait souvent de me poser : quelqu'un avait-il jamais osé demander à Hitler s'il pouvait sentir le gaz, parce que c'est de ça qu'il avait l'air — un renifleur de gaz. On en voyait quelquefois dans les rues enfoncer de longs tuyaux dans des orifices puis flairer l'extrémité ouverte pour détecter des fuites. Cela leur faisait la même tache caractéristique sur la lèvre supérieure.

« Voilà un moment qu'on ne vous a pas vu, Herr Kommissar », dit le Max.

L'ustensile carré servant à faire bouillir les saucisses, suspendu à une lanière autour de son cou, ressemblait à un accordéon à vapeur.

« J'ai été absent quelque temps. Sans doute un truc que j'ai mangé.

— Très drôle, j'en suis sûr.

— Dis-lui, Bernie, fit une voix. Nous avons plus de saucisses qu'il n'en faut à l'Alex, mais, côté rigolade, on est encore loin de la saturation. »

Je regardai autour de moi et vis Otto Trettin traverser le hall dans ma direction.

« Bon sang, qu'est-ce que tu fais ici ? demanda-t-il. Ne me dis pas que tu es une violette de mars, toi aussi.

— Je suis venu signaler un délit à l'Adlon.

— Le plus grand délit à l'Adlon, c'est ce qu'ils font payer pour un plat de saucisses, hein, Max ?

— Vous pouvez le dire, Herr Trettin.

— Mais après ça, ajoutai-je, je comptais t'offrir une bière.

— Alors la bière d'abord. La déclaration ensuite. »

Nous traversâmes la rue, Otto et moi, pour aller au Zum, dans les arcades de la station de S-Bahn. Les flics aimaient bien cet endroit parce que avec les rames passant sans arrêt au-dessus de votre tête, on pouvait difficilement entendre vos paroles. Ce qui revêtait d'autant plus d'importance dans le cas d'Otto Trettin, j'imagine, qu'il était connu pour tricher sur ses notes de frais et que, vraisemblablement, il ne répugnait pas à mettre du beurre extrêmement douteux dans ses épinards. Malgré tout, c'était encore un bon flic, un des meilleurs de l'Alex avant la purge de la police, et, bien qu'il ne fût pas membre du parti, les nazis semblaient l'avoir à la bonne. Otto avait toujours eu la main un peu lourde ; il s'était illustré en passant à tabac les frères Sass, ce qui, à l'époque, constituait une sérieuse entorse à l'éthique de la police même s'ils l'avaient certainement mérité, et c'était sans nul doute une des raisons qui lui avaient permis de trouver grâce aux yeux du nouveau gouvernement. Un peu de justice musclée n'était pas fait pour déplaire aux nazis. À cet égard, on pouvait peut-être s'étonner que je ne fasse plus partie de la maison.

« Je prendrai une Landwehr-Deckel[1], dit Trettin.

— Mettez-en deux », dis-je au serveur.

Baptisée ainsi d'après le célèbre canal de Berlin, à la surface souvent polluée par une couche de pétrole ou d'essence, une Landwehr-Deckel était une bière avec du cognac. Nous les avalâmes en un rien de temps et en commandâmes deux autres.

« Tu es un beau salaud, Gunther. Maintenant que tu es parti, je n'ai plus personne à qui parler. Personne de confiance, s'entend.

— Et ton coauteur bien-aimé, Erich ? »

Trettin et Erich Liebermann von Sonnenberg avaient publié un livre ensemble l'année précédente. *Affaires criminelles* n'était rien d'autre qu'un recueil d'anecdotes concocté à partir d'un ratissage des vieux dossiers de la Kripo. Mais qui leur avait rapporté, personne n'en doutait. Tricher sur ses notes de frais, doubler ses heures supplémentaires, accepter des pots-de-vin de temps à autre, et maintenant un bouquin déjà traduit en anglais, Otto Trettin semblait toujours savoir comment gagner de l'argent.

« Erich ? On ne se voit plus beaucoup depuis qu'il est à la tête de la police de Berlin. Et qu'il s'est mis à péter plus haut que son cul. Tu m'as laissé dans une jolie galère, tu sais ça ?

— Je n'arrive pas à te plaindre. Pas après avoir lu ton fichu bouquin. Tu t'es servi d'un de mes dossiers, et tu n'as même pas cité mon nom. En l'occurrence, tu as fait don des bracelets à von Barchman. Si encore il était nazi, je comprendrais. Mais ce n'est pas le cas.

— Il m'a payé pour le faire mousser. Cent marks pour qu'il en jette.

— Tu veux rire.

— Non. Encore que ce soit sans importance. Il est mort.

— Je ne savais pas.

— Bien sûr que si. Simplement, tu as oublié. Toutes sortes de gens meurent, et on n'y pense plus. Fatty Arbuckle. Stefan George.

---

1. Littéralement : couvercle de la Landwehr.

Hindenburg. L'Alex ne fait pas exception. Prends ce flic qui s'est fait buter l'autre jour. On a déjà oublié son nom.

— August Krichbaum.

— Tout le monde sauf toi. » Il secoua la tête. « Tu vois ce que je veux dire ? Tu es un bon flic. Tu n'aurais jamais dû te tirer. » Il leva sa bière. « Aux morts. Où serions-nous sans eux ?

— Doucement, dis-je tandis qu'il vidait une seconde fois son verre.

— J'ai eu une matinée d'enfer. Je suis allé à la prison de Plötzensee avec une cargaison de gros bonnets de la police, et le Führer. Maintenant, demande-moi pourquoi.

— Pourquoi ?

— Parce que ce zigue voulait voir le couperet en action. »

Le couperet, c'est ainsi que nous autres Allemands appelions avec délicatesse la guillotine.

Otto fit signe au serveur d'apporter une troisième tournée.

« Tu as assisté à une exécution, avec Hitler ?

— Exact.

— Il n'y avait rien dans la presse concernant une exécution. Qui était-ce ?

— Un malheureux communiste. Un gamin, en fait. Toujours est-il que Hitler a regardé ça et s'est déclaré très impressionné. À tel point qu'il a passé commande de vingt nouvelles machines au fabricant à Tegel. Une pour chaque grande ville. Il souriait en repartant. On ne peut pas en dire autant de ce pauvre coco. Je n'en avais encore jamais vu une. C'est l'idée de Goering de nous faire assister à ça, apparemment. Pour que nous ayons bien conscience de la gravité de la mission historique que nous nous sommes fixée… ou une connerie de ce genre. Eh bien, ça a une sacrée gravité, ce couperet, tu peux me croire. Tu en as déjà vu un à l'œuvre ?

— Une seule fois. Gormann l'étrangleur.

— Ouais, bien sûr. Alors, tu sais ce que c'est. » Otto secoua la tête. « Bon Dieu, je m'en souviendrai toute ma vie. Ce bruit terrifiant. N'empêche que le coco a pris ça plutôt bien. Quand le gars a vu que Hitler était là, il s'est mis à chanter *L'Internationale*. Du moins, jusqu'à ce que quelqu'un le gifle. Maintenant, demande-moi pour-quoi je te raconte tout ça.

— Parce que tu adores foutre la pétoche aux gens, Otto. Tu as tou-jours été un sentimental.

— Si je te le raconte, c'est parce que les types comme toi ont besoin de le savoir.

— Les types comme moi. Qu'est-ce que ça veut dire ?

— Tu as une grande gueule, mon vieux. C'est pourquoi il faut que tu comprennes que ces enfoirés ne jouent pas à un jeu. Ils sont au pouvoir et ils ont bien l'intention d'y rester, quel que soit le coût. L'année dernière, il n'y a eu que quatre exécutions à Plötzensee. Cette année, il y en a déjà eu douze. Et ça ne fera qu'empirer. »

Une rame passa dans un grondement de tonnerre au-dessus de nos têtes, rendant toute conversation inutile pendant près d'une minute. On aurait dit le bruit interminable d'un gigantesque couperet.

« C'est le problème avec les trucs qui empirent, fis-je remarquer. On s'imagine que ça ne peut pas aller au-delà, pour s'apercevoir bien souvent que ça ne fait que commencer. C'est en tout cas ce que m'a laissé entendre le collègue de la section juive de la Gestapo. On prépare actuellement de nouvelles lois, ce qui signifie que ma grand-mère n'était pas tout à fait assez allemande. Non que ça change grand-chose pour elle. Elle est morte, elle aussi. Mais il semble que ça va changer quelque chose pour moi. Si tu vois ce que je veux dire.

— Comme le nez au milieu de la figure.

— Exactement. Étant donné que tu es un expert en matière de contrefaçon et de falsification, je me demandais si tu ne connaissais pas quelqu'un qui pourrait m'aider à perdre ma kippa. Je pensais qu'une croix de fer était le seul brevet dont j'avais besoin pour être allemand. Mais il semblerait que non.

— Les pires problèmes d'un Allemand commencent toujours lorsqu'il se met à réfléchir à ce que signifie être allemand. » Otto poussa un soupir et s'essuya la bouche avec le revers de la main. « Courage, youpin. Tu n'es pas le premier à avoir besoin d'une trans-fusion aryenne. Comme on appelle ça ces temps-ci. Mon grand-père paternel était manouche. C'est de lui que je tiens ma beauté latine.

– Je n'ai jamais compris ce qu'ils avaient contre les Tziganes.

– À mon avis, ça a quelque chose à voir avec la cartomancie. Hitler ne veut pas qu'on sache quel avenir il a prévu pour l'Allemagne.

– Ça ou le prix des pinces à linge, je suppose. »

Les Tziganes vendaient toujours des pinces à linge.

Otto sortit un joli Pelikan en or de la poche de son manteau et se mit à griffonner un nom et une adresse sur un bout de papier.

« Emil coûte une fortune, mais ne va pas croire, malgré la réputation de ta tribu d'être dure en affaires, qu'il ne les vaut pas, ce serait une erreur. Dis-lui bien que tu viens de ma part et, si nécessaire, rappelle-lui que la seule raison pour laquelle il ne se gèle pas les nougats au Coup de poing, c'est que j'ai paumé son dossier. Mais dans un endroit où je dois certainement pouvoir remettre la main dessus. »

Le Coup de poing, c'est ainsi que la police et la pègre de Berlin avaient surnommé l'ensemble formé par la cour de justice et la prison de Moabit ; Moabit étant un quartier largement ouvrier, quelqu'un avait qualifié la prison de « coup de poing impérial dans la figure du prolétariat berlinois ». De fait, vous étiez à peu près sûr de vous faire rectifier le portrait en allant là-bas, quelle que soit la classe sociale à laquelle vous apparteniez. C'était sans aucun doute la prison la plus dure de la capitale.

Il me détailla ce que contenait le dossier d'Emil Linthe afin que je puisse en faire un usage approprié quand je lui parlerais.

« Merci, Otto.

– Ce délit à l'Adlon, dit-il. Est-ce qu'il y a quelque chose pour bibi là-dedans ? Par exemple, une brave fille écoulant des chèques en bois ?

– C'est du menu fretin pour un flic comme toi. Une boîte ancienne appartenant à un des clients a été volée. D'ailleurs, je crois déjà savoir qui a fait le coup.

– Encore mieux. On m'en attribuera le mérite. Qui est-ce ?

– La sténographe d'un crâneur d'Amerloque. Une jeune Juive qui a déjà quitté Berlin.

– Mignonne ?

– Laisse tomber, Otto. Elle est repartie à Dantzig.

— Dantzig, pas mal. Ça me ferait un petit voyage d'agrément. » Il finit son verre. « Allez, viens. On retourne en face. Je peux être prêt dès que tu as achevé la déposition. Je me demande pourquoi elle est allée à Dantzig. Je croyais que les Juifs fichaient le camp de là-bas. Surtout maintenant que la ville est devenue nazie. Du reste, ils ne peuvent pas sentir les Berlinois, à Dantzig.

— Comme partout ailleurs en Allemagne. On achète de la bière au reste du pays et il nous déteste quand même. » Je terminai mon cognac. « L'herbe est toujours plus verte dans le champ du voisin, je présume.

— Je pensais que tout le monde savait que Berlin est la ville la plus tolérante d'Allemagne. En premier lieu, ça a toujours été le seul endroit à pouvoir supporter la présence du gouvernement allemand. Dantzig. Je te demande un peu !

— Alors, on aurait intérêt à se dépêcher avant qu'elle comprenne sa méprise et qu'elle fasse demi-tour. »

7

Comme à l'accoutumée, la réception de l'Alex offrait une scène de foule à la Jérôme Bosch. Une femme ayant la trogne d'Érasme et une vessie de porc rosâtre en guise de chapeau signalait un cambriolage à un sergent de permanence dont les oreilles disproportionnées semblaient avoir appartenu à quelqu'un d'autre puis avoir été sectionnées et collées de chaque côté de sa tête de chacal en même temps qu'un crayon et une cigarette roulée encore intacte. Deux malfrats particulièrement repoussants – leur gueule ensanglantée portant les stigmates ataviques de la criminalité, leurs mains menottées derrière leur dos difforme – étaient poussés le long d'un couloir mal éclairé conduisant aux cellules et à une probable offre d'emploi de la part de la SS. Une femme de ménage, qui aurait eu bien besoin de se raser, essuyait une mare de vomi sur le linoléum marronnasse, une cigarette serrée fermement entre ses lèvres à cause de l'odeur. Un jeune garçon à l'air désemparé, son visage crasseux strié de larmes, attendait craintivement dans un coin sous une énorme toile d'araignée en se balançant sur ses fesses décharnées et en se demandant probablement s'il obtiendrait une mise en liberté provisoire. Un avocat au teint pâle et aux yeux de lapin, portant une serviette aussi volumineuse que la truie bien nourrie dont le cuir avait servi à la fabriquer, demandait à voir son client, sauf que personne ne l'écoutait. Quelque part, quelqu'un protestait en invoquant son passé irréprochable et sa totale innocence. Pendant ce temps, un flic avait retiré son *shako*[1] en cuir noir pour montrer à un collègue schupo une grande ecchymose violette sur son crâne tondu : probablement une pensée faisant une vaine tentative pour s'échapper de son crâne.

C'était bizarre d'être à nouveau à l'Alex. Bizarre et excitant. Je me dis que Martin Luther avait dû éprouver la même impression lorsqu'il s'était présenté devant la diète de Worms pour se défendre de l'accusation d'avoir salopé la porte de la chapelle de Wittenberg. Tant de visages familiers. Quelques-uns me regardaient comme si j'étais le fils prodigue, mais un nombre nettement supérieur semblait me prendre pour le veau gras.

Berlin Alexanderplatz. J'aurais pu dire une chose ou deux à Alfred Döblin.

Otto Trettin me fit passer derrière le comptoir et pria un jeune flic en uniforme de prendre ma déposition.

Le flic avait dans les vingt-cinq ans et, contrairement aux normes de la Schupo, l'esprit aussi vif que l'écusson de son étui à cartouches. À peine avait-il commencé à taper ma déposition qu'il se figea, rongea un ongle déjà bien entamé, alluma une cigarette et se rendit en silence jusqu'à un classeur de la taille d'une Mercedes installé au milieu de l'immense salle. Il était plus grand que je ne l'avais supposé. Et plus mince aussi. Ça ne faisait pas assez longtemps qu'il était là pour avoir contracté le goût de la bière et une bedaine de femme enceinte, comme tout schupo qui se respecte. Il revint en lisant, ce qui, à l'Alex, représentait un miracle en soi.

« Je savais bien, déclara-t-il en tendant le dossier à Otto, mais sans me quitter des yeux. La pièce dont vous parlez a déjà fait l'objet d'une déclaration de vol hier. C'est moi-même qui ai noté les renseignements.

— Coffret chinois laqué et osier, dit Otto en parcourant le rapport. Cinquante centimètres par trente centimètres par dix centimètres. »

Je tentai de convertir ces dimensions dans le système impérial et y renonçai.

---

1. Couvre-chef en forme de cône tronqué avec une visière, d'abord porté par l'armée prussienne.

« Dix-septième siècle, dynastie Mong. » Otto me regarda. « On dirait la même boîte, Bernie ?

— Dynastie Ming, rectifiai-je. C'est Ming.

— Ming, Mong, quelle différence ?

— Ou bien c'est la même boîte, ou bien elles sont aussi répandues que les bretzels. Qui a fait cette déclaration ?

— Un certain Dr Martin Stock, répondit le jeune flic. Du Musée d'art asiatique. Il avait l'air de drôlement s'y connaître.

— Quel genre ?

— Oh, vous savez. Le genre qu'on imagine bien travaillant dans un musée. La soixantaine, moustache grise, barbiche blanche, chauve, myope, corpulent – il me rappelait le morse du zoo. Il portait un nœud papillon…

— J'ai déjà vu ça, dit Otto. Un morse portant un nœud papillon. » Le flic sourit puis continua.

« Demi-guêtres, rien à son revers. Je veux dire, pas d'insigne du parti ni quoi que ce soit. Et il avait un costume Bruno Kuczorski.

— Voilà qu'il se met à frimer, commenta Otto.

— J'ai aperçu l'étiquette à l'intérieur de sa veste quand il a sorti son mouchoir pour s'éponger le front. Un anxieux. Mais on l'aurait deviné au mouchoir.

— Plié au carré ?

— Comme s'il avait avalé un nécessaire de géométrie.

— Comment vous appelez-vous, fiston ?

— Heinz Seldte.

— Eh bien, Heinz Seldte, à mon avis, vous devriez laisser tomber ce travail de bureau pour obèses et devenir flic.

— Merci, monsieur.

— Alors, qu'est-ce que c'est que ce trafic, Gunther ? demanda Otto. Tu essaies de me tourner en ridicule ou quoi ?

— C'est moi qui me sens ridicule. » J'arrachai la feuille et les doubles de la machine à écrire de Seldte et les roulai en boule. « Je devrais peut-être aller pousser la tyrolienne dans certaines oreilles, comme Johnny Weissmuller, pour voir ce qui sort de la jungle. » Je pris la déposition du Dr Stock dans le dossier de police. « Je peux emprunter ça, Otto ? »

Otto se tourna vers Seldte, qui lui répondit par un haussement d'épaules.

« Pas de problème de notre côté, je présume. Mais tu nous tiendras informés de ce que tu trouves, Bernie. Le vol de la dynastie Ming Mong devient à partir de maintenant une enquête prioritaire pour la Kripo. Nous devons songer à notre réputation.

– Je n'y manquerai pas, je te le promets. »

Et j'étais sérieux par-dessus le marché. Ça allait être un plaisir de se sentir à nouveau un vrai détective au lieu d'un hareng d'hôtel. Mais, comme le disait un jour Emmanuel Kant, c'est fou comme on peut se tromper de manière catégorique sur un tas de trucs qu'on croyait vrais.

La plupart des musées se dressaient sur une petite île au milieu de la ville, cernée par les eaux sombres de la Spree, comme si ceux qui les avaient fait construire avaient estimé que Berlin avait intérêt à maintenir sa culture à l'écart de l'État. Idée à laquelle, comme j'étais sur le point de le découvrir, on aurait dû attacher beaucoup plus d'importance qu'on n'aurait pu le penser.

Cependant, le Musée ethnologique, situé autrefois dans la Prinz-Albrecht-Strasse, se trouvait à présent à Dahlem, à l'ouest de Berlin. Je me rendis là-bas en métro – en prenant la ligne de Wilmersdorf jusqu'à Dahlem-Dorf –, avant d'aller à pied au Musée d'art asiatique. C'était un bâtiment de trois étages en brique rouge relativement moderne, entouré de villas et de manoirs luxueux, équipés de portails et même de chiens imposants. Les lois étant faites pour protéger les faubourgs tels que Dahlem, on comprenait mal ce que fabriquaient les deux membres de la Gestapo à l'intérieur d'une W[1] noire stationnée devant l'église confessante[2] voisine, jusqu'à ce que je me souvienne qu'il y avait à Dahlem un pasteur nommé Martin Niemöller, connu pour son opposition au « paragraphe aryen », comme on disait. À moins que les deux pandores n'aient quelque chose à confesser.

---

1. Logo de la firme allemande Wanderer. Créée en 1885, elle construisit des voitures civiles sous cette marque jusqu'en 1941.

2. Mouvement protestant opposé à la mise en place d'une Église protestante du Reich.

J'entrai dans le musée, ouvris la première porte marquée « PRIVÉ »
et me retrouvai face à une secrétaire plutôt charmante, assise derrière
une Carmen à trois rangées, avec des yeux Maybelline et une bouche
encore mieux peinte que le portrait favori de Holbein. Elle portait
une jupe à carreaux, tout un souk de bracelets en cuivre qui tintin-
nabulaient à son poignet comme de minuscules téléphones et une
expression passablement sévère, qui m'incita presque à rajuster mon
nœud de cravate.

« Puis-je vous aider ? »

J'étais sûr que oui, mais je préférais ne pas lui préciser de quelle
façon. Au lieu de ça, je m'assis sur un coin de son bureau et croisai les
bras, histoire de garder mes mains à distance de sa poitrine. Ce qui
ne lui plut pas. Son bureau avait l'air aussi bien rangé que l'étalage
dans une vitrine de grand magasin.

« Herr Stock est là ?

— Dr Stock. Si vous aviez rendez-vous, je pense que vous le sauriez.

— Non. Je n'ai pas rendez-vous.

— Dans ce cas, il est occupé. »

Elle lança involontairement un regard vers la porte à l'autre bout
de la pièce, comme si elle espérait que je serais parti avant qu'elle se
rouvre.

« Je gage qu'il fait beaucoup ça. Être occupé. Les hommes comme
lui le sont toujours. Eh bien, si c'était moi, je vous donnerais une
petite dictée ou peut-être que je signerais quelques lettres que vous
auriez tapées avec ces mains adorables qui sont les vôtres.

— Parce que vous savez écrire ?

— Bien sûr. Je sais même taper à la machine. Pas aussi bien que
vous, je parie. Mais je vous laisse juge. » Je glissai ma main dans ma
veste et en tirai la déposition que j'avais empruntée à l'Alex. « Tenez,
fis-je en la lui passant. Jetez un coup d'œil et dites-moi ce que vous
en pensez. »

Elle la regarda, et ses yeux s'agrandirent de plusieurs dia-
phragmes.

« Vous êtes du Präsidium de la police, sur l'Alexanderplatz ?

— Je ne vous l'ai pas dit ? J'arrive de là-bas en métro. »

Ce qui était vrai, jusqu'à un certain point. Si elle ou Stock demandait à voir une plaque d'identité, je n'irais nulle part, raison pour laquelle je me comportais comme un tas de vrais flics de l'Alex. Un Berlinois est quelqu'un qui pense qu'il vaut mieux se montrer un tout petit peu moins poli que le commun des mortels ne le juge nécessaire. Et la plupart des flics de Berlin étaient loin d'atteindre un niveau aussi élevé. J'allumai une cigarette, soufflai la fumée dans sa direction, puis désignai d'un signe du menton un morceau de roche posé sur une étagère derrière sa tête à la coiffure impeccable.

« C'est un svastika, sur cette pierre ?

– Un sceau, répondit-elle. De la civilisation de la vallée de l'Hindus. Vieux d'environ 1 500 ans avant Jésus-Christ. Le svastika était un important symbole religieux de nos lointains ancêtres. »

Je lui souris.

« À moins qu'ils n'aient voulu nous avertir de quelque chose. »

Elle se leva de derrière la machine à écrire et traversa prestement le bureau pour aller chercher le Dr Stock. Ce qui me laissa le loisir d'examiner les courbes et coutures de ses bas, si parfaites qu'elles semblaient avoir été conçues dans un cours de dessin industriel. J'ai toujours détesté le dessin industriel, mais j'aurais peut-être été nettement meilleur si on m'avait demandé de m'asseoir derrière une gentille fille et d'essayer de tracer deux ou trois lignes droites sur ses mollets.

Stock était moins agréable à regarder que sa secrétaire, mais en tout point conforme à la description que Heinz Seldte avait donnée de lui à l'Alex. Un personnage de cire berlinois.

« Voilà qui est très embarrassant, gémit-il. Il y a eu un terrible malentendu, dont je suis affreusement désolé. » Il s'approcha suffisamment pour que je détecte les pastilles de menthe dans son haleine, ce qui changeait agréablement de la majorité des gens avec qui j'avais l'habitude de parler, après quoi, se fendant d'une courbette, il se confondit en excuses. « Affreusement désolé, vraiment. Il semblerait que le coffret dont j'ai signalé le vol n'ait nullement été volé. Seulement égaré.

– Comment est-ce possible ?

— Nous avons déménagé la collection Fischer du vieux Musée ethnologique, dans la Prinz-Albrecht Strasse, à nos nouveaux locaux de Dahlem, et il règne le plus grand désordre. Le guide officiel de nos collections est épuisé. Beaucoup d'objets ont été mal rangés ou étiquetés de façon erronée. J'ai bien peur que vous n'ayez fait le voyage pour rien. En métro, avez-vous dit? Le musée a probablement les moyens de payer un taxi pour vous ramener au Präsidium de la police. C'est bien le moins que nous puissions faire pour compenser ce désagrément.

— Ainsi, la boîte se trouve à nouveau en votre possession? » demandai-je sans prêter attention à ses bêlements.

Stock parut gêné.

« Il conviendrait peut-être que je m'en assure par moi-même, dis-je.

— Pourquoi?

— Pourquoi? » Je haussai les épaules. « Parce que vous l'avez déclarée volée, voilà pourquoi. Et maintenant, vous prétendez qu'elle a été retrouvée. Ce qu'il y a, monsieur, c'est que je dois rédiger un rapport, en trois exemplaires. Certaines procédures doivent être respectées. Et, si cette boîte ne peut pas être produite, je ne vois pas très bien comment je pourrais clore le dossier de sa disparition. Voyez-vous, en un sens, dès l'instant où je tape qu'elle a été retrouvée, je deviens moi-même responsable. C'est logique, non?

— Eh bien, le fait est… »

Il regarda sa secrétaire et se tortilla deux ou trois fois comme s'il était accroché à un hameçon.

Celle-ci me fixa avec des épingles à chapeau dans les yeux.

« Il vaudrait peut-être mieux que vous veniez dans mon bureau, Herr…

— Trettin. Kriminal-Kommissar Trettin. »

Je le suivis dans son bureau, dont il referma aussitôt la porte derrière moi. Sans la dimension et l'opulence de la pièce, j'aurais probablement dû avoir pitié de lui. Partout, ce n'était qu'objets chinois et estampes japonaises, encore qu'il aurait fort bien pu s'agir d'estampes chinoises et d'objets japonais. Cette année, je n'étais pas tout à fait au point en matière d'antiquités asiatiques.

« Ça doit être passionnant de travailler dans un endroit comme celui-ci.

— Vous vous intéressez à l'histoire, Kommissar ?

— Une des choses que j'ai apprises, c'est que, si notre histoire était un peu moins intéressante, nous nous en porterions sans doute beaucoup mieux. Bon, et cette boîte ?

— Oh, mon Dieu, comment vous expliquer cela sans que ça ait l'air suspect ?

— Inutile de finasser. Dites les choses comme elles sont. Juste la vérité.

— C'est ma préoccupation de chaque instant, protesta-t-il sur un ton pompeux.

— Je n'en doute pas, répliquai-je d'une voix plus ferme. Écoutez, cessez de me faire perdre mon temps, Herr Doktor. Cette boîte, vous l'avez ou pas ?

— Ne me bousculez pas, je vous prie.

— Bah voyons, j'ai toute la journée à gaspiller avec cette affaire.

— C'est un peu compliqué, voyez-vous.

— Croyez-moi, la vérité est rarement compliquée. »

Je m'assis dans un fauteuil. Sans y être invité. Mais ça n'avait plus d'importance à présent. Je n'avais rien à vendre. Et rien à acheter non plus, tandis que j'étais bien campé sur mes positions. Je sortis un calepin et tapotai un crayon sur ma langue. Prendre des notes durant une conversation a le don de mettre les gens au pas.

« Eh bien, voyez-vous, le musée dépend désormais du ministère de l'Intérieur. Et, alors que les collections se trouvaient encore Prinz-Albrecht-Strasse, le ministre, Herr Frick, est tombé dessus par hasard et a décidé que quelques objets serviraient un but plus utile comme présents diplomatiques. Est-ce que vous comprenez ce que je veux dire, Kommissar Trettin ? »

Je souris.

« Je crois. Un genre de corruption. Mais légal.

— Je peux vous assurer qu'il s'agit d'une pratique absolument normale dans le domaine des relations extérieures. Les rouages de la diplomatie ont souvent besoin d'être huilés. C'est du moins ce qui m'a été dit.

– Par Herr Frick.

– Non. Pas lui. Un de ses collaborateurs. Herr Breitmeyer. Arno Breitmeyer.

– Mmm-hmm. » Je pris note du nom. « Bien sûr, je lui parlerai également. Mais laissez-moi mettre un peu d'ordre dans cet embrouillamini. Herr Breitmeyer a enlevé une pièce de la collection Fischer…

– Oui, oui. Adolph Fischer. Un grand collectionneur d'objets asiatiques. Aujourd'hui décédé.

– À savoir une boîte chinoise. Et il en a fait cadeau à un étranger ?

– Pas seulement une. Je crois qu'il y en avait plusieurs.

– Vous croyez. » Je marquai une pause pour plus d'effet. « Ai-je raison de penser que tout ceci est arrivé à votre insu et sans votre agrément ?

– C'est exact. Vous comprenez, le ministère a pensé que, si les collections étaient restées dans l'ancien musée, c'est qu'on ne désirait pas les exposer. » Stock rougit, gêné. « Qu'en dépit de leur grande portée historique… »

Je réprimai un bâillement.

« … elles étaient peut-être inopportunes au regard du paragraphe aryen. Voyez-vous, Aldoph Fischer était juif. Le ministère a eu l'impression qu'étant donné les circonstances, les origines réelles de la collection empêchaient de la montrer. Qu'elle était – ce sont leurs mots, pas les miens – contaminée d'un point de vue racial. »

J'acquiesçai, comme si tout ça semblait parfaitement raisonnable.

« Et, ce faisant, ils ont omis de vous prévenir, c'est ça ? »

Il hocha la tête d'un air malheureux.

« Quelqu'un au ministère a jugé que vous n'étiez pas assez important pour qu'on vous tienne informé, dis-je, histoire d'en rajouter une couche. Si bien que, lorsque vous avez découvert que l'objet avait disparu de la collection, vous en avez conclu qu'il avait été volé et vous l'avez signalé immédiatement.

– C'est ça, dit-il avec un certain soulagement.

– Connaîtriez-vous par hasard le nom de la personne à qui Herr Breitmeyer a donné la boîte Ming ?

– Non. Il vous faudra lui poser la question.

– J'y compte bien. Merci, Doktor, vous avez été extrêmement utile.

– Puis-je considérer que l'affaire est désormais close ?

– En ce qui concerne votre propre participation, oui, vous pouvez. »

Le soulagement de Stock se changea en euphorie, ou du moins à ce qui ressemblait le plus à de l'euphorie chez un personnage aussi austère.

« Alors, dis-je, et ce taxi pour retourner en ville ? »

8

J'ordonnai au chauffeur de taxi de me déposer au ministère de l'Intérieur dans Unter den Linden. Situé à côté de l'ambassade de Grèce, c'était un bâtiment terne et grisâtre, à deux pas de l'hôtel Adlon. Un peu de lierre lui aurait fait le plus grand bien.

Je pénétrai à l'intérieur et, au bureau du hall d'entrée caverneux, tendis ma carte à un des employés de service. Il avait un de ces étranges faciès d'animal qui vous font penser que Dieu possède un sens de l'humour malicieux.

« J'ignore si vous pouvez m'aider, dis-je d'un ton onctueux. L'hôtel Adlon souhaite inviter Herr Breitmeyer – c'est-à-dire Arno Breitmeyer – à une réception qui aura lieu dans une quinzaine de jours. Et nous aimerions savoir de quelle manière il convient de libeller son nom et à quel service nous devons envoyer l'invitation.

– Moi aussi, j'irais bien à une réception de l'Adlon, admit l'employé, avant de consulter un épais registre relié en cuir posé devant lui.

– Pour être franc, il arrive qu'on s'y ennuie ferme. Je ne suis pas un grand amateur de champagne. Bière et saucisse, je préfère ça et de loin. »

L'employé sourit tristement comme s'il n'était pas entièrement convaincu et trouva le nom.

« Voilà. Arno Breitmeyer. Il est SS-Standartenführer. À savoir colonel, pour vous et moi. Il est aussi Reichsportsführer adjoint.

— Actuellement ? Alors, je suppose que c'est pour ça qu'ils veulent l'inviter. S'il n'est qu'adjoint, peut-être devrions-nous inviter aussi son patron. Ce serait qui, d'après vous ?

— Hans von Tschammer und Osten.

— Oui, bien sûr. »

J'avais déjà entendu le nom et je l'avais lu dans les journaux. À l'époque, il m'avait semblé tout à fait dans la manière des nazis de nommer responsable du sport allemand une crapule SA venue de la Saxe. Un homme qui avait contribué à faire tabasser à mort un jeune Juif de treize ans. Que le gamin ait été assassiné dans un gymnase de Dessau avait probablement compté pour beaucoup dans l'attrait des références sportives de von Tschammer und Osten.

« Merci. Vous m'avez été d'un grand secours.

— Ça doit être sympa de travailler à l'Adlon.

— On pourrait le croire. Mais la seule chose qui empêche que ce soit vraiment l'enfer, ce sont les serrures sur les portes des chambres. »

Une des nombreuses maximes de Hedda Adlon, la femme du propriétaire. Je l'aimais beaucoup. Nous avions tous les deux le sens de l'humour, même si elle en avait, je pense, plus que moi. Hedda Adlon avait de tout plus que moi.

De retour à l'hôtel, j'appelai Otto Trettin pour le mettre au courant de ce que j'avais découvert au musée.

« Alors, ce Reles, dit Otto. Le client de l'hôtel. Il semble qu'il se trouvait en possession de la boîte de façon tout à fait légitime.

— Tout dépend de l'idée qu'on se fait de la légitimité.

— Auquel cas, cette petite sténographe, celle qui est retournée à Dantzig…

— Ilse Szrajbman.

— Peut-être qu'elle a volé la boîte, en fin de compte.

— Peut-être. Mais elle n'avait aucune raison de le faire.

— Tu en es sûr ?

— Non. Mais je connais la fille. Et j'ai rencontré Max Reles.

— Qu'est-ce que tu veux dire ?

— J'aimerais me renseigner encore un peu avant que tu fonces à Dantzig.

– Et moi, j'aimerais bien payer moins d'impôts et baiser plus souvent, mais ce n'est pas demain la veille. Qu'est-ce que ça peut te faire, que j'aille à Dantzig ?

– Nous savons tous les deux que, si tu y vas, il te faudra procéder à une arrestation pour justifier tes dépenses, Otto.

– Exact, l'hôtel Deutsches Haus de Dantzig n'est pas donné.

– Pourquoi ne pas téléphoner d'abord à la Kripo locale ? Pour leur demander d'envoyer quelqu'un chez elle. Si elle a vraiment la boîte, peut-être qu'il réussira à la persuader de la rendre.

– Et qu'est-ce que j'y gagne ?

– Je ne sais pas. Probablement rien. Mais c'est une Juive. Et nous savons l'un et l'autre ce qui lui arrivera si elle est arrêtée. Ils l'enverront dans un de leurs camps de concentration. Ou bien ils la mettront dans cette prison de la Gestapo, près de Tempelhof. Columbia-Haus. Elle ne mérite pas ça. Ce n'est qu'une gamine, Otto.

– Tu te ramollis, tu sais ça ? »

Je songeai à Dora Bauer et à la façon dont je l'avais aidée à sortir du tapin.

« Oui, je suppose.

– Moi qui avais hâte de respirer l'air de la mer.

– Passe un de ces jours à l'hôtel. Je demanderai au chef de te préparer un bon petit plat de harengs à la Bismarck. Tu auras l'impression d'être sur l'île de Rügen, je te le jure.

– D'accord, Bernie. Mais tu me dois quelque chose.

– Pas de doute. Et crois-moi, c'est un plaisir. Si c'était toi qui me devais quelque chose, je ne suis pas sûr que notre amitié le supporterait. Appelle-moi dès que tu auras du nouveau. »

La plupart du temps, l'Adlon fonctionnait à la manière d'une grosse Mercedes officielle – un colosse souabe avec carrosserie spéciale, cuir cousu main et six énormes Continental AG. Toutes choses dont je ne pouvais guère prétendre qu'elles m'étaient imputables, même si je prenais mes fonctions – en grande partie de la routine – relativement au sérieux. J'avais ma propre maxime : diriger un bon hôtel, c'est comme prédire l'avenir et l'empêcher ensuite de se réaliser. En vertu de quoi, je parcourais chaque jour le registre au cas où un nom me sauterait aux yeux comme étant susceptible de semer la zizanie. Ce qui n'arrivait jamais. À moins d'inclure le roi Prajadhipok, qui voulait que le chef lui prépare des plats de fourmis et de sauterelles ; ou l'acteur Emil Jannings et son penchant à flanquer de grandes tapes sur les fesses nues de jeunes actrices avec une brosse à cheveux.

Toutefois, pour les événements ponctuels, c'était une autre paire de manches. L'hospitalité corporative offerte à l'Adlon était souvent généreuse, bien arrosée, et il pouvait se produire des dérapages. Ce jour-là, il y avait deux groupes d'hommes d'affaires de prévus. Des représentants du Front allemand du travail se réunissaient toute la journée dans le salon Beethoven ; et, le soir – par une coïncidence qui ne m'avait pas échappé après ma visite au ministère de l'Intérieur –, les membres du Comité d'organisation des Jeux olympiques, dont Hans von Tschammer und Osten et le colonel SS Breitmeyer, se retrouvaient pour prendre un verre et dîner dans le salon Raphaël.

Des deux, je ne m'attendais à des problèmes que de la part du DAF – le Front du travail, l'organisation nazie ayant pris le contrôle du mouvement syndical allemand. Il avait à sa tête le Dr Robert Ley, un ancien chimiste porté sur les beuveries et les femmes, surtout quand c'était le contribuable qui payait l'addition. Il arrivait fréquemment que des responsables régionaux du Front du travail fassent venir des prostituées à l'Adlon, et la vue et le bruit de gros types faisant l'amour avec des putains dans les toilettes n'avaient rien d'exceptionnel. Leurs tuniques brunes et leurs brassards rouges les rendaient facilement reconnaissables, ce qui m'incitait à penser que les fonctionnaires nazis et les faisans avaient au moins une chose en commun : il n'était pas nécessaire de les connaître personnellement pour avoir envie de leur tirer dessus.

En l'occurrence, Ley ne vint pas, et les délégués du DAF se conduisirent de façon plus ou moins irréprochable, un seul d'entre eux ayant vomi sur la moquette. En tant qu'employé de l'hôtel, j'appartenais moi-même au Front du travail. Je ne savais pas exactement à quoi me donnaient droit mes cinquante pfennigs par semaine, mais il était impossible d'obtenir le plus petit boulot en Allemagne sans avoir sa carte. J'attendais avec impatience le jour où je pourrais défiler fièrement à Nuremberg, une pelle luisante sur l'épaule, pour faire don, en présence du Führer, de ma personne et de mon labeur hôtelier au concept de travail, sinon à sa réalité. Sentiment partagé sans nul doute par l'autre détective de l'Adlon, Fritz Muller. Quand il était dans les parages, on ne pouvait pas ne pas songer à la véritable importance du travail dans la société allemande. Ou même quand il n'y était pas, car Muller se livrait rarement à une besogne quelconque. Je l'avais chargé de surveiller le salon Raphaël, ce qui semblait un jeu d'enfants, mais, au moindre pépin, il devenait introuvable, et c'est moi que Behlert appelait à la rescousse.

« Il y a un problème au Raphaël », marmonna-t-il, hors d'haleine.

Tandis que nous traversions l'hôtel d'un pas véloce – il était formellement interdit au personnel de courir dans l'Adlon –, je m'efforçai d'obtenir de Behlert qu'il me fasse un tableau précis de l'identité de tous ces lascars et de l'objet de leur réunion. Parmi les noms du Comité d'organisation olympique, certains n'étaient pas du genre auquel on tient tête sans avoir lu au préalable la vie de Metternich. Mais le tableau de Behlert se révéla aussi mal peint que la copie de la fresque de Raphaël par von Menzel qui avait donné son nom à la salle de réception.

« Il me semble qu'il y avait deux ou trois membres du Comité d'organisation un peu plus tôt dans la soirée », expliqua-t-il en s'épongeant le front avec un mouchoir de la grandeur d'une serviette de table. D'ailleurs, c'en était peut-être une. « Funk de la Propagande, Conti du ministère de l'Intérieur, Hans von Tschammer und Osten, le responsable des sports. Mais, à présent, ce sont pour la plupart des hommes d'affaires venus des quatre coins de l'Allemagne. Et Max Reles.

– Reles ?

– C'est lui qui invite.

– Alors, tout va bien. Pendant un instant, j'ai cru que l'un d'entre eux essayait de nous donner du fil à retordre. »

Comme nous approchions du salon Raphaël, nous distinguâmes des cris. Puis la porte à double battant s'ouvrit brusquement, et deux types sortirent en trombe. Traitez-moi de bolchevique si vous voulez, mais, rien qu'à la taille de leur abdomen, je sus tout de suite qu'il s'agissait d'hommes d'affaires allemands. Le nœud papillon noir de l'un d'eux avait à moitié pivoté autour de ce qu'il fallait bien appeler son cou. Au-dessus de ce cou, un visage aussi rouge que les petits fanions nazis en papier punaisés entre les drapeaux olympiques accrochés à un chevalet à côté des portes. Pendant un moment, je fus tenté de lui demander ce qui s'était passé, mais ça n'aurait servi qu'à me faire piétiner, telle une plantation de thé essayant de résister à un éléphant mâle devenu fou furieux.

Behlert franchit les portes dans mon sillage, et, alors que mon regard croisait celui de Max Reles, je l'entendis faire une remarque à propos de Laurel et Hardy avant que son visage dur ne se fende d'un sourire et que son corps épais ne prenne une attitude contrite, rassurante, presque diplomatique, qui n'aurait pas fait honte au prince Metternich lui-même.

« Tout ceci n'est qu'un vaste malentendu, dit-il. Ne pensez-vous pas, messieurs ? »

Sans ses cheveux en bataille et le sang sur sa bouche, je l'aurais peut-être cru.

Reles parcourut la table du regard à la recherche d'un soutien. Quelque part sous un cumulonimbus de fumée de cigare, plusieurs voix firent entendre des murmures las, tel un conclave papal ayant omis de payer le ramonage de la chapelle Sixtine.

« Vous voyez ? » Reles leva ses grosses mains comme si je le menaçais avec une arme, et quelque chose me dit qu'il n'aurait guère réagi différemment si tel avait été le cas. Il aurait gardé son sang-froid sous la roulette d'un dentiste pris de boisson. « Une tempête dans une tasse de thé. » Expression qui ne sonnait pas très juste en allemand, de sorte que, faisant claquer ses doigts boudinés, il ajouta : « Je veux dire, une tempête dans un verre d'eau. C'est bien ça ? »

Behlert s'empressa d'acquiescer.

« Oui, c'est ça, Herr Reles. Et, si je peux me permettre, votre allemand est excellent. »

Reles sembla curieusement penaud.

« Une fichue langue quand on veut la parler correctement. Vu qu'elle a dû être inventée pour faire savoir aux trains qu'il est l'heure de quitter la gare. »

Behlert sourit, l'air patelin.

« Malgré tout, fis-je, prenant un des verres à vin cassés sur la nappe, ça ressemble bien à une tempête. Cristal de Bohême, si je ne m'abuse. Ce truc coûte cinquante pfennigs pièce.

— Naturellement, je paierai la casse. » Reles me montra du doigt tout en souriant à ses invités pétris de suffisance. « Vous entendez ce type ? Il veut que je paie la casse. »

Il n'y a rien qui ait l'air plus content de soi qu'un homme d'affaires allemand avec un cigare.

« Oh, mais il n'en est pas question, Herr Reles, intervint Behlert, avant de me décocher un regard sévère comme si j'avais de la boue sur mes chaussures, ou pire. Gunther. Si Herr Reles dit qu'il s'agit d'un accident, il est inutile de chercher plus loin.

— Il n'a pas dit qu'il s'agissait d'un accident. Il a dit qu'il s'agissait d'un malentendu. C'est ainsi que, de l'erreur au crime, il n'y a parfois qu'un pas.

— D'où est-ce que ça sort, du dernier numéro de *La Gazette de la police de Berlin* ? » demanda Reles.

Il chercha un cigare et l'alluma.

« Peut-être que ça devrait. Auquel cas, je serais encore un policier berlinois.

— Mais vous ne l'êtes plus. Vous travaillez dans cet hôtel, dont je suis un client. Et, j'ajouterai, un client dépensant beaucoup. Herr Behlert, priez le sommelier de nous apporter six bouteilles de votre meilleur champagne. »

Autour de la table, il y eut un bruyant murmure d'approbation. Mais aucun d'eux n'avait envie de croiser mon regard. Des trognes bien nourries et bien abreuvées ne pensant qu'à retourner à leurs auges. Un portrait de groupe de Rembrandt où tout le monde détournait les yeux : *Le Syndic de la guilde des drapiers*. C'est alors que je l'aperçus, assis à l'autre bout de la pièce, tel Méphisto attendant patiemment de dire un mot en privé à Faust. Comme les autres, il portait un smoking et, sans sa gueule en coin de rue et le fait qu'il se curait les ongles avec un couteau à cran d'arrêt, il aurait presque eu l'air respectable. À l'instar du loup déguisé en grand-mère du *Petit Chaperon rouge*.

Je n'oublie jamais un visage. En particulier celui d'un homme qui, à la tête d'un groupe de SA, avait mitraillé les membres d'une association ouvrière donnant une fête à l'Eden Palace de Charlottenburg. Quatre morts, dont un vieux copain d'école. Il était probablement responsable d'autres tueries, mais c'était surtout de celle-là, le 23 novembre 1930, que je me souvenais. À cet instant, son nom me revint : Gehrard Krempel. Il avait fait de la prison pour ce meurtre, du moins jusqu'à l'arrivée au pouvoir des nazis.

« À la réflexion, mettez-en une douzaine. »

En temps normal, j'aurais sans doute balancé quelque chose à Krempel – une épithète spirituelle, peut-être, ou pire –, mais Behlert n'aurait pas apprécié. Frapper un client à la gorge ne comptait pas parmi les spécialités hôtelières qui vous valent des étoiles dans le Baedecker. Et, comme nous le savions tous, Krempel était le nouveau ministre pour l'instauration de règles du jeu équitables et d'un bon esprit sportif. En outre, Behlert m'entraînait déjà hors du salon Raphaël. Du moins, quand il n'était pas occupé à se courber jusqu'à terre et à s'excuser auprès de Max Reles.

À l'Adlon, le client a droit à des excuses, pas à des justifications. Une autre des maximes de Hedda Adlon. Mais c'était bien la première fois que je voyais quelqu'un dans l'hôtel s'excuser d'avoir interrompu une bagarre. Car il ne faisait aucun doute pour moi que l'homme ayant quitté la pièce un peu plus tôt avait été frappé par Max Reles. Et qu'il avait riposté. Du moins, je l'espérais. Ça ne m'aurait pas déplu de lui en coller une moi-même.

Devant le salon Raphaël, Behlert se tourna vers moi avec irritation.

« Pour l'amour du ciel, Herr Gunther, je sais que vous croyez faire votre travail, mais essayez de vous rappeler que Herr Reles occupe la suite ducale. En tant que tel, il s'agit d'un client extrêmement important.

– Oh, j'en suis certain. Je viens de l'entendre commander une douzaine de bouteilles de champagne. Ça n'empêche qu'il a de très mauvaises fréquentations.

– Absurde, grommela Behlert, et il s'éloigna en secouant la tête, à la recherche du sommelier. Absurde, absurde. »

Il avait raison, bien sûr. En définitive, nous avions tous de très mauvaises fréquentations dans la nouvelle Allemagne de Hitler. Le Führer étant peut-être la plus exécrable de toutes.

9

La chambre 210 se trouvait au deuxième étage de l'extension de la Wilhelmstrasse. Elle coûtait seize marks la nuit et avait une salle de bains. Une belle chambre, mesurant quelques mètres de plus que mon appartement.

Il était largement midi passé quand j'arrivai. Suspendus à la porte, le carton NE PAS DÉRANGER ainsi qu'un formulaire rose avisant l'occupant qu'un message l'attendait à la réception. Herr Dr Heinrich Rubusch, tel était le nom du client en question, et d'ordinaire la femme de chambre l'aurait laissé tranquille, si ce n'est qu'il aurait dû régler sa note à onze heures. Lorsqu'elle frappa à la porte, il n'y eut aucune réponse, en conséquence de quoi elle essaya d'entrer, pour s'apercevoir que la clé se trouvait dans la serrure. Après avoir frappé avec insistance sans plus de succès, elle en informa Herr Pieck, le sous-directeur, qui, craignant le pire, me fit venir.

J'allai au coffre-fort de l'hôtel chercher un des tourneurs de clé qu'on y gardait – un simple bout de métal de la taille d'un diapason conçu pour s'adapter aux serrures de l'Adlon et faire pivoter une clé depuis l'autre côté. Il aurait dû y en avoir six, mais l'un d'eux avait disparu, probablement parce que Muller, le second détective de l'hôtel, s'en était servi et avait oublié de le remettre. Ce qui n'aurait rien eu de surprenant. Muller était un tantinet ivrogne. Je pris un second tourneur et grimpai au deuxième étage.

Herr Rubusch était encore couché. J'espérais qu'il allait se réveiller et nous crier de déguerpir et de le laisser roupiller. Malheureusement il n'en fit rien. Je posai mes doigts sur la grosse veine de son cou, mais il avait une telle couche de graisse que je ne tardai pas à renoncer. Après avoir ouvert sa veste de pyjama, je pressai mon oreille contre le jambon froid de sa poitrine.

« Dois-je appeler le Dr Küttner ? demanda Pieck.

— Oui. Mais dites-lui de ne pas se presser. Il est mort.

— Mort ? »

J'eus un haussement d'épaules.

« Aller à l'hôtel, c'est un peu comme dans la vie. Arrive un moment où il faut payer la note.

— Oh, mon Dieu, vous êtes sûr ?

— Même le baron Frankenstein ne pourrait pas faire bouger cet olibrius. »

Plantée sur le seuil, la femme de ménage se signa d'un air grave. Pieck lui ordonna d'aller chercher tout de suite le médecin de la maison.

Je flairai le verre d'eau sur la table de chevet. Lequel contenait de l'eau. Les ongles du défunt étaient aussi propres et polis que s'il venait d'avoir une manucure. Pas de sang visible sur sa personne ni sur son oreiller.

« Causes naturelles, semble-t-il, mais nous ferions mieux d'attendre Küttner. On ne me paie pas de supplément pour les diagnostics sur place. »

Pieck s'approcha de la fenêtre et se mit à l'ouvrir.

« Si j'étais vous, je ne ferais pas ça. La police risque de ne pas apprécier.

— La police ?

— Quand on découvre un cadavre, elle aime bien qu'on l'avertisse. Encore qu'avec tous les cadavres qu'on découvre ces temps-ci, qui sait ? Au cas où vous ne l'auriez pas remarqué, cette chambre sent fortement le parfum. Blue Grass d'Elizabeth Arden, si je ne me trompe. Je ne sais pas pourquoi, mais je ne vois pas ce monsieur en mettre de sa propre initiative, ce qui signifie qu'il y avait probablement quelqu'un avec lui quand il a cassé sa pipe. Ce qui signifie également que la police préférera qu'on laisse les choses en l'état. Avec la fenêtre fermée. »

J'allai dans la salle de bains et jetai un coup d'œil à un étalage soigneusement disposé d'articles de toilette masculins. L'attirail de voyage habituel. Un des essuie-mains avait des taches de maquillage. Dans la poubelle, un mouchoir en papier avec des traînées de rouge à lèvres. La trousse de toilette contenait un flacon de pilules de nitro-glycérine et un paquet de trois Fromms[1]. J'ouvris le paquet, vis qu'il en manquait un et retirai un bout de papier plié sur lequel était imprimé : « VEUILLEZ, S'IL VOUS PLAÎT, ME REMETTRE DISCRÈTEMENT UN PAQUET DE FROMMS. » Je levai le couvercle du siège des toilettes et scrutai l'eau de la cuvette. Rien. Dans une corbeille à papier près du bureau, je trouvai un emballage de Fromm vide. Bref, je fis tout ce qu'aurait fait un vrai détective, sauf me fendre d'une plaisanterie de mauvais goût. Je laissais ce soin au Dr Küttner.

Lorsqu'il franchit la porte, j'étais prêt à lui allonger une cause pro bable, mais, par déontologie, je m'abstins jusqu'à ce qu'il ait gagné ses honoraires.

« Vous savez, dans les hôtels de luxe, il est rare que les gens soient vraiment malades, expliqua-t-il. À quinze marks la nuit, ils attendent en général d'être rentrés chez eux.

— Celui-là ne rentrera pas chez lui, fis-je observer.

— Mort, hein ?

— Ça commence à y ressembler, Herr Doktor.

— Il faut bien que je fasse quelque chose pour mériter mon salaire, je suppose. »

Il sortit un stéthoscope et se mit à chercher un battement de cœur.

« Il vaut mieux que je prévienne Frau Adlon », dit Pieck avant de quitter la pièce.

Pendant que Küttner faisait son métier, j'examinai à nouveau le corps. Rubusch était un gros homme à la stature imposante, avec des cheveux blonds coupés court et un visage aussi gras qu'un bébé de

---

1. Marque de préservatifs.

cent kilos. Au lit, vu de côté, il rappelait un contrefort des monts du Harz. Sans ses vêtements, on avait du mal à le situer, mais j'aurais parié que ce n'était pas seulement parce qu'il logeait dans l'hôtel qu'il me disait quelque chose.

Küttner se redressa et hocha la tête avec ce qui ressemblait à de la satisfaction.

« À mon avis, le décès remonte à plusieurs heures. » Consultant sa montre gousset, il ajouta : « Quelque part entre minuit et six heures du matin.

— Il y avait des pilules de nitro dans la salle de bains, doc. J'ai pris la liberté de fouiller dans ses affaires.

— Probablement une hypertrophie du cœur.

— Une hypertrophie de tout, à ce qu'il semble. » Je lui tendis le bout de papier plié. « Et je dis bien, tout. Il y a un paquet de trois moins un dans la salle de bains. Ce qui, avec le maquillage sur la serviette et l'odeur de parfum, me laisse supposer que ses dernières heures n'ont peut-être pas été exemptes de quelques minutes extrêmement agréables. »

À ce stade, j'avais déjà remarqué la liasse de billets flambant neufs sur le bureau, et ma théorie me plaisait de plus en plus.

« Vous ne pensez tout de même pas qu'il est mort dans ses bras ? demanda Küttner.

— Non. La porte était fermée de l'intérieur.

— De sorte que ce pauvre type aurait très bien pu avoir des rapports sexuels, la raccompagner, verrouiller la porte, se recoucher puis expirer sous l'effet de la fatigue et de l'excitation.

— Vous m'avez convaincu.

— L'avantage d'être médecin d'hôtel, c'est que les gens tels que vous ne se rendent pas compte que vous avez un cabinet bourré de patients. De sorte que j'ai l'air de savoir parfaitement ce que je fais.

— Parce que ce n'est pas le cas ?

— Par moments seulement. Vous savez, la plupart des traitements se résument à une seule prescription : vous vous sentirez beaucoup mieux demain matin.

— Contrairement à lui.

— Il y a de pires manières d'atterrir sur une table de dissection, fit valoir Küttner.

— Pas si vous êtes marié.

— Il l'était ? Marié ? »

Je levai la main gauche du mort pour exhiber une alliance en or.

« Rien ne vous échappe, n'est-ce pas, Gunther ?

— Pas grand-chose, si l'on excepte cette bonne vieille République de Weimar et une police intègre attrapant les criminels au lieu de les recruter. »

Küttner n'était pas un libéral, mais ce n'était pas un nazi non plus. Un ou deux mois plus tôt, je l'avais trouvé pleurant dans les toilettes pour hommes après l'annonce de la mort de Paul von Hindenburg. Malgré tout, ma remarque parut l'effaroucher, et il considéra un instant le cadavre de Heinrich Rubusch comme s'il risquait de rapporter mes paroles à la Gestapo.

« Du calme, doc. Même la Gestapo n'a pas encore inventé le moyen de transformer un macchabée en mouchard. »

Je descendis à la réception prendre le message pour Rubusch, qui était seulement de Georg Behlert exprimant l'espoir qu'il avait fait un bon séjour à l'Adlon. Je vérifiai le tableau de service quand, du coin de l'œil, je vis Hedda Adlon traverser le hall d'entrée en discutant avec Pieck. Signe que je devais me dépêcher d'en savoir plus avant qu'elle ne puisse me parler. Hedda Adlon avait, semble-t-il, une haute opinion de mes compétences, et je tenais à ce que ça continue. Le secret, dans ma profession, c'est d'avoir des réponses toutes prêtes aux questions auxquelles les autres n'ont même pas songé. Un air d'omniscience constitue un atout fort utile pour un dieu, ou, de fait, pour un détective. Bien sûr, dans le cas d'un détective, l'omniscience n'est qu'une illusion. Ce qu'avait compris Platon. Et ce qui fait de lui un meilleur écrivain que Sir Arthur Conan Doyle.

Je me glissai dans l'ascenseur sans que mon employeur m'ait vu.

« Quel étage ? » demanda le garçon.

Il s'appelait Wolfgang, et c'était un garçon d'une soixantaine d'années.

« Contentez-vous de démarrer. »

Avec fluidité, les gants blancs de Wolfgang se mirent en mouvement comme ceux d'un prestidigitateur, et je sentis mon estomac
s'abaisser dans ma cage thoracique à mesure que nous nous élevions
dans l'idée que Lorenz Adlon se faisait du paradis.

« Quelque chose qui vous tracasse, Herr Gunther ?

— Hier soir, avez-vous vu une femme de mauvaise vie monter au
deuxième étage ?

— Des femmes, il en monte et il en descend des ribambelles dans
cet ascenseur, Herr Gunther. Doris Duke, Barbara Hutton, l'épouse
de l'ambassadeur soviétique, la reine du Siam, la princesse Mafalda.
Celles-là, on devine facilement ce qu'elles sont. Mais ces actrices,
ces vedettes de cinéma, ces girls, pour moi, elles ont toutes l'air de
femmes de mauvaise vie. C'est même à cause de ça, je suppose, que
je suis garçon d'ascenseur et pas détective maison.

— Évidemment, vous avez raison. »

Il me répondit par un sourire.

« Un hôtel chic, c'est un peu comme une vitrine de bijouterie.
Tout est exposé. Maintenant, ça me revient. J'ai effectivement vu
Herr Muller parler à une femme sur les marches vers deux heures du
matin. C'était peut-être une femme de mauvaise vie. Sauf qu'elle portait des diamants. Et aussi un diadème. Ce qui me donnerait à penser
que ce n'en était pas une. Je veux dire, si elle avait les moyens d'avoir
des diams, pourquoi est-ce qu'elle se laisserait tripoter le minou ?
D'un autre côté, si c'était une snob, qu'est-ce qu'elle faisait à parler
avec une tête de nœud comme Muller ? Sans vouloir vous offenser.

— Pas de problème. C'est effectivement une tête de nœud. Cette
femme était-elle blonde ou brune ?

— Blonde. Et même à gogo.

— Je suis soulagé de l'entendre », dis-je, éliminant mentalement
Dora Bauer de ma liste de suspects possibles.

Elle avait les cheveux bruns et courts, et n'avait guère les moyens
de se payer un diadème.

« Autre chose ?

— Elle avait mis beaucoup de parfum. Ça sentait rudement bon.
On aurait dit Aphrodite en personne.

— Je vois le topo. Vous l'avez conduite en bas ?

– Non. Elle a dû prendre les escaliers.

– À moins qu'elle ait sauté sur le dos d'un cygne et qu'elle se soit envolée par la fenêtre. Comme aurait fait Aphrodite.

– Vous ne seriez pas en train de me traiter de menteur ?

– Non, pas du tout. Seulement d'incurable romantique et admirateur des femmes en général. »

Wolfgang sourit jusqu'aux oreilles.

« Ouais, c'est bien moi.

– Moi aussi. »

Muller se trouvait dans notre bureau commun, ce qui était à peu près tout ce que nous avions en commun. Il me détestait et, si j'en avais eu quoi que ce soit à faire, je l'aurais peut-être détesté également. Avant de venir à l'Adlon, il avait été flicard dans la police de Potsdam – une brute en uniforme vouant une haine viscérale aux inspecteurs de l'Alex comme moi. En outre, c'était un ancien des Freikorps, plus à droite que les nazis eux-mêmes, ce qui lui donnait une raison supplémentaire de me détester : il haïssait tous les républicains, autant qu'un producteur de blé les rats. Sans la boisson, il serait peut-être resté dans la police. En fin de compte, il avait pris une retraite anticipée et opté pour le régime sec jusqu'à ce qu'il déniche ce poste à l'Adlon et se remette à picoler. La plupart du temps, il arrivait à se retenir, je dois lui reconnaître ça. La plupart du temps. J'aurais pu penser que le priver de boulot faisait partie du mien, mais je m'étais abstenu. Du moins, jusqu'ici. Naturellement, nous savions tous les deux qu'il ne s'écoulerait pas longtemps avant que Behlert ou l'un des Adlon ne s'aperçoive qu'il buvait pendant le travail. Et je préférais que ça se produise sans un coup de pouce de ma part. Mais je savais que, dans le cas contraire, j'arriverais probablement à surmonter cette déception.

Il dormait dans le fauteuil. Il y avait une demi-bouteille de Bismarck par terre à côté de son pied et un verre vide dans sa main. Il n'était pas rasé, et le bruit d'une grosse commode qu'on pousse sur un plancher s'échappait de son nez et de sa gorge. Il avait l'air d'un resquilleur dans une noce paysanne de Brueghel. J'enfonçai la main dans la poche de son manteau et pris son portefeuille. À l'intérieur, quatre billets de cinq marks tout neufs dont le numéro de série concordait avec celui des billets que j'avais trouvés sur le bureau dans la chambre de Rubusch. Je me dis que Muller avait soit loué les services de la prostituée pour son usage personnel, soit soutiré à celle-ci un pot-de-vin par la suite. Voire les deux à la fois, mais peu importait. Je remis les billets dans le portefeuille, que je replaçai dans sa poche avant de lui flanquer un coup de pied dans la cheville.

« Hé! Sigmund Romberg[1]! Réveille-toi! »

Muller s'agita, renifla puis laissa échapper un long soupir qui sentait autant qu'une aire de maltage humide. Après avoir essuyé son menton râpeux avec le revers de la main, il regarda avidement autour de lui.

« Près de ta jambe gauche. »

Il baissa les yeux vers la bouteille, qu'il fit semblant de ne pas voir, sans grande conviction. Il se serait vanté d'être Frédéric le Grand qu'il aurait été plus persuasif.

« Qu'est-ce que tu veux?

— Merci, il est un peu tôt pour moi. Mais vas-y, prends-en un si ça t'aide à réfléchir. Je resterai là à te regarder tout en m'amusant à imaginer à quoi doit ressembler ton foie. Je te parie qu'il a une forme intéressante. Je devrais peut-être le peindre. Je fais un peu de peinture abstraite à mes moments perdus. Bon, voyons. Que dirais-tu de *Nature morte avec foie et oignons*? On pourrait se servir de ta cervelle en guise d'oignons.

— Qu'est-ce que tu veux? »

Son ton s'était assombri, comme s'il s'apprêtait à me frapper. Mais j'étais sur mes pointes, me déplaçant dans la pièce comme un maître de danse au cas où il me faudrait lui cogner dessus. J'avais presque envie qu'il essaie pour me fournir un prétexte. Un solide coup droit au menton l'aiderait peut-être à dessoûler.

« À propos de formes intéressantes, parlons un peu de la pute qui était là hier soir. Celle avec un diadème. Celle qui a rendu visite au

---

1. Compositeur d'opérettes d'origine austro-hongroise (1887-1951).

type de la 210. Nom : Rubusch, Heinrich Rubusch. C'est lui qui t'a donné les quatre biffetons ou est-ce que tu les as extorqués à la nana dans le couloir ? Si tu te demandes ce que ça peut bien me foutre, c'est parce que Rubusch est mort.

— Qui dit que j'ai extorqué quatre biffetons à quelqu'un ?

— Ton souci du bien-être des clients de l'hôtel est vraiment touchant, Muller. Les numéros de série des quatre billets neufs qui sont dans ton portefeuille correspondent à ceux de la liasse posée sur la table dans la chambre du mort.

— Tu as fouillé dans mon portefeuille ?

— Ouais, et tu devrais peut-être te demander pourquoi je te le raconte. Le fait est que j'aurais très bien pu appeler Behlert ou Pieck, ou même un des Adlon, et trouver ces billets devant témoins. Mais je ne l'ai pas fait. À présent, demande-moi pourquoi.

— D'accord. Je vais tirer une carte dans ton paquet. Pourquoi ?

— Je n'ai pas envie que tu te fasses virer, Muller. Seulement que tu dégages de cet hôtel. Je t'offre une chance de t'en aller de ton propre gré. Qui sait ? Tu partiras peut-être avec des références.

— Et si je ne veux pas m'en aller ?

— Alors, j'irai les chercher dans tous les cas. Bien entendu, le temps que nous revenions, tu te seras débarrassé des billets. Mais ça n'a pas d'importance, parce que ce n'est pas pour ça qu'ils te vireront. Ils te vireront parce que tu es un ivrogne puant. Tellement puant, en fait, que la ville envisage d'envoyer un renifleur de gaz pour effectuer des contrôles.

— Ivrogne, qu'il dit. » Muller ramassa la bouteille et la vida. « Qu'est-ce que tu espères, dans un boulot pareil, où on se tourne les pouces les trois quarts du temps ? À part boire, qu'est-ce qu'un homme peut faire de sa peau toute la sainte journée ? »

Sur ce point, je lui aurais presque donné raison. C'était un boulot barbant. Qui me barbait moi aussi. Au point que je me faisais l'effet d'être un pied de veau en gelée.

Muller considéra la bouteille et grimaça. « Apparemment, je suis coincé. » Puis il me regarda. « Tu te crois très intelligent, hein, Gunther ?

– Avec le bagage intellectuel qui est le tien, Muller, je comprends que ça puisse en donner l'impression. Mais il y a encore pas mal de trucs que j'ignore. Cette prostituée, par exemple. C'est toi qui l'as introduite dans l'hôtel, ou bien Rubusch ?

– Il est mort, tu dis ? »

J'acquiesçai.

« Ça ne m'étonne pas. Un gros lard, c'est ça ? »

J'acquiesçai à nouveau.

« J'ai aperçu la fille dans l'escalier et j'ai pensé que je pourrais peut-être secouer l'arbre, des fois qu'il en tombe un petit quelque chose. » Il eut un haussement d'épaules. « Qui peut vivre avec vingt-cinq marks par semaine ? Elle m'a dit s'appeler Angela. Je ne sais pas si c'est vrai. Je n'ai pas demandé à voir ses papiers. Vingt marks, ça me suffisait comme carte d'identité. » Il sourit. « Sans compter qu'elle était sacrément bien roulée. Des poules pareilles, ça ne court pas les rues. Un joli petit lot, vraiment. Alors, comme je t'ai dit, ça ne m'étonne pas que le gros lard soit mort. Rien que de la reluquer, j'en avais les artères qui se serraient.

– C'est à ce moment-là que tu l'as vu ? Quand tu l'as vue, elle ?

– Non. Lui, c'était un peu plus tôt dans la soirée. Au bar. Et après ça, dans le salon Raphaël.

– Il faisait partie du groupe du Comité olympique ?

– Ouais.

– Et où étais-tu ? Tu devais les surveiller.

– Qu'est-ce que tu veux que je te dise ? répondit-il avec agacement. C'étaient des hommes d'affaires, pas des collégiens. Je les ai laissés se débrouiller. Je suis allé à cette brasserie au coin de la Behrenstrasse et de la Friedrichstrasse – la Pschorr Haus – et je me suis poivré. Je ne pouvais pas me douter qu'il y aurait du grabuge.

– Espérer que tout ira bien, mais s'attendre au pire, c'est ça, ce boulot, l'ami. » Je sortis mon étui à cigarettes et l'ouvris d'une secousse devant son visage répugnant. « Alors, qu'est-ce que ce sera ? La lettre de démission ou te faire flanquer dehors par Louis Adlon à coups d'Oxford à bouts renforcés aux fesses ? »

Il prit une cigarette. J'allai jusqu'à l'allumer, par pure courtoisie.

« Ça va, tu as gagné. Mais c'en est fini de notre amitié.

– D'accord. Je pleurerai sans doute un peu en rentrant chez moi ce soir, mais je devrais pouvoir vivre avec. »

J'avais traversé la moitié du hall lorsque Hedda Adlon m'arrêta d'un mouvement du menton, doublé du son de mon nom au complet. Hedda Adlon était la seule personne à prononcer mon prénom, Bernhard, comme s'il voulait vraiment dire ce qu'il veut dire : l'ours intrépide, en dépit de la polémique autour de la question de savoir si le suffixe « hard » ne signifie pas en réalité « téméraire ».

Je la suivis, elle et les deux Pékinois qui lui tenaient invariablement compagnie dans son bureau. Le bureau du directeur général adjoint. Et quand Louis, son mari, ne se trouvait pas dans les parages – ce qui arrivait fréquemment pendant la saison de la chasse –, c'est Hedda Adlon qui faisait tourner la boutique.

« Eh bien, dit-elle en refermant la porte. Que savons-nous au sujet de ce pauvre Herr Rubusch ? Avez-vous téléphoné à la police ?

– Non, pas encore. Lorsque vous m'avez croisé, j'étais en route pour l'Alex. Je comptais les informer en personne.

– Ah ? Pourquoi ça ? »

Une petite trentaine, Hedda Adlon était beaucoup plus jeune que son mari. Bien que née en Allemagne, elle avait passé la majeure partie de sa jeunesse en Amérique et parlait l'allemand avec un léger accent américain. Comme Max Reles. Mais la ressemblance s'arrêtait là. Elle était blonde, avec une silhouette toute germanique. Mais une silhouette rayonnante de santé. D'une santé de plusieurs millions de marks. Comme silhouette rayonnante de santé, on ne pouvait pas avoir mieux. Elle adorait donner des réceptions et monter à cheval – elle avait été une fervente adepte de la chasse au renard jusqu'à ce que Goering interdise la chasse à courre en Allemagne –, et elle possédait un caractère très sociable, ce qui était, je suppose, une des raisons pour lesquelles le froid Louis Adlon l'avait épousée. Elle conférait une touche de glamour supplémentaire à l'hôtel, telle une incrustation en nacre sur les portes du paradis. Elle souriait beaucoup, savait mettre les gens à l'aise et pouvait tenir une conversation avec n'importe qui. Je me rappelais un dîner à l'Adlon où elle était assise à côté d'un chef indien arborant sa coiffe indigène au grand complet : elle lui avait parlé durant toute la soirée comme elle aurait papoté avec l'ambassadeur de France. Reste, bien sûr, que c'était peut-être l'ambassadeur de France. Les Français – et en particulier les diplomates – ont toujours aimé les plumes et les décorations.

« J'allais demander à la police s'il était possible de traiter la chose avec discrétion, Frau Adlon. À première vue, Herr Doktor Rubusch, qui était marié, avait reçu une jeune femme dans sa chambre peu avant son décès. En général, les épouses n'aiment pas beaucoup que la nouvelle de leur veuvage leur soit délivrée avec ce genre de post-scriptum. Du moins, si j'en crois mon expérience. Aussi, pour elle de même que pour la réputation de l'hôtel, je comptais mettre l'affaire entre les mains d'un inspecteur des homicides qui est un vieil ami à moi. Possédant suffisamment de capacités humaines pour s'en occuper avec tact.

– C'est très gentil à vous, Bernhard. Nous vous en sommes reconnaissants. Mais vous avez bien dit "homicide" ? Je croyais qu'il s'agissait d'une mort naturelle.

– Même s'il a été terrassé pendant son sommeil avec une Bible dans les bras, il y aura nécessairement une enquête criminelle. C'est la loi.

– Mais vous êtes bien d'accord avec le docteur Küttner que sa mort résulte de causes naturelles.

– C'est probable.

– À ceci près que ce n'était pas une Bible qu'il avait dans les bras, mais une jeune femme. Dois-je comprendre que vous voulez dire une prostituée ?

– Il y a de fortes chances. Nous les chassons de l'hôtel comme des chats autant que faire se peut. Mais ce n'est pas toujours facile. Celle-là portait un diadème.

– Bonne idée. » Hedda inséra une cigarette dans un fume-cigarette. « Ingénieux. Qui demanderait des explications à une femme avec un diadème ?

– Moi, si j'en mettais un. »

Elle sourit, alluma la cigarette, aspira à travers le fume-cigarette, puis souffla la fumée, sans l'inhaler, tel un enfant faisant semblant de fumer, faisant semblant d'être un adulte. Un peu comme moi faisant semblant d'être détective, accomplissant ma tâche de façon machinale, avec juste le goût d'une véritable enquête sur les lèvres et pas beaucoup plus. Détective d'hôtel. Une contradiction dans les termes, en réalité. Comme national-socialisme. Pureté raciale. Supériorité aryenne.

« Eh bien, si c'est tout, je vais me rendre à l'Alex. Les gars de la Criminelle ne sont pas tout à fait comme la plupart des gens. Ils aiment entendre les mauvaises nouvelles le plus tôt possible. »

10

Bien sûr, une bonne partie de ce que j'avais dit à Hedda Adlon n'était que du vent. Je n'avais pas de vieux amis aux Homicides. Plus maintenant. Otto Trettin était à la lutte contre la contrefaçon et les fraudes. Bruno Stahlecker faisait partie du Département G : service des mineurs. Ernst Gennat, qui dirigeait la Brigade criminelle, n'était plus un ami. Surtout depuis la purge de 1933. Et on aurait difficilement pu trouver quelqu'un possédant la moindre compétence humaine aux Homicides. Pour quoi faire si vous arrêtiez des Juifs et des communistes – si vous vous efforciez de bâtir la nouvelle Allemagne ? Malgré tout, certains flics de la police judiciaire étaient pires que d'autres, et c'étaient ceux-là que j'espérais éviter. Pour Frau Rubusch. Pour Frau Adlon. Ainsi que pour la réputation de l'hôtel. Et tout ça grâce à Bernie Gunther, héros du Ring, brave type et grand pourfendeur de dragons devant l'Éternel.

Près de la réception de l'Alex, j'aperçus Heinz Seldte, le jeune flic qui semblait trop intelligent pour porter l'uniforme de la Schupo. C'était un bon début. Je lui fis un signe de la main, gentiment.

« Qui sont les inspecteurs de service à la Criminelle ? » demandai-je.

Mais il était trop occupé à se mettre au garde-à-vous et à regarder par-dessus mon épaule.

« Vous êtes venu avouer un meurtre, Bernie ? »

Dans la mesure où j'avais effectivement zigouillé quelqu'un, et même tout récemment, je pivotai en prenant un air aussi nonchalant que possible. Mais mon cœur battait à toute allure comme si j'avais couru depuis Unter den Linden.

« Tout dépend qui je suis censé avoir tué, monsieur. Je vois bien une ou deux personnes sur qui je lèverais la main avec plaisir. Ça pourrait en valoir la peine. Si j'étais certain de les laisser sur le carreau.

– Des officiers de police, peut-être.

– Eh bien, euh, ce ne serait pas du jeu, monsieur.

– Toujours le même jeune chenapan, à ce que je vois.

– Oui, monsieur. Mais plus aussi jeune. Plus maintenant.

– Venez dans mon bureau. On bavardera un peu. »

Je ne discutai pas. On ne contredit pas le chef de la Kripo de Berlin. Erich Liebermann von Sonnenberg était encore commissaire quand j'étais inspecteur à l'Alex, en 1932, date à laquelle il avait rejoint le Parti nazi, ce qui lui avait permis de prendre du galon après 1933. Malgré ça, j'avais du respect pour lui. D'une part, il avait toujours été un policier efficace et, d'autre part, c'était un bon ami d'Otto Trettin, en même temps que le coauteur de son bouquin stupide.

Nous pénétrâmes dans son bureau, dont il referma la porte derrière moi.

« Je n'ai pas besoin de vous rappeler à qui appartenait ce bureau quand vous étiez encore là. »

Je regardai autour de moi. La pièce avait été repeinte, et il y avait une nouvelle moquette à la place du linoléum. La carte sur le mur indiquant les incidents SA versus violence des rouges avait disparu, remplacée par une vitrine pleine de phalènes brun moucheté, assorties à la couleur de cheveux de von Sonnenberg.

– Bernard Weiss.

– Un bon policier.

– Je suis content de vous l'entendre dire, monsieur, étant donné les circonstances de son départ. »

Weiss, un Juif, avait été forcé de quitter la police et de fuir l'Allemagne en 1932.

« Vous aussi, vous étiez un bon flic, Bernie. La différence étant que vous auriez probablement pu rester.

— Ce n'est pas l'impression que j'ai eue à l'époque.

— Eh bien, qu'est-ce qui vous amène ici ? »

Je lui parlai du macchabée à l'Adlon.

« Causes naturelles ?

— Apparemment. J'espérais que les inspecteurs menant l'enquête épargneraient à la veuve les détails du décès.

— Une raison spéciale ?

— Tenant entièrement au service de qualité de l'Adlon.

— Comme changer les serviettes des salles de bains tous les jours, c'est ça ?

— Il y a aussi la réputation de l'hôtel à prendre en compte. Il ne faudrait pas que les gens s'imaginent que nous sommes la Pension Kitty. »

Je lui parlai de la prostituée.

« Je vais mettre des hommes là-dessus. Tout de suite. » Il décrocha le téléphone, aboya des ordres et attendit, couvrant le bougeoir avec sa main. « Rust et Brandt, murmura-t-il. Les inspecteurs de permanence.

— Je ne me souviens pas d'eux.

— Je leur ai demandé de faire profil bas. » Von Sonnenberg donna quelques instructions supplémentaires. Lorsqu'il eut fini de parler, il raccrocha l'appareil et me lança un regard interrogateur. « D'accord ?

— Je vous en sais gré, monsieur.

— Voilà qui reste à voir. » Il me toisa lentement et se renversa dans son fauteuil. « Juste entre nous, Bernie, la plupart des inspecteurs ici, à la Kripo, ne valent pas tripette. Ce qui inclut Rust et Brandt. Ils suivent le règlement à la lettre parce qu'ils n'ont pas assez de cran ou d'expérience pour se dire que ce boulot va bien au-delà de ce qui est écrit là-dedans. Un bon policier doit avoir de l'imagination. L'ennui, c'est que, par les temps qui courent, cela semble avoir un côté quelque peu indiscipliné, subversif. Et personne n'a envie de passer pour subversif. Vous voyez ce que je veux dire ?

– Oui, monsieur. »

Il alluma prestement une cigarette.

« Quelles sont, d'après vous, quelques-unes des caractéristiques qui définissent un bon policier ? »

Je haussai les épaules.

« Le sentiment d'avoir raison quand tout le monde a tort. » Je souris. « M'est avis que ça risque de ne pas avoir très bonne presse non plus. »

J'hésitai.

« Vous pouvez parler librement. Nous sommes seuls ici.

– Une obstination tenace. Ne pas laisser tomber même quand les autres vous conseillent de le faire. Je n'ai jamais pu lâcher une affaire à cause de la politique.

– Alors, je suppose que vous n'êtes toujours pas un nazi. »

Je ne répondis pas.

« Êtes-vous antinazi ?

– Un nazi est quelqu'un qui suit Hitler. Être antinazi, c'est écouter ce qu'il dit. »

Von Sonnenberg pouffa de rire.

« C'est rafraîchissant de parler à un homme comme vous, Bernie. Ça me rappelle le bon vieux temps. La façon dont s'exprimaient les flics. Les vrais flics. Vous aviez vos propres informateurs, je présume.

– On ne peut pas faire ce métier sans garder une oreille collée à la porte des toilettes.

– Le problème, de nos jours, c'est que tout le monde est informateur. » Von Sonnenberg secoua la tête d'un air morose. « Et je dis bien, tout le monde. Ce qui signifie qu'il y a beaucoup trop d'informations. Le temps qu'on les évalue, elles sont devenues inutilisables.

– On a la police qu'on mérite, monsieur.

– Que vous, vous pensiez ça, on peut vous le pardonner. Mais, pour ma part, il m'est impossible de rester les bras croisés. Je ne ferais pas mon travail convenablement. Sous la république, la police de Berlin avait la réputation d'être la meilleure du monde.

– Ce n'est pas ce que prétendaient les nazis, monsieur.

– Je ne peux rien à ça. Mais je peux essayer d'arrêter le déclin.

– J'ai l'impression que ma gratitude va être mise à rude épreuve.

– J'ai un ou deux inspecteurs méritants dont on devrait pouvoir faire quelque chose.

– Vous voulez dire, à part Otto. »

Von Sonnenberg se mit à rire à nouveau. « Otto, oui. Euh, Otto est Otto, n'est-ce pas ?

– De toute éternité.

– Mais ces flics manquent d'expérience. Votre genre d'expérience. L'un d'eux est Richard Bömer.

– Je ne le connais pas non plus, monsieur.

– Non, euh, naturellement. C'est le gendre de ma sœur. Je pensais qu'il pourrait tirer parti d'un petit conseil avunculaire.

– Vraiment, je ne crois pas avoir l'étoffe d'un oncle, monsieur. Je n'ai pas de frère, mais, si j'en avais un, il aurait probablement succombé à la critique à l'heure qu'il est. La seule raison pour laquelle on m'a enlevé l'uniforme pour me mettre en civil, c'est que je n'avais pas assez de patience avec la circulation sur la Potsdamer Platz. Un conseil de ma part aurait l'air d'un coup de règle sur les doigts. J'évite même de me regarder dans la glace de peur de me dire que je ferais mieux de chercher un vrai boulot.

– Un vrai boulot. Pour vous ? Quoi, par exemple ?

– Je me disais que je pourrais peut-être me mettre à mon compte, comme détective privé.

– Auquel cas, il vous faudra une licence délivrée par un magistrat. Ce qui vous obligera à montrer une autorisation de la police. L'appui d'un officier haut placé pourrait se révéler utile. »

Il avait raison, et essayer de se défiler n'aurait servi à rien. Il m'avait à sa merci, aussi sûrement que si j'avais été un papillon épinglé dans la vitrine sur le mur de son bureau.

« Très bien. Mais ne comptez pas sur les gants blancs et le service en argent. Si ce Richard n'aime pas les saucisses bouillies du Wurst Max, je gaspillerai mon temps et le sien.

– Naturellement. Toutefois, ce serait une bonne idée de vous rencontrer ailleurs qu'à l'Alex. Sans parler des bars des environs. Je ne tiens pas à ce qu'on sache qu'il a de mauvaises fréquentations.

– Ça me va. Mais j'aimerais mieux ne pas avoir le gendre de votre sœur à l'Adlon. Sans vouloir vous vexer, elle et vous, on préfère en général que je ne fasse pas la classe quand je suis là.

– Bien sûr. On va réfléchir à un endroit. Quelque part à mi-chemin. Que diriez-vous du Lustgarten ? »

J'opinai.

« Je demanderai à Richard d'apporter les dossiers de quelques-unes des affaires dont il s'occupe. Des affaires au point mort. Sait-on jamais ? Vous trouverez peut-être de quoi relancer l'enquête. Un vagabond repêché dans le canal. Et ce pauvre ballot de flic qui s'est fait estourbir. Vous avez peut-être lu ça dans le *Beobachter* ? August Krichbaum. »

11

Naguère, vaste jardin paysager, le Lustgarten était entouré par le vieux château – dont il dépendait à l'origine –, par l'Altes Museum et par la cathédrale. Toutefois, ces dernières années, il avait été utilisé non pas comme un lieu de promenade, mais pour les défilés militaires et les meetings politiques. J'avais moi-même participé à un de ces meetings, en février 1933, lorsque deux cent mille personnes avaient envahi le Lustgarten pour manifester contre Hitler. Ce qui expliquait peut-être qu'une fois au pouvoir, les nazis avaient fait paver le parc et enlever la statue équestre de Frédéric-Guillaume III – de manière à ce qu'il puisse accueillir des défilés militaires et des meetings encore plus importants à la gloire du Führer.

En arrivant dans cet immense espace vide, je me rendis compte que j'avais complètement oublié où se trouvait la statue, et je dus essayer de deviner son emplacement pour attendre à cet endroit et donner au Kriminalinspector Richard Bömer au moins une chance de me trouver conformément aux dispositions prises avec Liebermann von Sonnenberg.

Je le vis avant qu'il me voie – un type plutôt grand, proche de la trentaine, les cheveux blonds, une serviette sous le bras, vêtu d'un costume gris et de bottes noires luisantes qui auraient pu avoir été faites spécialement pour lui à l'école de police de Havel. De profondes pattes d'oie dessinaient des parenthèses de chaque côté d'une bouche large, pleine, qui semblait sur le point de sourire. Son nez était légèrement déformé, et une épaisse cicatrice traversait un de ses sourcils comme un petit pont sur une rivière jaune d'or. À l'exception de ses oreilles, qui étaient indemnes, on aurait dit un jeune poids mi-moyen prometteur ayant oublié de retirer son protège-dents. En me voyant, il s'approcha sans se presser.

« Hé !

— Vous êtes Gunther ? »

Il montra le sud-est, en direction du château.

« Je pense qu'il regardait par là. Frédéric-Guillaume III, je veux dire.

— Vous en êtes sûr ?

— Oui.

— Bien. J'aime qu'un homme ait de la suite dans les idées. »

Il se tourna et pointa un doigt vers l'est.

« Ils l'ont mis là-bas. Derrière ces arbres. Où j'attends depuis dix minutes. J'ai soudain pensé que vous ne saviez peut-être pas qu'on l'avait déménagé, alors je suis venu ici.

— Qui s'attendrait à ce qu'un cavalier en granit change de place ?

— Il faut bien qu'ils défilent quelque part, je suppose.

— C'est une question d'opinion. Venez. Asseyons-nous. Un flic ne doit jamais rester debout quand il a la possibilité de s'asseoir. »

Nous marchâmes jusqu'à l'Altes Museum et nous installâmes sur les marches, devant une longue façade de colonnes ioniques.

« J'aime bien venir ici, dit-il. Cela fait réfléchir à ce que nous avons été. Et à ce que nous serons à nouveau. »

Je le regardai, l'air ahuri.

« Vous savez, l'histoire allemande.

— L'histoire allemande n'est rien de plus qu'une série de moustaches ridicules. »

Bömer sourit timidement, d'un sourire en coin, comme un écolier.

« Celle-là, mon oncle aurait adoré.

— Vous ne parlez pas de Liebermann von Sonnenberg, je présume.

— C'est l'oncle de ma femme.

— Comme si avoir le chef de la Kripo dans le rôle de soigneur n'était pas suffisant. Donc, votre oncle. Qui est-ce? Hermann Goering? »

Il prit une expression penaude.

« Tout ce que je désire, c'est travailler à la Criminelle. Être un bon policier.

— Il y a une chose que j'ai apprise s'agissant d'être un bon policier. Ça ne paie pas aussi bien qu'être un mauvais policier. Alors, cet oncle, qui est-ce?

— Quelle importance?

— C'est juste que Liebermann m'a demandé d'être votre oncle, pour ainsi dire. Et je suis du genre ombrageux. Si vous en avez un autre aussi important que moi, je tiens à le savoir. De plus, j'ai tendance à me mêler de ce qui ne me regarde pas. Ce qui explique que je sois devenu policier.

— Il travaille au ministère de la Propagande.

— Comme vous ne ressemblez pas à Joey le boiteux, vous devez parler de quelqu'un d'autre.

— Bömer. Dr Karl Bömer.

— Ces temps-ci, il semble que tout le monde ait besoin d'un doctorat pour mentir aux gens. »

Il sourit à nouveau.

« C'est ce que vous êtes en train de faire? Parce que vous savez que je suis membre du Parti.

— Comme tout un chacun.

— Mais pas vous.

— Je ne sais pas pourquoi, je n'ai jamais réussi. Chaque fois que j'ai essayé de m'inscrire, il y avait toujours une queue interminable devant le siège du Parti.

— Vous auriez dû en tirer la leçon. Le nombre fait la force.

— Non, sûrement pas. J'ai été dans les tranchées, mon jeune ami. Un bataillon pouvait se faire massacrer aussi aisément qu'un seul homme. Et c'étaient les généraux qui y veillaient, pas les Juifs. Ce sont eux qui nous ont poignardés dans le dos.

— Le patron m'a conseillé d'éviter de parler politique avec vous, Gunther.

– Ce n'est pas de la politique. C'est de l'histoire. Vous voulez connaître la vérité vraie de l'histoire allemande ? C'est qu'il n'y a pas de vérité dans l'histoire allemande. Comme moi à l'Alex. Rien de ce que vous avez entendu sur moi n'est vrai.

– Le patron dit que vous étiez un bon policier. Un des meilleurs.

– En dehors de ça.

– Il raconte que c'est vous qui avez arrêté Gormann, l'étrangleur.

– Si cela avait été tellement compliqué, il m'aurait mis dans son livre. Vous l'avez lu ? »

Il hocha la tête.

« Qu'en avez-vous pensé ?

– Qu'il n'avait pas été écrit pour les autres flics.

– Vous vous trompez de filière, Richard. Vous devriez travailler dans le corps diplomatique. C'est un bouquin nul. Il ne dit rien sur le métier de policier. Non que je puisse en dire grand-chose moi-même. Excepté peut-être ceci : il est facile pour un flic de reconnaître quand quelqu'un ment ; le plus dur, c'est de savoir quand il dit la vérité. Ou encore ceci : un policier est simplement un homme un peu moins bête qu'un criminel.

– Et votre méthode d'investigation ? Vous pourriez m'en toucher quelques mots ?

– Ma méthode était un peu comme ce que le maréchal von Moltke disait d'un plan de bataille, Richard : il ne résiste jamais au contact avec l'ennemi. Les gens sont tous différents. Les homicides aussi, ça va de soi. Vous pourriez peut-être me parler d'une affaire sur laquelle vous travaillez en ce moment. Ou, mieux encore, m'amener le dossier, que je puisse y jeter un coup d'œil et vous donner mon sentiment. Le patron a cité une affaire qui aurait besoin d'un nouvel élan. Le meurtre de ce flic, August Krichbaum, c'est bien ça ? Je pourrais peut-être faire quelques suggestions.

– Ce n'est plus une affaire non résolue, dit Bömer. Il semble qu'on tienne une piste, finalement. »

Je me mordis la lèvre.

« Ah ? Laquelle ?

– Krichbaum s'est fait tuer devant l'hôtel Deutscher Kaiser, d'accord ? Le médecin légiste pense qu'on lui a flanqué un coup de poing dans le ventre.

– Ça devait être un sacré coup de poing.

– Je suppose que c'est possible, quand on ne s'y attend pas. Toujours est-il que le portier a vu le principal suspect. Enfin, à peine, mais c'est un ancien policier. Bref, il a examiné les photos de toutes les fripouilles de Berlin, et pas de chance. Depuis, il n'a cessé de se creuser la cervelle, et il pense maintenant que le type qui a frappé Krichbaum était peut-être un autre flic.

– Un flic ? Vous plaisantez.

– Pas du tout. Ils lui ont demandé de jeter un coup d'œil aux dossiers de tous les membres de la police de Berlin, passés et présents. Dès qu'il aura mis le doigt sur la bonne photo, ils tiendront le lascar en question, pas de doute.

– Eh bien, voilà qui est rassurant. »

J'allumai une cigarette et me frottai nerveusement la nuque, comme si je sentais déjà la lame du couperet. Il paraît que tout ce que l'on ressent, c'est une sorte de brusque picotement, comparable à la chaleur rageuse d'une tondeuse électrique chez un coiffeur pour hommes. Il me fallut un moment pour me rappeler que la description faite par le portier de l'hôtel mentionnait un homme avec une moustache. Et un autre pour me souvenir que, sur la photo initiale de mon dossier de police, je portais la moustache. Était-il vraisemblable qu'il arrive à m'identifier grâce à ça ? Je n'en avais pas la moindre idée. J'avalai une goulée d'air, pris d'un étourdissement.

« Mais j'ai apporté le dossier d'une autre affaire sur laquelle j'ai travaillé, annonça Bömer en débouclant sa serviette en cuir.

– Bien, dis-je sans enthousiasme. Ah, très bien. »

Il me tendit un dossier chamois.

« Il y a de ça quelques jours, on a découvert un cadavre flottant dans l'écluse de Mühlendamm.

– Un Landwehr-Deckel[1].

---

1. Couvercle de la Landwehr : fait référence à la surface polluée du canal et à un mélange de bière et de cognac.

– Pardon ?

– Rien. Alors pourquoi est-ce que ce n'est pas la brigade de Mühlendamm qui s'en occupe ?

– Parce qu'il y a un mystère concernant l'identité de la victime et la cause du décès. Le type s'est noyé. Mais le corps était plein d'eau salée, vous comprenez ? Il est donc impossible qu'il se soit noyé dans la Spree. » Il me passa des photos. « De plus, comme vous pouvez le constater, on a essayé d'envoyer le corps au fond. La corde autour des chevilles s'est probablement détachée du poids.

– Quelle est la profondeur à cet endroit-là ? demandai-je en parcourant les clichés pris sur place et à la morgue.

– À peu près neuf mètres. »

J'avais devant les yeux le corps d'un homme approchant la soixantaine. Grand, blond, et typiquement aryen, si ce n'est qu'il y avait une photo de son pénis, qui avait été circoncis. Fait assez inhabituel parmi les Allemands.

« Comme vous pouvez le voir, il est possible qu'il s'agisse d'un Juif, reprit Bömer. Même si, pour le reste, on ne le dirait pas.

– Ces temps-ci, il y a vraiment des gens bizarres.

– Je veux dire, il donne plutôt l'impression d'un pur aryen, vous ne trouvez pas ?

– Tout à fait. Aussi aryen qu'un garçonnet sur une affiche de la SA.

– En tout cas, espérons-le.

– Ce qui signifie ?

– Ce qui signifie ceci : s'il s'avérait être allemand, nous aimerions évidemment en savoir le plus possible. Mais s'il apparaissait qu'il est juif, alors mes instructions sont de ne pas se casser la tête à enquêter. Qu'il est compréhensible que des choses de ce genre se produisent à Berlin et qu'une enquête représenterait une perte de temps. »

Je n'en revenais pas du calme avec lequel il avait dit ça. Comme si c'était la distinction la plus naturelle du monde. Je ne dis rien. Je n'avais rien à dire. Je regardais les photos d'un mort. Mais je continuais à songer à mon propre cou.

« Nez cassé, oreilles en feuilles de chou, mains énormes. » Je jetai ma cigarette d'une chiquenaude et m'efforçai de me concentrer sur ce que j'avais sous les yeux, ne serait-ce que pour ne plus penser à August Krichbaum. « Ce type n'était pas enfant de chœur. Peut-être un Juif, après tout. Curieux.

    — Quoi?

    — Cette marque triangulaire sur sa poitrine. Qu'est-ce que c'est? Une ecchymose? Le médecin légiste ne l'indique pas. Incroyable. Du je-m'en-foutisme. Ça ne serait jamais arrivé de mon temps. Je pourrais probablement en dire plus si je voyais le corps en vrai. Où est-il à l'heure actuelle?

    — À l'hôpital de la Charité. »

Soudain, je compris que jeter un coup d'œil au Landwehr-Deckel de Bömer était la meilleure façon de chasser August Krichbaum de mon esprit.

« Avez-vous une voiture?

    — Oui.

    — Bon. Allons voir ça. Si quelqu'un demande ce que nous faisons, vous m'aidez à chercher mon frère disparu. »

Nous prîmes la direction du nord-ouest dans une Butz décapotable. Il y avait une remorque à deux roues fixée à l'arrière, comme si Bömer projetait d'aller camper après en avoir terminé avec moi. Ce qui n'était pas loin de la vérité.

« Je m'occupe d'un groupe de garçons des Jeunesses hitlériennes ayant entre dix et quatorze ans, expliqua-t-il. On a fait du camping le week-end dernier, et la remorque est restée attachée à la voiture.

    — J'espère sincèrement qu'ils sont toujours à l'intérieur.

    — Allez-y, riez. Ça fait rire tout le monde à l'Alex. Mais, pour ma part, je crois à l'avenir de l'Allemagne.

    — Moi aussi, c'est pourquoi j'espère que vous les avez enfermés à double tour par-dessus le marché. Les membres de votre groupe de jeunes. De sales petites brutes. J'en ai vu l'autre jour qui jouaient à la balle au prisonnier avec le chapeau d'un vieux Juif. Enfin, passons, ça vaut mieux, je suppose. Je veux dire, il est compréhensible que des choses de ce genre se produisent à Berlin.

    — Personnellement, je n'ai rien contre les Juifs.

– Mais. Il y a toujours un "mais" après ce type d'affirmation. Comme une stupide petite remorque attachée à une voiture.

– Mais je crois en effet que notre nation est devenue faible et dégénérée. Et que le meilleur moyen d'inverser le courant, c'est de faire en sorte qu'être allemand apparaisse comme quelque chose d'important. Pour cela, nous devons donner le sentiment d'être nous-mêmes quelque chose de spécial, une race à part. Donner le sentiment d'être exclusivement allemands, au point de dire qu'il n'est pas bien d'être juif en premier et allemand en second. Qu'il n'y a de place pour rien d'autre.

– Avec vous, le camping doit être follement gai, Bömer. C'est ça que vous racontez à vos ouailles autour du feu de camp ? Maintenant, je comprends à quoi sert la remorque. Je suppose qu'elle est pleine de littérature dégénérée pour allumer le feu. »

Il sourit et secoua la tête.

« Bon Dieu, est-ce que vous parliez de cette façon quand vous étiez à l'Alex ?

– Non. À l'époque, on pouvait dire tout ce qu'on voulait. »

Il rit.

« J'essaie simplement d'expliquer pourquoi nous avons besoin du gouvernement que nous avons actuellement.

– Richard. Quand les Allemands se mettent à compter sur leur gouvernement pour régler les problèmes, on sait qu'on est vraiment dans la merde. Si vous voulez mon avis, je pense que nous sommes un peuple facile à gouverner. Pour ça, il suffit de promulguer chaque année une nouvelle loi déclarant : faites ce qu'on vous dit, un point c'est tout. »

Après avoir traversé la Karlsplatz, nous prîmes la Luisenstrasse, passant devant le monument à la mémoire de Rudolf Virchow, le prétendu père de la pathologie et défenseur précoce de la pureté raciale, ce qui, probablement, était l'unique raison pour laquelle sa statue n'avait pas bougé. À côté de l'hôpital de la Charité se trouvait l'Institut médico-légal. Nous garâmes la voiture et entrâmes.

Un interne roux vêtu d'une veste blanche nous fit descendre à la vieille morgue, où un homme armé d'un vaporisateur à pompe expédiait avec célérité et une odeur très irritante ce qui subsistait de la vie des insectes de l'été. Je me demandai si ce truc marcherait avec les nazis. L'homme à l'arme chimique nous conduisit à la chambre froide, qui, à en juger par l'odeur, n'était pas tout à fait assez froide. Il tira des rafales d'un insecticide quelconque puis nous balada autour d'une douzaine de corps recouverts d'un drap et allongés sur des tables d'autopsie tel un village de tentes, jusqu'à ce que nous ayons trouvé celui que nous cherchions.

Je sortis mes cigarettes et en offris une à Bömer.

« Je ne fume pas.

— Dommage. Beaucoup de gens croient encore que nous fumions tous pendant la guerre pour calmer notre nervosité, alors que, en général, c'était pour couvrir l'odeur des cadavres. Vous devriez vous y mettre, et pas seulement comme pis-aller dans des situations nauséabondes comme celle-ci. Pour un policier, fumer est d'une importance vitale. Cela aide à se persuader qu'on fait quelque chose même quand on ne fait pas grand-chose. Et vous vous apercevrez que les "pas grand-chose", ce n'est pas ça qui manque dans le métier de policier. »

Je soulevai le drap et contemplai le corps d'un homme ayant la taille du grand frère de Schmeling et la couleur de la pâte à pain. En le voyant, on s'attendait presque à ce que quelqu'un le mette dans un four pour le faire cuire et le ramener à la vie. La peau de son visage ressemblait à une main laissée trop longtemps dans l'eau du bain. Elle était aussi plissée qu'un abricot sec. Même son opticien ne l'aurait pas reconnu. Pour tout arranger, le médecin légiste était déjà passé par là. Une incision thoracique sommairement recousue traversait le cadavre du menton aux poils pubiens comme des rails miniatures. Incision qui coupait le centre de la marque triangulaire sur la large poitrine de l'homme. Retirant la cigarette de ma bouche, je me livrai à un examen plus attentif.

« Pas un tatouage. Une trace de brûlure. Cela ressemble au bout d'un fer à repasser, vous ne trouvez pas ? »

Bömer acquiesça.

« Torturé ?

— Est-ce qu'il y a des marques semblables sur le dos ?

— Je ne sais pas. »

J'empoignai une épaule robuste.

« Tournons-le. Vous, prenez la hanche et les jambes. Je le ferai basculer. On le tirera vers nous, et je me pencherai pour jeter un coup d'œil. »

C'était comme bouger un sac de sable mouillé. Il n'y avait rien sur son dos, mis à part quelques poils longs et raides et une tache de vin. Mais, alors que le cadavre reposait contre notre abdomen, Bömer poussa un juron.

« Trop pour vous, Richard ?

— Quelque chose s'est échappé de sa queue et a coulé sur ma chemise, dit-il, s'écartant prestement de la table, puis fixant avec horreur une large plaie jaunâtre au milieu de son ventre. Merde !

— Presque. Mais pas tout à fait.

— Une chemise neuve. Qu'est-ce que je vais faire maintenant ? »

Il décolla le tissu de sa peau et poussa un soupir.

« Vous n'en avez pas une brune dans cette remorque ? »

Je blaguais.

« Oui, c'est vrai.

— Alors bouclez-la et faites bien attention. Notre ami ici présent n'a pas été torturé, j'en suis à peu près certain. Si on avait voulu le travailler au corps avec un fer-chaud, on ne s'en serait pas servi juste une fois.

— Pourquoi, dans ce cas ? »

Je levai une des mains et repliai les doigts en un poing de la grosseur d'un réservoir de mobylette.

« Visez un peu ces battoirs. Le tissu scarifié des jointures. En particulier ici, à la base de chaque petit doigt. Vous voyez cette bosse ? » Je laissai Bömer jeter un coup d'œil à l'excroissance ondulant à l'arrière de la paume jusqu'à un point situé juste au-dessous de l'articulation du petit doigt. Puis, baissant la main gauche de l'homme, je levai la droite. « C'est même encore plus prononcé sur celle-là. Il s'agit d'une fracture courante chez les boxeurs. De plus, je dirais que ce type était gaucher, ce qui devrait permettre de réduire un peu le champ des possibilités. Sauf que cela fait un moment qu'il n'avait pas boxé. Vous voyez la terre sous les ongles ? Jamais un boxeur ne tolérerait ça. Mais le pathologiste d'ici ne les a pas récurés, et aucun policier ne devrait tolérer ça. Si le toubib ne fait pas son boulot, c'est à vous de lui secouer les puces. »

Je sortis mon couteau de poche et l'enveloppe de l'Adlon contenant la démission de Muller, et grattai ce qu'il y avait sous les ongles du macchabée.

« Je ne vois pas ce que quelques particules de terre pourraient nous apprendre, dit Bömer.

— Probablement rien. Mais il est rare que les indices nous soient fournis en version grand format. Et c'est presque toujours de la cochonnerie. Souvenez-vous de ça. À présent, tout ce dont j'ai besoin, c'est de voir les vêtements du mort. Et d'emprunter un microscope un moment. » Je regardai autour de moi. « Si je me souviens bien, il y a un laboratoire quelque part à cet étage. »

Il pointa un doigt.

« Là-dedans. »

Pendant que Bömer allait chercher les vêtements, je versai le contenu des ongles du cadavre dans une boîte de Petri que je plaçai sous un microscope. Sans être un scientifique, ni même un géologue, je savais reconnaître de l'or quand j'en voyais. Il n'y en avait qu'une quantité infime, mais suffisante pour capter la lumière ainsi que mon attention. Et lorsque Bömer entra dans le labo avec une boîte en carton, je lui dis ce que j'avais découvert, même si je savais ce qu'il répondrait.

« De l'or, hein ? Peut-être un bijoutier. Cela pourrait être aussi la preuve qu'il était juif.

— Je vous le répète, Richard. Ce type était un boxeur. Il y a de grandes chances qu'il travaillait sur un chantier. Ce qui expliquerait la terre sous les ongles.

— Et l'or ?

— En règle générale, à part les ateliers d'orfèvrerie, le meilleur endroit pour chercher de l'or, c'est dans la terre. »

J'ouvris la boîte en carton et me retrouvai à examiner des vêtements d'ouvrier. Une solide paire de bottes. Une épaisse ceinture en cuir. Une casquette en cuir également. La chemise de flanelle bon marché m'intéressa davantage parce qu'elle n'avait pas de boutons et qu'on voyait de petites déchirures dans le tissu là où ils auraient dû se trouver.

« Quelqu'un a défait sa chemise en la déchirant pour aller plus vite, dis-je. Très probablement lorsque son cœur a cessé de battre. C'est comme si on avait tenté de le ranimer après sa noyade. Ça justifierait assurément la chemise. On l'aurait arrachée pour essayer de faire repartir le cœur. À l'aide d'un fer-chaud. Un vieux truc d'entraîneur de boxe. Quelque chose ayant rapport avec la chaleur et le choc, je pense. En tout cas, ça explique la brûlure.

— Êtes-vous en train de dire qu'on a jeté cet homme à l'eau et qu'on a essayé de le ranimer ensuite ?

— Eh bien, il ne s'agissait pas de la Spree. C'est vous-même qui me l'avez dit. Il s'est noyé ailleurs. Puis quelqu'un a voulu le ranimer. Après quoi on l'a balancé dans la rivière. Telle est la chaîne causale, mais je n'ai pas le moindre pourquoi à y attacher. Pas encore.

— Intéressant. »

Je jetai un coup d'œil à la veste. Ordinaire, en velours côtelé, de chez C&A. Si ce n'est qu'on avait ouvert puis recousu la doublure. En pressant le tissu sous la poche de poitrine, je sentis quelque chose se froisser dans mes doigts. Sortant à nouveau mon couteau, je défis quelques coutures et extirpai un bout de papier plié. Je le déroulai avec précaution, étalant une bandelette de la taille d'une règle d'écolier sur l'établi à côté du microscope. Après un séjour dans les eaux de la Spree, ce qu'il y avait de marqué dessus avait disparu à jamais. On ne voyait absolument rien sur le papier. Mais sa signification ne faisait guère de doute.

Le visage de Bömer était sans expression, lui aussi.

« Est-ce que cela aurait pu être son nom et son adresse ?

— Possible. Si ça avait été un gosse de dix ans et que sa mère ait peur qu'il se perde.

— Bon, alors, qu'est-ce que ça veut dire ?

— Ça veut dire que vos premiers soupçons se trouvent à présent confirmés. À mon avis, cette bandelette de papier était probablement un fragment de la Torah.

— La quoi ?

– Dieu serait allemand que je n'en serais pas du tout surpris en ce qui me concerne. Apparemment, il se plaît à être vénéré, à délivrer aux gens dix commandements à la fois, et il a même écrit son propre bouquin illisible. Mais le dieu auquel cet homme vouait un culte était celui des Hébreux. Les Juifs cousent parfois un extrait de la parole divine dans leurs vêtements, près du cœur. Oui, c'est exact, Richard. Il était juif.

– Merde alors! Quelle connerie!

– Vous le pensez vraiment?

– Je vous l'ai dit, Gunther. Jamais le patron ne m'autorisera à enquêter sur la mort d'un Juif. Bon sang! Et moi qui pensais que ce serait l'occasion de faire mes preuves. De mener une véritable investigation criminelle, vous comprenez? »

Je ne dis rien. Non que ça m'eût laissé sans voix, mais je n'étais certainement pas d'humeur à me lancer dans une tirade. À quoi bon?

« Je ne fais pas de politique en matière de police, continua Bömer. Pas plus que Liebermann von Sonnenberg. Si vous tenez à le savoir, la décision vient du ministère de l'Intérieur. De Frick. Et Frick la tient de Goering, qui probablement la tient…

– Du diable en personne. Je sais. »

Soudain, j'éprouvais une envie irrépressible de fuir Richard Bömer et son ambition maladive. Il était désormais clair comme le jour que le métier de policier avait changé bien plus que je ne l'avais supposé. Que jamais je ne pourrais retourner à l'Alex, même si je l'avais voulu.

« J'espère qu'il y aura d'autres meurtres, Richard. En fait, j'en suis même certain. À cet égard au moins, vous pouvez compter sur les nazis.

– Vous ne comprenez pas. Je veux devenir détective, comme dans les romans. C'est mon rêve depuis toujours. Un vrai détective, comme vous, Gunther. Mais les régimes policiers sont mauvais pour le crime et les criminels. Parce que, en Allemagne aujourd'hui, tout le monde est policier. Et si ce n'est pas encore le cas, cela ne saurait tarder. »

Il donna un coup de pied dans l'établi du laboratoire et poussa un nouveau juron.

« Richard. J'aurais presque envie de vous plaindre. » Je ramassai le dossier du mort pour le lui rendre. « Ma foi, je ne peux pas dire que ce n'était pas amusant. Ce boulot m'a manqué. Même la clientèle. Vous imaginez ? Mais, dorénavant, je vais le regretter à peu près autant que le Lustgarten. C'est-à-dire pas du tout. Parce qu'il n'est plus le même. Que ça n'a plus rien à voir. Lorsque quelqu'un se fait trucider – peu importe qui –, on enquête. On enquête parce que c'est ce qu'on fait quand on vit dans une société digne de ce nom. Et quand on ne le fait pas, quand on décide que la mort de quelqu'un n'en vaut pas la chandelle, alors ce boulot ne présente pas d'intérêt, de toute façon. Plus maintenant. »

Je lui tendis le dossier. Il le regarda fixement comme s'il n'existait pas.

« Tenez. Prenez-le. Il est à vous. »

Mais nous savions tous les deux que c'était faux.

Ignorant le dossier, il pivota puis sortit du laboratoire, et, même si je n'étais pas là pour le voir, de l'Institut médico-légal également.

Quelques mois plus tard, Erich Liebermann von Sonnenberg m'informa que Richard Bömer avait quitté la Kripo pour s'enrôler dans la SS. Ce qui paraissait, à ce moment-là, la meilleure option en terme d'avenir professionnel.

12

« Les deux officiers de la Kripo ont été très polis, me dit Georg Behlert. Frau Adlon vous est extrêmement reconnaissante pour la façon dont vous vous êtes occupé de toute cette affaire. Excellent. Bravo. »

Nous étions assis dans le bureau de Behlert donnant sur le Jardin Goethe. À travers les portes ouvertes de la Palmeraie attenante, un trio pour piano s'efforçait d'ignorer une statue de Hercule qui semblait réclamer quelque chose de plus musclé que des morceaux choisis de Mozart et de Schubert. Je me sentais moi-même un peu comme Hercule revenant de Mycène après avoir accompli un travail inutile.

« Peut-être. Mais je ne pense pas que c'était une bonne idée que je sois mêlé à ça. J'aurais dû les laisser se dépatouiller. J'aurais dû me douter qu'ils essaieraient de me faire payer le prix. »

Behlert semblait déconcerté.

« Quel prix ? Vous ne voulez pas dire… ?

— Pas à l'hôtel, ajoutai-je. À moi. »

Et, rien que pour voir l'expression horrifiée sur le visage lisse et suave de Behlert, je lui parlai de Liebermann von Sonnenberg et du mort de la Charité.

« La prochaine fois, continuai-je, si prochaine fois il y a, je me garderai bien de chercher à influencer une enquête de police. J'ai été naïf de croire que je le pouvais. Et tout ça pour quoi ? Un type obèse à la chambre 210 que je n'ai jamais rencontré de ma vie. À quoi bon m'en faire pour sa bonne femme? Si ça se trouve, elle le détestait. En tout cas, elle devrait. Les flics lui auraient balancé ça avec leurs gros sabots qu'il l'aurait bien mérité. Il aurait dû songer à elle quand il s'est mis à fricoter avec les putes de Berlin.

— Mais vous l'avez fait pour la bonne réputation de l'hôtel Adlon, dit Behlert, comme s'il n'y avait pas besoin d'autre justification.

— Oui, je suppose. »

Il était déjà debout et ôtait le bouchon d'une carafe avec de la gnôle de premier choix, dont il nous versa à chacun un verre de la taille d'un dé à coudre.

« Tenez. Buvez. Vous avez l'air d'en avoir besoin.

— Merci, Georg.

— Qu'est-ce qui va lui arriver?

— À Rubusch?

— Non, à ce pauvre diable à la morgue.

— Vous tenez vraiment à le savoir? »

Il acquiesça.

« D'habitude, quand un corps est non identifié, on l'envoie à l'institut d'anatomie de l'université pour que les étudiants puissent s'en donner à cœur joie.

— Mais supposons que l'enquête révèle sa véritable identité.

— Je me suis mal fait comprendre, manifestement. Il n'y aura pas d'enquête. Pas maintenant que nous — je veux dire, moi —, pas maintenant que j'ai établi qu'il était juif. La police de Berlin ne veut rien savoir sur les cadavres juifs. On estime que ce serait faire un mauvais usage du temps et des ressources disponibles. Aux yeux des flics, son assassin — pour autant qu'il ait été assassiné, ce dont je ne suis pas du tout certain — devrait être félicité plutôt que traduit en justice. »

Behlert vida son verre de l'excellent schnaps qu'il contenait et secoua la tête, incrédule.

« Je n'invente rien. Je sais, ça paraît incroyable, mais c'est la pure vérité. Parole d'honneur.

— Je vous crois, Bernie. Je vous crois. » Il poussa un soupir. « Un des clients vient de rentrer de Bavière. Un Juif anglais. De Manchester. Il semble qu'il ait vu un panneau routier avec marqué quelque chose comme : VIRAGE DANGEREUX. VITESSE LIMITÉE À 50 KM/H. JUIFS, FONCEZ. Qu'est-ce que je pouvais dire ? Je lui ai répondu qu'il s'agissait probablement d'une mauvaise plaisanterie. Tout en étant persuadé du contraire. Dans ma propre ville d'Iéna, ils ont planté un panneau semblable devant le Planétarium Zeiss, conseillant aux Juifs d'aller fonder une nouvelle patrie sur la planète Mars. Et le plus terrible, c'est qu'ils sont sérieux. Plusieurs clients affirment que jamais ils ne reviendront en Allemagne. Que nous ne sommes plus le peuple attentionné que nous étions. Même à Berlin.

— De nos jours, un Allemand attentionné est quelqu'un qui ne frappe pas à votre porte de bon matin, de peur que vous pensiez qu'il s'agit de la Gestapo. »

Je lui tendis la lettre contenant la démission de Muller de ses fonctions de détective de l'hôtel Adlon. Il la lut puis la posa sur son bureau.

« Je ne peux pas dire que cela me surprenne ni que je sois désolé. Voilà déjà un certain temps que j'avais des doutes à son sujet. Naturellement, pour vous, cela signifie que vous aurez davantage de travail à faire. Du moins, jusqu'à ce que nous ayons engagé quelqu'un d'autre. Raison pour laquelle je vais augmenter votre salaire. Dix marks de plus par semaine, cela vous irait comme arrangement ?

— Je ne suis pas Haendel, mais ça me plaît assez.

— Parfait. Peut-être pourriez-vous trouver un remplaçant. Après tout, vous avez été très efficace dans le cas de Fräulein Bauer. La sténographe. Elle fait pas mal de travail pour Herr Reles, à la 114. Il est très content d'elle, apparemment.

— Bon.

— Vous avez peut-être quelqu'un en tête. Un ancien policier. Un homme comme vous. Fiable. Discret. Intelligent. »

J'acquiesçai lentement et laissai couler l'alcool dans ma gorge.

Georg Behlert avait l'air de croire qu'il me connaissait, mais je n'étais pas sûr de me connaître moi-même. Plus maintenant. Certainement pas depuis ma visite à Otto Schuchardt à la section juive du siège de la Gestapo.

Il était peut-être temps que je fasse quelque chose à ce sujet.

Je pris le tram 10 allant vers l'ouest, traversai l'Invalidenstrasse et remontai Alt-Moabit après être passé devant la prison et la cour de justice. Près de la laiterie Boll – d'où s'échappait une forte odeur de crottin de cheval qui balayait la rue en direction du Lessingbrücke – se trouvait un immeuble délabré. C'était un quartier miteux : même les ordures sur les trottoirs avaient l'air de trucs qu'on a jetés à la poubelle.

Emil Linthe habitait au dernier étage, et, par la fenêtre ouverte du palier devant sa porte, on pouvait entendre le vacarme de la fabrique de machines-outils située dans la Huttenstrasse. La Grande Dépression l'avait réduite au silence pendant près d'un an, mais, depuis l'arrivée des nazis au gouvernement, elle fonctionnait à plein régime. D'interminables coups métalliques battant un rythme à trois temps, telle une valse conduite par Thor, le dieu du tonnerre.

Je frappai à la porte, qui finit par s'ouvrir sur un type grand et mince, la trentaine environ, avec une chevelure abondante devant et presque inexistante derrière. On aurait dit qu'il avait une chaise longue au sommet du crâne.

« Vous arrivez à vous faire à ce bruit ? demandai-je.

– Quel bruit ?

– Je suppose que oui. Emil Linthe ?

– Parti. En vacances. Sur l'île de Rügen. »

Il y avait de l'encre sur ses doigts. Suffisamment pour me donner à penser que je parlais au zigue que je cherchais.

« Pardonnez mon erreur, dis-je. À moins que vous ne vous fassiez appeler autrement ces temps-ci. Maier, ou peut-être Schmidt, d'après Otto Trettin. Walter Schmidt. »

Le pseudo-Linthe se dégonfla comme une baudruche.

« Un flic.

– Du calme. Je n'ai pas l'intention de te passer les menottes. Je suis ici pour affaires. Ton genre d'affaires.

– Et pourquoi est-ce que je voudrais faire des affaires avec la poulaille de Berlin ?

– Parce que Otto Trettin n'a toujours pas retrouvé ton dossier, Emil. Et parce que tu n'as pas envie de lui donner un motif de se remettre à chercher. Ou tu risquerais de retourner au Coup de poing.

Ce sont ses mots, pas les miens. Mais je suis comme un frère pour cet homme-là.

— Et moi qui croyais que les flics tuaient leurs frères au berceau.

— Invite-moi à entrer. Tu vois, quand tu veux. C'est un peu bruyant ici, et tu ne voudrais pas que j'élève la voix, n'est-ce pas ? »

Emil Linthe fit un pas de côté. En même temps, il rajusta ses bretelles et prit la cigarette qu'il avait laissée se consumer dans un cendrier posé sur un rebord à l'intérieur. Comme j'entrais, il referma derrière moi, puis se précipita dans le couloir pour fermer la porte du salon. Mais pas assez vite pour m'empêcher d'apercevoir ce qui ressemblait à une presse typographique. Nous allâmes dans la cuisine.

« Je te le répète, Emil. Je ne suis pas venu te passer les menottes.

— Chassez le naturel, il revient au galop.

— À vrai dire, c'est justement ce dont je voulais te parler. Il paraît que tu te charges d'arranger ça. Moyennant finances. J'aimerais que tu me fasses ce qu'Otto Trettin appelle une transfusion aryenne. »

Je lui exposai le problème concernant ma grand-mère.

Il sourit puis secoua la tête.

« Ça me fait rigoler, tous ces gus qui ont sauté dans le train nazi et qui remontent maintenant le couloir à toute pompe pour essayer de regagner la gare dont ils sont partis. »

J'aurais pu lui dire que je ne comptais pas parmi ceux-là. J'aurais pu reconnaître que je n'étais pas flic. Mais je ne tenais pas à me livrer entre ses mains de maître chanteur en puissance. Après tout, Linthe était un escroc. Il fallait que je me cramponne à la cravache, sous peine de perdre le contrôle du cheval que je comptais monter aussi longtemps que j'en aurais besoin.

« Vous autres nazis, vous êtes tous pareils. » Il rit à nouveau. « Des hypocrites.

— Je ne suis pas un nazi. Je suis un Allemand. Ce n'est pas la même chose. Un Allemand est un homme qui arrive à surmonter ses pires préjugés. Un nazi, quelqu'un qui les change en lois. »

Mais il était trop occupé à se bidonner pour écouter ce que je disais.

« Mon intention n'était pas de t'amuser, Emil.

– Eh bien, ça m'amuse quand même. C'est plutôt comique. »

Je l'empoignai par les bretelles et les tirai énergiquement en sens contraire de sorte que je l'étranglais à moitié, puis le poussai brutalement contre le mur de la cuisine. Par la fenêtre, au nord de Moabit, on apercevait la silhouette de la prison de Plotzensee, où Otto avait vu récemment le couperet en action. Ce qui me rappela que je devais être gentil avec Emil Linthe. Mais pas trop.

« Et moi, hein ? » Je le giflai sur une joue puis sur l'autre. « Est-ce que je ris ?

– Non, hurla-t-il avec rage.

– Tu penses peut-être que ton dossier est vraiment perdu, Emil. Ai-je besoin de te rappeler ce qu'il y a dedans ? Tu es connu pour être un complice du Main dans la main, un gang particulièrement dangereux. Ainsi que de Salomon Smolianoff, un faussaire ukrainien purgeant actuellement une peine de trois ans dans une geôle hollandaise pour avoir contrefait des billets de banque britanniques. Tu en as fait toi-même trois au Coup de poing pour le même délit. Ce qui t'a permis de monter un petit commerce lucratif de faux documents. Bien sûr, si jamais ils te pincent à nouveau à fabriquer de la fausse monnaie, ils te flanqueront au trou pour de bon. Et ils le feront, Emil. Ils le feront. Je te le garantis. Parce que, si tu ne me donnes pas un coup de main, dès que je serai sorti d'ici, je me rendrai au Präsidium de la police de Charlottenburg et je leur parlerai de la presse qui se trouve dans ta salle de séjour. Qu'est-ce que c'est, une plaque ? »

Je le lâchai.

« Je veux dire, je suis un type compréhensif. Je proposerais bien de te payer, mais à quoi bon ? Tu peux probablement en imprimer plus en dix minutes que je n'arriverais à en gagner en une année entière. »

Emil Linthe sourit d'un air penaud.

« Vous vous y connaissez en presses typographiques ?

– Pas vraiment. Mais je sais à quoi ça ressemble quand j'en vois une.

– En fait, c'est une Kluge. Mieux qu'une plaque. La Kluge permet de réaliser tous les types de besogne, y compris le découpage, l'impression à chaud et l'estampagne. » Il alluma une cigarette.

« Écoutez, j'ai pas dit que je voulais pas vous aider. Les amis d'Otto sont mes amis, d'accord ? J'ai juste dit que c'était rigolo, voilà tout.

— Pas pour moi, Emil. Pas pour moi.

— Eh bien, vous avez de la chance. Il se trouve que je m'y connais pas mal dans ce que je fais. Contrairement à la plupart des gens qu'Otto aurait pu vous conseiller. Vous dites que le nom de votre grand-mère maternelle était… ?

— Adler.

— C'est ça. Elle était juive de naissance ? Mais avait reçu une éducation catholique ?

— Oui.

— Dans quelle paroisse ?

— Neukölln.

— Il va falloir modifier le registre de l'église et celui de l'hôtel de ville. Neukölln c'est plutôt bonnard. Un tas de fonctionnaires sont d'anciens rouges, très faciles à corrompre. S'il s'agissait de plus de deux grands-parents, je ne pourrais probablement rien pour vous. Mais un seul, c'est relativement simple si on sait s'y prendre. Ce qui est mon cas. Toutefois, j'aurais besoin des certificats de naissance, de décès et tout ce que vous avez. »

Je sortis une enveloppe de la poche de mon manteau et la lui passai.

« Il vaut probablement mieux que je reparte à zéro. Que tous les actes soient rectifiés.

— Combien est-ce que ça me coûtera ? »

Linthe eut un haussement d'épaules.

« Comme vous l'avez dit vous-même, en dix minutes, j'en imprime plus que vous ne pourriez en gagner en toute une année. Bon. Mettons que ce soit une fleur que je vous fais, à vous et à Otto, d'accord ? » Il secoua la tête. « Pas de problème. Adler devient facilement Kugler, ou Ebner, ou Fendler, ou Kepler, ou Muller, hein ?

— Pas Muller.

— C'est un nom bien allemand.

— Je ne l'aime pas beaucoup.

— Très bien. Et pour plus de vraisemblance, nous ferons de votre grand-mère votre arrière-grand-mère. Histoire de reculer d'une génération le Juif en vous et de rendre la chose insignifiante. Une fois que j'en aurai fini, vous aurez l'air encore plus allemand que le Kaiser.

– Lequel était à moitié anglais, n'est-ce pas? Sa grand-mère était la reine Victoria.

– Exact. Mais elle-même était à moitié allemande. Tout comme la mère du Kaiser. » Linthe hocha la tête. « Personne n'est jamais quoi que ce soit à cent pour cent. Ce qui rend ce paragraphe aryen d'autant plus stupide. On est tous un mélange. Vous, moi, le Kaiser, Hitler. Notez que, dans le cas de Hitler, ça ne m'étonnerait pas. On prétend qu'il a un quart de sang juif. Qu'est-ce que vous en pensez?

– Finalement, nous avons peut-être quelque chose en commun, lui et moi. »

Dans son intérêt, j'espérais qu'il possédait lui aussi un copain à la section juive de la Gestapo.

13

Hedda Adlon avait pour sa part une amie comme on n'en rencontre pas à tous les coins de rue. Elle s'appelait Noreen Charalambides et, deux ou trois jours avant de lui être présenté, j'avais déjà engrangé son visage, son derrière, ses mollets et sa poitrine dans un espace du flacon de ma mémoire faustienne réservé jusque-là à Hélène de Troie.

C'était mon boulot de garder un œil sur les clients, et, chaque fois que j'apercevais Mrs Charalambides dans les parages de l'hôtel, je gardais les huit miens fixés sur elle, épiant le moment où elle effleurerait le fil de soie marquant les limites de mon obscur univers arachnéen. Encore que jamais je n'aurais essayé de « fraterniser » avec un client, si on peut dire ça comme ça. C'est en tout cas comme ça que le qualifiaient Hedda Adlon et Georg Behlert, mais une relation aussi altruiste que de la fraternité était très loin de ce que je désirais avoir avec Noreen. Quel que soit le nom qu'on lui donne, l'hôtel n'appréciait pas beaucoup ce genre de chose. Bien sûr, cela pouvait arriver, et certaines femmes de chambre n'hésitaient pas à en demander un juste prix. Lorsque Erich von Stroheim ou Emil Jannings logeaient à l'hôtel, le chef réceptionniste avait toujours soin de les faire servir par une domestique nommée Bella. Toutefois, Stroheim n'était pas si exigeant. Il les aimait jeunes. Mais il les aimait vieilles aussi.

Cela peut sembler ridicule, et ça l'est assurément – l'amour est toujours ridicule, c'est ce qui fait son charme –, mais je suppose que j'en pinçais pour Noreen Charalambides avant même de faire sa connaissance. Un peu comme une écolière avec une carte postale Ross de Max Hansen dans son cartable. Je la lorgnais de la même façon que je contemplais parfois une SSK dans la vitrine de la salle d'exposition de Mercedes-Benz sur la Potsdamer Platz : je ne pensais pas avoir jamais la chance de piloter une voiture pareille, sans parler d'en posséder une, mais il faut bien rêver. Lorsqu'elle était là, Mrs Charalambides faisait l'effet d'être la voiture la plus belle et la plus rapide de l'hôtel.

Elle était grande, impression renforcée par son choix de chapeaux. Depuis peu, le temps avait commencé à se rafraîchir. Elle portait un *shako* gris en astrakan qu'elle avait peut-être acheté à Moscou, sa précédente escale, même si elle était américaine et habitait New York. Une Américaine revenant de quelque manifestation littéraire ou théâtrale en Russie. Peut-être avait-elle acheté de même le manteau de zibeline à Moscou. Je suis sûr que la zibeline n'avait rien contre. Dedans, Mrs Charalambides avait l'air plus ravissante que n'importe quelle zibeline qu'il m'ait été donné de voir.

Ses cheveux, rassemblés en chignon, étaient aussi couleur zibeline et, imaginais-je, non moins doux à caresser. Plus dociles également, dans la mesure où ils ne risquaient pas de mordre. Pourtant, ça ne m'aurait pas dérangé d'être mordu par Noreen Charalambides. Tout combat rapproché avec le Fokker Albatross rouge cerise de sa bouche dédaigneuse aurait valu la peine de perdre un doigt ou un bout de mon oreille. Il n'y a pas que Vincent van Gogh à pouvoir accomplir ce genre de geste sacrificiel romantique et grisant.

Je me mis à traîner dans le hall d'entrée comme un groom dans l'espoir de poser mes yeux sur elle. Même Hedda Adlon ne manqua pas de noter la similitude.

« Je pensais vous conseiller de lire le règlement de Lorenz Adlon pour les grooms, dit-elle avec ironie.

— Je connais. Ça ne se vendra jamais. D'une part, il y a beaucoup trop de règles. Et, d'autre part, avec toutes les courses qu'ils ont à faire, la plupart sont trop occupés pour lire quoi que ce soit de plus long que *Guerre et Paix*. »

Ce qui la fit rire. En général, Hedda Adlon aimait bien mes blagues.

« Ce n'est pas si long, répondit-elle.

— Essayez de dire ça à un groom. N'importe comment, les vannes sont meilleures dans *Guerre et Paix*.

— Vous l'avez lu ? *Guerre et Paix* ?

— Je l'ai commencé à plusieurs reprises, mais, après quatre ans de guerre, je déclare généralement un armistice et je jette l'éponge.

— Il y a quelqu'un qui aimerait vous rencontrer. Et il se trouve qu'elle est écrivain. »

Naturellement, je savais très bien de qui elle voulait parler. Les écrivains, surtout des écrivains femmes habitant New York, ne pullulaient pas à l'Adlon ce mois-là. Ce qui, probablement, avait pas mal à voir avec le tarif de quinze marks la nuit. C'était un peu moins cher si vous n'aviez pas de salle de bains, comme un tas d'écrivains, mais le dernier écrivain américain à être descendu à l'hôtel était Sinclair Lewis, et cela remontait à 1930. La Dépression avait touché tout le monde, bien sûr. Mais, pour la déprime, il n'y a pas mieux qu'un écrivain.

Nous montâmes au petit appartement que les Adlon avaient conservé dans l'hôtel. Enfin, petit, comparé à la vaste propriété de chasse qu'ils possédaient en outre à la campagne, loin de Berlin. L'appartement était gentiment décoré – un bel exemple de faste wilhelmien tardif : tapis épais, rideaux lourds, bronzes énormes, dorure abondante et argent massif. Même l'eau de la carafe semblait contenir davantage de plomb.

Mrs Charalambides était assise sur un petit canapé en bois de bouleau avec des coussins blancs et un dossier qui ressemblait à un pupitre à musique. Elle portait une robe portefeuille bleu foncé, un triple rang de jolies perles, des clips en diamant et, juste en dessous de son décolleté, une broche de saphir assortie qui avait dû tomber du plus beau turban d'un maharajah. Elle ne ressemblait guère à un écrivain – si ce n'est à une reine ayant renoncé au trône pour écrire des romans sur les grands hôtels d'Europe. Elle parlait bien l'allemand, ce qui me parut une bonne chose dans la mesure où, pendant quelques minutes après avoir serré sa main gantée, c'est à peine si j'arrivais encore à le parler moi-même, et je fus plus ou moins obligé de laisser les deux femmes discuter devant moi comme si j'étais une table de ping-pong.

« Mrs Charalambides…

– Noreen, s'il te plaît.

– Est dramaturge et journaliste.

– Free lance.

– Au *Herald Tribune*.

– À New York.

– Elle rentre de Moscou, où une de ses pièces…

– La seule, jusqu'ici.

– A été montée par le célèbre Théâtre d'art, après avoir reçu un accueil triomphal à Broadway.

– Je devrais te prendre comme agent, Hedda.

– Noreen et moi sommes allées à l'école ensemble, en Amérique.

– Hedda m'aidait pour mon allemand. Et elle continue.

– Noreen, ton allemand est parfait. Ne croyez-vous pas, Herr Gunther?

– Oui, parfait. »

Mais ce sont les jambes de Mrs Charalambides que je regardais. Et ses yeux. Et sa bouche superbe. Voilà ce que j'appelais parfait.

« Toujours est-il que son journal lui a demandé de faire un article sur les prochains Jeux olympiques de Berlin.

– L'idée que nous participions à ces Jeux a suscité une vive opposition en Amérique, en raison de la politique raciale de votre gouvernement. Le président du Comité olympique des États-Unis, Avery Brundage, se trouvait ici il y a quelques semaines. En mission d'enquête. Pour voir si les Juifs faisaient l'objet d'une discrimination. Et, chose incroyable, il a déclaré au Comité que non. À la suite de quoi, celui-ci vient de décider, à l'unanimité, d'accepter l'invitation de l'Allemagne et de participer aux Jeux olympiques de Berlin de 1936.

– Des Jeux qui n'incluraient pas les États-Unis, remarqua Hedda, seraient totalement dénués de sens.

– Exactement, dit Mrs Charalambides. Depuis que le président de l'USOC est rentré aux États-Unis, le mouvement pour le boy-cott s'est effondré. Mais mon journal est perplexe. Non, stupéfait que Brundage ait pu en arriver à une telle conclusion. L'ambassa-deur américain, Mr Dodd, le premier consul, Mr Messersmith, et le vice-consul, Mr Geist, ont tous trois écrit à mon gouvernement pour exprimer leur profonde consternation devant le rapport du président. Et lui rappeler leur propre rapport, adressé l'an dernier au ministère des Affaires étrangères, qui mettait l'accent sur l'exclusion systématique des Juifs des clubs sportifs allemands. Brundage…

— Ce salaud de Brundage, intervint Hedda, histoire d'enfoncer le clou.

— Est un fanatique, continua Mrs Charalambides, de plus en plus en colère. Et un antisémite. Il faut ça pour ne pas voir ce qui se passe dans ce pays. Les innombrables exemples de discrimination raciale ouverte. Les écriteaux dans les parcs. Dans les bains publics. Les pogroms.

— Les pogroms ? » Je fronçai les sourcils. « Sûrement une exagération. Je n'ai pas entendu parler de pogroms. On est à Berlin, pas à Odessa.

— En juillet, quatre Juifs ont été assassinés par des SS, à Hirschberg.

— Hirschberg ? » Je laissai échapper un ricanement. « Ça se trouve en Tchécoslovaquie. Ou en Pologne. Je ne sais plus au juste. C'est le pays des trolls, ça. Pas l'Allemagne.

— Les Sudètes, précisa Mrs Charalambides. Dont les habitants sont en majorité d'ethnie allemande.

— Eh bien, ne le dites pas à Hitler. Sans quoi il les réclamera. Écoutez, Mrs Charalambides, je n'approuve pas ce qui se passe en Allemagne. Mais est-ce vraiment pire que la situation qui règne dans votre propre pays ? Les écriteaux dans les parcs ? Dans les bains publics ? Les lynchages ? À ce qu'il paraît, il n'y a pas que les Noirs qui se font écharper par les Blancs. Même les Mexicains et les Italiens rasent les murs dans certaines régions des États-Unis. Et je n'ai pas souvenir que quiconque ait proposé de boycotter les Jeux de Los Angeles en 1932.

— Vous êtes bien informé, Herr Gunther, dit-elle. Et vous avez raison, bien entendu. En fait, j'ai écrit un article sur un lynchage semblable dont j'ai été témoin en Géorgie, en 1930. Mais je suis ici et je suis juive ; mon journal veut que j'écrive un article sur ce qui se passe dans ce pays, et c'est ce que j'ai l'intention de faire.

— Eh bien, bravo. J'espère que vous pourrez changer l'état d'esprit de l'USOC. Ça ne me déplairait pas que le prestige des nazis en prenne un coup. Surtout maintenant que nous avons commencé à consacrer de l'argent à ça. Et, naturellement, j'adorerais que le clown autrichien se reçoive un œuf en pleine figure. Mais je ne vois pas très bien ce que tout ça a à faire avec moi. Je suis détective d'hôtel, pas attaché de presse. »

Hedda Adlon ouvrit un étui à cigarettes en argent de la taille d'un petit mausolée qu'elle poussa vers moi. Il y avait des cigarettes anglaises d'un côté de l'étui et des cigarettes turques de l'autre. À l'intérieur, on aurait dit Gallipoli[1]. Je choisis le côté gagnant — en tout cas, dans les Dardanelles — et la laissai me l'allumer. La cigarette ainsi que le service étaient meilleurs que ce qui composait mon ordinaire. Je regardai, plein d'espoir, les carafes sur le buffet, mais Hedda Adlon ne buvait pas beaucoup et pensait probablement que c'était la même chose pour moi. À part ça, elle faisait de l'excellent travail pour me rendre sympathique. Il est vrai qu'elle avait acquis une longue expérience dans ce domaine.

« Herr Behlert m'a raconté ce qui s'est passé quand vous êtes allé à l'Alex, dit-elle. À propos de ce pauvre Juif et du fait que la police refuse d'enquêter sur sa mort. À cause de sa race.

— Mmm-hmm.

— Apparemment, vous pensiez qu'il pouvait s'agir d'un boxeur.

— Mm-hmm. »

Ni l'une ni l'autre ne fumait. Pas pour le moment. Peut-être espéraient-elles me flanquer le tournis. La cigarette turque entre mes lèvres était assez forte pour ça, mais j'avais l'impression qu'il allait m'en falloir plus d'une pour consentir à ce qu'elles attendaient de moi.

« Il m'a semblé que l'histoire de ce mort pourrait constituer la base d'un article intéressant dans mon journal, attaqua Noreen Charalambides. De la même façon que j'ai écrit un article sur ce lynchage en Géorgie. J'ai pensé que cet homme avait peut-être été assassiné par les nazis parce qu'il était juif. J'ai pensé aussi qu'il y

---

1. Péninsule de Turquie où se déroula la sanglante bataille de Gallipoli pendant la Première Guerre mondiale.

avait là un aspect sportif important susceptible de fournir un lien entre son histoire et les Jeux olympiques. Saviez-vous que la Fédération allemande de boxe était la première organisation sportive à avoir exclu les Juifs?

— Ça ne m'étonne pas. La boxe a toujours été un sport important pour les nazis.

— Ah? Je l'ignorais.

— Absolument. Les SA flanquaient déjà des coups de poing dans la figure des gens avant 1925. Ces piliers de brasserie ne reculaient jamais devant une bonne castagne. Surtout après que Schmelling fut devenu champion du monde. Naturellement, lorsqu'il a perdu le titre au profit de Max Baer, ça n'a pas vraiment servi la cause des boxeurs juifs en Allemagne. »

Mrs Charalambides me regarda d'un air ébahi. J'en conclus que sa remarque sur la Fédération allemande de boxe avait vidé le sac de ses connaissances sur le noble art.

« Max Baer est à moitié juif, expliquai-je.

— Oh, je vois. Herr Gunther, je suis sûre que vous avez déjà envisagé la possibilité que ce mort – appelons-le Fritz –, que Fritz ait été membre d'un gymnase ou d'une association sportive et qu'il en ait été expulsé par les nazis. Qui sait ce qui s'est passé ensuite? »

Je n'avais pas du tout songé à cette possibilité. J'avais été bien trop occupé à penser à ce qui pourrait m'arriver à moi. Mais maintenant qu'elle en parlait, ça paraissait logique. Même si je n'étais pas prêt à l'admettre. Pas encore. Pas tant que ces deux-là voudraient quelque chose de moi.

« Je me demandais, reprit Mrs Charalambides. Je me demandais si cela vous intéresserait de m'aider à en apprendre davantage sur Fritz. Un peu à la manière d'un détective privé. Je parle assez bien l'allemand, comme vous pouvez le constater, mais j'ai du mal à trouver mon chemin dans cette ville. Berlin est un peu un mystère pour moi. »

Je haussai les épaules.

« Si le monde est une scène de théâtre, alors Berlin est juste de la bière et des saucisses.

— Et de la moutarde ? Là réside mon problème. Je crains, en allant poser des questions un peu partout, de tomber sur une grosse cuillerée façon Gestapo et de me faire moi-même chasser d'Allemagne.

— C'est un risque.

— Voyez-vous, je compte également interviewer un membre du Comité allemand d'organisation des Jeux. Von Tschammer und Osten, Diem, ou éventuellement Lewald. Saviez-vous qu'il est juif ? Je n'aimerais pas qu'ils découvrent ce que je suis avant qu'il soit trop tard. » Elle marqua un temps d'arrêt. « Bien entendu, je vous paierai. Des honoraires pour me seconder. »

Je m'apprêtais à lui rappeler que j'avais déjà un travail quand Hedda Adlon prit la direction des affaires.

« Je réglerai ça avec mon mari et avec Herr Behlert, dit-elle. Herr Muller peut vous remplacer.

— Il a donné sa démission, répondis-je. Mais il y a un type, à la section des mineurs de l'Alex, qui ne serait sans doute pas mécontent de faire des heures supplémentaires. Il s'appelle Stahlecker. Je pensais l'appeler.

— Faites-le s'il vous plaît. » Hedda hocha la tête. « Je considérerais cela comme un service personnel, Herr Gunther. Je ne voudrais pas qu'il arrive quelque chose à Mrs Charalambides, et il me semble que vous avoir à ses côtés est la meilleure façon d'assurer sa sécurité. »

Je fus tenté de répondre qu'il serait encore plus sûr pour elle d'oublier toute cette idée, mais la perspective de passer du temps en compagnie de Noreen Charalambides ne manquait pas d'attrait. J'avais déjà vu des queues de comète moins séduisantes.

« Elle est déterminée, quelle que soit votre décision, ajouta Hedda, lisant à moitié dans mes pensées. Aussi, ne vous fatiguez pas, Herr Gunther. J'ai déjà essayé de la dissuader. Mais elle n'en a toujours fait qu'à sa tête. »

Mrs Charalambides sourit.

« Bien sûr, vous pouvez emprunter ma voiture. »

Manifestement, elles avaient déjà tout arrangé entre elles, et je n'avais plus qu'à m'incliner. Je voulus poser la question de mes honoraires, mais ni l'une ni l'autre ne semblaient disposées à revenir sur le sujet. C'est le problème avec les gens riches. Seul le manque d'argent confère de l'importance à celui-ci. Comme avoir un manteau de zibeline. La zibeline n'y faisait probablement pas attention jusqu'au jour où il s'est envolé.

« Bien sûr, je serai ravi d'apporter mon soutien, Frau Adlon. Si c'est ce que vous souhaitez. »

Tout en parlant, je ne quittai pas mon employeur des yeux. Je ne tenais pas à ce que Hedda se figure que ma joie de me trouver dans la brillante compagnie de son amie pouvait être autre chose que de la pure rhétorique. Pas quand l'amie en question était aussi ensorcelante. Pas quand l'excitation provoquée par la proximité de sa personne me paraissait aussi évidente. Je me faisais l'effet d'un porc-épic dans une pièce pleine de ballons gonflables.

Mrs Charalambides croisa les jambes, et ce fut comme si on avait soudain frotté une allumette. Au diable la Gestapo, me dis-je, c'est de moi, Gunther, dont elle a besoin pour la protéger. C'est moi qui veux la dépouiller de tous ses vêtements et la tenir immobile devant moi et imaginer ensuite des trucs qu'elle pourrait faire avec son adorable derrière hormis s'asseoir dessus. Rien que l'idée d'être seul avec elle à l'intérieur d'une voiture m'évoquait un jeune père confesseur dans un couvent peuplé d'anciennes danseuses de cabaret devenues bonnes sœurs. Je me flanquai deux gifles mentalement, puis une troisième pour être sûr d'avoir bien saisi le message.

Cette femme n'est pas pour les types de ton espèce, Gunther, me répétai-je. N'y songe même pas. C'est une femme mariée, la plus vieille amie de ta patronne, et tu auras couché avec Hermann Goering avant de poser ne serait-ce qu'un doigt sur elle.

Certes, comme nous le rappelle Samuel Johnson, le sexe est généralement ce qui arrive quand on est occupé à paver l'autobahn de bonnes intentions. Le sens perd peut-être un peu avec la traduction. Mais, dans mon cas, ça ne manquait pas de justesse.

14

Hedda Adlon possédait une Mercedes SSK – le genre d'engin que je n'aurais jamais pensé piloter un jour. « K » pour « Kurtz », mais avec ses ailes énormes et ses six cylindres extérieurs, la voiture de sport blanche semblait aussi courte qu'un pont-levis et aussi facile à manœuvrer. Comme n'importe quelle voiture, elle avait quatre roues et un volant, mais la ressemblance s'arrêtait là. Faire démarrer le moteur de sept litres surcomprimé équivalait à tourner l'hélice pour Manfred von Richthofen, et seul l'ajout d'une mitrailleuse de 7,92 mm à double canon aurait pu rendre son zinc aussi bruyant. La Mercedes passait autant inaperçue qu'un projecteur dans une colonie de phalènes rêvant de monter sur les planches. C'était assurément enivrant de la conduire – et ses dons au volant ne firent qu'augmenter mon admiration pour Hedda, sans parler de l'empressement de son mari à offrir à sa jeune épouse des joujoux aussi coûteux –, mais, pour une enquête privée, c'était moins utile qu'un cheval de cirque. Au moins, un cheval de cirque aurait procuré à deux personnes une sorte d'anonymat. Et j'aurais pu évaluer les possibilités concrètes offertes par le fait de fermer la marche derrière Mrs Charalambides.

Nous utilisâmes la voiture pendant une journée avant de la rendre et d'emprunter ensuite la W, beaucoup plus discrète, de Herr Behlert.

Les larges artères de Berlin étaient presque aussi animées que les trottoirs. Des trams bringuebalaient au milieu de la chaussée, avançant avec la précision d'une horloge sous le regard attentif d'agents de la circulation à manches blanches qui, tels les juges de touche d'un match de football urbain, empêchaient voitures et taxis de leur faire des queues de poisson. Entre les sifflets des policiers, les klaxons des automobiles et les cloches des autobus, le vacarme n'était pas moindre que pour un match de foot, et, à en juger par la façon de conduire des Berlinois, on aurait dit qu'ils pensaient que quelqu'un avait des chances de gagner. Les choses semblaient plus calmes à l'intérieur des trams : des employés de bureau au costume sobre faisant face à des hommes en uniforme, telles deux délégations en train de signer un traité de paix sur une voie de garage française. Mais les injustices de l'armistice et de la Dépression semblaient déjà bien loin derrière nous. Le fameux air de la ville était chargé de relents d'essence et de l'odeur des bouquets emplissant les paniers des nombreuses marchandes de fleurs, pour ne rien dire du regain de confiance en soi. Les Allemands se sentaient à nouveau bien dans leur peau ; du moins, ceux d'entre nous qui l'étaient de façon nette et sans bavure. Comme l'aigle sur le casque du Kaiser.

« Est-ce que vous vous considérez comme un aryen ? me demanda Mrs Charalambides. Comme plus allemand que les Juifs ? »

Je n'avais guère envie de lui parler de ma transfusion aryenne. D'une part, je la connaissais à peine ; de l'autre, ça ne semblait pas une chose très délicate à dire à quelqu'un qui, pour autant que je sache, était juif à cent pour cent. Aussi, je haussai les épaules.

« Un Allemand est un homme qui peut se sentir extrêmement fier d'être allemand avec un short en cuir trop petit. Autrement dit, l'idée même est ridicule. Est-ce que ça répond à votre question ? »

Elle sourit.

« Hedda m'a raconté que vous aviez dû quitter la police parce que vous étiez un social-démocrate bien connu.

— Bien connu, je ne sais pas. Si j'avais été bien connu, je suppose que je ne serais pas dans la situation où je me trouve actuellement. Par les temps qui courent, un social-démocrate éminent se reconnaît aux rayures de son pyjama.

— Cela vous manque de ne plus travailler dans la police ? »

Je secouai la tête.

« Pourtant, vous y êtes resté plus de dix ans. Est-ce que vous avez toujours envie d'être policier ?

— Peut-être. Je ne sais pas. Quand j'étais gosse, il m'arrivait souvent de jouer aux gendarmes et aux voleurs sur la pelouse devant notre immeuble, et je ne savais pas ce qui me plaisait le plus : le rôle de flic ou celui de voleur. Toujours est-il qu'un jour, j'ai dit à mon père que, quand je serais grand, je deviendrais probablement policier ou voleur, et il a répondu : « Pourquoi ne pas faire comme la plupart des flics et être les deux à la fois ? » Je souris. « C'était un homme respectable, mais il n'aimait pas beaucoup la police. Personne ne l'aimait. Je ne dirais pas que nous habitions un quartier difficile, mais, quand je suis devenu grand, on continuait à appeler une histoire avec une fin heureuse un alibi. »

Pendant plusieurs jours, nous sillonnâmes les rues de Berlin, moi lui racontant des blagues et la divertissant tandis que nous faisions la tournée des gymnases et des clubs sportifs de la ville, et que je montrais à la ronde la photo de « Fritz » provenant du dossier de police que m'avait laissé Richard Bömer. Certes, Fritz n'avait pas l'air au mieux de sa forme, pour la bonne raison qu'il était mort, mais aucun de ces zèbres ne semblait le connaître. Et peut-être qu'ils ne le connaissaient pas du reste, encore que c'était difficile à dire vu qu'ils éprouvaient davantage d'intérêt pour Mrs Charalambides. Une jolie femme bien habillée visitant un gymnase de Berlin n'était pas un phénomène rarissime, mais ce n'était pas chose courante non plus. J'avais beau lui expliquer que, dans ces endroits-là, les types me parleraient plus facilement si elle restait dans la voiture, elle ne voulait rien entendre. Mrs Charalambides n'était pas le genre de femme à qui on dicte un tant soit peu sa conduite.

« Si je fais ce que vous dites, protesta-t-elle, comment est-ce que je vais me procurer mon histoire ? »

J'aurais probablement été d'accord avec elle, sauf que c'était toujours la même histoire en trois mots sur laquelle nous tombions : INTERDIT AUX JUIFS. Cela me navrait qu'elle voie ce genre de truc à chaque fois que nous entrions dans un gymnase. Même si elle n'en montrait rien, ça ne devait sûrement pas être gai pour elle.

Le T-gym était le dernier endroit sur ma liste. À la lumière de l'expérience, cela aurait dû être le premier.

Au cœur de Berlin Ouest, au sud de la gare du Jardin zoologique, se dresse l'église du Souvenir de l'Empereur Guillaume. Avec ses multiples flèches de hauteurs différentes, elle fait penser au château du Chevalier au cygne de *Lohengrin* bien plus qu'à un lieu de culte. Groupés autour de l'église, des cinémas, des dancings, des cabarets, des restaurants, des boutiques élégantes et, à l'extrémité ouest de la Tauentzienstrasse, pris en sandwich entre un hôtel bon marché et le Kaufhaus des Westerns, se trouvait le T-gym.

Je garai la voiture, aidai Mrs Charalambides à descendre et me retournai pour jeter un coup d'œil dans la vitrine du KaDeWe.

« Pas mal, ce grand magasin.

— Non.

— Oh, mais si. Le restaurant n'est pas mauvais non plus.

— Je veux dire, ne comptez pas sur moi pour faire des courses pendant que vous allez dans ce gymnase.

— Et si vous alliez dans le gymnase pendant que je fais des courses ? Il y a une tache sur ma cravate.

— Vous n'accompliriez pas votre travail. Vous ne connaissez pas beaucoup les femmes si vous croyez que je ne viendrai pas dans ce gymnase avec vous.

— Qui dit que je les connais le moins du monde ? » Je haussai les épaules. « La seule chose dont je suis sûr à propos des femmes, c'est qu'elles se promènent dans les rues avec les bras croisés. Ce qu'aucun homme ne ferait. Pas à moins d'être une tapette.

— Vous n'accompliriez pas votre travail et je ne vous paierais pas.

— Je suis ravi que vous parliez de ça, Mrs Charalambides. Combien allez-vous me donner ? Nous ne nous sommes pas vraiment mis d'accord sur un montant.

— Dites-moi ce qui vous semblerait honnête.

— Là, vous me posez une colle. S'agissant d'honnêteté, je n'ai pas beaucoup d'expérience. Honnête est un mot que j'utilise pour ce qu'il y a sur un baromètre ou, éventuellement, pour décrire une jeune fille en détresse.

— Pourquoi ne pas me voir de cette façon et suggérer un prix ?

– Parce que, si je vous voyais de cette façon, je devrais renoncer à vous faire payer. Je ne me souviens pas que Lohengrin ait demandé à Elsa dix marks par jour.

– Il aurait peut-être dû. Il ne l'aurait pas laissée tomber par la suite.

– Exact.

– Bien, alors, d'accord pour dix marks par jour plus les frais. »

Elle sourit, suffisamment pour me faire savoir que son dentiste était fou d'elle, avant de prendre mon bras. Elle aurait pris l'autre pour faire la paire que je n'aurais eu aucune objection. Non que les dix marks par jour eussent grand-chose à y voir. Être assez près pour sentir son odeur et avoir un aperçu de ses jarretelles quand elle s'extrayait de la voiture de Behlert constituaient un paiement suffisant. Nous tournâmes le dos à la vitrine du grand magasin et nous dirigeâmes vers la porte du T-gym.

« La salle appartient à un ancien boxeur nommé le Turc terrible. Les gens l'appellent le Turc pour faire plus court et parce qu'ils ne veulent pas le froisser. Il a une fâcheuse tendance à faire mal aux gens qui blessent son amour-propre. Je n'y allais pas très souvent parce que c'était le genre de gymnase plus fréquenté par les hommes d'affaires et les acteurs que par les cercles de Berlin.

– Cercles ? Quels cercles ?

– Rien à voir avec les Jeux olympiques, c'est sûr. C'est ainsi que nous autres Berlinois désignons les associations criminelles qui contrôlaient plus ou moins la ville sous la République de Weimar. Il existait trois cercles principaux : le Grand, le Libre et l'Alliance libre. Tous enregistrés officiellement comme des organisations de bienfaisance ou des clubs sportifs. Parmi lesquels des gymnases. Et chacun leur payait un tribut : concierges, cireurs de chaussures, prostituées, dames-pipi, marchandes de fleurs et ainsi de suite. Tous épaulés par de gros balèzes appartenant à ces mêmes gymnases. Les cercles existent encore, mais à présent ils doivent eux-mêmes s'acquitter auprès d'un nouveau gang en ville. Un gang plus balèze qu'aucun autre. Les nazis. »

Mrs Charalambides sourit et serra davantage mon bras. Ce qui me permit de constater qu'elle avait les yeux plus bleus qu'un panneau bleu outremer dans un manuscrit enluminé et tout aussi expressifs. Elle m'aimait bien. C'était évident.

« Comment avez-vous fait pour éviter la prison ? demanda-t-elle.

— En devenant un faux-cul », répondis-je, avant de pousser la porte du T-gym.

Je n'ai encore jamais mis les pieds dans un club de boxe qui ne me rappelle pas la Grande Dépression. En général, c'était l'odeur, qu'une nouvelle couche de peinture d'un vert à vomir ou une fenêtre crasseuse ouverte n'arrivait pas à dissimuler. Comme les autres salles où nous étions allés cette semaine-là, le T-gym sentait la souffrance physique, les grandes espérances et les petites déceptions, l'urine, le savon et le désinfectant bon marché, et par-dessus tout la sueur. La sueur sur les cordes et les bandages ; la sueur sur les sacs de frappe et les gants d'entraînement ; la sueur sur les serviettes et les protège-tête. La tache en U sur une affiche pour un futur combat à la brasserie Bock en était peut-être aussi, mais de l'humidité montante semblait plus probable que n'importe lequel des paquets de muscles en train de s'entraîner ou de se démener avec des punching-balls. Dans le ring principal, un type avec une tête comme un médecine-ball lavait du sang sur le revêtement en toile du sol. À l'intérieur d'un petit bureau, devant une porte ouverte, un spécimen de Néandertal, qui avait dû être soigneur, montrait à un autre homme des cavernes comment se servir d'un fer médical. Fer et sang. Bismarck aurait adoré cet endroit.

La seule nouveauté au T-gym depuis ma dernière visite était les deux écriteaux sur le mur à côté de l'affiche. Sur l'un, on pouvait lire : CHANGEMENT DE PROPRIÉTAIRE ; et sur l'autre : ALLEMANDS, DÉFENDEZ-VOUS ! LES JUIFS NE SONT PAS LES BIENVENUS.

« Voilà qui semble faire le tour de la question, dis-je en regardant les écriteaux.

— Je croyais que vous m'aviez dit que cet endroit appartenait à un Turc, dit-elle.

— Non, il se fait simplement appeler comme ça. Il est allemand.

— Erreur, lança un type en venant à ma rencontre. Il est juif. »

C'était le Néandertal que j'avais vu auparavant – un peu plus petit que je ne l'avais supposé, mais aussi large qu'un portail de ferme. Il portait un col roulé blanc, un pantalon de survêtement blanc et des chaussures de gym blanches, mais ses yeux minuscules étaient aussi noirs que du charbon. On aurait dit un ours polaire de taille moyenne.

« Ce qui explique l'écriteau, je présume », dis-je sans m'adresser à personne en particulier. Puis, au minable en col roulé : « Hé, Primo, est-ce que le Turc a vendu son affaire ou est-ce qu'il se l'est fait piquer ?

– Je suis le nouveau propriétaire, répondit le type en rentrant son ventre et en pointant vers moi une mâchoire de la taille d'un siège de toilettes.

– Eh bien, je pense que vous avez répondu à ma question, Primo.

– Je n'ai pas saisi votre nom.

– Gunther, Bernhard Gunther. Et voici ma tante Hilda.

– Êtes-vous un ami de Solly Mayer ?

– Qui ça ?

– Je pense que vous avez répondu à ma question. Solly Mayer était le vrai nom du Turc.

– Je me demandais s'il pourrait m'aider à identifier quelqu'un, c'est tout. Un ancien boxeur, comme le Turc. J'ai une photo ici. » Je sortis le portrait de Fritz du dossier et le montrai à col-roulé. « Vous aimeriez peut-être jeter vous-même un coup d'œil, Primo. »

Il faut dire à sa décharge qu'il regarda la photographie comme s'il cherchait vraiment à se rendre utile.

« Je sais, il n'est pas à son avantage. Quand cette photo a été prise, cela faisait déjà plusieurs jours qu'il flottait dans le canal.

– Vous êtes flic ?

– Privé. »

Sans quitter le cliché des yeux, il fit non de la tête.

« Vous en êtes sûr ? Nous pensons qu'il pourrait s'agir d'un boxeur juif. »

Il me rendit aussitôt la photographie.

« Vous dites qu'il flottait dans le canal ?

— C'est ça. Âge : la trentaine environ.

— Aucune importance. Si votre flotteur était juif, alors je suis bien content qu'il soit mort. Cette pancarte sur le mur, ce n'est pas juste pour l'effet, vous savez, fouille-merde.

— Non ? Une pancarte qui ne viserait pas à avoir un effet, ce serait une drôle de pancarte, vous ne croyez pas ? »

Je remis la photo dans le dossier, que je donnai à Mrs Charalambides, au cas où. Col-roulé offrait l'image d'un homme en train de monter en pression pour frapper quelqu'un, et ce quelqu'un, c'était moi.

« Ici, on n'aime pas beaucoup les Juifs, ni les gens qui font perdre leur temps aux autres en les cherchant. Et je n'aime pas beaucoup que vous m'appeliez Primo non plus. »

Je lui répondis par un sourire puis me tournai vers Mrs Charalambides.

« Je vous parie ce que vous voulez que le président de l'USOC n'est jamais venu dans ce dépotoir.

— Encore un sale Juif ? .

— Je crois que nous ferions mieux de partir, fit remarquer Mrs Charalambides.

— Vous avez sans doute raison, dis-je. Ça pue là-dedans. »

L'instant d'après, il me balança un swing du droit, mais je l'attendais de pied ferme, et son poing balafré passa en sifflant près de mon oreille comme un salut hitlérien ayant mal tourné. Il aurait dû commencer par un direct, histoire de me tester, avant de me jeter l'évier à la tête. Je savais maintenant tout ce qu'il y avait à savoir sur lui – comme boxeur, en tout cas. Ce type était fait pour le coin, pas pour le ring. À l'époque où j'étais Kriminalkommissar, j'avais pour sergent un assez bon pugiliste, lequel m'avait appris deux ou trois trucs. Suffisamment pour rester hors de portée. Gagner un combat consiste pour moitié à ne pas se laisser toucher. Le coup de poing qui avait envoyé August Krichbaum sur une table de dissection était dû à la chance ; ou à la malchance, selon le point de vue où l'on se place. Pour cette raison, j'espérais pouvoir éviter de le frapper plus durement qu'il n'était nécessaire. Il me balança un nouveau swing et me manqua à nouveau. Jusque-là, je m'en tirais plutôt bien.

Pendant ce temps, Mrs Charalambides avait eu le bon sens de reculer de quelques pas et de prendre un air gêné. C'est du moins ce qu'il me sembla.

Son troisième coup de poing fit mouche, mais à peine, comme une pierre plate atterrissant sur la surface d'un lac. En même temps, il grogna quelque chose du genre « adorateur des Juifs » et, pendant un moment, je me dis qu'il avait peut-être raison, en fait. Adorable, Mrs Charalambides l'était sacrément. Et ça me fichait en rogne qu'elle doive assister de près à cet étalage d'antisémitisme fanatique.

Je me sentais en outre une certaine obligation envers le petit groupe qui avait interrompu ses occupations pour voir ce qui allait se passer. De sorte que je me fendis d'un direct en direction de la truffe de Primo. Ce qui le laissa pétrifié, comme s'il avait trouvé un scorpion dans la poche de sa chemise de nuit. Un deuxième direct démoralisant puis un troisième firent ballotter sa tête sur ses épaules à la façon d'un vieil ours en peluche.

À présent, il avait du sang sur la figure là où avait été son nez, et, voyant que ma cliente se dirigeait vers la porte, je décidai de mettre fin à la rencontre et le frappai un tout petit peu trop fort avec mon droit. C'est-à-dire trop fort pour mon poing. Tandis que Primo s'effondrait comme un poteau télégraphique, j'agitai la main. Elle avait déjà commencé à enfler. Dans l'intervalle, quelque chose heurta le sol du gymnase telle une noix de coco tombant d'un palan de docker – sa tête, selon toute probabilité. En l'occurrence, le combat était terminé.

Pendant un moment, je restai là à guetter ma dernière victime, tel le colosse de Rhodes, encore que j'aurais aussi bien pu ressembler au videur herculéen du Rio Rita, le bar en bas de la rue. Il y eut un bref murmure d'approbation, dû non à ma victoire, mais à un crochet d'une facture impeccable, et, continuant à faire jouer ma main, je m'agenouillai avec anxiété pour mesurer l'étendue des dégâts dont j'étais la cause. Quelqu'un me devança. C'était l'énergumène à la tête de médecine-ball.

« Il n'a rien ? demandai-je, sincèrement inquiet.

– Ça devrait aller, fut la réponse. Vous lui avez seulement mis un peu de plomb dans la cervelle, c'est tout. Laissez-lui quelques minutes, et il nous racontera comment vous l'avez pris par surprise. »

Il s'empara de ma main et l'examina.

« Sûr qu'il vous faudrait un peu de glace sur cette pogne, pas de doute. Allons. Venez avec moi. Mais faites vite. Avant que cet imbécile reprenne connaissance. Frankel est le patron ici. »

Je suivis mon Samaritain dans une petite cuisine, où il ouvrit un réfrigérateur puis me tendit un sac en toile rempli de glaçons.

« Gardez votre main là-dedans aussi longtemps que vous le pourrez, ordonna-t-il.

– Merci. »

Je plongeai ma main dans le sac.

Il secoua la tête.

« Vous cherchez le Turc, d'après ce que j'ai compris. »

J'acquiesçai.

« Il n'aurait pas des ennuis, par hasard ? »

Il avait un Lilliput à dix pfennigs au coin de la bouche, qu'il ôta et se mit à examiner d'un œil critique.

« Pas en ce qui me concerne. Je voulais juste lui montrer la photographie d'un type pour savoir s'il le connaissait.

– Ouais. J'ai vu la photo. Ce gars-là ne m'est pas complètement inconnu. Mais je n'arrive pas à le situer. » Il se donna une tape sur la tempe comme s'il essayait de déloger quelque chose. « Depuis quelque temps, je perds la boule. Je ne me souviens plus de rien. Question mémoire, Solly est l'homme qu'il vous faut. Il connaissait tous les boxeurs qui aient jamais enfilé des gants allemands, et plein d'autres aussi. C'est une honte ce qui s'est passé ici. Quand les nazis ont proclamé leurs nouvelles lois interdisant aux Juifs les clubs sportifs, Solly ne pouvait que vendre. Et comme il n'avait pas le choix, il a dû se contenter du prix qu'on lui offrait – que lui offrait ce salaud de Frankel. Prix qui suffisait à peine à rembourser ce qu'il devait à la banque. À l'heure actuelle, il n'a même pas un pot pour pisser. »

Finalement, n'y tenant plus, je retirai ma main du sac de glaçons.

« Elle va comment ? »

Il remit le cigare dans sa bouche et jeta un coup d'œil.

« Encore gonflée, répondis-je. De fierté, probablement. Je l'ai frappé plus fort que je n'aurais dû. C'est en tout cas ce que dit cette main.

– De la foutaise. Vous l'avez à peine touché. Un grand gaillard de votre espèce. Si vous aviez mis la sauce, vous lui auriez brisé la mâchoire, peut-être bien. Mais détendez-vous, il l'avait bien cherché. Sauf que personne ne pensait que ce serait aussi bien emballé. Un punch de première, c'est avec ça que vous l'avez expédié au tapis, mon vieux. Vous devriez vous y remettre. À la boxe, je veux dire. Un type comme vous pourrait faire un tabac. Avec un bon entraîneur, bien sûr. Moi, par exemple. Ça pourrait même vous rapporter du fric.

– Non merci. Gagner de l'argent risquerait d'enlever le plaisir. Pour ce qui est de cogner sur les gens, je suis strictement un amateur, et je tiens à ce que ça continue. De plus, tant que les nazis seront en piste, je ferai toujours figure de second couteau.

– Vous avez raison. » Il sourit. « Rien de cassé, apparemment. Malgré tout, elle risque de vous faire souffrir pendant deux ou trois jours. »

Il me rendit ma main.

« Où vit Solly à présent ? »

L'homme prit un air penaud.

« Avant, c'était ici. Dans deux pièces au-dessus du gymnase. Mais en perdant ce dernier, il a aussi perdu sa crèche. La dernière fois que j'ai entendu parler du Turc, il vivait sous une tente dans la forêt de Grünewald, en compagnie d'autres Juifs réduits à la misère par les nazis. Mais c'était il y a six mois, peut-être neuf, alors il se peut qu'il n'y soit plus. » Il haussa les épaules. « Cela dit, on se demande où il pourrait aller ? Ce n'est pas comme s'il y avait des organismes juifs de protection sociale dans ce pays, pas vrai ? Et de nos jours, l'Armée du Salut ne vaut guère mieux que les SA. »

Avec un hochement de tête, je lui rendis le sac de glaçons.

« Merci bien.

– Transmettez-lui mon meilleur souvenir si vous le voyez. Je m'appelle Buckow. Comme la ville, mais en plus laid. »

15

Je trouvai Mme Charalambides devant le KaDeWe, absorbée dans la contemplation d'une nouvelle machine à laver Bosch à moteur à gaz, avec essoreuse à rouleaux intégrée. Ce n'était pas le genre de femme dont j'aurais jamais imaginé qu'elle puisse se servir d'une machine à laver. Elle pensait probablement qu'il s'agissait d'un phonographe. Ça y ressemblait pas mal.

« Vous savez, quand la raison a échoué, un poing peut s'avérer extrêmement efficace », dis-je.

Elle croisa le reflet de mes yeux dans la vitrine, puis elle se remit à regarder la machine à laver.

« Nous devrions peut-être l'acheter afin que ce type dans le gymnase puisse se laver la bouche », suggérai-je sans grande conviction.

Elle garda les lèvres serrées, comme pour se retenir de dire ce qu'elle pensait.

« Autrefois, c'était un endroit civilisé, où les gens se comportaient toujours avec politesse et courtoisie. Enfin, la plupart du temps. Mais ce sont les individus comme lui qui me rappellent que Berlin est juste une idée qu'un Slave polabien a eue dans un marais. »

J'ôtai la cigarette de ma bouche et levai la tête vers le ciel bleu. Il faisait un temps splendide.

« Difficile à croire par une telle journée. Goethe avait sa propre théorie sur le bleu du ciel. Il n'adhérait pas à la thèse de Newton selon laquelle la lumière est un mélange de couleurs. Pour lui, ça avait un rapport avec l'interaction de la lumière blanche et de son contraire : l'obscurité. » J'aspirai de longues bouffées pendant un moment. « L'obscurité, ce n'est pas ça qui manque en Allemagne, hein ? Ce qui expliquerait que le ciel soit si bleu. Et qu'on appelle ça un temps hitlérien. Parce qu'il contient tellement d'obscurité. »

Je ris de ma propre idée. Mais ce n'étaient que des balivernes.

« Vraiment, vous devriez voir la forêt de Grünewald à cette période de l'année, vous savez. En automne, c'est absolument magnifique. Je me disais que nous pourrions peut-être y faire un saut maintenant. Sans compter que ce serait très utile pour votre article. Apparemment, le Turc vit là-bas à présent. Sous une tente. Comme un tas d'autres Juifs, semble-t-il. Ou bien ce sont des naturalistes endurcis, ou bien les nazis envisagent de construire un nouveau ghetto. Voire les deux à la fois. Écoutez, voilà ce que je vous propose. Si ça vous chante d'essayer un moment le naturalisme, alors je suis partant.

— Est-il nécessaire que vous fassiez des plaisanteries sur tout, Herr Gunther ? »

Je jetai la cigarette.

« Uniquement sur les choses qui ne sont pas vraiment drôles, Mrs Charalambides. Ce qui, hélas, englobe à peu près tout ces temps-ci. Vous comprenez, j'aurais trop peur, si j'arrêtais de plaisanter, d'être pris pour un nazi. Je veux dire, est-ce que vous avez déjà entendu Hitler raconter une blague ? Moi non plus. Ça me le rendrait peut-être un peu plus sympathique. »

Elle continuait à regarder la machine à laver. Manifestement, elle n'était pas encore prête à sourire.

« C'est vous qui l'avez provoqué », dit-elle. Elle secoua la tête. « Je déteste les bagarres, Herr Gunther. Je suis une pacifiste.

— Voyons, nous sommes en Allemagne, Mrs Charalambides. La bagarre constitue notre instrument diplomatique favori, tout le monde sait ça. Du reste, je suis un pacifiste, moi aussi. En fait, j'essayais de tendre l'autre joue à ce type, comme le veut la Bible, et, ma foi, vous avez vu ce qui s'est passé. J'y suis parvenu à deux reprises avant qu'il arrive réellement à porter la main sur moi. Après ça, je n'avais pas le choix. D'après la Bible, en tout cas. Rendre à César ce qui appartient à César. C'est ce qu'elle prescrit également.

Et c'est ce que j'ai fait. Je le lui ai rendu. Au centuple. Bon sang, personne n'a plus horreur de la violence que moi. »

Elle s'efforça de stabiliser sa bouche, sans grand succès.

« De plus, ajoutai-je, ne me dites pas que vous n'aviez pas envie de le frapper, vous aussi. »

Elle rit.

« Bon, d'accord, vous avez raison. C'était un salaud et je suis bien contente que vous lui ayez tapé dessus. Ça vous va ? Mais est-ce que ce n'est pas dangereux ? Vous pourriez avoir des ennuis. Je ne voudrais pas vous mettre dans de sales draps.

— Je n'ai certainement pas besoin de vous pour ça, Mrs Charalambides. J'y arrive très bien tout seul.

— Je n'en doute pas. »

Elle me fit un vrai sourire et prit ma main blessée. Qui n'était pas précisément minuscule, mais encore glacée.

« Vous avez froid.

— Vous devriez voir l'autre type.

— Je préférerais le Grünewald.

— Avec plaisir, Mrs Charalambides. »

Ayant repris la voiture, nous roulâmes vers l'ouest le long du Kurfürstendamm.

« Mr Charalambides… commençai-je au bout d'une minute ou deux.

— Est un Américain d'origine grecque et un écrivain célèbre. Bien plus célèbre que moi. Du moins, en Amérique. Pas autant ici. Et beaucoup plus doué. En tout cas, à ce qu'il prétend.

— Parlez-moi de lui.

— Nick ? Une fois qu'on a dit qu'il était écrivain, on a dit tout ce qu'il y avait à savoir sur lui. À l'exception peut-être de ses opinions politiques. Il joue un rôle très actif au sein de la gauche américaine. À cette heure, il est à Hollywood, en train d'écrire un scénario et de pester sans arrêt. Non qu'il ait quoi que ce soit contre le cinéma ou même les studios. Simplement, il ne supporte pas de quitter New York. Où nous nous sommes rencontrés voilà six ans. Depuis lors, nous avons eu trois bonnes années et trois mauvaises. Un peu comme la prophétie de Joseph à Pharaon, à cette réserve près que ni les bonnes années ni les mauvaises ne sont consécutives. Pour l'instant, nous traversons une des mauvaises. Nick boit, voyez-vous.

— Un homme doit avoir un passe-temps. Moi, ce sont les trains miniatures.

— Il s'agit de bien plus qu'un passe-temps, je le crains. Nick a fait de la boisson un véritable métier. Il écrit même sur elle. Il boit pendant un an puis il arrête pendant un an. Vous pensez sans doute que j'exagère, mais vous avez tort. Il peut lâcher le 1er janvier et recommencer le 31 décembre. Bizarrement, il possède assez de volonté pour tenir le coup durant exactement trois cent soixante-cinq jours en faisant l'un ou l'autre.

— Pourquoi?

— Pour montrer qu'il en est capable. Pour mettre du piment dans sa vie. Pour tourner tout le monde en bourrique. Nick est un être compliqué. Il n'y a jamais d'explication simple à ce qu'il fait. Surtout pas les gestes élémentaires de l'existence.

— Alors maintenant, il boit.

— Non. Maintenant, il est sobre. Ce qui explique qu'il s'agisse d'une mauvaise année. D'une part, j'aime bien boire un verre, moi aussi, et je déteste boire seule. Et, d'autre part, Nick est un enquiquineur quand il est à jeun et un être absolument charmant quand il est ivre. C'est une des raisons qui m'ont poussée à venir en Europe. Pour pouvoir boire en paix. Pour l'instant, j'en ai assez de lui, et assez de moi. Est-ce qu'il vous arrive d'en avoir assez de vous-même, Gunther?

— Seulement quand je me regarde dans la glace. Être policier exige une bonne mémoire des visages – le vôtre, en particulier. Ce travail vous change à un point que vous n'imaginez pas. Au bout de quelque temps, vous pouvez vous regarder dans une glace et y voir un type ressemblant comme deux gouttes d'eau aux fumiers que vous avez mis en taule. Mais, depuis peu, je finis même par en avoir assez de raconter ma vie. »

À Helensee, je tournai dans la Königsallee et indiquai le nord par la vitre.

« Ils sont en train de construire le stade olympique juste là-bas. De l'autre côté de la ligne de S-Bahn pour Pichelsberg. À partir d'ici,

Berlin se compose surtout de forêts, de petits lacs et de ribambelles de villas huppées. Vos amis les Adlon en possédaient une dans le coin, mais Hedda ne l'aimait pas, alors ils ont acheté une propriété près de Potsdam, dans le village de Nedlitz. Qu'ils utilisent comme maison de week-end pour les clients particuliers souhaitant échapper aux rigueurs de la vie à l'Adlon. Sans parler de leurs conjointes. Ou de leurs conjoints.

— Je suppose que le prix à payer pour utiliser un vrai détective est qu'il sait absolument tout sur vous, dit-elle.

— Croyez-moi ! Le prix est beaucoup moins cher que ça. »

À environ huit kilomètres au sud-ouest de la station Halensee, je me rangeai devant le restaurant Hubertus, joliment situé.

« Pourquoi nous arrêtons-nous ?

— Un déjeuner matinal et un brin d'information. Quand je vous ai dit que le Turc vivait dans Grünewald, j'ai omis de mentionner que la forêt couvre près de trois mille hectares. Si nous voulons le trouver, il va falloir faire appel au savoir local. »

Le Hubertus semblait tout droit sorti d'une opérette de Lehar : une villa coquette, tapissée de lierre, avec un jardin où un prince héritier et sa jeune baronne s'arrêteraient pour un jarret de veau pris à la hâte sur le chemin les conduisant vers quelque majestueux mais lugubre pavillon de chasse. Entouré par un chœur de Berlinois plutôt bien nourris, nous fîmes de notre mieux pour ressembler à un premier rôle et à sa partenaire, et pour cacher notre déception devant l'ignorance de notre serveur à propos des curiosités du cru.

Après le repas, nous continuâmes à rouler vers le sud-ouest, avant de nous renseigner à une boutique de village au bord du Reitmeister See, puis au bureau de poste de Krumme Lanke et enfin à un garage de Paulsborn, où le pompiste nous déclara avoir entendu parler de gens vivant dans des tentes le long de la rive gauche du Schlachtensee, à un endroit plus facile à atteindre par voie d'eau. Nous allâmes donc à Beelitzhof, où nous louâmes un canot à moteur pour continuer nos recherches.

« J'ai passé une journée très agréable, dit-elle tandis que le bateau fendait les eaux froides aux tons bleu de Prusse. Même si nous ne trouvons pas ce que nous cherchons. »

Ce qui se produisit au même instant.

Nous vîmes d'abord leur fumée, s'élevant au-dessus des épais coni-fères comme une colonne de nuages. Un petit village de tentes prove-nant de surplus de l'armée, environ six ou sept. Pendant la Grande Dépression, on avait créé un vaste bidonville de toiles de tentes pour les pauvres et les sans-emploi un peu plus près du centre, dans le Tiergarten.

Je coupai le moteur, et nous nous approchâmes avec précaution. Un petit groupe d'hommes en haillons, certains visiblement juifs, sortirent de leurs abris. Armés de gourdins et de lance-pierres. Si j'avais été seul, j'aurais peut-être eu droit à un accueil plus hostile, mais en voyant Mrs Charalambides ils parurent se détendre un peu. On ne va pas faire du pétard avec un collier de perles et un manteau en zibeline. J'attachai le bateau et l'aidai à mettre pied à terre.

« Nous cherchons Solly Mayer, dit-elle avec un sourire aimable. Est-ce que vous le connaissez ? »

Pas de réponse.

« Je m'appelle Noreen Charalambides, de mon nom de femme mariée. Mais mon nom de jeune fille est Eisner. Je suis juive. Si je vous dis cela, c'est pour que vous sachiez que nous ne sommes pas ici pour vous épier ni vous dénoncer, vous ou Herr Mayer. Je suis une journaliste américaine et j'ai besoin d'informations. Nous pensons que Solly Mayer pourrait nous aider. Aussi, je vous en prie, n'ayez pas peur. Nous ne vous voulons pas de mal.

– Ce n'est pas de vous dont nous avons peur », répondit un des hommes. Grand, barbu. Portant un long manteau noir et un chapeau noir à large bord. Deux boucles de cheveux pendaient de chaque côté de son front comme des bouts d'algues. « Nous avons cru que vous faisiez partie des Jeunesses hitlériennes. Une de leurs bandes campe quelque part près d'ici. Ils n'arrêtent pas de nous har-celer. Pour le plaisir.

– C'est affreux, dit Mrs Charalambides.

– En général, nous nous efforçons de les ignorer, continua le Juif aux frisettes. Il y a une limite à ce que la loi nous permet en matière d'autodéfense. Mais, dernièrement, leurs attaques ont redoublé de violence.

– Nous voulons seulement vivre en paix », dit un autre.

Je jetai un coup d'œil circulaire à leur campement. Quelques lapins accrochés à un piquet à côté de deux cannes à pêche. Une grosse bouilloire fumante posée sur une grille en métal au-dessus d'un feu. Une rangée de linge tendue entre deux tentes usées jusqu'à la corde. Avec l'hiver approchant à grands pas, je ne donnais pas cher de leurs chances de survie. J'avais froid et faim rien qu'à les regarder.

« Solly Mayer, c'est moi. »

Il était grand, avec un nez camus et, comme le reste d'entre eux, une peau fortement halée par des mois de vie au grand air. Mais j'aurais dû le repérer tout de suite. La plupart des boxeurs ont le nez cassé horizontalement, mais le Turc avait été suturé verticalement par-dessus le marché. On aurait dit un petit coussin rose gisant au milieu de la vaste steppe de son visage. Je pouvais imaginer un tas de trucs à faire avec un nez pareil. Éperonner une trière romaine. Enfoncer une porte de château. Trouver une truffe blanche. Sauf respirer à travers.

Mrs Charalambides lui parla de l'article qu'elle comptait écrire et de son espoir que les Américains puissent encore boycotter les Jeux olympiques de Berlin.

« Vous voulez dire qu'ils ne l'ont pas déjà fait ? » dit le grand type barbu. « Les Ricains ont vraiment l'intention d'envoyer une équipe ?

– J'en ai bien peur, répondit Mrs Charalambides.

– Roosevelt ne peut tout de même pas fermer les yeux sur ce qui se passe ici, affirma-t-il. C'est un démocrate. Et tous ces Juifs de New York ? Ils ne le laisseront sûrement pas rester les bras croisés.

– J'ai comme l'impression que c'est exactement ce qu'il a envie de faire en ce moment. Voyez-vous, parmi ses adversaires, son administration a déjà la réputation d'être trop gentille avec les Juifs américains. Il se figure probablement qu'il est plus profitable pour lui, politiquement, de ne pas prendre parti sur la question de savoir si une équipe américaine viendra ici en 36. Mon journal souhaiterait changer cette position. Et moi aussi.

– Et vous croyez, dit le Turc, qu'écrire un article sur un boxeur juif mort pourrait servir ?

— Oui. Je pense. »

Je passai au Turc la photographie de « Fritz ». Il jucha une paire de lunettes sur ce qu'il aurait été difficile d'appeler sans rire l'arête de son nez et la tint à bout de bras, l'examinant d'un air grave.

« Ce gars pesait combien ? me demanda-t-il.

— Quand ils l'ont repêché dans le canal, dans les quatre-vingt-dix kilos.

— Par conséquent, il devait faire neuf ou dix kilos de moins quand il s'entraînait, dit le Turc. Un poids moyen. Ou peut-être mi-lourd. » Il regarda à nouveau puis frappa la photo avec le dos de la main. « J'sais pas. Après un moment sur le ring, ces pugis finissent par tous se ressembler. Qu'est-ce qui vous fait croire qu'il était juif ? Pour moi, il a l'air d'un goy.

— Il était circoncis, répondis-je. Et, au fait, il était gaucher également.

— Je vois. » Le Turc hocha la tête. « Eh bien, peut-être, je dis bien peut-être, que ça pourrait être un gars nommé Eric Seelig. Il y a quelques années de ça, il a été champion mi-lourd, originaire de Bromberg. Auquel cas, il s'agirait d'un Juif ayant battu d'assez bons boxeurs comme Rere de Vos, Karl Eggert et Trollmann le Tzigane.

— Trollmann le Tzigane ?

— Ouais. Vous le connaissez ?

— J'ai entendu parler de lui, naturellement. Qui n'en a pas entendu parler ? Qu'est-il devenu ?

— Aux dernières nouvelles, il était videur au Cockatoo.

— Et Seelig ? Que lui est-il arrivé ?

— Ici, on ne reçoit pas les journaux, mon vieux. Tout ce que je sais date de plusieurs mois. Mais il paraît que des brutes SA se sont pointées à son dernier combat. De défense du titre contre Helmut Hartkopp, à Hambourg, et qu'ils lui ont flanqué la frousse. Parce qu'il était juif. Après ça, il a disparu. Peut-être qu'il a quitté le pays. Ou peut-être qu'il est resté et qu'il a fini dans le canal. Qui sait ? Berlin est loin de Hambourg. Mais pas aussi loin que Bromberg. C'est dans le couloir polonais, je pense.

— Eric Seelig, vous dites.

– Possible. Je n'avais encore jamais eu à examiner un cadavre. Sauf sur un ring, bien sûr. À propos, comment m'avez-vous trouvé ?

– Un nommé Buckow au T-gym. Il vous passe ses amitiés.

– Bucky ? Ouais, c'est un type bien, Bucky. »

Sortant mon portefeuille, je lui tendis un billet, mais il refusa de le prendre, si bien que je lui donnai toutes mes cigarettes sauf une, et Mrs Charalambides en fit autant.

Nous nous apprêtions à regagner le bateau quand quelque chose traversa l'air, atteignant l'homme au grand chapeau. Il tomba sur un genou, une main ensanglantée pressée contre sa joue.

« Ce sont encore ces petits salauds ! » rugit le Turc.

Au loin, à environ trente mètres, j'aperçus une clairière occupée par des jeunes en tenue kakie. Une pierre vola, manquant de peu Mrs Charalambides.

« Youpins ! scandaient-ils à la manière d'un refrain. You-pins !

– J'en ai ma claque, s'exclama le Turc. Je vais aller leur régler leur compte à ces petits fumiers.

– Non, dis-je. Surtout pas. Ça ne vous vaudrait que des ennuis. Laissez-moi m'en occuper.

– Que pouvez-vous faire ? demanda Mrs Charalambides.

– On verra bien. Donnez-moi la clé de votre chambre.

– La clé de ma chambre ? Pourquoi ?

– Ne discutez pas. »

Ouvrant un sac en cuir d'autruche, elle me remit la clé. Qui était attachée à un gros porte-clés ovale en cuivre. J'ôtai la clé que je lui rendis. Puis, me retournant, je me dirigeai vers les assaillants.

« Soyez prudent », dit-elle.

Une autre pierre fila au-dessus de ma tête.

« You-pins ! You-pins ! You-pins !

– Ça suffit comme ça ! leur criai-je. Le prochain qui jette une pierre est en état d'arrestation. »

Ils devaient être une vingtaine, âgés de dix à seize ans. Tous blonds, avec des visages à la foi candides et durs, et des têtes pleines des boniments que leur débitaient des nazis comme Richard Bömer. Que l'avenir de l'Allemagne était entre leurs mains. De même que quelques pierres d'une taille non négligeable. Arrivé à une dizaine de mètres, j'exhibai le porte-clés au creux de ma paume en espérant qu'à cette distance, il pourrait passer pour une plaque de police. J'entendis l'un d'eux souffler : « C'est un poulet », et souris en comprenant que ma ruse avait fonctionné. Après tout, ce n'était qu'une bande de mioches.

« Vous avez raison, je suis policier, dis-je, le porte-clés toujours brandi. Kriminalkommissar, du Präsidium de l'Ouest. Et vous pouvez vous estimer heureux qu'aucun des officiers de police que vous avez agressés ne soit blessé plus gravement.

— Des officiers de police ?

— Sauf qu'ils ressemblent à des youpins. En tout cas, certains d'entre eux.

— Quel genre de policiers se baladent habillés comme des youtres ?

— Des agents de la police secrète, voilà qui », répondis-je avant de gifler à toute volée la joue criblée de taches de rousseur de celui qui paraissait le plus âgé. Lequel se mit à pleurer. « Des fonctionnaires de la Gestapo à l'affût d'un assassin sanguinaire qui a déjà tué plusieurs jeunes garçons dans la forêt. Tout à fait. De jeunes garçons comme vous. Il leur tranche la gorge et découpe ensuite leur cadavre en morceaux. Si les journaux n'en ont pas parlé, c'est uniquement parce que nous ne voulons pas semer la panique. Et il faut que les crétins que vous êtes se ramènent et bousillent presque toute l'opération.

— Ce n'est pas notre faute, monsieur, protesta un autre adolescent. On aurait dit des youtres. »

Je le giflai, lui aussi. Ça me semblait une bonne chose qu'ils se fassent une idée juste de ce qu'était réellement la Gestapo. De cette manière, l'Allemagne avait peut-être un avenir, en fin de compte.

« La ferme ! aboyai-je. Vous parlerez quand on vous le demandera. Compris ? »

Les membres du groupe de Jeunesses hitlériennes acquiescèrent de mauvaise grâce. J'en attrapai un par son foulard.

« Toi, qu'as-tu à dire pour ta défense ?

— Désolé, monsieur.

— Désolé ? Tu aurais pu crever un œil à ce policier. J'ai bien envie d'aller voir vos pères pour qu'ils vous flanquent une bonne raclée.

Mieux encore, j'ai bien envie de vous arrêter tous autant que vous êtes et de vous expédier dans un camp de concentration. Ça vous dirait, hein ?

— S'il vous plaît, monsieur. On ne voulait pas faire de mal. »

Je lâchai le garçon. À présent, ils tiraient tous une figure de cent pieds de long. On aurait dit un groupe d'écoliers plutôt que des Jeunesses hitlériennes. J'avais réussi à les mater. J'aurais pu être en train de gérer une équipe de l'Alex. De fait, les flics font toutes les bêtises que font les écoliers, à l'exception des devoirs.

« D'accord. N'en parlons plus pour cette fois. Et cela vaut également pour vous. Pas un mot de tout ceci. À personne. Vous m'entendez ? Il s'agit d'une opération secrète. Et la prochaine fois que vous serez tentés de faire la loi vous-mêmes, réfléchissez. Tous ceux qui ont l'air de Juifs n'en sont pas forcément. Mettez-vous bien ça dans le crâne. Maintenant, rentrez chez vous avant que je vous embarque pour coups et blessures sur la personne d'un fonctionnaire de police. Il y a un maniaque qui sévit dans ces bois, aussi vous feriez mieux de vous tenir à l'écart jusqu'à ce qu'on ait annoncé son arrestation.

— Oui, monsieur.

— Comptez sur nous, monsieur. »

Je regagnai le petit groupe de tentes au bord du lac. Le jour commençait à baisser. Les grenouilles ouvraient boutique. Des poissons sautaient hors de l'eau. Un des Juifs lançait déjà une ligne vers des rides qui s'élargissaient. L'homme au chapeau n'était pas sérieusement blessé. Il fumait une de mes cigarettes pour se calmer les nerfs.

« Qu'est-ce que vous avez dit pour vous débarrasser d'eux ? s'enquit le Turc.

— Que vous étiez des policiers infiltrés.

— Et ils vous ont cru ? demanda Mrs Charalambides.

— Bien sûr qu'ils m'ont cru.

— Mais pourquoi ? C'est un mensonge tellement flagrant.

— Est-ce que ça a jamais arrêté les nazis ? » J'indiquai le bateau d'un signe de tête. « Montez. On s'en va. »

J'ôtai ma dernière cigarette de derrière mon oreille et l'allumai à un tison que m'apporta le Turc.

« Je pense qu'ils vous ficheront la paix. Je ne leur ai pas précisément inspiré la peur de Dieu. Seulement celle de la Gestapo. Ce qui signifie probablement davantage pour eux. »

Le Turc rit.

« Merci, mon vieux », dit-il avant de me serrer la main.

Je détachai la corde et grimpai dans le bateau à côté de Mrs Charalambides.

« C'est une chose que j'ai apprise ces dernières années. Mentir avec conviction. Du moment que vous réussissez à vous persuader d'un truc, aussi grotesque soit-il, c'est fou tout ce que vous pouvez faire de nos jours.

— Et moi qui pensais qu'il n'y avait que les nazis pour être aussi cyniques. »

Même si elle l'avait dit sur le ton de la plaisanterie, ce n'était pas particulièrement agréable à entendre. En même temps, je savais qu'elle avait raison, naturellement. J'étais un cynique. Pour ma défense, j'aurais pu lui rappeler que j'étais aussi un ancien flic et qu'un flic ne connaît qu'une vérité, à savoir que tout ce qu'on lui raconte est un mensonge, mais ça n'aurait pas été terrible non plus. Elle avait raison, et il aurait été vain d'essayer de se dérober à l'aide d'une autre remarque cynique, par exemple que les nazis devaient mettre quelque chose dans l'eau, comme du bromure, pour que nous autres Allemands en soyons arrivés à croire que l'être humain est capable du pire. J'étais un cynique. Comment ne pas l'être quand on vivait en Allemagne ?

Non que j'aurais pu croire quoi que ce soit de mal sur Noreen Charalambides. Et je n'avais nullement envie qu'elle pense du mal de moi. À défaut de muselière, je repliai mes lèvres l'une sous l'autre pour fermer un moment mon clapet, puis je poussai la manette des gaz. C'est une chose d'offenser ses ennemis. C'en est une toute différente quand vous risquez, apparemment, de froisser vos amis. Sans parler d'une femme pour laquelle vous avez le béguin.

16

Après avoir rendu le bateau, nous remontâmes en voiture. Nous roulâmes vers l'est, le long de rues pleines de passants silencieux qui ne voulaient probablement rien avoir à faire les uns avec les autres. Certes, la ville n'avait jamais été particulièrement accueillante. Les Berlinois ne brillent pas par leur sens aigu de l'hospitalité. Mais à présent, on se serait cru à Hamelin après le départ des enfants. On avait toujours les rats, bien sûr.

Des citoyens respectables avec chapeaux en feutre bien brossés et faux-cols style boîtes à gâteaux se hâtaient de rentrer chez eux après une nouvelle journée passée à essayer, avec déférence, d'ignorer les voyous patentés, revêtus d'un uniforme, qui s'obstinaient à poser leurs bottes sales sur le meilleur mobilier du pays. Les conducteurs d'autobus se penchaient de façon précaire hors de leur plate-forme afin d'éviter toute possibilité de conversation avec leurs passagers. Ces temps-ci, personne n'avait envie de dire ce qu'il pensait vraiment. Mais ça, on ne le mettait pas dans le Baedecker.

À la station au coin de la Leibnizstrasse, les chauffeurs de taxi portaient leurs capuches à carreaux – signe infaillible que le temps se refroidissait. Même s'il ne faisait pas encore assez froid pour décourager le trio de SA continuant bravement son vigilant boycott d'une bijouterie juive près de la synagogue de la Fasanenstrasse.

Allemands! Défendez-vous! N'achetez pas aux Juifs! Achetez seulement dans les magasins allemands!

Avec leurs bottes de cuir brun, leur ceinturon de cuir brun et leur visage de cuir brun, nimbés par le halo vert du Kurfürstendamm, les trois nazis avaient quelque chose de préhistorique, de reptilien, de dangereux, un troupeau de crocodiles affamés qui se seraient échappés de l'aquarium du Jardin zoologique.

Je me sentais moi-même vaguement à sang froid. Comme si j'avais besoin de m'en jeter un.

« Vous boudez ? demanda-t-elle.

— Bouder ?

— À la manière d'une protestation silencieuse.

— Les seules qui soient sans risque actuellement. En tout cas, rien qu'un petit verre ne puisse arranger.

— Ça ne me ferait pas de mal à moi non plus.

— Mais pas à l'Adlon, hein ? Si nous allons là-bas, quelqu'un va me tomber dessus avec un truc à faire. » Comme nous arrivions au carrefour avec la Joachimstaler Strasse, je pointai un doigt. « Là. Le Cockatoo Bar.

— C'est un de vos repaires habituels ?

— Non, celui de quelqu'un d'autre. Quelqu'un à qui vous devriez parler pour votre article.

— Ah ? Qui ça ?

— Trollmann le Tzigane.

— En effet, je me souviens. Le Turc a dit qu'il était videur au Cockatoo, non ? Et qu'il s'était battu avec Eric Seelig.

— Le Turc n'avait pas l'air sûr à cent pour cent que Seelig soit notre Fritz. Trollmann pourra peut-être nous le confirmer. Quand on passe du temps sur un ring avec un type qui essaie de vous amocher, on finit probablement par connaître sa bobine par cœur.

— Est-il vraiment tzigane, ou seulement comme Solly Mayer est juif ?

— Malheureusement pour Trollmann, lui, ce n'est pas du toc. Voyez-vous, il n'y a pas que les Juifs que les nazis n'aiment pas. Les Tziganes aussi. Et les homosexuels. Et les Témoins de Jéhovah. Et les communistes, évidemment, n'oublions surtout pas les Rouges. Jusqu'ici, ce sont eux qui en ont le plus bavé. Je veux dire, je ne connais personne qui ait été exécuté parce qu'il était juif. »

Je songeai un instant à lui répéter l'histoire d'Otto Trettin sur le couperet de Plotzensee et repoussai cette idée. Dans la mesure où j'allais déjà être obligé de l'affranchir au sujet de Trollmann le Tzigane, je pensais qu'une seule histoire triste lui suffirait pour la soirée. On pouvait difficilement faire plus triste que celle de Trollmann le Tzigane.

Il n'y avait pas grand monde au Cockatoo lorsque nous entrâmes, ce qui voulait dire que « Rukelie », comme le surnommaient ceux qui travaillaient avec lui dans la boîte, n'était pas encore arrivé. Personne ne crée de problèmes à sept heures du soir. Même pas moi.

Certaines parties du Cockatoo avaient beau s'efforcer d'évoquer un bar de la Polynésie française, pour l'essentiel c'étaient sièges-baquets en velours, papier-tontisse et lumières rouges, comme dans n'importe quel troquet de Berlin. Le comptoir bleu et or avait la réputation d'être le plus long de la ville, mais seulement auprès de ceux qui ne possédaient pas de mètre-ruban ou qui pensaient que la route est longue jusqu'à Tipperary. Le plafond paraissait avoir été glacé comme une pièce montée. Bref, un cabaret ordinaire, avec une piste de danse et un petit orchestre qui s'arrangeait pour contourner la mise à l'index par les nazis de la musique décadente en jouant du jazz comme s'il avait été inventé non par des Noirs, mais par un organiste d'église originaire du Brandebourg. Les danseuses nues étant désormais interdites dans les boîtes de nuit, l'attraction du Cockatoo consistait à avoir un perroquet perché sur chaque table. Ce qui ne servait qu'à rappeler aux clients cet autre avantage majeur d'avoir des danseuses : elles ne chiaient pas dans votre assiette. Pas à moins de s'appeler Anita Berber, en tout cas.

Pendant que je buvais du schnaps, Mrs Charalambides sirotait des martinis telle une geisha prenant le thé, et sans que ça lui fasse davantage d'effet, apparemment. Ce qui me donna à penser que ce n'était pas seulement un don d'écriture qu'elle partageait avec son mari. Cette femme éclusait son godet comme devaient le faire les dieux avec leur ration quotidienne d'ambroisie.

« Eh bien, parlez-moi de Trollmann le Tzigane, dit-elle en sortant son carnet et son stylo de journaliste.

– Trollmann est un authentique Tzigane. Un Sinti. Une sorte de sous-groupe rom, mais ne me demandez pas de vous expliquer comment, je ne suis pas Bruno Malinowski. Sous la république, les journaux ont fait tout un plat de ses origines manouches, et, comme en plus il était plutôt pas mal, sans parler d'un excellent boxeur, ça n'a pas tardé à marcher du tonnerre pour lui. Tous les organisateurs s'arrachaient le gosse. » Je haussai les épaules. « À mon avis, il ne doit pas avoir plus de vingt-sept ans aujourd'hui. Toujours est-il qu'au milieu de l'année dernière, il était prêt à tenter sa chance pour devenir champion d'Allemagne des poids mi-lourds et, en l'absence de candidat idéal, il fut opposé à Adolf Witt pour le titre vacant, ici à Berlin.

« Naturellement, les nazis espéraient que la supériorité aryenne l'emporterait et que Witt battrait à plate couture son adversaire racialement inférieur. Raison, entre autres, pour laquelle ils autorisèrent le combat. Ce qui ne les empêcha pas, bien entendu, d'essayer de corrompre les juges, mais ils n'avaient pas compté avec les spectateurs, qui furent si impressionnés par le courage de Trollmann et par la façon dont il avait dominé le match de bout en bout qu'une émeute éclata lorsque les juges accordèrent le combat à Witt, si bien que les responsables durent proclamer malgré tout Trollmann vainqueur. Le gosse pleurait de joie. Malheureusement, son bonheur fut de courte durée.

« Six jours plus tard, la Fédération allemande de boxe lui enlevait son titre et sa licence sous prétexte que son style imprévisible et ses larmes de "femmelette" le rendaient indigne de posséder la ceinture. »

À ce stade, son écriture élégante couvrait déjà plusieurs pages de son carnet. Elle but une gorgée de son verre et secoua la tête.

« Parce qu'il avait pleuré ?

– Attendez la suite. C'est une histoire typiquement allemande. Comme on pouvait s'y attendre, le gosse reçut des menaces de mort. Lettres anonymes. Excréments dans sa boîte aux lettres. Et ainsi de suite. Sa femme et ses enfants firent l'objet d'intimidations. Au point qu'il finit par la persuader de demander le divorce et de changer de nom pour qu'elle et les mômes puissent vivre en paix. Car Trollmann n'avait pas encore jeté l'éponge. Il continuait à penser que les choses s'arrangeraient et qu'il pourrait se remettre à boxer. À contrecœur, la Fédération allemande lui accorda une licence pour remonter sur le ring, à deux conditions : la première, qu'il abandonne la tactique du coup de poing éclair qui avait fait de lui un boxeur de premier plan – je veux dire, il était rapide, personne n'arrivait à lui mettre la main dessus. Et l'autre condition, que son premier combat l'opposerait à un adversaire beaucoup plus lourd, Gustav Eder.

– Ils voulaient le voir se faire humilier.

– Ils voulaient le voir se faire tuer, oui. La rencontre eut lieu en juillet 1933, à la brasserie Bock, à Berlin. En une parodie des nouvelles restrictions raciales, Trollmann se pointa au combat avec l'air d'une caricature aryenne, le corps blanchi à la farine et les cheveux teints en blond.

– Oh, Seigneur. Vous voulez dire, comme un pauvre Noir se déguisant pour échapper au lynchage ?

– En quelque sorte. Bref, le combat eut lieu et, forcé d'abandonner le style qui l'avait propulsé au rang de champion, Trollmann resta planté devant Edler, rendant coup pour coup à son adversaire plus lourd. Il prit une sévère correction jusqu'à ce que, au cinquième round, il abandonne et perde le combat par K.-O. Ensuite, ça n'a plus jamais été le même boxeur. La dernière fois qu'on m'a parlé de lui, il acceptait de se battre tous les mois avec des types plus grands et plus costauds, ce qui lui valait régulièrement des raclées, tout ça pour payer la pension de sa femme. »

Elle secoua à nouveau la tête.

« Une tragédie grecque moderne.

– Si vous voulez dire par là qu'il n'y a pas tellement de passages marrants, vous avez raison. Et les dieux mériteraient sûrement des coups de pied aux fesses, sinon pire, pour permettre que de telles crasses arrivent à quelqu'un.

– D'après ce que j'ai vu jusqu'ici, ils ont de quoi faire en Allemagne.

– C'est bien le problème, non ? S'ils ne sont pas là avec nous en ce moment, alors peut-être qu'ils ne sont pas là du tout.

— Je ne crois pas, Bernie. Ce n'est pas bon pour un dramaturge de croire qu'il n'y a rien d'autre que les hommes. Personne n'a envie d'aller au théâtre pour entendre ça. Surtout en ce moment. En ce moment par-dessus tout.

— Je devrais peut-être me remettre à aller au théâtre. Qui sait ? Ça pourrait me rendre la foi dans la nature humaine. Mais enfin, voilà Trollmann, alors je ferais mieux de ne pas me bercer d'illusions. »

Tout en disant cela, je savais que, si ma foi dans la nature humaine avait inclu un ticket de bookmaker, rien que d'apercevoir Trollmann aurait suffi pour que je le déchire en morceaux. Jadis aussi séduisant qu'une vedette, Trollmann le Tzigane incarnait à présent l'archétype du boxeur au bout du rouleau. C'était comme voir Mr Hyde juste après une visite à domicile du Dr Jekyll, tellement son visage était déformé par les coups. Son nez, auparavant petit et belliqueux, avait pris l'allure d'un sac de sable sur une redoute improvisée, ce qui semblait avoir écarté ses yeux de chaque côté de sa tête à la manière d'un ruminant. Lesquels yeux étaient gonflés au point de ne plus avoir de contours et faisaient penser à des rondelles de saucisson tombées de la trancheuse d'un charcutier. Sa bouche semblait d'une largeur incroyable, et, quand il étirait ses lèvres couturées, révélant plusieurs dents manquantes, c'était comme se fendre la pêche avec le petit frère de King Kong. Le pire étant son expression, aussi enjouée qu'une affiche sur le mur d'une école maternelle, à croire que plus rien ne l'intéressait.

Trollmann saisit une chaise comme s'il s'agissait d'une baguette de pain puis la reposa dos à notre table.

Nous nous présentâmes. Mrs Charalambides le gratifia d'un sourire qui aurait embrasé une mine de charbon, avant de fixer sur lui des yeux bleus à rendre jaloux un chat persan. Trollmann n'arrêtait pas de hocher la tête et de sourire, comme si nous étions ses meilleurs et plus vieux amis. Ce qui n'était peut-être pas tout à fait faux, vu la manière dont on l'avait traité jusqu'à présent.

« À dire la vérité, je me souviens de vous, Herr Gunther. Vous êtes flic. Sûr, ça me revient maintenant.

— Ne dites jamais la vérité à un flic, Rukelie. C'est comme ça qu'on se fait coincer. En effet, j'ai été flic. Mais c'est du passé.

Désormais, je joue les épouvantails à l'hôtel Adlon. Apparemment, les nazis n'aiment pas plus les flics républicains que les boxeurs tziganes.

— Pour ça, vous avez raison, Herr Gunther. Sûr, je me souviens de vous. Vous êtes venu assister à un de mes combats. Avec un autre flic. Un flic qui tâtait un peu de la boxe, c'est bien ça ?

— Heinrich Grund.

— Ouais, je me souviens de lui également. Il s'entraînait dans le même gymnase que moi.

— On est allés vous voir contre Paul Vogel, au Sportpalast, ici à Berlin.

— Vogel, ouais. Ce combat-là, je l'ai gagné aux points. Pas de la gnognotte, Paul Vogel. » Il se tourna vers Mrs Charalambides et haussa les épaules. « Regardez-moi – on le croirait pas, madame, je sais –, mais j'ai remporté un tas de combats à l'époque. Aujourd'hui, tout ce qu'ils veulent, c'est se servir de moi comme sac de frappe. Vous savez, me mettre en face d'un mec pour qu'il puisse s'entraîner. Même que je pourrais en battre quelques-uns. Seulement ils ne veulent pas me laisser boxer à ma façon. » Il leva ses poings et fit semblant d'esquiver un coup en se baissant sur la chaise. « Vous voyez ce que je veux dire ? »

Elle acquiesça et posa une main sur sa paluche de soudeur.

« Vous êtes une jolie femme, madame. Elle n'est pas jolie, Herr Gunther ?

— Merci, Rukelie.

— Pour ça oui, dis-je.

— Autrefois, je connaissais un tas de jolies femmes, vu que j'étais beau gosse pour un boxeur. C'est pas vrai, Herr Gunther ? »

J'opinai.

« Et de loin.

— Du fait que je sautillais autour de ces types, aucun n'arrivait à m'atteindre avec son gant. Voyez-vous, la boxe, ce n'est pas seulement flanquer des gnons. C'est aussi ne pas en recevoir. Mais les nazis, ils ne veulent pas que je fasse ça. Ils n'aiment pas mon style. » Il poussa un soupir et une larme apparut au coin de son œil bovin. « Enfin, maintenant, tout est fini pour moi en tant que boxeur professionnel, je suppose. J'ai pas livré de combat depuis mars. Six défaites d'affilée, j'imagine qu'il est temps de raccrocher les gants.

— Pourquoi ne quittez-vous pas l'Allemagne? demanda-t-elle. S'ils ne vous laissent pas boxer à votre guise. »

Trollmann secoua la tête.

« Comment est-ce que je m'en irais? Mes enfants vivent ici. Et aussi mon ex-femme. Je ne peux quand même pas les abandonner. En plus, ça coûte d'aller s'installer ailleurs. Et je ne gagne plus autant qu'avant. Alors, je travaille là. Et je vends des billets de match. Dites donc, vous voulez en acheter? J'ai des places pour Emil Scholz contre Adolf Witt au Spichernsaele. Le 16 novembre. Ça devrait être un bon match. »

Elle en acheta quatre. Après sa remarque à l'extérieur du T-gym, je n'étais pas sûr qu'elle ait vraiment envie d'assister à un combat de boxe, aussi j'en conclus qu'il s'agissait d'une façon délicate de faire gagner un peu d'argent à Trollmann.

« Tenez, dit-elle en me les passant. Prenez-en soin.

— Vous rappelez-vous avoir disputé un match contre un type nommé Seelig? demandai-je à Trollmann. Eric Seelig?

— Sûr, je me souviens d'Eric. Je me souviens de chacun de mes combats. À présent, c'est tout ce qui me reste de la boxe. Mes souvenirs. Je me suis battu contre Seelig en juin 1932. Et j'ai perdu. Aux points, à la Brasserie. Un peu que je me souviens de Seelig. Comment pourrais-je oublier, hein? Il en a pas mal bavé lui aussi, Eric. Tout comme moi. Du fait qu'il était juif. Les nazis lui ont retiré ses titres, et sa licence. Aux dernières nouvelles, il se serait battu contre Helmut Hartkopp à Hambourg et l'aurait emporté aux points. En février de l'année dernière.

— Qu'est-il devenu? »

Elle lui offrit une cigarette, mais il secoua la tête.

« Sais pas. Mais il boxe plus en Allemagne, j'en suis absolument certain. »

Je montrai à Trollmann la photo de Fritz et lui racontai les circonstances de la mort de l'inconnu.

« À votre avis, est-ce que ça pourrait être Eric Seelig?

– C'est pas Seelig, répondit Trollmann. Seelig est plus jeune que moi. Et plus jeune que ce type, à coup sûr. Qui vous a dit que c'était Seelig ?

– Le Turc.

– Solly Mayer ? Ça explique tout. Le Turc est aveugle d'un œil. Détachement de la rétine. Vous lui donneriez un jeu d'échecs qu'il distinguerait pas les blancs des noirs. Comprenez-moi bien, le Turc est un chic type. Mais il a plus aussi bonne vue. »

L'endroit commençait à se remplir. Trollmann fit signe à une fille à l'autre extrémité du bar ; pour une raison ou une autre, elle avait des bouts de papier d'argent dans les cheveux. Toutes sortes de gens saluaient Trollmann de la main. En dépit des efforts des nazis pour le déshumaniser, il demeurait populaire. Même le perroquet à notre table semblait aimer Trollmann, et il le laissa caresser les plumes grises de sa gorge sans essayer de lui arracher un morceau de doigt.

Trollmann examina à nouveau la photographie tout en hochant la tête.

« Je connais ce gars-là. Mais c'est pas Seelig. Qu'est-ce qui vous a fait penser que c'était un boxeur ? »

Je lui parlai des traces de fractures sur les articulations des petits doigts du mort ainsi que de la brûlure sur sa poitrine, et il opina gravement.

« Vous êtes un homme astucieux, Herr Gunther. Ce type est un pugi, vous avez raison. Nom : Isaac Deutsch. Un boxeur juif, c'est sûr. Pour ça, vous ne vous trompiez pas.

– Arrêtez, dit Mrs Charalambides, ou il va attraper la grosse tête. »

Mais elle était en train d'écrire. Le crayon se déplaçait sur la page de son calepin avec un chuchotement impérieux.

Trollmann sourit, mais continua à parler.

« Zak faisait partie du même club sportif ouvrier que moi. Le Sparta, à Hanovre. Pauvre vieux Zak. Quelque part chez moi, j'ai une photo avec tous les boxeurs du Sparta. Enfin, ceux qui faisaient de la compétition. Et Zak se trouve juste devant moi. Le pauvre. C'était un gentil garçon et un assez bon boxeur, qui en avait dans le ventre. Pourtant, on n'a jamais disputé de match ensemble. J'aurais pas aimé me battre contre lui. Pas par peur, notez bien, encore qu'il avait un sacré punch. Mais parce que c'était vraiment un gentil garçon. Son oncle, Joey, l'entraînait, et il semblait représenter un espoir pour les Jeux olympiques jusqu'à ce qu'il se fasse virer de la fédération et du Sparta. » Il poussa un soupir et secoua à nouveau la tête. « Alors comme ça, ce pauvre vieux Zak est mort. C'est triste.

— Ce n'était donc pas un professionnel ?

— Quelle différence ? » demanda Mrs Charalambides.

Je poussai un gémissement. Mais, avec patience, comme s'il parlait à une petite fille, Trollmann se mit à lui expliquer. Il y avait chez lui quelque chose de doux, d'affable. Si je ne m'étais pas rappelé l'avoir vu sur un ring, j'aurais eu du mal à croire qu'il ait pu faire carrière dans la boxe.

« Zak, il voulait une médaille avant de passer professionnel, dit-il. D'ailleurs, peut-être bien qu'il en aurait décroché une s'il avait pas été juif. Ce qui rend la chose ironique, je suppose, si ironique veut bien dire ce que je crois.

— Et vous croyez que cela veut dire quoi ? demanda-t-elle.

— Comme lorsqu'il y a un décalage entre ce qui devrait arriver à un homme et ce qui lui arrive vraiment.

— Ce qui s'applique plutôt bien dans le cas présent, approuva-t-elle.

— Comme le fait que Zak Deutsch n'ait pas pu boxer pour l'Allemagne aux Jeux olympiques parce qu'il était juif. Ce qui ne l'a pas empêché de devenir ouvrier du bâtiment à Pichelsberg et de participer à la construction du nouveau stade. Même qu'il aurait pas dû travailler là. Voyez-vous, seuls les Allemands aryens ont le droit d'occuper un emploi sur le chantier du site olympique. Du moins, à ce qu'il paraît. C'est ce que je veux dire par ironique, vous comprenez ? Parce qu'il y a des tas de Juifs qui bossent sur le site de Pichelsberg. Je pensais moi-même aller y travailler avant que je déniche ce boulot. Il y a une telle pression pour que le stade soit terminé à temps qu'ils peuvent pas se permettre de refuser des hommes valides. Qu'ils soient juifs ou aryens. C'est ce qu'on m'a dit.

— Ça commence à sembler raisonnable, dis-je.

– Vous avez une curieuse notion du raisonnable, Herr Gunther. » Trollmann me gratifia d'un grand sourire tout en dents. « Moi, je trouve ça dingue.

– Moi aussi, murmura Mrs Charalambides.

– Ce que je veux dire, c'est que je commence à comprendre un certain nombre de choses. Mais vous avez raison également, Rukelie, c'est dingue. » J'allumai une cigarette. « Pendant la guerre, j'ai vu un tas de trucs stupides. Des types se faisant tuer pour rien. Du gaspillage pur et simple. Et aussi pas mal de stupidités après la guerre. Mais cette histoire avec les Juifs et les Tziganes, c'est tout bonnement de la folie. Comment expliquer autrement l'inexplicable ?

– J'y ai un peu réfléchi, dit Trollmann. Même beaucoup. Et à partir de ce que j'ai vu dans la boxe, j'en suis arrivé à la conclusion suivante : quelquefois, si on veut gagner un combat à tout prix, ça aide de haïr l'autre type. » Il haussa les épaules. « Tziganes. Juifs. Pédés et cocos. Les nazis ont besoin de quelqu'un à haïr, un point c'est tout.

– Vous avez sans doute raison, répondis-je. Mais ça m'inquiète s'il y a une nouvelle guerre. J'ai peur de ce qui arrivera à tous ces pauvres bougres que les nazis n'aiment pas. »

17

Je passai la majeure partie du retour à l'Adlon à ruminer ce que nous avions appris. Trollmann le Tzigane avait promis de me poster la photographie du Sparta Club, mais je ne doutais guère de son identification du mort retrouvé flottant dans l'écluse de Mülhendamm, ni de l'information selon laquelle Isaac Deutsch avait été ouvrier du bâtiment sur le site du stade olympique. Dire une chose et en faire une autre était typique des nazis. Malgré tout, Pichelsberg était loin de Mühlendamm ; à l'autre bout de la ville. Et rien de ce que j'avais récolté jusque-là n'expliquait comment Deutsch avait pu se noyer dans de l'eau salée.

« Vous parlez trop, Gunther.

– Je réfléchissais, Mrs Charalambides. Qu'est-ce que vous devez penser de nous ? Il semble que nous soyons le seul peuple au monde à essayer activement de se montrer digne de la pire impression que les autres ont de lui.

– Appelez-moi Noreen, je vous en prie. Charalambides est un nom tellement long, même en Allemagne.

– Je ne sais pas si je peux faire ça maintenant que vous êtes mon employeur. Dix marks par jour exigent une certaine dose de courtoisie professionnelle.

– Vous pouvez difficilement m'appeler Mrs Charalambides si vous voulez m'embrasser.

– Parce que je veux vous embrasser ?

– Ce matin, vous avez dit quelque chose à propos d'Isaac Newton. Ce qui m'incite certainement à le penser.

– Ah ? Comment ça ?

– Newton a proposé trois lois pour rendre compte des relations entre deux corps. À mon avis, il en aurait sans doute proposé une quatrième s'ils nous avaient connus, vous et moi, Gunther. Vous allez m'embrasser, soit. Il n'y a absolument aucun doute là-dessus.

– Vous voulez dire que c'est une vérité mathématique.

– Des pages entières. Impulsion, déséquilibre des forces externes, réaction égale et opposée. Entre nous, il y a presque assez d'équations pour couvrir un drap de lit.

– Alors je suppose qu'il ne servirait à rien que j'essaie de résister aux lois du mouvement planétaire.

– À rien du tout. En fait, il serait même bon que vous donniez l'impulsion sans attendre, ou vous risquez de détraquer tout ce fichu univers. »

J'arrêtai la voiture, tirai le frein à main et me penchai vers elle.

Pendant un moment, elle détourna la tête.

« Hermann-Goering-Strasse, dit-elle. Est-ce que ça ne portait pas un autre nom auparavant ?

– Budapest Strasse.

– C'est déjà mieux. Je tiens à me rappeler l'endroit où vous m'avez embrassée pour la première fois. Et je ne voudrais pas que ce souvenir inclue Hermann Goering. »

Elle se tourna vers moi avec impatience, et je l'embrassai ardemment. Son haleine était chargée de cigarettes, d'alcool glacé, de rouge à lèvres et d'un petit quelque chose de particulier montant de sa culotte. Elle avait meilleur goût que du beurre légèrement salé sur du pain sortant du four. Je sentais ses cils frôler mes joues comme les ailes de minuscules colibris, et, au bout d'une minute environ, elle se mit à respirer à la façon d'un médium cherchant à entrer en contact avec le monde des esprits. Ce qui était peut-être le cas. Désireux de posséder tout son corps, je glissai ma main gauche sous son manteau de fourrure, puis la fis monter et descendre de ses cuisses à sa poitrine comme si j'essayais de produire de l'électricité statique. Noreen Charalambides n'était pas la seule à connaître la physique. Il y eut un bruit sourd lorsque son sac à main tomba de ses genoux sur le plancher de la voiture. Ouvrant les yeux, je m'écartai de sa bouche.

« Ma foi, la pesanteur fonctionne toujours, dis-je. Vu l'état de ma tête, je commençais à me le demander. Peut-être bien que Newton y connaissait quelque chose, en fin de compte.

— Mais il ne savait pas tout. Je parie qu'il ne savait pas embrasser une fille de cette façon.

— C'est parce qu'il n'a jamais rencontré une fille comme vous, Noreen. Sinon, il aurait peut-être fait quelque chose d'utile dans sa vie. Comme ceci. »

Je l'embrassai à nouveau, sauf que j'y allai à fond cette fois-ci, comme si je pensais vraiment à ce que je faisais. Ce qui était peut-être vrai. Cela faisait belle lurette que je n'avais pas éprouvé ça pour une femme. Je jetai un coup d'œil par la fenêtre et, voyant le nom de la rue, je repensai à ce que je m'étais dit la première fois que j'avais parlé à Noreen dans l'appartement de Hedda Adlon à l'hôtel, à savoir qu'elle était la plus vieille amie de ma patronne et que je coucherais avec Hermann Goering avant de poser seulement un doigt sur elle. Au train où allaient les choses, le Premier ministre de Prusse devait s'attendre à une surprise d'une taille hermannienne.

Sa langue était maintenant dans ma bouche, près de mon cœur et de tous les soucis que j'essayais d'avaler. Je perdais le contrôle de moi-même, mais surtout en ce qui concerne ma main gauche, qui était sous sa robe et se familiarisait avec sa jarretière et la cuisse fraîche à travers laquelle elle était tendue. C'est seulement lorsque ma main se coula dans l'espace secret entre ses cuisses qu'elle bougea pour arrêter le poignet qui la commandait. Je la laissai l'éloigner, puis portai mes doigts à ma bouche et les léchai.

« Cette main. Il y a des moments où je ne sais pas ce qu'elle a.

— Tu es un homme, Gunther. Voilà ce qu'elle a. » Elle prit mes doigts, qu'elle effleura avec ses lèvres. « J'aime quand tu m'embrasses. Tu embrasses bien. Si embrasser faisait partie des sports olympiques, tu pourrais prétendre à une médaille. Mais j'ai horreur qu'on me bouscule. J'aime bien me promener un peu autour de la piste avant d'être montée. Et ne songe même pas à utiliser le fouet si tu tiens à rester en selle. Je suis du genre indépendant, Gunther. Quand je cours, c'est parce que j'ai les yeux ouverts et que j'en ai envie. Et je ne porterai pas d'œillères en atteignant le fil d'arrivée, si nous l'atteignons, ou je pourrais très bien ne rien porter du tout.

— Naturellement, dis-je. C'est bien comme ça que je me le figurais. Pas d'œillères. Pas même de mors. Qu'est-ce que tu dirais si je te donnais une pomme de temps en temps?

— J'aime bien les pommes, répondit-elle. Simplement, prends garde à ne pas te faire mordre les doigts. »

Je la laissai me mordre, à pleines dents. C'était douloureux, mais pas désagréable. Venant d'elle, la douleur avait un effet revigorant, comme quelque chose de primordial, quelque chose qui avait toujours été. D'ailleurs, nous savions tous les deux qu'une fois nos vêtements éparpillés sur le sol près de nos corps nus et en sueur, je la rembourserais en nature. C'est toujours comme ça entre un homme et une femme. L'homme prend la femme. La femme se fait prendre. Ça ne porte pas toujours la marque d'une réflexion approfondie sur ce qui est juste, honnête et bien élevé. Il arrive que la nature humaine vous fasse un peu honte.

Je la ramenai à l'hôtel et garai la voiture. Au moment où nous pénétrions dans le hall, nous tombâmes sur Max Reles, qui s'apprêtait à sortir. Il se trouvait en compagnie de Gerhard Krempel et de Dora Dauer, et tous les trois étaient en tenue de soirée. Reles parla d'abord à Noreen, en anglais, ce qui me permit de dire quelques mots à Dora.

« Bonsoir, Fräulein Bauer, dis-je poliment.

— Herr Gunther.

— Vous êtes ravissante.

— Merci. » Elle sourit avec chaleur. « Et je le pense vraiment. Je vous suis très reconnaissante de m'avoir aidée à obtenir cet emploi.

— Je vous en prie, Fräulein. Behlert me dit que vous travaillez presque exclusivement pour Herr Reles actuellement.

— Max m'occupe beaucoup, en effet. Je ne crois pas avoir jamais autant tapé à la machine. Même quand j'étais chez Odol. Mais, pour l'instant, nous allons à l'opéra.

— Voir quoi? »

Elle sourit d'un air candide.

« Je n'en ai pas la moindre idée. Je ne connais rien à l'opéra.

— Moi non plus.

— Je pense que je vais détester. Mais Max veut que je prenne quelque chose en dictée pendant l'entracte.

— Et vous, Herr Krempel ? Qu'est ce que vous ferez pendant l'entracte ? Massacrer de la bonne musique ? Faute de mieux.

— Je vous connais ? » demanda-t-il en m'accordant à peine un regard.

Sa voix basse et rauque semblait avoir été passée au papier de verre puis mise à mariner dans du pétrole en flammes.

« Vous, non. Mais moi, oui. »

Krempel était grand, avec des épaules comme des arcs-boutants et des yeux noirs et sans vie. D'épais cheveux blonds poussaient au sommet de son crâne, de la grosseur d'une tortue des Galapagos et probablement aussi rapide. Sa bouche faisait penser à une vieille cicatrice sur un genou de footballeur. Ses doigts semblables à des grappins de ferrailleur se serraient déjà en des poings de la taille de boulets de démolition. La gouape par excellence. Si le Front allemand du travail avait comporté une section pour les employés du secteur de l'intimidation et de la coercition, Gerhard Krempel aurait raisonnablement pu espérer être élu représentant des travailleurs.

« Vous devez me confondre avec quelqu'un d'autre, dit-il en étouffant un bâillement.

— Excusez-moi. C'est sans doute la tenue de soirée. Je vous avais pris pour une brute SA. »

Reles dut entendre car il me jeta un regard mauvais puis se tourna vers Noreen.

« Est-ce que ce laveur de vaisselle vous cause des problèmes ? lui demanda-t-il, parlant à présent en allemand, pour mon bénéfice.

— Non, répondit-elle. Herr Gunther s'est montré très serviable.

— Vraiment ? » Reles gloussa. « Ça doit être son anniversaire ou quelque chose de ce genre. Qu'en pensez-vous, Gunther ? Vous avez pris un bain ce matin ? »

Ce qui eut le don de rendre Krempel hilare.

« Dites-moi, avez-vous retrouvé ma boîte chinoise ? Ou la fille qui l'a volée ?

— L'affaire est entre les mains de la police, monsieur. Je suis sûr qu'ils font tout leur possible pour lui donner une conclusion satisfaisante.

— Voilà qui est extrêmement rassurant. Dites-moi, Gunther, quel genre de policier étiez-vous avant de vous mettre à lorgner par les trous de serrure des chambres d'hôtel ? Voyez-vous, je parierais que vous aviez un de ces stupides casques en cuir avec le haut plat. Est-ce parce que vous autres flics boches avez tous la tête plate ou parce que certains d'entre vous complètent leurs revenus en portant des cageots de poissons sur le marché de Friedrichshain ?

— Les deux, à mon avis, dit Krempel.

— Vous savez, aux États-Unis, on appelle parfois les flics des "pieds plats" parce que beaucoup ont les pieds plats, reprit Reles. Mais je crois que j'aime mieux "têtes plates".

— Satisfaire le client est notre priorité, répondis-je patiemment. Mesdames. Messieurs. » En me tournant pour m'en aller, je mis même la main à mon chapeau. Ce qui semblait plus diplomatique que de coller mon poing dans la figure de Reles et nettement moins susceptible de me laisser sans boulot. « Bonne soirée, Fräulein Bauer. »

Je me dirigeai d'un pas nonchalant vers la réception, où Franz Joseph, le concierge, était en conversation avec Dajos Béla, le premier violon de l'orchestre de l'hôtel. Je vérifiai mon casier. Il y avait deux messages. Le premier d'Emil Linthe m'informant qu'il avait terminé sa tâche. L'autre d'Otto Trettin pour me demander de le rappeler d'urgence. Je décrochai le téléphone, et la standardiste de l'hôtel me mit en communication avec l'Alex puis avec Otto, qui restait souvent tard au bureau, vu qu'il arrivait rarement de bonne heure.

« Alors, comment ça se passe à Dantzig ? demandai-je.

— Oublie ça un moment. Tu te souviens de ce flic qui s'est fait buter ? August Krichbaum ?

— Bien sûr, répondis-je, fermant la main puis me mordant les phalanges, calmement.

— Le témoin est un ancien flic. Il a l'air de penser que l'assassin est un ancien flic, lui aussi. Il a épluché les dossiers de police et s'est concocté une petite liste de suspects.

– C'est ce qu'on m'a raconté. »

Otto marqua une pause.

« Tu figures sur la liste, Bernie.

– Moi ? dis-je avec autant de détachement que j'en étais capable. Comment tu t'expliques ça ?

– C'est peut-être toi qui l'as fait.

– Peut-être. D'un autre côté, c'est peut-être un coup monté. Parce que j'étais républicain.

– Possible, admit Otto. Ils en ont fait plonger pour moins que ça.

– Cette liste, elle est longue ?

– Seulement dix bonshommes, paraît-il.

– Je vois. Eh bien, merci pour le tuyau, Otto.

– Je me suis dit que ça t'intéresserait de le savoir. »

J'allumai une cigarette.

« Il se trouve que j'ai un alibi pour le moment où ça s'est produit. Mais je ne tiens pas tellement à m'en servir. Tu comprends, c'est le type de la section juive de la Gestapo. Celui qui m'a affranchi au sujet de ma grand-mère. Si je mentionne son nom, ils voudront savoir ce que je fabriquais au siège de la Gestapo. Et ça risque de le mettre dans le pétrin. »

Un simple mensonge peut souvent vous économiser une vérité dévoreuse de temps. Je m'en voulais de verser du sable dans le lave-œil d'Otto, mais je n'avais pas tellement le choix, semble-t-il.

« Alors, c'est une chance que tu te sois trouvé avec moi à l'heure du meurtre de Krichbaum, dit Otto. Devant une bière au Zum. Tu te rappelles ?

– Sûr que je me rappelle.

– Nous avons discuté de ton aide pour un chapitre de mon nouveau livre. Une affaire sur laquelle tu as travaillé jadis. Gormann l'Étrangleur. On pourrait penser que je la connais comme ma poche, vu le nombre de fois où tu m'as cassé les oreilles avec cette histoire.

– Je m'en souviendrai. Merci, Otto. »

Je poussai un soupir de soulagement. Le nom et la parole de Trettin avaient encore un certain poids à l'Alex. En tout cas, un demi-soupir.

« Au fait, ajouta-t-il. Ta sténo juive, Ilse Srajbman, avait bel et bien le coffret chinois du client. Elle prétend l'avoir pris sur un coup de tête, parce que Reles la traitait comme de la merde et refusait de lui payer ce qu'il lui devait.

— Connaissant Reles, je veux bien le croire. » J'essayai de rassembler mes pensées chancelantes. « Mais pourquoi ne pas en avoir parlé au directeur de l'hôtel ? Pourquoi ne pas l'avoir dit à Herr Behlert ?

— D'après elle, il n'est pas si facile pour une Juive de se plaindre de quelque chose. Ou de quelqu'un d'aussi bien introduit que Max Reles. Elle a raconté à la Kripo de Dantzig qu'il lui faisait peur.

— Au point d'être prête à le détrousser ?

— Dantzig est loin de Berlin, Bernie. En outre, il s'agissait d'un coup de tête, comme elle le reconnaît elle-même. Et elle le regrette.

— La Kripo de Dantzig semble faire preuve en l'occurrence d'une délicatesse inhabituelle, Otto. Pour quelle raison ?

— Pour me faire plaisir à moi, pas à la Juive. La plupart de ces flics de la cambrousse rêvent de venir traquer le crime dans la grande ville, tu sais ça. Je suis un personnage important pour ces débiles. Bref, j'ai récupéré la boîte. Et, pour être franc, je ne comprends pas où est le problème. J'ai déjà vu des objets plus artistiques chez Woolworth. Que veux-tu que j'en fasse ?

— Tu pourrais peut-être la déposer à l'hôtel un de ces jours. Je préférerais ne pas retourner à l'Alex, à moins d'y être forcé. La dernière fois que je suis allé là-bas, ton vieux pote Liebermann von Sonnenberg m'a harponné pour obtenir un service.

— Il me l'a dit.

— Même que, de toute évidence, c'est moi qui vais devoir le mettre à contribution.

— C'est à moi que tu dois quelque chose, Bernie, pas à lui.

— J'essaierai de m'en souvenir. Tu sais, Otto, il y a bien plus dans ce truc avec Max Reles qu'une vulgaire sténographe essayant de se venger de son patron. Voilà à peine quelques semaines, ce coffret chinois se trouvait dans un musée de Berlin. Puis c'est Reles qui l'a, et il sert à soudoyer un Amerloque siégeant à leur Comité olympique avec la bénédiction du ministère de l'Intérieur.

— S'il te plaît, Bernie, tâche de garder à l'esprit que j'ai les oreilles sensibles. Il y a des choses que j'ai envie de savoir. Mais il y en a à peu près autant que je préfère ignorer. »

Je reposai le téléphone et me tournai vers Franz Joseph. Il s'appelait en réalité Gustav, mais avec sa tête chauve et ses rouflaquettes, le concierge de l'Adlon ressemblait de manière frappante au vieil empereur d'Autriche François-Joseph, de sorte que presque tout le monde à l'Adlon le surnommait ainsi.

« Hé, Franz Joseph. Avez-vous fourni à Herr Reles des billets d'opéra pour ce soir ?

— Reles ?

— L'Américain de la suite 114.

— Oui. Alexander Kipnis interprète Gurnemanz, dans *Parsifal*. Ça n'a pas été facile de s'en procurer, même pour moi. Voyez-vous, Kipnis est un Juif. De nos jours, ce n'est pas fréquent de pouvoir entendre un Juif chanter Wagner.

— J'imagine que la voix de Kipnis est l'une des moins désagréables qu'on puisse entendre en Allemagne aujourd'hui.

— Il paraît que Hitler désapprouve.

— Où se trouve cet opéra ?

— Le Deutsches Opernhaus. Dans la Bismarckstrasse.

— Est-ce que vous vous souvenez des numéros de fauteuil ? Il faut juste que je trouve Herr Reles pour lui remettre un message.

— Le lever de rideau a lieu dans une heure. Il a une loge au balcon, côté gauche.

— Vous semblez en faire grand cas, Franz.

— En effet. C'est la loge qu'occupe Hitler quand il va à l'opéra.

— Mais pas ce soir.

— Visiblement. »

Je retournai dans le hall d'entrée. Behlert discutait avec deux types. Même si je ne les avais jamais vus, je savais que c'étaient des flics. D'abord, les manières de Behlert en disaient long : on aurait cru qu'il parlait à deux des plus grands esprits que la terre ait jamais portés ; et puis il y avait les leurs : ils semblaient se désintéresser complètement de ce qu'il racontait, hormis la partie sur moi. Et ça, je le savais parce que Behlert pointait un doigt dans ma direction. Autre raison qui me confortait dans l'idée que c'étaient des flics : leur épais manteau, leurs lourdes bottes et leur odeur corporelle. En hiver, les flics de Berlin s'habillaient et sentaient toujours comme s'ils étaient dans les tranchées. Suivis par les roulements d'yeux de Behlert, ils s'approchèrent de moi, montrant rapidement leur plaque et me jaugeant avec de petits yeux, comme s'ils espéraient que j'allais leur donner la satisfaction de prendre mes jambes à mon cou ; ce qui leur permettrait de rigoler un peu en faisant des cartons. Je pouvais difficilement leur en vouloir. Un tas de criminels berlinois se blanchissaient de cette manière.

« Bernhard Gunther ?

– Oui

– Inspecteurs Rust et Brandt, de l'Alex.

– Bien sûr, je me souviens. Vous êtes les deux policiers que Liebermann von Sonnenberg a désignés pour enquêter sur la mort de Herr Rubusch, à la chambre 210, n'est-ce pas ? Dites, de quoi est-il mort, en fait. Je ne l'ai jamais su.

– Anévrisme cérébral.

– Anévrisme, hein ? Avec ce genre de truc, on n'est jamais sûr de rien, pas vrai ? À un moment on saute comme une puce et l'instant d'après on est étendu au fond de la tranchée à contempler le ciel.

– Nous aimerions vous poser quelques questions à l'Alex.

– Mais bien sûr. »

Je les suivis dehors, dans l'air froid de la nuit.

« C'est de ça qu'il s'agit ?

– Vous le verrez quand on sera là-bas », répondit Rust.

La Bismarckstrasse, qui continuait de s'appeler la Bismarckstrasse, allait de l'extrémité ouest du Tiergarten à la lisière est de Grünewald. Le Deutsches Opernhaus, autrefois appelé le Städtische Oper, se trouvait à mi chemin de la rue, côté nord, et était relativement récent dans son architecture et sa construction. Ce dont je ne m'étais pas vraiment rendu compte jusque-là. À la fin d'une journée de travail, j'avais besoin de quelque chose d'un peu moins factice que le spectacle d'un tas de bibendums faisant semblant d'être des héros et des héroïnes. Mon idée d'une soirée musicale, c'est la troupe Kempinski Waterland : une revue de filles plantureuses, en jupe courte, jouant du ukulélé et chantant des chansons paillardes sur les gardiens de chèvres bavarois.

Je n'étais guère d'humeur pour quoi que ce soit se donnant des airs aussi sérieux qu'un opéra en allemand, pas après avoir passé à l'Alex deux heures désagréables à attendre qu'on me pose des questions sur le flic que j'avais tué, puis qu'on déniche Otto Trettin – qui se trouvait au Zum – pour qu'il corrobore mon histoire. Quand on me laissa enfin partir, je me demandais si c'était terminé. Mais j'en doutais, de sorte que ça ne me disait rien d'arroser ça. Tout bien considéré, ça avait été une sacrée expérience, le genre de leçon que la vie vous donne quand vous en avez le moins besoin.

Malgré tout, je tenais toujours à voir avec qui Max Reles pouvait bien partager une loge. Et, arrivant à l'opéra au moment de l'entracte, j'achetai une place debout qui me procurait une excellente vue de la scène et, plus important, des occupants de la loge habituelle de Hitler au balcon. Avant l'extinction des feux, je réussis même à emprunter une paire de jumelles de théâtre à une femme assise tout près de l'endroit où je me tenais, afin de pouvoir mieux les examiner.

« Il n'est pas dans la salle ce soir, dit la femme en notant la direction de mon regard.

– Qui ?

– Le Führer. »

Ce qui était évident. Mais il paraissait clair également qu'il y avait dans la loge un certain nombre d'invités de Max Reles qui étaient de hautes personnalités du Parti nazi. Parmi lesquelles un homme dans la fin de la quarantaine avec d'épais cheveux gris et des sourcils bruns. Il portait une tunique marron, de style militaire, avec plusieurs décorations, dont une Croix de fer, ainsi qu'un brassard nazi, une chemise blanche, une cravate noire, une culotte de cheval marron et des bottes en cuir.

« Vous ne sauriez pas par hasard qui est le chef de la bande ? »

La femme regarda à travers les jumelles puis hocha la tête.

« Von Tschammer und Osten.

– Le Reichsportführer ?

– Oui.

– Et le général debout derrière lui ?

– Von Reichenau. » Elle avait répondu sans hésiter. « Le chauve, c'est Walther Funk, le ministre de la Propagande.

— Chapeau », dis-je avec une admiration sincère.

La femme sourit. Elle portait des lunettes. Pas une beauté, mais l'air intelligent, dans un sens pas déplaisant.

« C'est mon travail de savoir qui sont ces gens, expliqua-t-elle. Je suis rédactrice photo au *Berliner Illustrierte Zeitung*. » Continuant à scruter la loge, elle secoua la tête. « Tiens, tiens, je ne connais pas le grand. Ni d'ailleurs l'assez jolie fille qui semble être avec lui. On croirait le maître et la maîtresse de maison, mais soit elle est trop jeune pour lui, soit il est trop vieux pour elle. Je n'arrive pas vraiment à trancher.

— Il s'agit d'un Américain. Il s'appelle Max Reles. Et la fille est sa sténographe.

— Vous êtes sûr ? »

Je lui empruntai à nouveau les jumelles de théâtre et jetai un coup d'œil. Rien n'indiquait que Dora Bauer fût autre chose pour Reles qu'une simple secrétaire. Elle avait un bloc-notes à la main et semblait écrire quelque chose. Il est vrai qu'elle avait l'air extrêmement séduisant et ne ressemblait guère à une sténographe. Le collier qu'elle portait scintillait autant que le gigantesque lustre électrique au-dessus de nos têtes. Tandis que je regardais, elle posa le bloc-notes, prit une bouteille de champagne et se mit à remplir le verre de chacun. Une autre femme fit son apparition. Von Tschammer und Osten vida son verre et le tendit pour qu'on le reserve. Reles alluma un gros cigare. Le général rit de sa propre plaisanterie puis se mit à lorgner le décolleté de la seconde femme. Ce qui, en soi, valait le coût d'une paire de jumelles de théâtre.

« On dirait que c'est la fête, fis-je remarquer.

— Ça pourrait, s'il ne s'agissait pas de *Parsifal*. »

Je la regardai sans comprendre.

« *Parsifal* dure cinq heures. » La dame à lunettes consulta sa montre. « Et il en reste trois.

— Merci pour le tuyau », dis-je avant de m'éclipser.

De retour à l'Adlon, je pris un passe à la réception et grimpai les escaliers jusqu'à la suite 114. Une forte odeur de cigare et d'eau de Cologne flottait à l'intérieur. Les placards regorgeaient de costumes taillés sur mesure et les tiroirs de chemises soigneusement pliées. Même ses chaussures étaient faites à la main par une société londonienne. Rien qu'à voir sa garde-robe, j'eus le sentiment de m'être trompé de métier. Encore que je n'avais pas besoin d'une paire de pompes appartenant à Max Reles pour le savoir. Quelle que fût la manière dont l'Américain gagnait sa vie, ça payait extrêmement bien à l'évidence. Comme tout ce que je m'imaginais. Ça se sentait d'emblée chez lui. L'assortiment de montres et de bagues en or sur sa table de chevet ne faisait que renforcer l'image d'un homme que sa sécurité personnelle ou le prix exorbitant des chambres de l'Adlon laissaient quasiment indifférent.

La Torpedo sur la table près de la baie vitrée était recouverte d'une housse, mais le classeur alphabétique à soufflets sur le sol en dessous me dit qu'elle ne chômait pas. Il était bourré de correspondance avec des entreprises en bâtiment, des compagnies de gaz, des scieries, des fabricants de caoutchouc, des plombiers, des électriciens, des ingénieurs, des charpentiers – et ça dans toute l'Allemagne, de Brême à Würzburg. Certaines lettres étaient en anglais, bien sûr, dont plusieurs adressées à l'Average Brundage Company à Chicago, laquelle aurait dû me dire quelque chose, sauf que ce n'était pas le cas.

Je fouillai dans la corbeille à papier et défroissai quelques doubles pour les lire avant de les replier et de les fourrer dans ma poche. Je me dis que Max Reles ne remarquerait pas l'absence de lettres dans sa corbeille, même si, en vérité, je me fichais pas mal, à première vue, qu'il aide à arranger des contrats olympiques. Dans une Allemagne gouvernée par un ramassis d'assassins et d'escrocs, il me paraissait inutile d'essayer de convaincre un Otto Trettin à juste titre réticent de se saisir d'une affaire impliquant probablement de hauts fonctionnaires nazis. Je cherchais quelque chose de plus clairement délictueux. Quoi, je n'en avais aucune idée précise. Mais je pensais que je le saurais en le voyant.

Bien sûr, je n'étais guère motivé que par l'antipathie et la méfiance que m'inspirait ce type. Sentiments qui m'avaient assez bien réussi par le passé. À l'Alex, on disait toujours que le boulot d'un flic ordinaire consiste à soupçonner l'homme que tout le monde croit coupable et celui d'un détective à soupçonner l'homme que tout le monde croit innocent.

Quelque chose attira mon attention. Que Max Reles ait un outil tel qu'un tournevis à cliquet dans une suite de l'Adlon paraissait quelque peu incongru. Il était posé sur le bord de la fenêtre de la salle de bains. Je m'apprêtais à en conclure qu'il avait dû être oublié là par un employé chargé de l'entretien quand je remarquai la mention figurant sur le manche : *Yankee No.15 North Bros. Mfg.Co. Phil. PA. USA.* Reles avait dû apporter le tournevis des États-Unis. Mais pourquoi ? La proximité de quatre têtes de vis dans un des panneaux carrelés dissimulant le réservoir de la chasse d'eau semblait mériter un examen, et elles furent beaucoup plus faciles à défaire qu'elles n'auraient peut-être dû l'être.

Une fois le panneau ôté, je regardai dans l'espace sous le réservoir et vis un sac en toile. Je le pris. Il était lourd. L'ayant sorti de la cavité, je le posai sur le siège des W.-C. et ouvris le haut.

Bien que la détention d'armes à feu, et notamment de pistolets, fût limitée en Allemagne, les gens ayant une raison légitime d'en posséder une le pouvaient, et, en payant trois marks, il était facile d'obtenir un permis de port d'arme auprès d'un magistrat. N'importe qui ou presque pouvait donc disposer d'un fusil, d'un revolver voire d'un pistolet automatique en toute légalité. Mais je doutais fort qu'il y eût un seul magistrat dans tout le pays qui aurait signé un permis pour une mitraillette Thompson munie d'un magasin tambour. Le sac contenait également plusieurs centaines de balles, deux pistolets semi-automatiques Colt à crosse caoutchoutée et un couteau à cran d'arrêt. Ainsi qu'un autre sac, en cuir, plus petit, renfermant cinq grosses liasses de billets de mille dollars à l'effigie du président Grover Cleveland et plusieurs paquets plus minces de marks allemands. Il y avait aussi un portefeuille en cuir avec à l'intérieur une centaine de francs-or suisses et quelques dizaines d'inhalateurs de Benzédrine encore dans leurs boîtes Smith Kline & French.

Toutes choses – et en particulier la Chicago Typewriter[1] – qui ressemblaient à un commencement de preuve que Max Reles était une sorte de gangster.

---

1. Surnom donné à la mitraillette Thompson, notamment utilisée pendant la Prohibition par la bande de Capone à Chicago.

Je remis l'attirail dans le sac en toile, replaçai celui-ci dans sa cachette sous le réservoir puis revissai le panneau carrelé. Quand tout fut exactement comme je l'avais trouvé, je me faufilai hors de la suite et retraversai le couloir, m'arrêtant au pied de l'escalier en me demandant si j'oserais monter à la 201 et me servir du passe pour entrer chez Noreen. Pendant un moment, je m'imaginai à l'arrière d'un bolide fonçant sur l'autoroute Avus tout du long jusqu'à Potsdam. Puis je regardai fixement le passe pendant près d'une dizaine de secondes avant de le laisser tomber dans ma poche de veste et d'indiquer le rez-de-chaussée à ma libido.

Du calme, Gunther, me dis-je. Tu as entendu ce qu'a dit la dame. Elle n'aime pas qu'on la bouscule.

Mais, à la réception, un autre message m'attendait. Il était de Noreen et datait de plus de deux heures. Je remontai et collai mon oreille à sa porte. Vu la teneur du billet, j'aurais été en droit d'utiliser le passe pour entrer. Mais les bonnes manières allemandes l'emportant, je frappai.

Une longue minute s'écoula avant qu'elle ouvre la porte.

« Ah. C'est toi. »

Elle avait presque l'air déçue.

« Tu attendais quelqu'un d'autre ? »

Noreen portait un peignoir en mousseline marron sur une chemise de nuit assortie. Elle sentait le chèvrefeuille, et il y avait assez de sommeil dans ses yeux bleus pour me persuader qu'elle avait peut-être envie d'aller se recoucher, mais avec moi cette fois-ci. Peut-être. Elle me tira à l'intérieur et referma la porte.

« Ce que je veux dire, c'est que je t'ai laissé ce mot voilà plusieurs heures. Je pensais que tu viendrais aussitôt. J'ai dû m'endormir.

— Je suis sorti un moment. Pour me calmer.

— Où es-tu allé ?

— *Parsifal*. L'opéra.

— Tu es plein de surprises, tu sais ? Je ne t'aurais jamais pris pour un mélomane.

— Tu as raison. Je suis resté cinq minutes puis j'ai éprouvé une envie irrésistible de partir à ta recherche.

– Hmm. Et qu'est-ce que ça fait de moi ? Une fille-fleur ? L'esclave de Klingsor – comment s'appelle-t-elle ? Celle dans *Parsifal* ?

– Aucune idée. » Je haussai les épaules. « Je te le répète, je ne suis resté que cinq minutes. »

Noreen passa ses bras autour de mon cou.

« J'espère que tu as apporté la lance sacrée de Parsifal avec toi, Gunther, parce je n'en ai pas ici. » Elle me fit traverser la chambre à reculons jusqu'au lit. « Du moins, pas encore.

– Tu crois que je devrais rester cette nuit avec toi ?

– À mon humble avis, oui. »

Elle se débarrassa du peignoir, qui tomba sur l'épaisse moquette avec un froufrou.

« Tu n'as jamais été humble de ta vie », répondis-je, puis je l'embrassai.

Cette fois, elle laissa mes mains parcourir les contours de son corps comme celles d'un masseur impatient. Elles se cantonnèrent pour l'essentiel à son postérieur, mes doigts ramassant la mousseline jusqu'à ce que je l'aie plaquée contre moi. Ma main droite semblait se remettre miraculeusement.

« Alors, c'est vrai, dit-elle. Le service d'étage de l'Adlon est le meilleur d'Europe.

– Le secret pour diriger un bon hôtel, expliquai-je en enveloppant un de ses seins, consiste à chasser l'ennui. Presque tous nos problèmes proviennent de la curiosité innocente de nos clients.

– Je ne pense pas qu'on m'ait fait ce reproche. L'innocence. Pas depuis longtemps. » Elle secoua la tête. « Je ne suis pas du genre innocent, Gunther. »

Je souris.

« Je suppose que tu ne me crois pas, dit-elle en ramenant une mèche de cheveux sur sa bouche. Parce que je porte encore des vêtements. »

Elle me fit tomber sur le bord du lit puis recula pour ôter sa chemise de nuit comme si elle effectuait un numéro. Nue, elle valait une chambre individuelle à Pompéi et, s'agissant du spectacle, il battait *Parsifal* de plusieurs actes en matière de lubricité. En voyant Noreen, vous vous demandiez comment on pouvait s'embêter à dessiner ou à peindre quoi que ce soit d'autre qu'une femme nue. Les cubes avaient peut-être eu cet effet sur Braque, mais j'aimais bien les courbes, et celles de Noreen auraient suffi à satisfaire Apollonius de Perge et aussi Kepler probablement. Elle attira ma tête contre son ventre et, me tirant les cheveux comme le pelage d'un fauve, elle me titilla de ses mouvements de hanches.

« Pourquoi est-ce que tu ne me touches pas ? dit-elle doucement. Je veux que tu me touches. Maintenant. »

Elle s'assit sur mes genoux et se laissa envahir par mes caresses audacieuses, aveugle à tout ce qui n'était pas son propre plaisir. Les narines dilatées, elle respirait profondément, comme un yogi se concentrant sur son souffle.

« Eh bien, qu'est-ce qui t'a fait changer d'avis ? demandai-je en me penchant pour embrasser son mamelon durci. À propos de cette nuit ?

— Qui dit que j'ai changé d'avis ? J'ai peut-être tout planifié d'un bout à l'autre ? Comme une scène dans une pièce que j'aurais écrite. » Elle fit choir ma veste et se mit à défaire ma cravate. « C'est juste ce que je veux que fasse ton personnage. Peut-être que tu n'as pas beaucoup le choix en la matière. Est-ce que tu as vraiment l'impression d'avoir voix au chapitre, Gunther ?

— Non. » Je mordis son mamelon. « Pas pour l'instant. Mais j'ai l'impression que, tout à l'heure, tu jouais davantage les difficiles.

— Je le suis. Mais pas avec toi. Tu es le premier depuis longtemps.

— Je pourrais en dire autant.

— Tu pourrais. Mais ce serait un mensonge. Tu es l'un des personnages principaux de ma pièce, tu te souviens ? Je sais tout de toi, Gunther. »

Elle commença à déboutonner ma chemise.

« Et Max Reles, c'en est un, lui aussi ? Tu le connais, n'est-ce pas ?

— Faut-il que nous parlions de lui maintenant ?

— Ça peut attendre.

— Bien. Parce que moi, je ne peux pas. Je n'ai jamais pu, déjà toute petite. Repose-moi la question plus tard, quand l'attente sera terminée. »

18

Le plafond dans les suites de l'Adlon se trouvait juste à la bonne distance du sol. Quand vous étiez allongé sur le lit, soufflant une colonne de fumée vers le haut, le lustre en cristal ressemblait à un sommet montagneux, lointain et gelé, entouré d'un col en hermine de nuages. Jusqu'ici, je n'avais jamais fait très attention aux plafonds. Les rencontres érotiques avec Frieda Bamberger n'avaient été que des instants furtifs, à la sauvette, et, bien sûr, je ne m'étais jamais senti suffisamment détendu pour m'endormir ensuite. Mais maintenant que je regardais les nobles hauteurs de cette chambre, je surprenais mon âme à escalader les murs soyeux pour se percher sur la cimaise, telle une gargouille invisible, puis examiner avec une fascination de médecin légiste les conséquences brutes de ce qui avait précédé.

Nos corps nus enlacés – Noreen et Gunther, en sueur, reposant côte à côte, comme Éros et Psyché tombés d'un autre plafond, plus céleste celui-là – même si l'on pouvait difficilement imaginer plus céleste que ce qui venait de se produire. Je me sentais comme saint Pierre prenant la libre possession d'une jolie basilique toute neuve.

« Je parie que tu n'as jamais été dans un de ces lits, dit Noreen en ôtant la cigarette de mes doigts et en la fumant avec les gestes exagérés d'un ivrogne ou d'un acteur. N'est-ce pas ?

– Non, mentis-je. Ça fait bizarre. »

Elle n'aurait guère aimé entendre le récit de mes rendez-vous galants avec Frieda. Sûrement pas plus que je n'avais envie d'entendre parler de Max Reles.

« Il n'a pas l'air de te porter dans son cœur, dit-elle lorsque j'eus mentionné à nouveau son nom.

– Pourquoi ça? Vu le mal de chien que je me suis donné pour ne pas montrer combien je le déteste. Non, en réalité, je méprise ce type, mais c'est un client de l'hôtel, ce qui m'interdit de lui faire dévaler six étages et de le flanquer à la porte à coups de pied aux fesses. Ce que j'adorerais. Et ce que je ferais, du reste, si j'avais un autre endroit où bosser.

– Fais attention, Bernie. C'est un type dangereux.

– Ça, j'avais déjà compris. La question est la suivante : comment est-ce que toi, tu le sais?

– Nous nous sommes rencontrés sur le *SS Manhattan*. Pendant la traversée de New York à Hambourg. C'est à la table du capitaine qu'on nous a présentés, et nous nous sommes retrouvés de temps à autre pour jouer au gin-rami. » Elle eut un haussement d'épaules. « Il ne jouait pas très bien. Toujours est-il qu'il s'agissait d'un voyage plutôt longuet et qu'une femme seule devait s'attendre à devenir le centre d'attention d'hommes seuls. Et peut-être même de quelques-uns qui ne l'étaient pas. Il y avait un autre homme, en dehors de Max Reles. Un avocat canadien nommé John Martin. J'ai bu un verre avec lui, et ça lui a donné de fausses idées sur mon compte. De fait, il s'est mis à croire – euh, qu'il se passait quelque chose entre nous, pour reprendre son expression. Ce qui n'était pas le cas. Non, vraiment pas. Mais il ne pouvait pas l'accepter et il est devenu légèrement collant. Il disait qu'il m'aimait, qu'il voulait m'épouser, et ça m'agaçait. Je m'efforçai de l'éviter, sauf que, sur un bateau, ce n'est pas si facile.

« Un soir, au large des côtes irlandaises, j'en ai vaguement parlé à Max Reles au cours d'une partie de gin-rami. Il n'a pas dit grand-chose. Aussi, il se peut très bien que je me trompe complètement, mais, le lendemain même, ce Martin a été signalé disparu, et tout le monde a supposé qu'il était tombé à la mer. Je crois que des recherches ont été entreprises, mais seulement pour la forme, dans la mesure où il ne pouvait pas avoir survécu après plusieurs heures passées dans l'eau.

« Quoi qu'il en soit, un peu plus tard, j'ai eu le sentiment que Reles n'était pas étranger à la disparition de ce malheureux. À cause de quelque chose qu'il a dit. Je ne me rappelle pas les mots exacts dont il s'est servi, mais je me souviens parfaitement qu'il souriait en les prononçant. » Noreen secoua la tête. « Tu dois me prendre pour une folle. Je veux dire, il s'agit uniquement de présomptions. C'est pourquoi je n'en ai jamais parlé à personne.

— Pas du tout. Les présomptions ne posent aucun problème. À condition d'être en béton. Qu'est-ce qu'il a dit ?

— Quelque chose comme : "Il semble bien qu'on se soit occupé de votre petit problème irritant, Mrs Charalambides." Puis il m'a demandé si je l'avais poussé par-dessus bord. Ce qu'il a eu l'air de trouver très drôle. Je lui ai dit que, pour ma part, je ne trouvais pas ça drôle du tout, et je lui ai demandé s'il y avait une chance que Mr Martin soit encore vivant. Ce à quoi il a répondu : "J'espère bien que non." Alors après ça, je me suis tenue à distance.

— Que sais-tu au juste de Max Reles ?

— Pas grand-chose. Seulement ce qu'il m'a dit autour d'un paquet de cartes. Il a déclaré être dans les affaires comme le font les hommes quand ils veulent donner l'impression que leur travail n'est pas très intéressant. Il parle parfaitement l'allemand, bien sûr. Un peu le hongrois aussi, je pense. Il m'a expliqué qu'il allait à Zurich, de sorte que je ne m'attendais guère à le revoir. Et certainement pas ici. Je l'ai rencontré à nouveau il y a environ une semaine. Dans la bibliothèque. J'ai pris un verre avec lui, juste par politesse. Apparemment, il est là depuis un moment.

— Ça oui.

— Tu me crois, n'est-ce pas ? »

La manière dont elle posa la question me donna à penser qu'elle ne disait peut-être pas la vérité. Mais enfin, c'est dans ma nature. Certaines personnes aimeraient voir un sac d'or au pied d'un arc-en-ciel. Je suis du genre à me dire que ledit sac d'or est surveillé par quatre flics dans une voiture.

« Tu ne penses tout de même pas que je l'ai inventé ?

– Pas du tout, répondis-je, même si je me demandais pourquoi un type en tuerait un autre pour une femme qui n'était qu'une partenaire de cartes. Si j'en juge d'après ce que tu m'as raconté, tu en es arrivée à une conclusion parfaitement raisonnable.

– Tu penses que j'aurais dû en parler au capitaine du navire ? Ou à la police, quand on a débarqué à Hambourg ?

– En l'absence de véritable preuve pour étayer ton histoire, Reles se serait contenté de nier et tu aurais eu l'air d'une imbécile. Sans compter que ça n'aurait aidé en rien le type qui s'est noyé.

– Malgré tout, d'une certaine façon, je me sens responsable de ce qui s'est passé. »

Elle roula sur le lit pour atteindre le cendrier sur la table de chevet et écrasa la cigarette. Je m'élançai à sa suite et ne repris pied qu'une ou deux heures plus tard. C'était un grand lit. Je commençai par embrasser son postérieur, puis le creux de son dos et ensuite ses épaules. J'étais sur le point de planter mes crocs dans son cou quand j'aperçus le livre posé à côté du cendrier. C'était le bouquin écrit par Hitler.

Elle vit que je l'avais remarqué.

« Je suis en train de le lire.

– Pourquoi ?

– C'est un livre important. Mais le lire ne fait pas de moi une nazie pour autant, pas plus que lire Marx ne fait de moi une communiste. Même si, en l'occurrence, je me considère en effet comme une communiste. Ça t'étonne ?

– Que tu te considères comme une communiste ? Non, pas spécialement. De nos jours, c'est le cas des meilleurs. George Bernard Shaw. Même Trotsky, à ce qu'il paraît. Pour ma part, je me considère volontiers comme un social-démocrate, mais, la démocratie n'existant plus dans ce pays, c'est sans doute un peu naïf.

– Je suis contente que tu sois un démocrate. Que cela compte encore pour toi. Le fait est que jamais je n'aurais couché avec toi si tu avais été un nazi, Gunther.

– Comme un tas de gens, j'aimerais sans doute un peu plus les nazis si c'était moi qui tenais les rênes et pas Hitler.

– J'essaie d'obtenir une interview avec lui. C'est l'une des raisons pour lesquelles je lis son livre. Bien que je doute fort qu'il accepte de me rencontrer. Très probablement, il faudra que je me contente du ministre des Sports. Je le vois demain après-midi.

– Pas un mot sur notre ami Zak Deutsch, n'est-ce pas, Noreen ? Ni sur moi, d'ailleurs.

– Non, bien entendu. Dis-moi une chose. Est-ce que tu crois qu'il a été assassiné ?

– Peut-être. Peut-être pas. Nous en aurons une idée nettement plus précise après avoir vu Stefan Blitz. C'est le géologue dont je t'ai parlé. J'espère qu'il pourra faire la lumière sur la façon dont un homme peut se noyer dans de l'eau salée en plein centre de Berlin. Vois-tu, que ça arrive au large des côtes irlandaises, dans l'océan Atlantique, est une chose. C'en est une autre quand ça se produit dans un canal du coin. »

Jusqu'au printemps 1934, Stefan Blitz avait été professeur de géologie à la Friedrich-Wilhelms-Universität, à Berlin. Je le connaissais parce que, de temps à autre, il avait aidé la Kripo à identifier de la terre trouvée sur les chaussures de suspects de meurtre ou sur celles de leurs victimes. Il vivait à Zehlendorf, dans le sud-ouest de Berlin, dans un lottissement moderne appelé La Case de l'oncle Tom, du nom d'une taverne et d'une boutique du métro toutes proches, elles-mêmes baptisées ainsi d'après le roman de Harriet Beecher Stowe. Ce qui ne manqua pas d'intriguer Noreen.

« Je n'en reviens pas qu'on l'ait appelé ainsi, dit-elle. Aux États-Unis, jamais on n'aurait osé lui donner un nom pareil, de peur que les gens pensent que ce sont des logements tout juste bons pour des nègres. »

Je garai la voiture devant un immeuble de quatre étages de la taille d'un pâté de maisons. La façade lisse, légèrement arrondie, était criblée de fenêtres encastrées, de dimensions différentes, dont aucune ne se trouvait au même niveau. On aurait dit un visage se remettant d'une attaque de varicelle. Il existait à Berlin des centaines, voire des milliers de ces immeubles construits sous Weimar, tous aussi élégants que des paquets de lessive. Et pourtant, même s'ils méprisaient le modernisme, les nazis avaient plus de points communs avec leurs architectes, juifs pour la plupart, qu'ils ne l'auraient supposé. Nazisme et modernisme étaient l'un et l'autre des fruits de l'inhumanité, et, quand je contemplais un de ces édifices en béton gris standardisés, je n'avais aucun mal à imaginer un détachement de Sturmtruppen bien propres, gris et standardisés vivant là-dedans comme autant de rats dans une cage.

Toutefois, il n'en allait pas de même à l'intérieur – du moins à l'intérieur de l'appartement de Stefan Blitz. Tranchant avec le modernisme méticuleusement planifié de l'extérieur, son mobilier était tout de vieil acajou, tissu d'ameublement en loques, bibelots wilhelmiens ébréchés, toiles cirées et tours Eiffel de livres, avec des étagères entièrement consacrées à des bouts de roche.

Blitz lui-même ne partait pas moins en charpie que son tissu d'ameublement, et, comme tous les Juifs qui s'étaient vu priver de leur moyen de subsistance, il était aussi mince qu'un mannequin dans un atelier d'artiste et à peine plus fringant. Bon, généreux, accueillant, il manifestait des traits de caractère qui faisaient de lui tout le contraire du vampire cupide si souvent caricaturé par la presse nazie. Ce qui ne l'empêchait pas d'avoir l'air d'en pincer pour les douceurs de Damas. Il nous proposa du thé, du café, du Coca-Cola, de l'alcool, quelque chose à manger, un siège plus confortable, des chocolats et ses dernières cigarettes, et ce n'est qu'après avoir tout refusé que nous fûmes enfin en mesure d'aborder le motif de notre visite.

« Est-il possible qu'un homme puisse se noyer dans de l'eau de mer dans le centre de Berlin ? demandai-je.

– Je suppose que vous avez écarté l'éventualité d'une piscine, sinon vous ne seriez pas là. L'Admiralsgartenbad, sur l'Alexanderplatz, est une piscine d'eau salée. J'allais moi-même y nager avant qu'ils en interdisent l'accès aux Juifs.

– La victime était juive. Alors, oui, vous avez raison, c'est une éventualité que j'ai effectivement écartée.

– Pourquoi, si je peux me permettre de vous poser la question, un aryen prendrait-il la peine d'enquêter sur la mort d'un Juif dans la nouvelle Allemagne ?

– C'est mon idée », dit Noreen.

Et elle lui parla des Jeux olympiques, du boycott américain raté, de son journal dont elle espérait qu'il rectifierait les choses et du fait qu'elle-même était juive.

« Oui, ce serait formidable si un boycott américain réussissait, admit Blitz. Même si j'ai des doutes. Les nazis ne seront pas si faciles à déloger, avec ou sans boycott. Maintenant qu'ils sont au pouvoir, ils ont bien l'intention d'y rester. Le Reichstag s'écroulera avant qu'il y ait de nouvelles élections, et, croyez-moi, je sais de quoi je parle. Il a été construit sur des piliers en bois à cause de toutes les zones maré-cageuses qui existent entre l'Altes Museum et lui. »

Noreen sourit de son sourire au néon. Son éclat sembla réchauf-fer l'appartement comme si quelqu'un avait fait du feu dans l'âtre vide. Elle alluma une cigarette provenant d'un petit étui en or qu'elle poussa vers lui. Il en prit une et la glissa derrière son oreille tel un crayon.

« Est-ce qu'un homme pourrait se noyer dans de l'eau de mer à Berlin ? reprit Blitz. Il y a deux cent soixante millions d'années, toute cette région était occupée par une mer ancienne : la Zechstein-Meer. La ville elle-même a été créée à partir d'une série d'îles apparues dans une vallée fluviale au cours de la dernière période glaciaire. Le sous-sol se compose principalement de sable. Et de sel. D'énormes masses de sel déposées par la Zechstein-Meer. Qui ont donné le jour à plusieurs îles sur la surface de la terre et à un assez grand nombre de grosses poches d'eau souterraines dans toute la ville et les environs.

– Des poches d'eau salée ?

– Oui, oui. À mon avis, il y a des endroits dans Berlin où il vau-drait mieux ne pas creuser. Une telle poche pourrait facilement se rompre, avec des conséquences potentiellement désastreuses.

– Est-ce que Pichelsberg figure parmi eux ?

– Cela pourrait se produire presque n'importe où dans la capi-tale, répondit Blitz. Pour quelqu'un de pressé, qui n'aurait pas effec-tué une étude géologique sérieuse – sondages et d'autres choses de ce genre –, ce ne serait pas seulement les vieux mensonges que la nouvelle Allemagne l'obligerait à avaler, mais une quantité considé-rable d'eau salée. »

Il sourit avec circonspection comme un homme jouant à un jeu de cartes dont il ne connaît pas encore tout à fait les règles.

« Y compris Pichelsberg ? » insistai-je.

Blitz haussa les épaules.

« Pichelsberg ? Pourquoi cet intérêt pour Pichelsberg ? Je suis géologue, pas urbaniste, Herr Gunther.

— Allons, Stefan, vous savez très bien pourquoi je vous demande ça.

— Oui, et ça ne me plaît pas beaucoup. J'ai déjà bien assez de problèmes sans y ajouter Pichelsberg. Où voulez-vous en venir au juste ? Vous avez fait état d'un noyé. Un Juif, avez-vous dit. Et d'un article de journal. Pardonnez-moi, mais il me semble qu'un mort juif est largement suffisant.

— Professeur Blitz, dit Noreen, je vous le promets. Rien de ce que vous dites ne vous sera attribué. Je ne citerai pas votre nom. Je ne mentionnerai pas *La Case de l'oncle Tom*, ni même que j'ai parlé à un géologue. »

Blitz retira la cigarette de derrière son oreille et l'examina comme un trognon de roche blanche. Quand il l'alluma, sa satisfaction pouvait se voir et s'entendre.

« Des américaines. J'ai tellement l'habitude des cigarettes bon marché que j'avais oublié le goût du vrai tabac. » Il hocha pensivement la tête. « Je devrais peut-être essayer d'aller en Amérique. Je suis fichtrement certain que le sens de la vie en Allemagne n'inclut pas la liberté et la poursuite du bonheur. En tout cas, pas si on est juif. »

Noreen vida son étui sur la table.

« Je vous en prie. Gardez-les. J'en ai d'autres à l'hôtel.

— Si vous en êtes sûre. »

Elle acquiesça et serra le manteau de zibeline contre elle.

« Une bonne entreprise de travaux publics, dit-il en pesant ses mots, commencerait par effectuer des forages, pas par creuser. Vous comprenez ? La période glaciaire a laissé une véritable purée en guise de sous-sol, ce qui rend la construction ici extrêmement aléatoire. Surtout un endroit comme Pichelsberg. Est-ce que cela répond à votre question ?

– Se peut-il que les hommes construisant le stade olympique ne le sachent pas ? » demanda-t-elle.

Blitz haussa les épaules.

« Qui a parlé des Jeux olympiques ? Je ne sais rien des Jeux olympiques, et je ne veux rien en savoir, mettez-vous bien ça dans la tête. On nous dit que ce n'est pas pour les Juifs, et, pour ma part, j'en suis ravi. » Malgré le froid régnant dans l'appartement, il essuya de la sueur sur son front avec un mouchoir en lambeaux. « Écoutez, si cela ne vous ennuie pas, je pense en avoir assez dit.

– Une dernière question, insistai-je, et ensuite nous nous en irons. »

Blitz regarda un moment le plafond comme s'il implorait son créateur de lui donner la patience. Lorsqu'il remit la cigarette entre ses lèvres craquelées, sa main tremblait.

« Y a-t-il de l'or dans le sous-sol de Berlin ?

– De l'or, oui de l'or. Mais seulement à l'état de traces. Croyez-moi, Bernie, vous ne ferez pas fortune en cherchant de l'or à Berlin. » Il gloussa. « Pas à moins de le prendre à ceux qui en possèdent déjà, en tout cas. C'est un Juif qui vous le dit, alors vous pouvez prendre ça pour argent comptant. Même les nazis ne sont pas assez stupides pour chercher de l'or à Berlin. »

Nous ne restâmes pas plus longtemps. Nous savions tous les deux que nous avions perturbé Blitz. Et, compte tenu de ce qu'il avait dit, je ne lui en voulais pas d'être prudent et nerveux. Les nazis n'auraient guère apprécié ce qu'il pensait sûrement de la construction du site à Pichelsberg. En partant, nous ne lui offrîmes pas d'argent. Il ne l'aurait pas accepté. Mais, au moment où il tournait le dos pour nous raccompagner, Noreen glissa un billet sous la cafetière.

Une fois remontée dans la voiture, elle soupira bruyamment en secouant la tête.

« Cette ville commence à me donner le cafard. Dis-moi que tu n'arrives pas à t'y habituer.

– Pas moi. J'en suis encore à me faire à l'idée que nous avons perdu la guerre. Tout le monde met ça sur le compte des Juifs, mais j'ai toujours pensé que c'était la faute des types de la marine. Ce sont eux qui nous ont entraînés là-dedans et leur mutinerie qui nous a forcés à abandonner la partie. Mais, d'après eux, nous aurions pu continuer à nous battre et obtenir une paix honorable.

— Tu as l'air de le regretter.

— Seulement le fait que l'armistice ait été signé par ceux qu'il ne fallait pas. C'est l'armée qui aurait dû le signer au lieu des politiciens. Ce qui lui a permis de s'en tirer relativement bien, et ce qui explique la situation dans laquelle nous nous trouvons aujourd'hui. Tu comprends?

— Pas vraiment.

— Non? En fait, c'est la moitié du problème. Personne ne comprend. Nous les Allemands encore moins que les autres. Presque tous les matins, je me réveille en me disant que j'ai dû imaginer ces deux dernières années. Surtout les dernières vingt-quatre heures. Qu'est-ce qu'une femme comme toi peut bien trouver à un homme comme moi? »

Elle prit ma main gauche et la serra.

« Un homme comme toi. À t'entendre, on croirait qu'il y en a d'autres. Non, il n'y en a qu'un. Je le sais. J'ai cherché. Et dans toutes sortes d'endroits. Y compris le lit où nous avons dormi. Cette nuit, je me demandais comment je me sentirais le matin. Eh bien, maintenant, je le sais.

— Comment te sens-tu?

— Effrayée.

— Par quoi?

— Par ce que j'éprouve, naturellement. Comme si tu conduisais la voiture.

— Je conduis la voiture. »

J'agitai le volant, juste pour faire de l'effet.

« En Amérique, on ne me conduit jamais nulle part. J'aime bien conduire moi-même. Je préfère décider quand partir et quand s'arrêter. Mais, avec toi, je m'en fiche. Je m'en ficherais si tu décidais d'aller jusqu'en Chine, aller et retour.

— En Chine? Ça me suffirait que tu restes quelque temps à Berlin.

— Alors, qu'est-ce qui m'arrête?

– Peut-être Nick Charalambides. Et ton article de journal. Et peut-être ceci : franchement, je pense qu'Isaac Deutsch n'a nullement été assassiné. Que sa mort est un accident. Personne ne l'a noyé. Il s'est noyé. Sans l'aide de quiconque. Ici même, dans le centre de Berlin. Ce n'est pas une aussi bonne histoire que si on l'avait tué, je sais. Mais qu'y puis-je ?

– Zut !

– Exactement. »

Pendant un moment, je repensai à Richard Bömer et à sa déception en découvrant qu'Isaac Deutsch était juif. Et voilà que Noreen Charalambides regrettait que le pauvre type ne se soit pas fait zigouiller. Quel monde infernal !

« Tu es sûr ?

– Voilà ce qui s'est passé, d'après moi. Lorsque les nazis ont mis fin à sa carrière de boxeur, Isaac Deutsch et son oncle ont trouvé du travail sur le chantier du site olympique. En dépit de la politique officielle de n'embaucher que des ouvriers aryens. Vu tout ce qu'il y a à faire avant le démarrage des Jeux en 1936, quelqu'un a cru bon de prendre quelques libertés. Et pas seulement avec les origines raciales de la main-d'œuvre. Mais aussi avec la sécurité, j'imagine. Isaac Deutsch participait probablement à des creusements souterrains quand il a percé une des poches dont nous a parlé Blitz. Il a eu un accident et il s'est noyé dans l'eau salée, sauf que personne ne savait qu'elle était salée. Quelqu'un a estimé qu'il valait mieux qu'on retrouve son corps loin de Pichelsberg. Au cas où un flic curieux se mettrait à poser des questions sur les travailleurs juifs clandestins. Ce qui fait que le cadavre a fini dans un canal d'eau douce, à l'autre bout de Berlin. »

Noreen chercha une cigarette dans son étui vide.

« Zut ! » dit-elle à nouveau.

Je lui donnai les miennes.

« Aussi peu enclin que je sois à le reconnaître, Noreen, cette petite enquête est terminée. Rien ne me plairait davantage que de faire durer le plaisir et de continuer à te trimbaler à travers toute la ville. Mais la franchise me semble encore la meilleure chose. D'autant que je manque un peu de pratique dans ce domaine, au bout du compte. »

Elle alluma la cigarette et jeta un coup d'œil par la fenêtre alors que nous arrivions dans Steglitz.

« Arrête-toi, dit-elle soudain.

– Quoi ?

– J'ai dit : arrête-toi. »

Je me garai près de l'hôtel de ville, au coin de la Schlossstrasse, et me mis à m'excuser, sur la base de l'idée que j'avais dit quelque chose qui lui avait déplu. Avant même que j'aie eu le temps de couper le moteur, elle était descendue de voiture et dévalait la rue à grands pas. Je la suivis.

« Hé, je suis désolé. Mais il y a encore une histoire que tu pourrais écrire, en l'occurrence. Peut-être que, si tu mettais la main sur Joey, l'oncle d'Isaac Deutsch – le type qui lui servait d'entraîneur –, il parlerait. Tu pourrais avoir sa version des faits. Ce serait un bon angle d'attaque. Comment on interdit aux Juifs de participer aux Jeux, mais comment l'un d'entre eux obtient un boulot illégal pour construire le stade et finit par y laisser sa peau. Ça pourrait faire un bel article. »

Noreen n'avait pas l'air d'écouter. Et je n'étais pas peu horrifié de voir qu'elle se dirigeait vers un groupe important de SA et de SS entourant un homme et une femme en civil. La femme, blonde, la vingtaine ; l'homme, plus vieux et juif. Je savais qu'il était juif parce que, comme elle, il avait une pancarte autour du cou. Sur celui de l'homme, on pouvait lire : JE SUIS UN SALE JUIF QUI ATTIRE DE JEUNES ALLEMANDES DANS SA CHAMBRE. La pancarte de la fille disait : JE VAIS DANS CETTE PORCHERIE COUCHER AVEC UN JUIF !

Avant que j'aie pu l'arrêter, Noreen jeta sa cigarette, sortit son Baby Brownie de son ample sac à main en cuir, et, regardant à travers le petit télémètre, prit une photo du lugubre couple et des nazis ricanants.

Je la rattrapai et voulus la saisir par le bras. Elle se dégagea avec colère.

« Ce n'est pas une bonne idée, dis-je.

— Absurde. Ils ne leur auraient pas mis ces pancartes autour du cou s'ils ne voulaient pas qu'on prête attention à eux. Et c'est ce que je suis en train de faire. »

Elle avança la pellicule et cadra à nouveau le groupe.

Un des SS me cria :

« Hé, l'ami. Laisse-la tranquille. Elle a raison, ta fiancée. À quoi bon faire un exemple avec des vermines pareilles si les gens ne le voient pas et n'en prennent pas bonne note.

— C'est exactement ce que je fais, répondit Noreen. En prendre note. »

J'attendis patiemment qu'elle ait terminé. Jusqu'ici, elle n'avait photographié que des affiches antisémites dans les jardins publics et quelques drapeaux nazis le long d'Unter den Linden, et j'espérais que ce genre de photo un peu plus sur le vif n'allait pas devenir une habitude chez elle. Mes nerfs ne pourraient probablement pas tenir le coup.

Nous retournâmes à la voiture en silence, abandonnant le couple mixte à sa disgrâce et à son humiliation publiques.

« Tu les aurais vus passer quelqu'un à tabac, tu réfléchirais à deux fois avant de faire ce genre de truc. Si tu veux photographier quelque chose d'intéressant, je ne demande pas mieux que de t'emmener au mémorial de Bismarck ou au château de Charlottenburg. »

Noreen remit l'appareil photo dans son sac.

« Ne me traite pas comme une touriste sans cervelle. Je n'ai pas pris cette photo pour mon album. Je l'ai prise pour ce fichu journal. Tu ne comprends pas ? Une image comme ça rend totalement grotesques les affirmations d'Avery Brundage selon lesquelles Berlin est un endroit adéquat pour la tenue de Jeux olympiques.

— Brundage ?

— Oui. Avery Brundage. Tu ne m'écoutes pas ? Je t'ai déjà parlé de lui. C'est le président du Comité olympique américain. »

Je hochai la tête.

« Qu'est-ce que tu sais d'autre à son sujet ?

— Presque rien à part que ce doit être un vrai connard.

– Est-ce que ça t'étonnerait d'apprendre qu'il est en correspondance avec ton vieil ami Max Reles ? Et qu'il possède une entreprise de construction à Chicago ?

– Comment le sais-tu ?

– Je suis détective, tu te souviens ? Je suis censé savoir des choses que je ne devrais pas. »

Elle sourit.

« Espèce de salopard. Tu as fouillé sa chambre, n'est-ce pas ? C'est pour ça que tu me posais des questions sur lui hier soir. Je parierais que c'est à ce moment-là que tu l'as fait. Juste après cette petite scène dans le hall, alors que tu savais qu'il ne serait pas de retour avant un moment.

– Presque bon. Je l'ai d'abord suivi à l'opéra.

– Cinq minutes de *Parsifal*, je me souviens. C'est pour ça que tu y es allé.

– Parmi ses invités il y avait le ministre des Sports. Funk de la Propagande. Un général appelé von Reichenau. Je n'ai pas reconnu les autres. Mais je mettrais ma main au feu que c'étaient tous des nazis.

– Ceux que tu viens de citer font partie du Comité allemand d'organisation des Jeux olympiques. Et il y a de fortes chances que les autres aussi. » Elle secoua la tête. « Alors comme ça, tu es retourné à l'Adlon et tu as fouillé sa chambre, sachant qu'il était occupé ailleurs et que tu aurais la paix. Qu'as-tu découvert d'autre ?

– Un tas de lettres. Reles emploie une sténographe. C'est moi qui la lui ai procurée, et il semble pas mal l'utiliser pour écrire à des sociétés faisant des offres pour des contrats relatifs aux Jeux olympiques.

– Dans ce cas, il doit sûrement toucher une commission. Peut-être une multitude de commissions. Et le Comité d'organisation également.

– J'ai récupéré quelques doubles dans sa corbeille à papier.

– Super. Je peux les voir ? »

Quand nous fûmes à nouveau dans la voiture, je les lui passai. Elle se mit à en lire un.

« Rien de compromettant là-dedans.

– C'est ce que j'ai cru. Dans un premier temps.

— Une simple proposition de contrat concernant la fourniture de ciment au ministère de l'Intérieur.

— L'autre est une offre pour la livraison de gaz propane destiné à la flamme olympique. » Je marquai un temps d'arrêt. « Tu ne comprends pas ? Il s'agit d'un double. Ce qui veut dire qu'il a été tapé par la propre sténographe de l'Adlon dans sa suite. Les contrats sont censés être attribués aux seules sociétés allemandes. Or Max Reles est américain.

— Peut-être qu'il a acheté les sociétés en question.

— Possible. M'est avis qu'il a assez de fric. C'est probablement pour ça qu'il est allé à Zurich avant de venir ici. Il y a un sac dans sa chambre contenant plusieurs milliers de dollars et des francs-or suisses. Sans parler d'une mitraillette. Même en Allemagne, il n'y a pas besoin d'une mitraillette pour diriger une société aujourd'hui. Pas à moins d'avoir de sérieux problèmes avec le personnel.

— Il faut que j'y réfléchisse.

— Que nous y réfléchissions tous les deux. J'ai le sentiment que ce truc nous passe largement au-dessus de la tête, et je suis comme qui dirait attaché à la mienne. Si j'en parle, c'est uniquement parce que nous avons la guillotine dans ce pays, et qu'il n'y a pas qu'aux criminels qu'on rase la nuque. Les communistes et les républicains aussi, et probablement tous ceux que le gouvernement n'a pas en odeur de sainteté. Écoute, tu ne diras absolument rien de tout ça à Von Tschammer und Osten, n'est-ce pas ?

— Non, bien sûr que non. Je ne suis pas encore prête à me faire jeter d'Allemagne. Surtout après la nuit dernière.

— Je suis content de l'entendre.

— Pendant que j'y pense, cette idée que tu as eue. De rechercher l'oncle d'Isaac Deutsch et de baser mon article sur lui. C'est une bonne idée.

— J'ai juste dit ça pour que tu remontes dans la voiture.

— Eh bien, je suis remontée dans la voiture et ça reste une bonne idée.

— Je me demande. Supposons que tu écrives un article sur des Juifs travaillant à la construction du nouveau stade. Peut-être qu'ils perdront tous leur boulot à cause de ça. Et qu'est-ce qu'ils deviendront ? Comment feront-ils pour nourrir leur famille ? Il se pourrait même qu'une partie d'entre eux finissent dans des camps de concentration. Tu y as songé ?

— Évidemment que j'y ai songé. Pour qui tu me prends ? Je suis juive, tu as oublié ? J'ai toujours à l'esprit les conséquences humaines de ce que je pourrais écrire. Écoute, Bernie, voici comment je vois les choses : il y a là un enjeu bien plus considérable que le fait que quelques centaines de personnes perdent leur emploi. Les États-Unis sont de loin le pays le plus important des Jeux olympiques. À Los Angeles, nous avons remporté quarante et une médailles d'or, plus que n'importe quelle autre nation. Venait ensuite l'Italie, avec douze seulement. Des Jeux olympiques sans l'Amérique n'auraient pas de sens. C'est pourquoi un boycott est crucial. Parce que, si les Jeux n'ont pas lieu ici, ce sera le coup le plus sévère jamais porté au prestige des nazis à l'intérieur de l'Allemagne. Sans compter qu'il s'agit là d'un des moyens les plus efficaces pour le monde extérieur de montrer à la jeunesse allemande ce qu'il pense réellement de la doctrine nazie. Ce qui doit passer avant la question de savoir si quelques Juifs arriveront à nourrir leur famille. Tu ne crois pas ?

— Peut-être. Mais si nous allons à Pichelsberg chercher des réponses sur Isaac Deutsch, nous risquons de nous retrouver à poser des questions aux individus mêmes qui l'ont balancé dans le canal. Ils pourraient ne pas aimer du tout l'idée qu'on écrive sur eux. Même dans un journal de New York. Courir après Isaac pourrait bien se révéler aussi dangereux que d'enquêter sur Max Reles.

— Tu es un détective. Un ancien flic. J'aurais pensé qu'une certaine dose de danger faisait partie du profil de l'emploi.

— Une certaine dose, oui. Mais ça ne me rend pas à l'épreuve des balles. De plus, quand tu seras de retour à New York pour recevoir le prix Pulitzer du reportage, moi je serai toujours ici. Du moins, je l'espère. Je peux flotter dans le canal aussi aisément qu'Isaac Deutsch.

— S'il s'agit d'une question d'argent…

— Après ce qui s'est passé hier soir, ce n'est pas une question d'argent, crois-moi. En même temps, je dois reconnaître que l'argent est toujours un argument extrêmement convaincant.

– Nécessité fait loi, hein, Gunther ?

– Parfois, il semble impossible d'arriver à la faire taire. Si je suis détective d'hôtel, c'est parce que je ne peux pas faire autrement, Noreen, pas parce que ça me plaît. Je suis fauché, mon ange. En quittant la Kripo, j'ai dû dire adieu à un salaire correct et à une pension de retraite, sans parler de ce que mon père appelait des "perspectives prometteuses". Je ne me vois pas m'élever au rang de directeur d'hôtel. »

Noreen sourit.

« Pas dans le genre d'hôtel où j'aurais envie d'aller.

– Exactement.

– Que dirais-tu de vingt marks par jour ?

– Généreux. Vraiment. Mais ce n'est pas le type de dialogue que je recherche.

– Les prix Pulitzer ne rapportent pas tant que ça, tu sais.

– Je ne veux pas une part de gâteau. Juste un prêt. Un prêt commercial, avec intérêts. Depuis la Grande Dépression, les banques ne font plus crédit. Même pas entre elles. Et je peux difficilement demander aux Adlon de me passer de quoi leur flanquer ma démission.

– Pour faire quoi ?

– Ça. Devenir détective, bien sûr. C'est à peu près la seule chose dans laquelle je suis bon. Je suppose que cinq cents marks me permettraient de m'installer à mon compte.

– Qu'est-ce qui me dit que tu vivras assez longtemps pour me rembourser ?

– Ce serait évidemment une motivation. Perdre la vie me déplairait fortement. Et que tu perdes de l'argent à cause de ça, par la même occasion. De fait, je pourrais probablement te payer vingt pour cent de retour sur investissement.

– Je vois que tu as réfléchi à la question.

– Depuis l'arrivée des nazis au pouvoir. Des drames humains comme celui auquel nous venons d'assister devant l'hôtel de ville, il s'en produit partout dans Berlin. Et les choses ne sont pas près de s'améliorer. Un tas de gens – Juifs, Tziganes, francs-maçons, communistes, homosexuels, Témoins de Jéhovah – se disent déjà qu'ils ne peuvent plus aller trouver la police ni se faire entendre de qui que ce soit. De sorte qu'ils iront ailleurs. Ce qui devrait être bon pour quelqu'un comme moi.

— Alors, tu finirais par faire des bénéfices sous les nazis ?

— C'est toujours une possibilité. En même temps, il se pourrait très bien que je finisse par aider quelqu'un d'autre que moi.

— Tu sais ce que j'aime chez toi, Gunther ?

— Ça ne me ferait pas de mal qu'on me rafraîchisse la mémoire.

— C'est que tu es capable de faire passer Copernic et Kepler pour des nigauds manquant totalement d'esprit pratique tout en jouant les sentimentaux de manière convaincante.

— Est-ce que ça signifie que tu me trouves encore séduisant ?

— Je ne sais pas. Repose-moi la question plus tard, quand j'aurai oublié que je ne suis plus seulement ton employeur, mais aussi ton banquier.

— Est-ce que ça signifie que tu vas m'accorder ce prêt ? »

Noreen sourit.

« Pourquoi pas ? Mais à une condition. Que sous aucun prétexte tu ne dises à Hedda que c'est de moi que tu tiens l'argent.

— Ce sera notre secret.

— L'un des deux, semble-t-il à présent.

— Est-ce que tu te rends compte que tu vas devoir coucher à nouveau avec moi ? Pour t'assurer mon silence.

— Naturellement. Au demeurant, étant ton banquier, je tablais là-dessus. Avec intérêts. »

19

Je déposai Noreen devant le ministère de l'Intérieur pour son interview avec Von Tschammer und Osten, retournai à l'hôtel puis continuai vers l'ouest, une nouvelle fois. Maintenant qu'elle était partie, je désirais aller fureter du côté du site olympique de Pichelsberg, seul. Le fait est que je n'avais qu'une paire de bottes en caoutchouc, et que je ne tenais pas à attirer l'attention pendant que je fouinais, ce qui était quasiment impossible avec Noreen à mon bras. Elle passait aussi inaperçue qu'une nudiste jouant du trombone.

L'hippodrome de Pichelsberg était situé à l'extrémité de Grünewald. Au milieu se trouvait le stade, conçu par l'architecte Otto March et ouvert en 1913. Autour de l'hippodrome, des pistes d'athlétisme et de cyclisme, et au nord une piscine – le tout construit pour les Jeux olympiques avortés de 1916. Dans les tribunes pouvant accueillir près de quarante mille personnes se dressaient des statues, parmi lesquelles une divinité de la victoire et un groupe de Neptune. Si ce n'est qu'elles avaient disparu. Comme le reste. Tout, l'hippodrome, le stade et la piscine, avait été démoli et remplacé par un gigantesque chantier : on avait entassé une énorme quantité de terre provenant du creusement d'une fosse vaguement circulaire, où on allait mettre, supposai-je, le nouveau stade. Mais, comme bien souvent avec les suppositions, celle-ci semblait peu probable. Les Jeux olympiques de Berlin devaient avoir lieu dans moins de deux ans, et rien n'avait été construit. En réalité, on avait démoli un stade parfaitement utilisable et de création récente pour faire place à la Bataille de Verdun imaginée par D.W. Griffith. Alors que je descendais de voiture, je m'attendais presque à apercevoir les premières lignes françaises, nos propres lignes et de lourds obus explosant dans le ciel.

Pendant un moment, je me revis en uniforme, malade de peur au brusque souvenir de cet enfer brun foncé. Puis je fus pris de tremblote, comme si je venais juste de m'éveiller de ce cauchemar que je faisais toujours, un cauchemar dans lequel j'étais là-bas…

… portant une caisse de munitions dans la boue tandis que des obus pleuvaient un peu partout. Il me fallut deux heures pour faire les cent cinquante mètres jusqu'à notre ligne de front. Je n'arrêtais pas de me plaquer au sol ou simplement de me casser la figure, ce qui fait que j'étais trempé jusqu'aux os et couvert de terre, comme un bonhomme d'argile.

J'avais presque atteint notre cahute quand, glissant dans un cratère d'obus, je me retrouvai avec de la vase à hauteur de la taille et m'enfonçant peu à peu. J'appelai au secours, mais le tir de barrage était trop assourdissant pour qu'on m'entende. Me débattre ne semblait servir qu'à m'enfoncer plus vite. En moins de cinq minutes, j'étais enlisé jusqu'au cou, et confronté à l'horrible destin de me noyer dans un petit océan de colle brunâtre. J'avais déjà vu des chevaux coincés dans la gadoue, et on les abattait presque toujours parce que ça demandait trop d'effort de les sortir de là. Je tentai d'attraper mon pistolet pour me tirer une balle dans la tête avant de me noyer, mais c'était également sans espoir. La boue m'agrippait fermement. J'essayai de me pencher en arrière pour pouvoir « flotter » à la surface, sans plus de résultat.

Puis, alors que la vase m'arrivait à la mâchoire, il y eut une formidable explosion à quelques mètres de là, au moment où un obus touchait le sol, et, par miracle, je fus arraché du bourbier et projeté dans les airs avant d'atterrir à une vingtaine de mètres, pantelant mais indemne. Sans la boue qui m'enveloppait, le souffle de l'explosion m'aurait certainement tué.

C'était un cauchemar qui revenait périodiquement. À chaque fois, je me réveillais baigné de sueur et hors d'haleine comme si je venais de piquer un sprint endiablé à travers le no man's land. Même à cette minute, en plein jour, je dus m'accroupir et aspirer de grandes goulées d'air pour me remettre. Quelques taches de couleur dans le paysage autrefois luxuriant mais à présent dévasté contribuèrent au rétablissement de ma santé mentale : un chardon bleu à la lisière d'une lointaine rangée d'arbres ; des orties pourpres près de l'endroit où j'avais laissé la voiture ; quelques herbes folles ; un rouge-gorge extirpant du sol un savoureux ver bien rose ; le ciel bleu et vide ; et, pour finir, une armée d'ouvriers et une voie ferrée transportant un petit train de wagons bennes rouges d'un bout à l'autre du site.

« Ça va ? »

L'homme portait une casquette à visière d'ouvrier et une veste matelassée aussi volumineuse qu'une robe de grossesse. Son pantalon noir s'arrêtait à quelques centimètres au-dessus de bottes que plusieurs kilos de boue avaient fait doubler de taille. Sur une épaule de la grosseur du Jutland reposait une masse. Ses cheveux blonds étaient presque blancs et ses yeux aussi bleus que les fleurs de chardon. Son menton et ses pommettes auraient pu avoir été sculptés par un de ces artistes nazis, genre Joseph Thorak.

« Oui, merci. » Je me redressai, allumai une cigarette et l'agitai en direction du paysage. « En voyant ce no man's land, j'ai soudain perdu les pédales, un peu comme August Stramm, vous connaissez ? "Glèbe friable engourdit le fer / Sangs s'infiltrent, suintent et tachent / Rouilles s'effritent, chairs moisissent / Ventouse aspire nourriture." »

À ma grande surprise, il compléta la strophe :

« "Meurtres meurtres / Clignent / Regards d'enfants." Oui, je connais ce poème. Moi, je faisais partie du 2e régiment royal du Würtemberg. 27e division. Et vous ?

— 26e division.

— Alors, on a été dans la même bataille. »

J'acquiesçai.

« Amiens. Août 1918. »

Je lui offris une cigarette, qu'il alluma à la mienne, méthode tranchée, pour ne pas gaspiller une allumette.

« Deux diplômés de l'école de la gadoue, dit-il. Spécialistes de l'évolution humaine.

— Eh oui. L'ascension de l'homme. » Je souris en me rappelant le vieux dicton. « C'est quand quelqu'un vous tue non plus avec une baïonnette mais avec une mitrailleuse ; non plus avec une mitrailleuse, mais avec un lance-flammes ; non plus avec un lance-flammes, mais avec du gaz toxique.

— Qu'est-ce que vous faites là, mon vieux ?

— Je regarde.

— Eh bien, vous n'avez pas le droit. Plus maintenant. Vous n'avez pas vu le panneau ?

— Non, répondis-je en toute sincérité.

— On a beaucoup de retard en ce moment. On fait déjà les trois huit. Alors on n'a pas de temps pour les visiteurs.

— Ça n'a pas l'air très animé ici.

— La plupart des gars sont de l'autre côté de ce terrassement, expliqua-t-il en indiquant l'ouest du site. Vous êtes sûr de ne pas être du ministère ?

— De l'Intérieur ? Non. Pourquoi demandez-vous ça ?

— Parce qu'ils ont menacé de remplacer les entreprises de construction qui ne rempliraient pas leurs objectifs, voilà pourquoi. Je me disais que vous étiez peut-être en train de nous espionner.

— Je ne suis pas un espion. Merde, je ne suis même pas un nazi. La vérité, c'est que je cherche quelqu'un. Un certain Joey Deutsch. Vous le connaissez peut-être.

— Non.

— Peut-être que le contremaître du site a entendu parler de lui.

— Ce serait moi. Je m'appelle Blask. Heinrich Blask. D'ailleurs, pourquoi est-ce que vous le cherchez, ce type ?

— Ce n'est pas comme s'il avait des problèmes ni quoi que ce soit. Et je ne vais pas lui dire qu'il a gagné une fortune à la loterie. » Je me demandais ce que j'allais lui dire au juste quand je repensai tout à coup aux billets de match dans ma poche : ceux que nous avions achetés à Trollmann le Tzigane. « En fait, je m'occupe de deux ou trois boxeurs et j'aimerais que Joey les entraîne. Je ne sais pas ce qu'il vaut avec une pioche et une pelle, mais Joey est un rudement bon entraîneur. Un des meilleurs. Il serait encore dans la boxe à l'heure qu'il est sans la raison qu'on devine.

— C'est-à-dire ?

– Avec un nom comme Deutsch ? C'est un youtre. Et les youtres sont interdits dans les gymnases. Du moins, les gymnases ouverts au public. Moi, j'ai mon propre gymnase. Alors, ça ne dérange personne, pas vrai ?

– Vous ne le savez peut-être pas, mais nous n'avons pas le droit d'employer de la main-d'œuvre non aryennne ici, fit observer Blask.

– Bien sûr que je le sais. Mais je sais aussi que ça arrive. Et qui pourrait vous en blâmer avec le ministère sans cesse sur votre dos pour que le stade soit fini à temps ? Une sacrée gageure, si vous voulez mon avis. Écoutez, Heinrich, je ne suis pas ici pour vous créer des ennuis. Je veux juste trouver Joey. Peut-être que son neveu travaille avec lui. Isaac. Il était aussi boxeur. »

Je sortis deux billets de ma poche et les montrai au contremaître.

« Vous auriez peut-être envie de billets pour un combat. Scholz contre Witt au Spichernsaele. Eh bien, Heinrich ? Est-ce que vous pouvez m'aider ?

– S'il y avait des youtres travaillant sur le chantier, répondit Blask, et je n'ai pas dit que c'était le cas, vous feriez mieux d'aller parler au responsable des embauches. Un type appelé Eric Goez. Il n'est pas souvent sur le site. Habituellement, il opère dans un bar au bord du Schildhorn. » Il prit un des billets. « Il y a un monument pas loin.

– La colonne de Schildhorn.

– C'est ça. D'après ce qu'on m'a raconté, si vous voulez du travail, sans qu'on vous pose de questions, vous allez là. Tous les matins vers six heures, une foule de clandestins y font le poireau. Juifs, Manouches, et j'en passe. Goerz se pointe, décide qui travaille et qui ne travaille pas. En général, sur la base de la commission que chacun lui reverse. Il procède à l'appel des gars, leur remet une fiche à chacun, et ils vont se présenter là où on a le plus besoin d'eux. » Il haussa les épaules. « Ce sont de bons ouvriers, d'après lui, alors qu'est-ce que je peux faire, moi, avec mon calendrier ? Il ne me le dit pas, et je n'en ai pas besoin, d'accord ? Je fais ce que m'ordonnent les chefs.

— Une idée du nom du bar ?

— Albert l'Ours ou quelque chose comme ça. » Il prit l'autre billet. « Mais laissez-moi vous donner un bon conseil, camarade. Soyez prudent. Eric Goerz n'était pas dans le régiment royal du Würtemberg, comme moi. Son idée de la solidarité doit plus à Al Capone qu'à l'armée prussienne. Vous me suivez ? Il n'est pas aussi grand que vous, mais il sait se servir de ses poings. Peut-être que ça vous plaira. Vous avez l'air d'un type capable de se défendre. Mais Eric Goerz trimballe un pétard par-dessus le marché. Et pas là où vous vous attendriez qu'il soit. Attaché à sa cheville. Si jamais il s'arrête pour renouer ses lacets, n'hésitez pas. Balancez-lui un coup de pied dans les dents avant qu'il vous tire dessus.

— Merci pour l'avertissement, vieux. » Je jetai ma cigarette dans le no man's land. « Vous avez dit qu'il n'était pas aussi grand que moi. Pourriez-vous me donner plus de détails sur ce dont il a l'air ?

— Attendez que je réfléchisse. » Blask posa la masse et gratta l'enclume lui servant de menton. « Ben, il fume des cigarettes russes. Enfin, je crois qu'elles sont russes. Plates, avec une odeur de nid de belettes en flammes. Donc, s'il se trouve dans la salle, vous le saurez. À part ça, c'est un type assez ordinaire, du moins en apparence. Dans les trente, trente-cinq ans, moustache de maquereau, légèrement basané – on le verrait bien avec un fez. Possède une Hanomag toute neuve avec une plaque immatriculée dans le Brandebourg. En fait, il vient peut-être de là-bas. Le chauffeur est de quelque part au sud de cette région. Wittenberg, me semble-t-il. Un cogneur lui aussi, avec une allonge comme la Schlossbrücke, alors méfiez-vous de lui également. »

Au sud de Pichelsberg, une grand-route ménageant de jolis panoramas, mais à présent largement embouteillée par la circulation due aux travaux de construction, longeait la Havel et menait à Beelitzhof

et à la presqu'île, longue de deux kilomètres, de Schildhorn. Près de
la berge, quelques bars et restaurants couverts de vigne vierge, ainsi
qu'une série de marches en pierre montant raide jusqu'à un bouquet
de pins qui cachait le monument de Schildhorn, ou toute autre présence éventuelle à six heures du matin. Pour ramasser des travailleurs
clandestins, le monument était un endroit idéal. Depuis la route, il
était impossible de voir ce qui se passait autour.

Le troquet « Albert l'Ours » avait un peu la forme d'une botte, ou
d'un soulier, et l'air si ancien qu'on aurait dit qu'une vieille vivait là
avec tellement d'enfants qu'elle ne savait pas quoi faire[1]. Devant la
porte était stationnée une Hanomag flambant neuve avec une plaque
marquée IE. Je tombais à pic, semble-t-il.

Je fis encore trois ou quatre cents mètres et me garai. Le coffre de
la voiture de Behlert contenait une salopette. Behlert était sans arrêt
à trifouiller sous le capot de la W. Je l'enfilai et retournai au village,
ne m'arrêtant que pour enfoncer les mains dans de la terre humide,
histoire de me faire une manucure de prolétaire. Un vent d'est glacial
balayait la rivière, apportant de rudes signes avant-coureurs de l'hiver
à venir, sans parler des relents chimiques s'échappant de l'usine à gaz
de Hohenzollerndamm, à la lisière de Wilmersdorf.

Devant le café, un grand type avec une bobine faisant penser à une
caricature de salle d'audience lisait le *Zeitung*, adossé à la Hanomag.
Il fumait une Tom Pouce et gardait probablement un œil sur la voiture. Comme je poussais la porte, une petite cloche tinta au-dessus
de ma tête. Ça ne paraissait pas une bonne idée, mais je m'avançai
quand même à l'intérieur.

Je fus accueilli par un énorme ours empaillé. Il avait la gueule
ouverte et les pattes en l'air. Ce qui, je suppose, devait donner à
ceux qui franchissaient la porte l'impression de se faire attaquer,
mais, pour moi, il avait plutôt l'air de diriger une chorale oursine
sur le point d'entonner le « Pique-nique des oursons en peluche ». À
part ça, l'endroit était pratiquement désert. Du linoléum à carreaux
bon marché couvrait le sol. Des tables avec de jolies nappes jaunes

---

1. Allusion à la célèbre comptine anglaise : « There Was an Old Woman Who Lived in
a Shoe » (Il était une vieille femme qui vivait dans un soulier).

s'alignaient le long de murs orange ressemblant à une pinacothèque de paysages et de scènes de rivière. À l'autre bout, sous une grande photographie de la Spree bondée de canoteurs du dimanche, un type était assis dans un nuage de fumée de cigarette pestilentiel.

« Salut, fis-je.

— Ne faites pas l'erreur de tirer cette chaise, murmura-t-il. Je ne suis pas du genre à tailler une bavette avec des inconnus. »

Il portait un costume vert moyen et une chemise vert foncé avec une cravate en laine marron. Sur le banc à côté de lui se trouvaient un manteau et un chapeau en cuir et, sans la moindre raison apparente, une laisse de chien d'une taille non négligeable. Toutefois, les cigarettes plates, jaunâtres qu'il fumait n'étaient pas russes mais françaises.

« Je comprends. Vous êtes Herr Goetz ?

— Qui veut le savoir ?

— Stefan Blitz. On m'a dit que vous étiez l'homme à qui s'adresser pour avoir du travail sur le site olympique.

— Ah ? Et qui vous a raconté ça ?

— Un type nommé Trollmann. Johann Trollmann.

— Jamais entendu parler. Est-ce qu'il travaille pour moi ?

— Non, Herr Goetz. C'est un de ses amis qui le lui a dit. J'ai oublié son nom. Trollmann et moi, on boxait ensemble. » Je marquai un temps d'arrêt. « Je dis boxais, parce que ce n'est plus possible. Plus maintenant. Avec ces lois sur les non-aryens dans les compétitions sportives. C'est pour ça que j'en suis à chercher du travail.

— Je n'ai jamais été un sportif moi-même, dit Goetz. Trop occupé à gagner ma vie. » Il leva la tête de son journal. « Je peux voir le boxeur en vous, à la rigueur. Mais, je ne sais pas pourquoi, je n'arrive pas à voir le Juif.

— Je suis un mischling. Moitié moitié. Mais ça ne semble pas faire beaucoup de différence pour le gouvernement. »

Goerz rit.

« Non, c'est sûr. Laissez-moi voir vos mains, Stefan Blitz. »

Je les tendis vers lui, exhibant mes ongles noirs.

« Pas le dos. La paume.

— Vous allez me dire la bonne aventure ? »

Ses paupières se plissèrent tandis qu'il tirait sur les derniers centimètres de sa cigarette à l'odeur infecte. « Peut-être. » Sans toucher mes mains, juste en les examinant, il ajouta : « Elles semblent assez robustes. Mais elles n'ont pas l'air d'avoir beaucoup travaillé pour de vrai.

— Comme je l'ai dit, je bossais surtout avec mes phalanges. Mais je suis capable de manier une pelle et une pioche. Pendant la guerre, j'ai creusé mon lot de tranchées. Pas mal de tombes aussi.

— Quelle tristesse. » Il éteignit sa cigarette. « Dites-moi, Stephan, savez-vous ce que c'est qu'une dîme ?

— Ça figure dans la Bible. Ça veut dire un dixième de quelque chose, non ?

— Exactement. Alors voilà. C'est moi qui m'occupe des embauches. La société de construction me paie pour lui trouver des bonshommes. Mais vous me payez aussi, pour vous trouver du boulot, compris ? Un dixième de ce que vous empochez à la fin de la journée. Considérez ça comme une cotisation syndicale si vous voulez.

— Un dixième, ça paraît un peu élevé par rapport à n'importe quel syndicat dont j'aie jamais fait partie.

— Je suis d'accord. Mais les mendiants ne peuvent pas faire les difficiles, hein, pas vrai ? Alors, dans ces circonstances, c'est ce qu'on vous demande de payer. Et c'est à prendre ou à laisser.

— Je prends.

— Je pensais bien. De plus, comme vous l'avez dit, ça figure dans votre livre saint. Genèse, chapitre quatorze, verset vingt. « Et il lui donna la dîme de tout. » C'est la meilleure façon de le voir, à mon avis. Comme un devoir sacré. Et si vous n'arrivez pas à comprendre ça, alors rappelez-vous ceci : je ne prends que les gars qui me versent la dîme. C'est clair ?

— Très clair.

— Six heures tapantes. Au monument dehors. Peut-être que vous travaillerez, ou peut-être que non. Tout dépend combien il en faut demain.

— J'y serai.

— Moi, pour ce que j'en ai à faire. »

Goerz se replongea dans son journal. L'entrevue était terminée.

J'avais donné rendez-vous à Noreen au Romanisches Café dans la Tauentzienstrasse. Jadis prisé par l'intelligentsia littéraire berlinoise, le café faisait penser à un dirigeable ayant fait un atterrissage forcé sur le trottoir devant un édifice roman qui aurait pu être le cousin de l'église du Souvenir de l'Empereur Guillaume située juste en face. Ou peut-être était-ce l'équivalent moderne d'un pavillon de chasse hohenzollernien – un endroit où les princes et les empereurs du premier empire allemand venaient boire un café ou un kummel après avoir passé une matinée interminable à genoux, face à un dieu qui, en comparaison, devait sembler quelque peu vulgaire et mal élevé.

Sous les plafonds en verre du café, elle était facile à voir, telle une espèce exotique de fleur de serre. Mais, comme avec n'importe quelle fleur tropicale aux couleurs vives, on sentait un danger tout proche. Un jeune homme vêtu d'un élégant uniforme noir était assis à sa table comme l'araignée de Miss Muffet[1]. Moins de six mois après la mort de la SA en tant que force politique indépendante des nazis, la SS tirée à quatre épingles s'était déjà imposée comme l'organisation en uniforme la plus redoutée de l'Allemagne de Hitler.

Moi-même, ça ne me plaisait pas trop de le voir non plus. Il était grand, blond et séduisant, avec un sourire facile et des manières non moins polies que ses bottes – allumant la cigarette de Noreen avec le même empressement que si la vie de celle-ci en dépendait et se levant avec un claquement de talons aussi sonore qu'un bouchon de champagne quand je me présentai à leur table. Le labrador noir assorti de l'officier SS se dressa d'un air hésitant puis laissa échapper un grognement sourd. Maître et chien avaient l'air d'un sorcier assisté de son démon familier, et, avant même que Noreen ait fait les présentations, je priais déjà pour qu'il disparaisse dans une bouffée de fumée noire.

« Voici le lieutenant Seetzen, dit-elle en souriant aimablement. Il m'a tenu compagnie et a pratiqué son anglais. »

---

1. Allusion à la comptine « Little Miss Buffet », où une araignée vient s'asseoir à côté de Miss Buffet, occupée à manger son petit-lait.

Je me plaquai un sourire sur les lèvres, apparemment enchanté de la présence de notre nouvel ami, mais j'étais content quand il s'excusa et partit.

« Ouf, fit-elle. J'ai bien cru qu'il ne s'en irait jamais.

— Ah ? Pourtant, vous aviez l'air de vous entendre à merveille.

— Ne dis pas de sottises, Gunther. Qu'est-ce que je pouvais faire ? Je relisais mes notes quand il s'est assis et a engagé la conversation. Je dois dire que ça avait quelque chose d'à la fois fascinant et effrayant. Il m'a dit qu'il avait fait une demande pour entrer dans la Gestapo prussienne.

— Bah, c'est un métier plein d'avenir. Si seulement je n'avais aucun scrupule, j'en ferais peut-être autant.

— Pour le moment, il suit un stage de formation à Grünewald.

— Je me demande ce qu'ils peuvent bien leur apprendre. Comment frapper un type avec un tuyau d'arrosage sans le tuer ? Où est-ce qu'ils dénichent des salopards pareils ?

— Il vient d'Eutin.

— Ah, alors c'est là. »

Noreen s'efforça d'étouffer un bâillement avec le dos de sa main gracieusement gantée. On voyait facilement pourquoi le lieutenant l'avait abordée. Elle était et de loin la plus jolie femme du café.

« Pardon, fit-elle. Mais j'ai eu un après-midi infernal. D'abord Von Tschammer und Osten, et ensuite ce jeune lieutenant. Pour un peuple intelligent, vous autres Allemands pouvez être affreusement bêtes. » Elle jeta un coup d'œil à son calepin. « Ton ministre des Sports ne dit que des inepties.

— C'est comme ça qu'il a eu le poste, mon ange. »

J'allumai une cigarette.

Elle tourna plusieurs pages de sténo en secouant la tête.

« Écoute ça. Il a raconté un tas de trucs qui m'ont paru relever du délire, mais là, c'est le pompon. Quand je l'ai interrogé à propos de la promesse faite par Hitler que, dans la sélection de son équipe olympique, l'Allemagne respecterait le règlement des Jeux et ne ferait aucune distinction de race ni de couleur, il a répondu – je cite : "Mais il est respecté. Du moins, en principe. Théoriquement, personne n'est exclu sur un de ces motifs." Et tiens-toi bien, Bernie.

Voici le meilleur. "Au moment où se tiendront les Jeux, les Juifs ne seront probablement plus des citoyens allemands, en tout cas des citoyens allemands de première classe. Ils pourront être admis en tant qu'invités. Et, en raison de toute l'agitation internationale en faveur des Juifs, il se pourrait même que, au dernier moment, le gouvernement accepte qu'il y ait un petit quota de Juifs en lice, mais seulement dans les épreuves sportives où les Allemands ont peu de chances de gagner, comme les échecs ou le croquet. Car il n'en reste pas moins qu'il y a certains sports dans lesquels, on ne peut pas le nier, une victoire germano-juive nous poserait un problème politique, pour ne pas dire philosophique."

– Vraiment ? »

J'éteignis ma cigarette. À moitié fumée, mais j'avais quelque chose de coincé dans la gorge, comme si j'avais avalé la petite tête de mort en argent sur la casquette noire du lieutenant.

« Déprimant, n'est-ce pas ?

– Si je t'ai donné l'impression d'être un dur, alors je dois te l'avouer à présent, ce n'est pas le cas. J'aime bien un petit préavis avant qu'on me flanque un coup de poing dans le ventre.

– Ce n'est pas tout. D'après Von Tschammer und Osten, comme pour les organisations juives, il va être expressément interdit aux organisations de jeunesse catholiques et protestantes de s'adonner à un sport. Pour ce qui est des nazis, les gens vont devoir choisir entre religion et sport. Le résultat étant que l'ensemble de la formation sportive aura lieu sous leurs auspices. Il a même dit que les nazis menaient une guerre culturelle contre l'Église.

– Il a dit ça ?

– Tous les athlètes catholiques ou protestants qui ne seront pas affiliés à des clubs sportifs nazis perdront leur chance de représenter l'Allemagne. »

Je haussai les épaules.

« Eh bien, tant pis pour eux. Qui se soucie d'une brochette d'idiots tournant autour d'une piste, de toute façon ?

– Tu n'as pas compris, Gunther. Ils ont purgé la police. Maintenant ils sont en train de purger le monde du sport. S'ils réussissent, il n'y aura plus aucun aspect de la vie allemande dans lequel ils ne

seront pas en mesure d'exercer leur autorité. Les nazis auront la pré-
éminence dans tous les secteurs de la société. Si tu veux arriver dans
la vie, il te faudra devenir un nazi. »

Elle souriait, ce qui me tapa sur les nerfs. Je connaissais la raison de
son sourire. Elle était aux anges parce qu'elle pensait tenir un scoop
pour son article de journal. Mais je lui en voulais quand même. Pour
moi, c'était bien plus qu'un simple papier, c'était mon pays.

« C'est toi qui ne comprends pas, répliquai-je. Tu t'imagines peut-
être que c'est un hasard si ce lieutenant SS a décidé de te parler?
Qu'il voulait juste passer le temps? » Je ris. « La Gestapo t'a à l'œil,
mon ange. Sinon, pourquoi t'aurait-il dit qu'il avait demandé à en
faire partie? Après ton rendez-vous avec le Reichsportführer, ils t'ont
probablement suivie jusqu'ici.

— Voyons, c'est absurde, Bernie.

— Tu crois ça? Le lieutenant Seetzen a vraisemblablement reçu
l'ordre de te faire du charme, pour savoir quel genre de femme tu es.
Qui tu fréquentes. Et maintenant, ils me connaissent. » Je parcourus
le café du regard. « Ils nous observent probablement à cette minute.
Peut-être que le serveur travaille pour eux. Ou ce type en train de lire
un journal. Ça pourrait être n'importe qui. C'est comme ça qu'ils
procèdent. »

Noreen avala avec peine une gorgée et alluma une autre cigarette.
Ses splendides yeux bleus pivotèrent rapidement d'un côté et de
l'autre, scrutant le serveur puis l'homme au journal pour savoir s'ils
nous espionnaient.

« Tu crois vraiment? »

Noreen commençait à avoir l'air convaincue, et j'aurais peut-
être souri en lui disant qu'il s'agissait d'une blague si je n'avais pas
fini par me convaincre moi-même. Pourquoi la Gestapo n'aurait-
elle pas suivi une journaliste américaine venant juste d'interviewer
le Reichsportführer? C'était parfaitement logique. J'aurais fait la
même chose si j'avais été à la place de la Gestapo. Je me dis que
j'aurais dû m'y attendre.

« Bon, maintenant ils te connaissent, dis-je. Et ils me connaissent
également.

— Je t'ai mis en danger, n'est-ce pas?

– Comme tu l'as dit ce matin, une certaine dose de danger fait partie du profil de l'emploi.

– Je suis désolée.

– N'y pense plus. Mais enfin, peut-être que tu ne devrais pas l'oublier. J'aime bien que tu te sentes coupable à mon égard. Ça signifie que je peux te faire du chantage avec la conscience tranquille, mon ange. De plus, dès que je t'ai vue, j'ai su que tu serais une source d'ennuis. Et il se trouve que c'est précisément ainsi que j'aime les femmes. Avec des ailes solides, une carrosserie astiquée, plein de chromes et un moteur surcomprimé, comme la voiture que conduit Hedda. Le genre de voiture où il suffit d'effleurer le champignon pour se retrouver en Pologne. Je prendrais le bus si je voulais coucher avec des bibliothécaires !

– Tout de même, j'ai pensé à cet article et absolument pas aux conséquences que cela risquait d'avoir pour toi. Comment ai-je pu être assez stupide pour te mettre dans le collimateur de la Gestapo ?

– Je ne l'ai peut-être pas mentionné, mais voilà déjà un moment qu'ils m'ont à l'œil. Depuis que j'ai quitté la police, en fait. Je vois plusieurs bonnes raisons pour lesquelles la Gestapo ou d'ailleurs la Kripo pourrait m'arrêter si elle en avait envie. Ce sont les raisons qui m'échappent qui m'inquiètent le plus. »

20

Noreen voulait passer la nuit avec moi dans mon appartement, mais je ne pouvais pas me résoudre à l'emmener dans ce qui n'était rien d'autre qu'une pièce avec une minuscule cuisine et une salle de bains plus minuscule encore. Appeler ça un appartement revenait à parler de légume à propos d'un grain de moutarde. Il y avait certes des appartements plus petits à Berlin, mais c'étaient en général les familles de souris qui les obtenaient en premier.

La gêne m'empêchait de lui montrer comment je vivais. Mais la honte m'empêchait de lui dire que j'étais un huitième juif. Certes, j'étais resté confondu en apprenant qu'on m'avait dénoncé à la Gestapo en raison de mon prétendu sang mixte, mais je n'éprouvais aucune honte d'être ce que j'étais. Comment aurais-je pu ? Ça paraissait tellement dérisoire. Non, si j'avais honte de quelque chose, c'était d'avoir demandé à Emil Linthe d'effacer des registres le sang même qui me reliait à Noreen, encore que dans une faible mesure. Comment pouvais-je lui dire ça ? Tout en continuant à couver mon secret, je passai donc une deuxième nuit paradisiaque avec elle dans sa suite à l'Adlon.

Étendu entre ses cuisses, je ne dormis pas beaucoup. Nous avions mieux à faire. Et, de bon matin, en partant discrètement de sa chambre, je lui dis seulement que je rentrais chez moi et que je la verrais plus tard dans la journée, sans un mot de mon projet de voyage en S-Bahn pour Grünewald et Schildhorn.

Je gardais quelques vêtements de travail dans mon bureau. Dès que je me fus changé, je sortis dans l'aube naissante et marchai jusqu'à la station de Potsdamer Platz. Quarante-cinq minutes plus tard, je montais les marches menant au monument de Schildhorn en compagnie de plusieurs autres, manifestement juifs pour la plupart, avec cheveux bruns, regard sombre et mélancolique, oreilles de chauve-souris et nez crochus, à croire que Dieu avait choisi son peuple sur la base du fait qu'il avait un nez qu'il n'avait peut-être pas choisi. Généralisation facilitée par la certitude que tous ces hommes descendaient d'une lignée probablement plus pure que la mienne. Dans le clair de lune, un ou deux me lancèrent un regard interrogateur comme s'ils se demandaient ce que les nazis pouvaient bien avoir contre un grand et solide gaillard aux cheveux blonds, aux yeux bleus et au nez semblable à un pouce de boulanger. Je ne pouvais pas leur en vouloir. Dans cet environnement, je détonnais autant que si j'avais été Ramsès II.

Ils étaient environ cent cinquante, rassemblés dans l'obscurité, sous les pins invisibles chuchotant dans la brise matinale. Le monument lui-même était censé représenter un arbre stylisé que surmontait une couronne d'où pendait un bouclier. Ce qui avait probablement un sens pour quelqu'un ayant un penchant pour les monuments religieux à la gomme. On aurait plutôt dit un réverbère auquel il manquerait une ampoule. Ou, peut-être, une colonne de pierre pour brûler les architectes de la ville. Voilà un monument qui aurait été bien utile. Surtout à Berlin.

Je fis le tour de cet obélisque de taille réduite, en écoutant les quelques conversations. Elles avaient surtout trait au nombre de jours travaillés par chacun récemment. Ou chômés, ce qui semblait encore plus fréquent.

« J'ai fait une journée la semaine dernière, dit l'un d'entre eux. Et deux la semaine d'avant. Je dois absolument travailler aujourd'hui ou ma famille n'aura rien à se mettre sous la dent. »

Un autre se mit à fustiger Goetz, mais on ne tarda pas à le faire taire.

« C'est la faute des nazis, pas de Goetz. Sans lui, aucun de nous n'aurait de travail. Il risque autant que nous. Sinon plus.

– Si vous voulez mon avis, c'est un risque plutôt bien payé.

– C'est ma première fois, dis-je au type à côté de moi. Comment fait-on pour être choisi ? »

Je lui offris une cigarette, et il me regarda d'un drôle d'air, moi et mes clopes, comme s'il pensait qu'aucun homme ayant vraiment besoin de travail n'avait l'argent pour des plaisirs aussi onéreux et sensuels. Il la prit tout de même et la glissa derrière son oreille.

« Y a pas de règle. Je viens ici depuis six mois et c'est toujours aussi arbitraire. Y a des fois où votre tête lui revient et d'autres où y vous accorde même pas un regard.

– Peut-être qu'il essaie simplement de répartir la charge de travail, suggérai-je. Pour être équitable.

– Équitable ? » Il renifla amèrement. « L'équité n'a absolument rien à voir là-dedans. Un jour, il prend une centaine d'hommes. Un autre, il en prendra soixante-quinze. C'est un genre de fascisme, je suppose. Une manière de nous rappeler le pouvoir qu'il détient. »

D'une tête plus petit que moi, il avait des cheveux roux et des traits anguleux, avec un visage comme une lame de couteau mangée par la rouille. Il portait un épais caban et, noué autour du cou, un mouchoir vert clair assorti à la couleur de ses yeux derrière des lunettes à monture d'acier. De la poche de son manteau dépassait un livre de Dostoievski, et c'était comme si ce jeune Juif à l'air studieux était sorti, complètement formé, d'un blanc entre les pages : névrosé, pauvre, mal nourri, désespéré. Il s'appelait Solomon Feigenbaum, ce qui, à mes oreilles majoritairement aryennes, faisait aussi juif qu'un ghetto plein de tailleurs.

« En tout cas, si c'est votre première fois, vous avez de fortes chances d'être pris. Goerz aime bien donner une journée aux nouveaux, pour les mettre dans le bain.

– C'est rassurant.

– Si vous le dites. Mais vous n'avez pas l'air d'avoir sérieusement besoin de boulot. En fait, vous n'avez même pas l'air juif.

– C'est ce que ma mère disait à mon père. J'ai toujours pensé que c'est pour ça qu'elle l'a épousé. Il faut plus qu'un nez crochu et une kippa pour faire un Juif, mon ami. Et Helene Mayer ?

– Qui est-ce ?

— Une escrimeuse, membre de l'équipe allemande aux Jeux olympiques de 1932. De quoi donner des pollutions nocturnes à Hitler. Elle a plus de cheveux blonds qu'il n'y en a sur le sol d'un salon de coiffure suédois. Et Leni Riefenstahl ? Vous avez sûrement entendu les bruits qui courent.

— Vous plaisantez.

— Pas du tout. Sa mère était une Juive polonaise. »

Feigenbaum eut l'air vaguement amusé.

« Écoutez, dis-je. Ça fait des semaines que je n'ai pas turbiné. Un de mes amis m'a parlé de ce *plagen*[1]. À vrai dire, je pensais le rencontrer ici. » Comme si j'espérais apercevoir Isaac Deutsch, je promenai mon regard sur la foule près du monument et secouai la tête, l'air déçu.

« Est-ce que votre ami vous a parlé du travail en question ?

— Seulement que c'était comme ça et pas autrement.

— Et quoi d'autre ?

— Qu'est-ce qu'il y a d'autre ?

— Par exemple, qu'ils utilisent de la main-d'œuvre juive pour les tâches que les ouvriers soi-disant allemands ne veulent pas faire parce que c'est dangereux. Vu les libertés qu'ils prennent avec la sécurité pour que le stade soit fini à temps. Est-ce que votre ami vous a dit ça ?

— Vous essayez de me décourager.

— Je vous dis seulement ce qui est. Il me semble que si c'était vraiment un ami, il vous l'aurait expliqué. Qu'il faut être aux abois pour courir les risques qu'on nous impose. Ce n'est pas comme si quelqu'un allait vous donner un casque, mon vieux. Une pierre vous dégringole sur la tête, ou bien vous vous retrouvez coincé dans un éboulis, personne n'aura l'air surpris ni affligé. Il n'y a pas de protection sociale pour les Juifs employés illégalement. Peut-être même pas de pierre tombale. Vous comprenez ?

— Je comprends que vous essayez de m'écarter. Pour augmenter vos chances d'avoir du boulot.

— Ce que j'essaie de vous dire, c'est que nous veillons les uns sur les autres, d'accord ? Si ce n'est pas nous qui le faisons, personne

---

1. Boulot de chien.

ne le fera. Quand on descend dans le puits, on est comme les Trois Mousquetaires.

— Le puits ? Je pensais qu'on était sur le chantier du stade.

— Ça, c'est en haut, réservé aux ouvriers allemands. Ça ne nous concerne pas. Ici, nous travaillons presque tous au tunnel pour le nouveau S-Bahn qui ira du stade à la Königgratzer Strasse. Si vous bossez aujourd'hui, vous apprendrez ce que c'est que d'être une taupe. » Il leva les yeux vers le ciel encore sombre. « On descend dans le noir, on travaille dans le noir et on remonte dans le noir.

— Vous avez raison, mon ami ne m'a rien dit de tout ça. C'est bizarre. Il est vrai que voilà un bon moment que je ne l'ai pas vu. Ni lui ni son oncle. Mais vous les connaissez peut-être. Isaac et Joey Deutsch ?

— Non, je ne les connais pas, répondit Feigenbaum, mais, derrière ses lunettes, il avait plissé les paupières et m'examinait avec attention comme s'il avait peut-être bien entendu parler d'eux en fin de compte. Je n'avais pas passé dix ans à l'Alex sans finir par éprouver des démangeaisons quand un homme me ment. Il tira à plusieurs reprises sur le lobe de son oreille puis détourna la tête nerveusement. Signe qui ne trompe pas.

« Eh bien, vous devriez, dis-je d'un ton ferme. Isaac était boxeur. Un authentique espoir jusqu'à ce que les nazis excluent les Juifs des matchs et lui retirent sa licence. Vous devez sûrement les connaître.

— Je vous répète que non », rétorqua Feigenbaum toujours avec autant de fermeté.

Je haussai les épaules et allumai une cigarette.

« Si vous le dites. Moi, ça m'est égal. » Je soufflai une bouffée dans sa direction pour qu'il en respire l'odeur. De toute évidence, il avait salement besoin d'une clope, même s'il avait toujours derrière l'oreille celle que je lui avais donnée. « Je suppose que tout ce baratin sur les Trois Mousquetaires et le fait de veiller les uns sur les autres, ce n'était que ça. Du baratin.

— Que voulez-vous dire ? »

Ses narines se dilatèrent sous l'effet de la fumée, et il se lécha les lèvres.

« Rien, répondis-je. Rien du tout. » J'aspirai une nouvelle bouf-fée et lui en vaporisai la figure. « Tenez. Finissez-la. Vous en mourez d'envie. »

Feigenbaum me prit la cigarette des doigts et se mit à tirer dessus comme si je lui avais offert une pipe d'opium. Il y a des gens qui en font autant en se rongeant les ongles : ils vous donnent l'impression qu'il y a peut-être quelque chose de réellement nocif dans une petite chose telle qu'une cigarette. C'est parfois un peu agaçant de voir une addiction à l'œuvre comme ça.

Je regardai de l'autre côté, souriant avec nonchalance.

« C'est toute l'histoire de ma vie, je suppose. Je ne veux rien dire du tout. Ni peut-être aucun de nous, pas vrai ? Un jour on est là et le lendemain on s'en est allé. » Je jetai un regard à mon poignet pour me souvenir que j'avais laissé à dessein ma montre-bracelet à l'hôtel. « Saleté de montre. J'oublie toujours que je l'ai mise au clou. Où est ce Goerz, d'ailleurs ? Il devrait déjà être ici, non ?

— Y sera là quand y sera là », répondit Feigenbaum, avant de s'éloi-gner tout en continuant à fumer ma cigarette.

Eric Goerz arriva quelques minutes plus tard. Il était accompagné par sa grande gigue de chauffeur et par un autre type à l'allure mus-clée. Goerz fumait les mêmes cigarettes françaises âcres et portait le même costume vert sous une gabardine grise. Un chapeau était posé à l'arrière de son crâne telle une auréole en feutre, et il avait à la main la laisse pour le même chien invisible. Il n'avait pas plus tôt fait son apparition que les hommes s'attroupèrent autour de lui comme s'il allait délivrer le Sermon sur la montagne, et ses deux disciples éten-dirent leurs bras épais pour empêcher qu'il ne se fasse bousculer. Je m'approchai, désireux de donner l'impression d'avoir autant besoin de travail que les autres.

« Reculez-vous, sales youpins, que je puisse voir quelque chose, lança Goerz d'une voix hargneuse. Où est-ce que vous vous croyez, à un concours de beauté ? Je vous ai dit de reculer. Si on me pousse encore comme la semaine dernière, aucun de vous n'aura de boulot aujourd'hui, pigé ? Bon, écoutez-moi, bande de youtres. Il me faut dix équipes. Cent hommes, vous entendez ? Toi. Où est le fric que tu me dois ? Je t'avais dit que je ne voulais plus te voir ici avant que tu m'aies payé.

— Comment est-ce que je peux vous payer si je n'ai pas de travail ?

— Tu aurais dû y penser avant, répondit Goerz. J'en sais rien, comment. Vends ta putain de sœur ou ce que tu voudras. Qu'est-ce que j'en ai à foutre ? »

Les deux disciples empoignèrent l'homme et le poussèrent hors du champ de vision de Goerz.

« Toi ! » Goerz s'adressait à présent à quelqu'un d'autre. « On t'en a donné combien de ces tuyaux en cuivre ? »

L'homme marmonna une réponse.

« Aboule ! » aboya Goerz en arrachant quelques billets de la main du type.

Ces questions enfin réglées, il se mit à sélectionner les hommes pour les équipes de travail, et, à mesure qu'elles se remplissaient, ceux qui n'avaient pas été pris avaient l'air de plus en plus abattus, pour la plus grande joie de Goerz, apparemment. On aurait dit un écolier capricieux choisissant des camarades de classe pour un match de foot important. Alors que la dernière équipe était presque au complet, un homme lança :

« Je vous donnerai deux marks de plus si j'en suis.

— Et moi, trois, s'écria l'homme à côté de lui, lequel fut promptement récompensé par une des fiches qu'un disciple passait aux veinards que Goerz avait désignés pour travailler ce jour-là.

— Il en reste une, annonça-t-il avec un sourire jusqu'aux oreilles. Qui la veut ? »

Feigenbaum joua des coudes pour arriver au-devant de la foule qui continuait d'entourer Goerz.

« S'il vous plaît, Herr Goerz. Donnez-moi une chance. Je n'ai pas travaillé depuis une semaine. J'ai absolument besoin de faire une journée. J'ai trois gosses.

— C'est bien ça le problème avec vous autres Juifs. Vous êtes comme des lapins. Pas étonnant que les gens ne puissent pas vous blairer. »

Goerz me regarda.

« Toi. Le boxeur. » Il arracha la fiche de la main de son disciple et me la tendit. « Voilà du boulot. »

J'avais honte, mais je la pris quand même, évitant de regarder Feigenbaum tandis que je suivais le reste des hommes qui avaient été choisis le long des marches menant à la berge. Il y avait trente ou quarante marches, aussi raides que l'échelle de Jacob, ce qui était peut-être l'intention de l'empereur de Prusse Frédéric-Guillaume IV, dont les idées romantiques sur la chevalerie avaient donné le jour au monument en question. J'en avais descendu presque les deux tiers quand j'aperçus le camion attendant de conduire la main-d'œuvre clandestine sur le site. En même temps, j'entendis des pas se rapprocher derrière moi. Ce n'était pas un ange, mais Goerz. Il me balança un coup de matraque et me manqua. À l'instar de Jacob, je dus me colleter avec lui, jusqu'au moment où, perdant l'équilibre, je déboulai le reste des marches et me cognai la tête contre le muret en pierre.

Je me sentais comme si j'étais resté allongé sur une harpe de concert pendant que quelqu'un frappait les cordes de toutes ses forces avec un marteau. Chaque partie de mon corps semblait agitée de violentes vibrations. Pendant quelques instants, je demeurai là, les yeux tournés vers le ciel matinal avec la certitude que, contrairement à Hitler, Dieu avait le sens de l'humour. Après tout, c'était marqué dans les Psaumes. Celui qui siège dans les cieux rit. Comment expliquer autrement que, pour obtenir le tour qui m'avait été attribué, Feigenbaum, un Juif, ait très probablement informé l'antisémite Goerz que j'avais posé des questions sur Isaac et Joey Deutsch ? Celui qui siège dans les cieux devait bien rigoler, pas de doute. Assez pour me faire cracher tripes et boyaux. Je fermai les yeux en une prière pour lui demander s'Il avait quelque chose contre les Allemands, mais la réponse n'était que trop évidente et, rouvrant les yeux, je me rendis compte qu'il n'y avait aucune différence tangible entre les ouvrir et les fermer, sauf que mes paupières me faisaient l'effet d'être la chose la plus lourde du monde. Si lourdes qu'on les aurait crues en pierre. Peut-être la pierre couvrant une tombe froide, sombre et profonde. Le genre de pierre avec lequel même l'ange de Jacob aurait été incapable de lutter. Maintenant et dans les siècles des siècles. Amen.

21

Hedda Adlon disait toujours que, pour elle, diriger un vrai grand hôtel nécessitait que les clients dorment seize heures par jour ; et, pendant les huit heures restantes, qu'ils se reposent tranquillement au bar. Ça m'allait très bien. J'avais envie de dormir longtemps, et de préférence dans le lit de Noreen. Ce que j'aurais peut-être fait, d'ailleurs, si elle n'avait pas essayé d'éteindre sa cigarette au creux de mes reins. C'est du moins l'impression que ça donnait. Je voulus m'écarter quand quelque chose me heurta violemment la tête et les épaules. J'ouvris les yeux pour découvrir que j'étais assis sur un plancher couvert de sciure et attaché le dos à un poêle en faïence monté sur pieds – un de ces appareils de chauffage en céramique ressemblant à une fontaine publique posés dans un coin de beaucoup de salons allemands, tel un parent sénile dans un rocking-chair. Comme j'étais rarement chez moi, le poêle de ma propre salle de séjour était rarement allumé, et donc rarement chaud, mais, même à travers ma veste, celui-ci semblait plus chaud que la cheminée d'un remorqueur à vapeur. Je me courbai, m'efforçant de réduire au minimum le point de contact avec la céramique torride, et ne réussis qu'à me brûler les mains. En entendant mon cri de douleur, Eric Goerz se remit à me fouetter avec la laisse de chien. Au moins, je savais maintenant pourquoi il en avait une. Sans doute se considérait-il comme une sorte de chef d'équipe, comme ce chef de corvée égyptien tué par Moïse dans l'Exode. Moi-même, ça ne m'aurait pas dérangé de faire la peau à Goerz.

Quand il eut cessé de me battre, je levai la tête, vis qu'il avait ma carte d'identité à la main et me maudis de ne pas l'avoir laissée à l'hôtel dans la poche de mon complet. À quelques pas derrière lui se tenaient l'échalas à l'air cadavérique lui servant de chauffeur et le gaillard trapu que j'avais vu au monument. Il avait un visage semblable à une sculpture inachevée.

« Bernhard Gunther, dit Goerz. Je vois ici que tu es employé d'hôtel, mais que tu as été flic. Qu'est-ce qu'un employé d'hôtel peut bien fabriquer dans le coin à poser des questions sur Isaac Deutsch ?

— Détachez-moi et je vous le dirai.

— Dis-le-moi et je te détacherai ensuite. Peut-être. »

Je ne voyais aucune raison de ne pas lui dire la vérité. Absolument aucune. Il arrive que la torture vous fasse cet effet-là.

« Une des clientes de l'hôtel est une journaliste américaine, dis-je. Elle écrit un article sur les Juifs dans le milieu sportif en Allemagne. Et en particulier sur Isaac Deutsch. Ce qu'elle voudrait, c'est provoquer un boycott américain des Jeux olympiques. Et elle me paie pour l'aider à faire les recherches. »

Je grimaçai, m'efforçant d'ignorer la chaleur dans mon dos, ce qui était un peu comme essayer d'ignorer un démon mineur des Enfers armé d'une fourche et de mon nom sur son emploi du temps de la journée.

« De la foutaise, répliqua Goerz. De la pure foutaise, parce que je lis les journaux, ce qui fait que je sais que le Comité olympique américain a déjà voté contre un boycott. »

Il leva la laisse et recommença à me frapper.

« Elle est juive, hurlai-je au milieu des coups. Elle pense que, si elle raconte la vérité sur la manière dont les choses se passent dans ce pays, pour des gens comme Isaac Deutsch, les Ricains changeront d'avis. Son article est centré sur Deutsch. Comment on l'a chassé du club de boxe local et comment il s'est retrouvé à travailler ici. Et comment il y a eu un accident. Je ne sais pas exactement ce qui s'est produit. Il s'est noyé, n'est-ce pas ? Dans le tunnel du

S-Bahn ? Après quoi, quelqu'un l'a jeté dans le canal à l'autre bout de la ville. »

Goerz cessa de me taper dessus. Il avait l'air à bout de souffle. Il écarta les cheveux qui lui tombaient sur les yeux, rajusta sa cravate, passa la laisse autour de son cou puis s'y agrippa des deux mains.

« Et comment as-tu découvert ce qui lui est arrivé ?

— Un ancien collègue, un flic de l'Alex, m'a montré le cadavre à la morgue et m'a donné son dossier. C'est tout. Je travaillais à la Criminelle, OK ? Comme ils étaient à court d'idées quant à l'identité de ce type, ils se sont dit que je pourrais peut-être leur apporter un nouveau point de vue. »

Goerz se tourna vers son chauffeur et se mit à rire.

« Tu veux savoir ce que je pense ? Je pense que tu as été flic. Et que tu l'es toujours. Un agent secret. Appartenant à la Gestapo. Je n'ai jamais vu quelqu'un qui ressemble moins à un employé d'hôtel, mon ami. Je parie que c'est juste une couverture pour espionner les gens. Et, plus important, pour nous espionner, nous.

— C'est la vérité, je vous le répète. Écoutez, je sais que vous n'avez pas tué Deutsch. C'était un accident. Comme l'a clairement montré l'autopsie. Vous comprenez, il n'a pas pu se noyer dans le canal vu que ses poumons étaient remplis d'eau de mer. Ce qui a rendu d'emblée les poulets soupçonneux.

— Il y a eu une autopsie ? » C'était le gaillard trapu – la sculpture vivante – qui parlait. « Vous voulez dire qu'ils l'ont ouvert ?

— Bien sûr qu'il y a eu une autopsie, espèce d'andouille. C'est la loi. Où vous croyez-vous ? Au Congo belge ? Quand on retrouve un cadavre, ce cadavre fait l'objet d'une investigation. Chirurgicale et circonstancielle.

— Mais quand ils en auront fini avec lui, ils lui donneront une sépulture décente, n'est-ce pas ? »

Je poussai un grognement de douleur et secouai la tête.

« Les sépultures décentes, c'est pour les citoyens lambda, répondis-je. Pas pour les cadavres non identifiés. Il n'y a pas eu d'identification. Pas officiellement. Personne ne l'a réclamé, d'accord ? Si j'enquête sur lui, c'est uniquement parce que l'Américaine voulait des informations à son sujet. Les poulets n'ont pas le plus petit renseignement. Pour autant que je sache, le corps a été envoyé à l'hôpital de la Charité. Pour le cours d'anatomie. Que les gosses avec les forceps et les bistouris puissent jouer avec.

— Vous voulez dire, les étudiants en médecine ?

— Je ne parle pas des étudiants en économie politique, abruti. Évidemment, les étudiants en médecine. »

Je commençais à me rendre compte qu'il s'agissait d'une question sensible pour lui. Mais, la langue déliée par la douleur que me causait la chaleur du poêle, je n'en continuai pas moins.

« À l'heure qu'il est, ils ont déjà dû le découper en tranches et utiliser sa bite pour faire de la soupe de queue de bœuf. Son crâne sert probablement de cendrier sur une table d'étudiant. Qu'est-ce que ça peut bien vous faire, Hermann ? C'est vous et vos petits copains qui avez balancé ce pauvre type dans le canal comme un seau de détritus de restaurant. »

Le trapu secoua la tête avec gravité.

« Je pensais qu'il aurait au moins de vraies obsèques.

— Je vous le répète, les vraies obsèques, c'est pour les citoyens ordinaires. Pas pour les corps flottants. Il me semble que la seule personne à avoir essayé de traiter Isaac Deutsch avec un tant soit peu de respect, c'est ma cliente. »

Je tentai de m'éloigner du poêle en me tortillant, sans succès. Je commençais à me sentir comme Jean Hus.

« Ta cliente », répéta Eric Goerz, la voix pleine de mépris, tel un grand inquisiteur. Il se remit à me frapper. La laisse sifflait dans l'air comme un fléau. J'avais l'impression d'être un tapis poussiéreux à l'Adlon. « Tu vas. Nous dire. Exactement. Qui tu es, bordel…

— Ça suffit », intervint le trapu. On aurait dit que ses mâchoires avaient été taillées dans un bloc de marbre.

J'ignore ce qui se passa ensuite. J'étais trop occupé à presser mon menton contre ma poitrine et à fermer les yeux, à essayer de naviguer entre les vagues douloureuses des coups. Tout ce que je sais, c'est que, soudain, les coups cessèrent et que Goerz s'écroula sur le plancher devant moi, du sang coulant d'un coin de sa bouche. Je levai la tête juste à temps pour voir Mâchoires de marbre esquiver habilement un direct du chauffeur de Goerz avant de le soulever de terre avec un poing montant du sous-sol comme un ascenseur express. Le chauffeur s'abattit comme un jeu de construction, ce qui me procura autant de plaisir que si je l'avais renversé moi-même.

Mâchoires de marbre avala une goulée d'air puis entreprit de me détacher.

« Navré.

— De quoi ?

— De ce que j'ai dit sur votre neveu Isaac. » J'enlevai les cordes et me reculai du poêle. « J'ai raison, n'est-ce pas ? Vous êtes Joey, l'oncle d'Isaac ? »

Il acquiesça et m'aida à me lever.

« Le dos de votre manteau est légèrement brûlé. Je ne sais pas dans quel état est le vôtre, mais ça sentirait probablement.

— Voilà qui me rassure. Au fait, merci. Pour votre aide. »

Je passai un bras autour de son énorme épaule et me redressai péniblement.

« Ça fait longtemps que ça lui pendait au nez, commenta Joey.

— Tout ce que j'ai dit est vrai, j'en ai bien peur. Mais je suis désolé que vous ayez dû l'apprendre de cette manière. »

Joey secoua la tête.

« Je m'en doutais un peu, répondit-il. Goerz m'a raconté un truc complètement différent, bien entendu, mais, au fond de moi, je savais que c'étaient des bobards. J'avais envie de le croire, pour Isaac. Il fallait que je l'entende de la bouche de quelqu'un d'autre pour que je sache à quoi m'en tenir, je suppose. »

Eric Goerz roula mollement sur le ventre en gémissant.

« Vous avez un sacré uppercut, Joey, fis-je remarquer.

— Venez. Je vais vous ramener chez vous. Vous arrivez à tenir debout ?

— Oui. »

Joey se pencha sur le chauffeur inconscient et retira des clés de voiture de la poche de son gilet.

« On va prendre la voiture d'Eric. Au cas où ces deux salopards se lanceraient à notre poursuite. »

Goerz gémit à nouveau puis se contracta et se replia lentement en position fœtale. Pendant une fraction de seconde, je me dis qu'il avait peut-être des sortes de convulsions, jusqu'à ce que je repense à ce que Blask, le contremaître de chantier, m'avait raconté à propos de l'arme attachée à la cheville de Goerz. Sauf qu'elle n'était plus attachée à sa cheville. Elle était dans sa main.

« Attention ! » hurlai-je avant de shooter dans la tête de Goerz.

J'avais visé sa main, mais, en levant le pied, je perdis l'équilibre et m'étalai à nouveau.

Le pistolet fit feu sans atteindre son but, brisant un carreau.

Je rampai pour jeter un coup d'œil à Goerz. Je ne tenais guère à avoir un autre mort sur la conscience. Il était inerte, mais, heureusement pour moi, et surtout pour lui, il respirait encore. Je ramassai ma carte d'identité par terre, où il l'avait jetée rageusement quelques minutes plus tôt, et pris le pistolet. Un Bayard, semi-automatique, 6,35 millimètres.

« Cigarettes françaises, pistolet français. Logique, je suppose. » Je verrouillai l'arme et la pointai vers la porte. « Il y en a d'autres à l'extérieur, d'après vous ? demandai-je à Joey.

– Dans mon genre ? Non, il n'y avait que ces deux-là, les trois chauffeurs de camion, et, j'ai le regret de le dire, moi. Après qu'Isaac a été tué, ils m'ont mis sur la liste de paie, comme gros bras supplémentaire, prétendaient-ils, mais j'imagine que c'était surtout pour que je la boucle. »

Tandis que Joey m'aidait à marcher jusqu'à la porte, je l'examinai pour constater qu'il n'avait pas l'air plus juif que moi. Les cheveux de chaque côté d'une tête de la grosseur d'une pastèque étaient gris, mais, au sommet, aussi blonds et bouclés qu'un manteau d'astrakan. Une trogne énorme, à la fois rougeaude et terreuse comme du vieux bacon. De petits yeux marron nichés de part et d'autre d'un nez cassé fin et pointu. Des sourcils presque invisibles, de même que les dents dans la bouche grande ouverte. Il me faisait penser à un bébé dans un corps d'adulte.

Alors que nous descendions, je m'aperçus que nous étions à l'Albert l'Ours. Il n'y avait aucun signe du propriétaire, et je ne posai pas la question. Dehors, l'air frais du matin m'aida à me requinquer un peu. Je grimpai sur le siège passager de la Hanomag, et, grillant

pratiquement l'embrayage, Deutsch démarra en trombe. Il conduisait de manière épouvantable, et c'est tout juste s'il ne rentra pas
dans l'abreuvoir qui se trouvait au coin.

Il s'avéra qu'il n'habitait pas très loin de chez moi, dans le sud-est
de la ville. Nous abandonnâmes ce qui restait de la Hanomag sur
le parking du cimetière de la Baruther Strasse. Joey insistait pour
m'emmener à l'hôpital, mais je lui dis que ça devrait aller.

« Et vous ? demandai-je.

— Moi ? Ça va très bien. Ne vous en faites pas pour moi, fiston.

— Je vous ai coûté un boulot. »

Joey secoua la tête.

« J'aurais jamais dû le prendre. »

Je nous allumai une cigarette.

« Vous avez envie d'en parler ?

— Comment ça ?

— Mon amie américaine. La journaliste. Noreen Charalambides.
Celle qui écrit sur Isaac. Elle aimerait vous rencontrer. Pour obtenir
votre histoire et celle d'Isaac. »

Joey poussa un grognement peu enthousiaste.

« Comme il n'a pas vraiment de tombe, ça pourrait être une sorte
de mémorial. En souvenir de lui. »

Il se mit à réfléchir tout en tirant des bouffées de sa cigarette.
Dans son poing comme un maillet, elle avait davantage l'air d'une
allumette.

« Pas une mauvaise idée, en fait, finit-il par dire. Amenez-la ce
soir. Elle pourra avoir toute l'histoire. Si elle n'a pas peur de s'enca-
nailler. »

Il me donna une adresse dans Britz, près de l'usine de conserves de
viande. Je la griffonnai à l'intérieur de mon paquet de cigarettes.

« Eric Goerz connaît cette adresse ?

— Non, personne. J'y vis seul à présent. Si on peut appeler ça
une vie. Depuis la mort d'Isaac, je me suis un peu laissé aller, vous
comprenez ? Maintenant qu'il a disparu, prendre soin de cette piaule
ne semble plus avoir beaucoup d'intérêt. Ni le reste non plus, à vrai
dire.

— Je sais ce que c'est.

– Voilà pas mal de temps que j'ai pas eu de visiteurs. Je pourrais peut-être mettre un peu d'ordre. Faire du rangement avant…

– Ne vous dérangez pas.

– Ça ne me dérange pas, répondit-il tranquillement. Pas du tout. » Il hocha la tête avec détermination. « J'aurais dû m'en occuper depuis un moment. »

Il s'en alla. Je trouvai une cabine téléphonique et appelai l'Adlon.

Je racontai à Noreen ce qui s'était passé, du moins en partie. Je gardai pour moi le fait que j'avais craché presque tout le morceau à Eric Goerz. Seule consolation : je n'avais pas mentionné le nom de l'hôtel où elle logeait.

Elle me répondit qu'elle venait tout de suite.

22

J'ouvris la porte en grand, mais moins grand que les yeux de Noreen. Elle se tenait là, vêtue d'une robe rouge sous son manteau de zibeline et me regardant avec un mélange d'horreur et de perplexité, un peu comme avait dû le faire Lotte en découvrant que le jeune Werther avait fini par se faire sauter la cervelle. Pour autant qu'il en eût.

« Mon Dieu, murmura-t-elle en effleurant mon visage. Qu'est-ce qui t'est arrivé?

— Je viens de lire un morceau d'Ossian. La poésie de bas-étage me fait toujours ça. »

Elle me poussa doucement sur le côté et referma la porte derrière elle.

« Tu devrais me voir quand je suis vraiment touché par un bon auteur. Comme Schiller. Je reste cloué au lit des jours durant. »

Elle se débarrassa de son manteau qu'elle jeta sur une chaise.

« Tu ne devrais peut-être pas faire ça, dis-je en essayant de ne pas me sentir mal à l'aise à cause du décor, ce qui n'était pas facile. Voilà un bon moment que cette chaise n'a pas été épouillée comme il faut.

— Tu as de l'iode?

— Non, mais j'ai une bouteille de kummel. En fait, je crois que je vais en prendre. »

J'allai au buffet remplir deux verres. Je ne lui demandai pas si elle en voulait un. Je l'avais déjà vue boire.

Pendant qu'elle attendait, elle se mit à regarder autour d'elle. La salle de séjour avait un buffet, un fauteuil et une table pliante. Contre les murs se dressait une grande bibliothèque encastrée, bourrée de livres, dont plusieurs que j'avais lus. Il y avait un poêle, une petite cheminée, ainsi qu'un lit, la salle de séjour faisant également fonction de chambre à coucher. Par une porte ouverte, on apercevait un espace poubelles servant également de cuisine. Et, de l'autre côté de la fenêtre en verre dépoli, des barreaux et un escalier de secours afin que les souris puissent se sentir en sécurité À côté de la porte d'entrée s'ouvrait la porte de la salle de bains, sauf que la baignoire était accrochée à l'envers au plafond, juste au-dessus des W.-C., là où un homme en position assise pouvait méditer sur les inconvénients de prendre un bain devant le feu. Le sol était entièrement recouvert de linoléum, avec ici et là quelques tapis de la taille d'un timbre-poste. Certains auraient peut-être trouvé que ça faisait un peu dépotoir, mais, pour moi, c'était un vrai palais ou, pour être plus précis, la dernière pièce d'un palais, celle où les domestiques fourrent leur fatras.

« J'attends que mon décorateur d'intérieur revienne avec un portrait du Führer, dis-je. Après quoi, ça devrait avoir l'air gentil et douillet. »

Elle prit le verre que je lui tendais et examina mon visage avec attention.

« Cette zébrure, tu devrais mettre quelque chose dessus. »

Je l'attirai plus près.

« Que dirais-tu de ta bouche ?

— Est-ce que tu as de la Vaseline ?

— C'est quoi ?

— De la gelée de pétrole de premiers secours.

— Écoute, je survivrai. J'ai participé à la bataille d'Amiens et je suis toujours là. Et, crois-moi, il faut le faire. »

Avec un haussement d'épaules, elle se libéra.

« Vas-y. Joue les durs. Mais j'avais cette drôle d'idée que je tenais à toi, ce qui veut dire que je n'aime pas beaucoup qu'on te donne des

coups de fouet. Si quelqu'un doit le faire, c'est moi, et je m'arrange-
rai pour ne pas laisser de marques.

– Merci, j'en tiendrai compte. D'ailleurs, ce n'était pas un fouet.
C'était une laisse de chien.

– Tu n'as pas parlé de chien.

– Il n'y avait pas de chien. Goerz préférerait sans doute un fouet,
si ce n'est que les gens dans le tram ont tendance à te regarder bizarrement quand tu te balades avec ce genre d'ustensile à la main. Même
à Berlin.

– Tu crois qu'il frappe ses ouvriers juifs avec?

– Je n'en serais pas du tout surpris. »

J'ingurgitai le kummel, le gardant un moment sur mes amygdales
avant de l'avaler et de savourer la chaleur qui m'envahissait peu à
peu. Pendant ce temps-là, Noreen avait trouvé une pommade à la
camomille, qu'elle étala sur mes blessures les plus flagrantes. Ce qui
lui permit, je pense, de se sentir mieux. Pour ma part, je me reservis
un kummel. Ce qui m'aida, moi aussi, à me sentir mieux.

Nous prîmes un taxi à une station pour nous rendre à l'adresse dans
Britz. Au sud d'une autre cité moderne appelée le Fer à cheval et près
de l'usine de conserves de viande Grossmann Coburg se trouvait un
porche délabré donnant sur une succession de cours et d'immeubles
du genre à persuader un architecte qu'il était le messie venu sauver
les gens de leurs conditions sordides et de leur pauvreté. Personnellement, je n'avais rien contre un peu de sordide. Pour être franc, longtemps encore après la guerre, c'est à peine si je m'en apercevais.

Franchissant un nouveau porche, nous tombâmes sur une réclame
défraîchie pour des lampes thérapeutiques à infrarouge peinte sur
un mur de briques. Ce qui semblait quelque peu optimiste, c'est le
moins qu'on puisse dire. Nous montâmes un escalier obscur menant
à l'intérieur du bâtiment semblable à un tombeau. Quelque part,
un orgue de Barbarie débitait un air mélancolique en harmonie avec
notre moral en berne. À lui seul, un immeuble d'habitation allemand
suffirait à ternir l'éclat du second avènement.

Au milieu des escaliers, nous croisâmes une femme en train de
descendre. Elle avait une roue de bicyclette à la main et un pain

sous le bras. À quelques pas derrière elle se trouvait un garçon de dix ou onze ans revêtu de l'uniforme des Jeunesses hitlériennes. La femme sourit et inclina légèrement la tête en direction de Noreen ou, plus probablement, du manteau de zibeline qu'elle portait. Ce qui incita Noreen à demander si c'était bien l'escalier où habitait Herr Deutsch. La femme avec la roue de bicyclette lui répondit respectueusement par l'affirmative, et nous continuâmes notre ascension, en prenant soin de contourner une autre femme, agenouillée, qui frottait les marches avec une grosse brosse et quelque chose de nauséabond dans un seau. Elle nous avait entendus nous enquérir de Joey Deutsch. Au moment où nous passions, elle lança :

« Dites à ce Juif que c'est son tour de laver l'escalier.

— Dites-le-lui vous-même, répliqua Noreen.

— Je suis allée le voir, grommela la femme. À l'instant. Mais il n'a pas répondu. N'est même pas venu à la porte. C'est pourquoi je le fais.

— Il n'est peut-être pas là, suggéra Noreen.

— Oh, pour être là, il y est. Sûr et certain. Je l'ai vu monter chez lui tout à l'heure et je ne l'ai pas vu redescendre. Sans compter que sa porte est ouverte. » Elle se remit à brosser les marches pendant quelques secondes. « Je suppose qu'il m'évite.

— Est-ce qu'il a l'habitude de laisser sa porte d'entrée ouverte ? demandai-je, soudain méfiant.

— Quoi ? Dans ce quartier ? Vous voulez rire. À mon avis, il attend sûrement quelqu'un. Vous, peut-être, si vous vous appelez Gunther. Il y a un mot sur la porte. »

Nous grimpâmes en hâte les deux dernières volées de marches, nous immobilisant devant une porte jadis rouge écarlate, mais désormais dépourvue de peinture, si ce n'est l'étoile jaune et les mots LES JUIFS DEHORS avec lesquels quelqu'un avait eu l'obligeance de la défigurer. Il y avait une enveloppe bleue punaisée sur le chambranle. Elle m'était adressée. Et la porte était ouverte, comme l'avait déclaré la femme nettoyant l'escalier. Je glissai l'enveloppe dans ma poche et, sortant le pistolet d'Eric Goerz, je fis passer Noreen derrière moi.

« Il y a quelque chose qui ne tourne pas rond », dis-je, puis je poussai la porte.

Comme nous entrions dans l'appartement exigu, Noreen leva le bras pour toucher une petite plaque en cuivre sur le montant de la porte.

« Le Mezouzah, expliqua-t-elle. C'est un passage de la Torah. La plupart des foyers juifs en ont un. »

J'actionnai la glissière du petit automatique et m'avançai dans la minuscule entrée. L'appartement se composait de deux pièces assez grandes. À gauche, une salle de séjour, sorte de sanctuaire dédié à la boxe et à un boxeur en particulier : Isaac Deutsch. Dans une vitrine, une quinzaine de socles en bois sans rien dessus ainsi que plusieurs photos de Joey et d'Isaac. Les trophées avaient été mis au clou depuis belle lurette, je présume. Des affiches de combats tapissaient les murs et des piles de revues de boxe traînaient un peu partout. Sur une table, une miche de pain largement rassie et une coupe de fruits contenant deux ou trois bananes noirâtres devenues un festival de moucherons. Une paire de vieux gants de boxe pendait à un clou au dos de la porte, et des poids rouillés étaient posés près d'une barre appuyée contre un mur. Au-dessus, accrochés à un bout de corde, un maillot et un parapluie cassé. Il y avait un fauteuil éventré et, derrière, un miroir en pied à la glace fêlée. Tout le reste était bon à mettre à la poubelle.

« Herr Deutsch ? appelai-je, la poitrine serrée comme si j'avais un nid de coucou entre les poumons. C'est Gunther. Vous êtes là ? »

Regagnant l'entrée, nous pénétrâmes dans la chambre, où les rideaux étaient tirés. Il régnait une forte odeur de savon de Marseille et de désinfectant. Ou du moins, c'est ce que je croyais. Un grand lit en cuivre faisait face à une armoire de la taille d'une petite salle des coffres suisse.

« Joey ? C'est vous ? »

Dans la lueur filtrant à travers les rideaux, je distinguai une forme sur le lit et sentis mes cheveux soulever le fond de mon chapeau. Vous êtes flic pendant dix ans, parfois vous savez ce que vous aller voir avant même que ça se produise. Et s'il y a une chose dont vous êtes sûr, c'est que n'importe qui ne peut pas regarder ça droit dans les yeux.

« Noreen. Je pense que Joey s'est tué. Nous n'en aurons la certitude que lorsque j'aurai ouvert les rideaux et lu ce papier. Peut-être que tu es le genre de journaliste à avoir besoin de tout voir. Qui se pique de rendre compte de tout, de façon indéfectible. Je ne sais pas. Mais, à mon avis, tu as intérêt à te préparer ou à quitter la pièce. J'ai vu suffisamment de cadavres de mon temps pour savoir que ce n'est jamais…

– J'ai déjà vu un cadavre, Bernie. Je t'ai parlé de ce lynchage en Géorgie. Et mon père s'est suicidé avec un fusil de chasse. Ce sont des choses qui ne s'oublient pas facilement, tu peux me croire. »

Tout en me disant que c'était curieux avec quelle rapidité mon désir de la ménager pouvait se changer en sadisme, j'écartai les rideaux d'un coup sec sans discuter davantage. Si elle avait envie de jouer les Tourgueniev, ça ne me dérangeait pas.

Joey Deutsch était allongé en travers du lit, portant les mêmes vêtements que je lui avais vus un peu plus tôt. Le corps à moitié cambré sur le matelas, à croire qu'une partie des ressorts avaient crevé le tissu sous ses reins. Il était rasé de près comme auparavant, sauf que, maintenant, on aurait dit qu'il portait une moustache brune et une petite barbe. Des brûlures corrosives, et le résultat de ce qu'il avait avalé pour s'empoisonner. Une bouteille gisait sur le sol, là où il l'avait laissée tomber, près d'une mare de vomi sanguinolent. Je ramassai la bouteille avec précaution et flairai le goulot.

« De la lessive », dis-je, mais elle s'était déjà détournée et sortait de la pièce. Je la suivis dans l'entrée. « Il a bu de la lessive. Bon Dieu. Quelle façon de se tuer. »

Noreen avait pressé son visage contre un coin de mur tel un enfant désobéissant. Ses bras étaient croisés sur sa poitrine en une attitude défensive et elle fermait les yeux. J'allumai deux cigarettes, lui touchai le coude et lui en donnai une. Sans un mot. Tout ce que j'aurais dit aurait ressemblé à un « Je t'avais prévenue ».

La cigarette au bec, je regagnai la salle de séjour. Sur une pile de revues de boxe se trouvait un petit nécessaire de correspondance en cuir. À l'intérieur, des enveloppes et du papier à lettres, identique à celui du mot qui m'était adressé. De même que l'encre du Pelikan qu'il avait remis dans le petit étui cylindrique. Il n'y avait rien qui puisse me faire soupçonner qu'on l'ait forcé à écrire le mot. L'écriture était soignée et paisible. J'avais déjà eu des lettres d'amour beaucoup moins lisibles, encore que pas depuis longtemps. Je le lus avec soin, comme si Joey Deutsch avait représenté quelque chose pour moi. C'était le moins que je puisse faire pour un mort, me semblait-il. Puis je le relus.

« Qu'est-ce qu'il y a de marqué ? »

Noreen se tenait sur le seuil. Elle avait un mouchoir à la main et des larmes dans les yeux.

Je lui tendis le mot.

« Tiens. »

Je la regardai lire en me demandant à quoi elle songeait. Si elle éprouvait vraiment quelque chose pour le pauvre type qui venait de se tuer, ou si elle était simplement soulagée d'avoir trouvé une fin à son histoire et une bonne excuse pour rentrer chez elle. Ça paraissait cynique, et peut-être que ça l'était, mais, en vérité, je n'arrivais à penser à rien d'autre à cet instant précis qu'à son départ de Berlin, parce que, pour la première fois, je me rendais compte que j'étais amoureux d'elle. Et quand on est amoureux de quelqu'un dont on suppose qu'il est sur le point de vous quitter, on a tendance à se montrer cynique, afin de se protéger de la souffrance qu'on sait inévitable.

Elle me rendit le mot.

« Pourquoi ne le gardes-tu pas ? Même s'il ne t'a jamais rencontrée. À mon avis, il voulait réellement que tu l'aies. Pour ton article. J'avais réussi à le convaincre que ça pourrait être une sorte de mémorial à Isaac.

— Et ce le sera, je pense. Pourquoi pas ? » Elle prit la lettre. « Mais la police. Est-ce qu'elle n'en aura pas besoin ? C'est une preuve, non ?

— Qu'est-ce qu'elle en a à faire ? » Je haussai les épaules. « Tu as peut-être oublié son empressement à découvrir ce qui est arrivé à Isaac. N'empêche, on ferait mieux de filer d'ici avant d'avoir à répondre à des questions auxquelles nous n'aurions peut-être pas très envie de répondre. Par exemple, comment il se fait que je porte un pistolet sans avoir de permis, et pourquoi j'ai une marque de laisse de chien sur la figure.

— Les voisins, dit-elle. Cette femme dans les escaliers. Et si elle parle de nous à la police ? Le mot. Elle connaît ton nom.

– Je m'occuperai d'elle en sortant. Dix marks achètent pas mal de silence dans ce coin de Berlin. De plus, tu as vu la porte. Ces voisins ne donnent pas l'impression d'être très amicaux. Ils seront sûrement ravis de savoir Joey mort et hors de cet immeuble. Et qu'est-ce que tu crois que les poulets feraient avec un mot de ce genre? Le publier dans le journal? J'en doute. Il est plus vraisemblable qu'ils le détruiront. Non, il vaut mieux que tu le gardes, Noreen. Pour Joey. Et aussi Isaac.

– Je suppose que tu as raison, Gunther. Mais j'aurais préféré le contraire.

– Je comprends ça. » Je parcourus du regard l'appartement miteux et poussai un soupir. « Qui sait? Il vaut peut-être mieux qu'il ne soit plus là.

– Tu ne peux pas penser ça.

– J'imagine mal comment les choses pourraient s'améliorer pour les Juifs dans ce pays. Il y a un tas de nouvelles lois en préparation qui risquent de rendre la vie encore plus difficile à tous ceux qui ne sont pas des Allemands comme il faut, de leur point de vue. En tout cas, c'est ce qu'on raconte.

– Avant les Jeux olympiques?

– Je ne te l'ai pas dit?

– Tu sais bien que non. »

Je haussai les épaules.

« Je ne voulais sans doute pas ébranler ton bel optimisme, mon ange. Ta conviction qu'on pouvait faire quelque chose. J'espérais peut-être que ton idéalisme de gauche déteindrait sur moi avec ta culotte et tes bas.

– Et alors?

– Pas ce matin. »

23

En début de soirée, je ramenai Noreen à l'hôtel. Elle monta à sa chambre pour prendre un bain et se coucher de bonne heure. La découverte du corps de Joey Deutsch l'avait épuisée physiquement et moralement. J'avais une bonne idée de ce qu'elle ressentait.

J'allais à mon bureau lorsque Franz Joseph m'appela et, après s'être enquis poliment des marques que j'avais sur la figure, m'avisa qu'il avait un paquet pour moi, de la part d'Otto Trettin de l'Alex. Je savais que c'était le coffret appartenant à Max Reles. Néanmoins, une fois à mon bureau, je l'ouvris pour voir ce qui avait provoqué une telle agitation.

On aurait dit une boîte de trombones destinée à un empereur chinois. Assez attrayante, je suppose, si l'on aime ce genre d'objet. Pour ma part, je préfère les trucs en argent fin, avec le briquet de table assorti. Sur un couvercle de laque noire, bordé de filets d'or, était peinte une scène pastorale aux couleurs vives, représentant un lac, des montagnes, un joli saule pleureur, un cerisier, un pêcheur, deux archers à cheval, un coolie portant un gros sac de linge d'hôtel et un groupe du type Fu Manchu, dans le restaurant de nouilles local, qui semblait discuter du péril jaune et des subtilités de l'esclavage blanc. J'imagine qu'on ne se lassait pas de la contempler quand on vivait en Chine au dix-septième siècle, à moins d'avoir de la peinture à regarder sécher. Ça ressemblait à un souvenir bon marché provenant d'une journée dans un parc d'attractions.

Je l'ouvris. À l'intérieur, il y avait un certain nombre d'appels d'offres de sociétés installées dans des villes aussi éloignées que Würzburg et Bremerhaven. J'y jetai un coup d'œil sans grande conviction. Puis je les fourrai dans ma poche, histoire de mettre Reles en rogne par leur disparition apparente au cas où ils auraient de l'importance pour lui, et montai à sa suite.

Je frappai à la porte. Ce fut Dora Bauer qui répondit. Elle portait une robe plissée en vichy marron clair avec un col de pèlerine et un gros nœud sur l'épaule. Ses cheveux faisaient une vague comme un tsunami qui balayait son front avant de s'abattre sur un sourcil aussi fin qu'une patte d'araignée. Une bouche en cœur s'écartait en un sourire aussi large qu'une natte de bienvenue. Le sourire se fit douloureux lorsqu'elle remarqua l'égratignure sur mon visage.

« Oooh, que vous est-il arrivé ? »

À part ça, elle semblait contente de me voir, contrairement à Reles, qui s'approcha d'un pas tranquille, affichant son expression de mépris coutumière. Je tenais le coffret chinois derrière mon dos et j'avais hâte de le remettre après la litanie d'insultes habituelle. Je caressais le vain espoir d'arriver à l'embarrasser ou à lui faire ravaler ses paroles.

« Mais c'est le Continental Op, dit-il.

— Je n'ai pas beaucoup de temps pour les histoires de détectives.

— Je suppose que vous êtes trop occupé à lire le livre du Führer.

— Je n'ai pas beaucoup de temps pour ses histoires à lui non plus.

— Vous feriez bien de réfléchir à deux fois avant de dire de telles impertinences. Vous risqueriez d'y laisser des plumes. » Il scruta mon visage avec un froncement de sourcils. « Si ce n'est pas déjà fait. Ou avez-vous cherché querelle à un autre client de l'hôtel ? Ce serait davantage votre niveau, à mon avis. Je ne sais pas pourquoi, mais je ne vous vois pas jouer les héros.

— Max, s'il vous plaît, fit Dora d'un ton désapprobateur, mais sans plus.

— Vous seriez étonné de savoir tout ce que je suis appelé à faire dans l'exercice de mes fonctions. Broyer les testicules d'un type qui ne paie pas sa note. Tirer les oreilles à un pilier de bistrot. Claquer le beignet d'un rouleur de jarretelles. Bon sang, je suis même connu pour récupérer les objets volés. »

Ramenant ma main, je lui tendis le coffret tel un bouquet de fleurs. Mon poing dans la figure aurait été plus conforme à ce que j'avais envie de lui balancer.

« Ça alors ! Vous l'avez retrouvée. Vous avez vraiment été flic, hein ? » Il prit la boîte et, s'écartant de la porte, me fit un signe de la main. « Entrez donc, Gunther. Dora, apportez un verre à Herr Gunther, voulez-vous ? Qu'est-ce que vous prendrez, détective ? Schnaps ? Scotch ? Vodka ? »

Il indiqua une rangée de bouteilles sur le buffet.

« Merci. Du schnaps serait très bien. »

Je refermai la porte derrière moi, l'observant avec attention dans l'attente du moment où il ouvrirait le coffret. Et quand il le fit, j'eus la satisfaction d'apercevoir une petite grimace de déception.

« Quel dommage ! s'exclama-t-il.

— Qu'y a-t-il, monsieur ?

— C'est juste qu'il y avait un peu d'argent et de correspondance dans cette boîte et qu'ils n'y sont plus.

— Vous n'aviez pas dit ce qu'elle contenait, monsieur. » Je secouai la tête. « Désirez-vous que j'avertisse la police, monsieur ? »

Ça faisait deux « monsieur » d'affilée : après tout, j'avais peut-être encore un avenir dans l'industrie hôtelière.

Il sourit avec irritation.

« Ça n'a pas vraiment d'importance, je suppose.

— De la glace ? » Un pic à la main, Dora attendait devant un seau contenant un bloc de glace, non sans évoquer fortement Lady Macbeth.

« De la glace ? Dans du schnaps ? » Je secouai la tête. « Non, je ne pense pas. »

Dora frappa le bloc de glace à deux ou trois reprises puis versa quelques éclats dans un grand verre qu'elle donna à Reles.

« Habitude américaine, expliqua-il. Nous mettons de la glace dans tout. Mais, en ce qui me concerne, j'aime plutôt bien dans le schnaps. Un de ces jours, vous devriez essayer. »

Dora me tendit du schnaps dans un verre plus petit. Je m'étais mis à l'observer, en quête d'un signe qu'elle avait renoué avec ses bonnes vieilles habitudes de putain, mais il semblait ne rien y avoir entre eux, pour autant que je puisse en juger. Elle avait même un léger recul quand il s'approchait de trop près. La machine à écrire semblait plus active que jamais. La corbeille à papiers était remplie à ras bords.

Sans un mot, je portai un toast à Reles.

« À la vôtre », fit-il, puis il avala une grande rasade de schnaps glacé.

Je sirotai le mien telle une douairière, et nous restâmes face à face dans un silence pesant. J'attendis un moment avant de vider le reste.

« Eh bien, si c'est tout, détective, dit-il. Nous avons du pain sur la planche, n'est-ce pas, Fräulein Bauer? »

Je rendis le verre à Dora et me dirigeai vers la porte. Reles y arriva avant moi, pour l'ouvrir et me souhaiter bon vent.

« Et merci encore, dit-il, pour avoir récupéré mon bien. Ça vaut ce que ça vaut, mais vous m'avez réconcilié avec le peuple allemand.

— Je ne manquerai pas de lui en faire part, monsieur. »

Il se fendit d'un petit rire, chercha une repartie, parut changer d'avis, et attendit patiemment que j'aie quitté sa suite.

« Merci pour le verre, monsieur. »

Avec un hochement de tête, il ferma la porte derrière moi.

Je me dépêchai de traverser l'étage et de redescendre. Au bout du hall d'entrée, j'entrai dans la salle du standard, où, sous une grande fenêtre, quatre filles étaient assises sur des chaises hautes devant ce qui ressemblait à un piano droit de taille double. Derrière elles, un bureau depuis lequel Hermine, la responsable du standard, avait l'œil sur les opératrices de l'hôtel tandis qu'elles s'acquittaient de leur tâche volubile consistant à transférer les communications téléphoniques. C'était une créature collet monté, avec des cheveux roux coupés court et un teint aussi pâle que du lait. En me voyant, elle se leva puis fronça les sourcils.

« Cette marque sur votre visage, dit-elle. On dirait à s'y méprendre un coup de fouet. »

Plusieurs filles jetèrent un coup d'œil et se mirent à rire.

« Je suis allé faire du cheval avec Hedda Adlon, répondis-je. Écoutez, Hermine, le type de la 114. Herr Reles. Je veux une liste de tous ses appels de la soirée.

— Herr Behlert est-il au courant ? »

Je secouai la tête. Je me rapprochai du standard, suivi de près par Hermine.

« Il n'aimerait pas que vous espionniez les clients, Herr Gunther. Je pense qu'il vous faudrait son autorisation écrite.

— Ce n'est pas de l'espionnage, c'est de la surveillance. Je suis payé pour surveiller, vous vous rappelez ? Pour veiller à ce que vous, les clients et moi soyons en sécurité, même si ce n'est pas forcément dans cet ordre.

— Peut-être. Mais s'il s'apercevait que vous épiez les appels de Herr Reles, c'est nous qui en pâtirions.

— Je vous le passe immédiatement, Herr Reles, dit Ingrid, l'une des plus jolies opératrices de l'Adlon.

— Herr Reles ? Il est au téléphone en ce moment ? Avec qui ? »

Ingrid échangea un regard avec Hermine.

« Allons, mesdames, c'est important. S'il s'agit d'un escroc — comme je le crois —, il est nécessaire que nous le sachions. »

Hermine hocha la tête en signe d'approbation.

« Potsdam 3058, dit Ingrid.

— Qui est-ce ? »

J'attendis. Hermine hocha à nouveau la tête.

« C'est le numéro du comte von Helldorf, répondit Ingrid. Au Präsidium de la police de Potsdam. »

N'importe où ailleurs qu'à l'Adlon, je les aurais probablement persuadées de me laisser écouter la conversation, mais, en l'absence de spot et de coup-de-poing américain, je ne pouvais guère espérer obtenir plus des opératrices : les règles de déontologie s'étaient peut-être détériorées dans les autres institutions de Berlin telles que la police, les tribunaux ou les églises, mais pas dans son meilleur hôtel.

Je retournai donc à mon bureau fumer quelques cigarettes, boire un ou deux verres et examiner à nouveau les papiers que j'avais pris dans le coffret chinois. J'avais comme dans l'idée qu'ils avaient plus de valeur pour Reles que le coffret lui-même. Mais mon esprit était ailleurs. Un coup de fil donné par Max Reles à Von Helldorf si peu de temps après mon entrevue avec l'Américain avait de quoi laisser songeur. Se pouvait-il que leur conversation ait porté sur moi ? Et dans ce cas, pourquoi ? Il y avait de bonnes raisons pour lesquelles Von Helldorf pouvait être utile à un homme comme lui et vice versa.

Ancien chef des SA de Berlin, le comte Wolf-Heinrich Graf von Helldorf n'était président de la police berlinoise que depuis trois mois lorsqu'un scandale notoire avait interrompu son ascension vers les plus hautes responsabilités. Il avait toujours été un joueur invétéré et, selon la rumeur, un pédéraste ayant un penchant pour la flagellation des petits garçons. C'était en outre un ami intime d'Erik Hanussen, le célèbre mage qui, supposait-on, avait payé les très substantielles dettes de jeu du comte en échange d'une recommandation auprès du Führer.

La suite des événements demeurait pour l'essentiel un mystère et l'objet de spéculations. Apparemment, le Führer avait été très impressionné par celui que les communistes de Berlin avaient surnommé « l'engourdisseur du peuple ». En raison de la protection officielle de Hitler, l'influence de Hanussen sur les dirigeants du Parti, y compris Von Helldorf, n'avait cessé de grandir. Toutefois, les choses n'étaient pas tout à fait ce qu'on pouvait croire. L'autorité dont jouissait Hanussen au sein du parti, comme on l'apprendrait par la suite, n'était pas le fruit de conseils éclairés, ni même d'un pouvoir magnétique, mais du chantage. Au cours de soirées fastueuses qu'il organisait sur son yacht, le *Ursel IV*, Hanussen avait « hypnotisé » plusieurs dignitaires nazis et les avait ensuite filmés prenant part à des orgies sexuelles. Comme si ça ne suffisait pas, certaines de ces orgies avaient un caractère homosexuel.

Le célèbre voyant berlinois aurait peut-être pu survivre à tout ça. Mais lorsque *Der Angriff*, le journal de Goebbels, révéla que Hanussen était juif, la merde finit par éclabousser le tapis roulant, qui se dirigeait en grande partie vers Hitler. Brusquement, Hanussen devint extrêmement gênant, et Von Helldorf, tenu pour largement responsable, fut prié de faire le ménage. Quelques jours après que Goering l'eut congédié de son poste de président de la police de

Berlin, lui et une brochette de ses copains SA les plus sanguinaires tirèrent Hanussen de son luxueux appartement de l'ouest de Berlin, l'emmenèrent à son yacht et le torturèrent jusqu'à ce qu'il leur livre tous les documents compromettants qu'il avait amassés des mois durant : reconnaissances de dettes, lettres, photographies et films. Puis ils l'abattirent et jetèrent le corps dans un champ à Mühlenbeck. En tout cas, quelque part au nord de Berlin.

Le bruit continuait à courir que Von Helldorf avait utilisé une partie des documents remis par Hanusen pour obtenir son nouveau poste de président de la police de Potsdam – une ville insignifiante située à environ une heure de distance au sud-ouest de Berlin, où, disait-on, la bière avait un goût de lavasse. Von Helldorf passait à présent le plus clair de son temps à faire de l'élevage de chevaux et à orchestrer les persécutions continuelles visant les sociaux-démocrates et les communistes allemands ayant le plus offensé les nazis durant les derniers jours de la république. Et l'on estimait généralement que Von Helldorf était largement motivé à cet égard par l'espoir de regagner les faveurs de Hitler. Je savais, bien sûr, qu'il siégeait également au Comité allemand d'organisation des Jeux olympiques, ce qui était révélateur du succès de ses tentatives de retour en grâce, même si je ne savais pas au juste ce qu'il fabriquait dans le comité. Peut-être était-ce un renvoi d'ascenseur de son vieux pote SA Von Tsammer und Osten. Ou peut-être que, depuis le départ de Goering du ministère de l'Intérieur, sa cote avait légèrement remonté de ce côté-là. Dans tous les cas, Von Helldorf n'était pas un homme à prendre à la légère.

Ma crise de nerfs ne dura toutefois qu'un court instant. Le temps que l'alcool fasse son effet. Après quelques verres, je me persuadai que, dans la mesure où les lettres et les devis que j'avais pris dans la boîte chinoise ne sauraient prouver quoi que ce soit dans une cour de justice, je n'avais pas besoin de me tracasser avec ça. Il n'y avait rien dans ce que j'avais vu qui aurait pu causer du tort à un type comme Max Reles. En outre, celui-ci ne pouvait pas savoir que c'était moi qui avais dérobé ces papiers et non Ilse Szrajbman.

Aussi, après avoir remis les lettres et le pistolet dans le tiroir de mon bureau, je décidai de rentrer chez moi, dans l'intention, comme

Noreen, de me coucher de bonne heure. J'étais fatigué et j'avais mal dans toutes les parties possibles et imaginables de mon corps.

Laissant la voiture de Behlert là où je l'avais garée un peu plus tôt, je descendis à pied la Hermann-Goering-Strasse afin d'attraper un tram sur la Potsdamer Platz. Il faisait nuit, avec un peu de vent, et les étendards nazis accrochés à la porte de Brandebourg claquaient tels des signaux de danger, comme si notre passé impérial essayait de nous mettre en garde contre notre présent national-socialiste. Jusqu'à un chien errant clopinant devant moi sur le trottoir qui s'arrêta et se retourna avec un air malheureux, comme pour me demander si j'avais une solution aux problèmes de notre pays. Ou peut-être avait-il seulement tenté d'éviter la porte ouverte de la W noire qui s'était rangée quelques mètres plus loin. Un homme en manteau de cuir marron sortit de la voiture et marcha rapidement vers moi.

Instinctivement, je pivotai pour prendre la direction opposée, avant de découvrir que ma retraite était bloquée par un autre homme portant un épais pardessus croisé et un chapeau aux bords rabattus, encore que ce fut surtout le joli petit nœud papillon qui retint mon attention. Du moins, jusqu'à ce que j'aperçoive le jeton de bière dans sa main.

« Suivez-nous, s'il vous plaît. »

Le type en manteau de cuir se trouvait maintenant juste derrière moi, de sorte que, pris en sandwich, il m'aurait été assez difficile de résister. Tels des étalagistes aguerris déplaçant un mannequin de couturière, ils me poussèrent dans la voiture en me forçant à me plier avant de sauter sur le siège arrière de chaque côté de moi. Nous roulions déjà avant qu'ils n'aient eu le temps de claquer les portières.

« C'est au sujet de ce flic, dis-je. August Krichbaum, c'est ça ? Je pensais que ces conneries étaient réglées. Enfin, vous avez vérifié mon alibi. Je n'ai rien à voir là-dedans. Vous le savez. »

Au bout d'un moment, je compris que nous nous dirigions vers l'ouest, le long de la Charlottenburger Strasse, dans la direction complètement inverse de l'Alexanderplatz. Je demandai où nous allions, mais aucun d'eux ne dit mot. Le chapeau du chauffeur était en cuir. Ses oreilles aussi probablement. Mais lorsque nous atteignîmes la célèbre Tour de la radio et que nous tournâmes pour

prendre l'Avus – l'autoroute de Berlin –, j'avais deviné notre destination. Le chauffeur acheta un ticket, et nous nous élançâmes vers
la gare de Wannsee. Quelques années auparavant, Fritz von Opel
avait établi un record de vitesse sur l'Avus en conduisant une voiture
propulsée par une fusée à près de 240 kilomètres heure. Certes, nous
ne roulions pas aussi vite, mais je n'avais pas non plus l'impression
que nous allions nous arrêter pour boire du café et manger des petits
gâteaux. Au bout de l'Avus, nous traversâmes des bois puis le pont
de Glienicke et, bien qu'il fît nuit noire, je compris que nous étions
passés devant deux châteaux. Peu après, nous entrions dans Potsdam
par la Neue Königstrasse.

Entourée par la Havel et ses lacs, Potsdam n'était rien d'autre
qu'une île. Et je n'aurais pas pu me sentir plus seul si j'avais été abandonné sur quelque atoll désert avec juste un palmier et un perroquet.
Depuis plus de cent ans, la ville était le quartier général de l'armée
prussienne, mais elle aurait aussi bien pu être celui des guides et éclai-
reuses pour toute l'aide que l'armée allait m'apporter. J'étais sur le
point de devenir le prisonnier du comte von Helldorf, et personne
n'y pouvait rien. L'un des principaux édifices de Potsdam est le palais
de Sanssouci. État d'esprit dont j'étais fort éloigné.

Alors que nous passions devant un autre château et une place
d'armes, j'entrevis une plaque de rue. Nous nous trouvions dans la
Priester Strasse, et je commençais à me dire qu'il allait m'en falloir
un[1] lorsque nous nous engouffrâmes dans la cour du Präsidium de
la police locale.

Une fois dans le bâtiment, nous montâmes plusieurs volées de
marches avant de parcourir un long couloir glacial, mal éclairé,
jusqu'à un bureau au décor élégant, avec une jolie vue sur la Havel,
que je ne reconnus que parce qu'il y avait un yacht à moteur encore
plus élégant juste en dessous de la fenêtre à petits carreaux, et qu'il
était aussi illuminé qu'un manège à Luna Park.

À l'intérieur du bureau, un arbre flambait dans une cheminée où
l'on aurait pu faire rôtir tout un bœuf. Il y avait une grande tapisserie
murale, un portrait de Hitler et une armure complète qui paraissait

---

1. *Priest* signifie « prêtre » en allemand.

aussi raide que l'homme debout à côté. Il arborait un uniforme de général de la police et un air de supériorité aristocratique, comme s'il regrettait qu'on ne m'ait pas ôté mes chaussures avant de m'autoriser à fouler son gigantesque tapis persan. Il devait avoir à peu près le même âge que moi, mais la ressemblance s'arrêtait là. Lorsqu'il parlait, c'était sur un ton soucieux et agacé, qui me donnait l'impression de lui avoir fait rater le début d'un opéra ou, plus vraisemblablement dans son cas, un numéro de cabaret de tantouses. Sur un bureau style cabane en rondins, un jeu de backgammon était disposé pour une partie, et dans sa main se trouvait un petit cornet en cuir contenant une paire de dés qu'il faisait cliqueter de temps à autre avec nervosité comme un moine mendiant.

« Asseyez-vous, je vous prie », dit-il.

Le type en manteau de cuir me poussa sur une chaise devant une table de conférence, après quoi il poussa un stylo et une feuille de papier vers moi. Il semblait doué pour pousser.

« Signez, ordonna-t-il.

— Qu'est-ce que c'est ?

— Une D-11. Une ordonnance de placement en détention.

— J'ai moi-même été flic, rétorquai-je. À l'Alex. Et je n'ai jamais entendu parler d'une D-11. Qu'est-ce que ça veut dire ? »

Manteau de cuir lança un regard à Von Helldorf, qui répondit.

« Si vous signez, cela veut dire que vous acceptez d'être envoyé dans un camp de concentration.

— Je n'ai pas envie d'aller dans un camp de concentration. En fait, je n'ai pas envie d'être ici non plus. Ne m'en veuillez pas, mais ça a été une rude journée.

— Signer une D-11 ne signifie pas que vous serez envoyé dans un camp de concentration, expliqua Von Helldorf. Cela signifie que vous êtes d'accord pour y aller.

— Pardonnez-moi, monsieur, mais je ne suis pas d'accord. »

Von Helldorf se balança sur les talons de ses bottes cavalières et fit cliqueter les dés derrière son dos.

« On pourrait dire que, une fois signée, elle constituera une sorte de garantie de votre bonne conduite. Votre future bonne conduite. Vous saisissez ?

– Oui. Mais, de la même façon, et avec tout le respect que je vous dois, général, il pourrait tout aussi bien en résulter qu'on m'expédie d'ici au camp le plus proche. Ne vous méprenez pas. Un peu de vacances ne feraient pas de mal. J'adorerais passer quelques semaines à me tourner les pouces et à rattraper mes lectures en retard. Mais, d'après ce qu'on raconte, il n'est guère possible de se concentrer dans un camp de concentration.

– Il y a pas mal de vrai dans ce que vous dites, Herr Gunther, répondit Von Helldorf. Cependant, si vous ne signez pas, on vous gardera ici dans une cellule de police jusqu'à ce que vous changiez d'avis. De sorte que, comme vous pouvez le voir, vous n'avez guère le choix dans le cas présent.

– En d'autres termes, je suis fichu si je le fais et fichu si je ne le fais pas.

– Pour ainsi dire.

– Je suppose que je n'ai pas à signer un bout de papier pour qu'on m'enferme dans une cellule de police, n'est-ce pas ?

– Hélas non. Mais, permettez-moi de vous le répéter, la D-11 ne signifie pas que vous irez dans un camp. Le fait est, Herr Gunther, que ce gouvernement s'efforce dans toute la mesure de ses moyens de faire un usage plus économe du placement en détention. Vous savez peut-être que le camp d'Orianenburg a été fermé il y a peu de temps, par exemple. Et aussi que le Führer a signé une amnistie pour tous les prisonniers politiques le 7 août dernier. Ce qui est parfaitement logique, étant donné que presque toute la population de ce pays penche à présent en faveur de son guide suprême. D'ailleurs, on peut même espérer qu'à terme, tous les camps de concentration disparaîtront, à l'instar d'Orianenburg.

« Néanmoins, continua Von Helldorf, il pourrait arriver un stade dans le futur où, comment dire, la sécurité de l'État se trouvant mise en danger, tous les titulaires d'une D-11 seraient arrêtés et incarcérés sans qu'il y ait besoin d'avoir recours au système juridique.

– Oui, j'imagine combien ce serait commode.

– Bien, bien. Ce qui nous laisse avec la question de votre propre D-11.

– Peut-être que, si je connaissais la raison pour laquelle vous éprouvez le besoin que je donne une garantie de ma propre conduite, répondis-je, je serais plus enclin à signer une chose semblable. »

Von Helldorf fonça les sourcils et considéra d'un air sévère les trois hommes qui m'avaient acheminé sans escale depuis l'Adlon.

« Voulez-vous me faire croire qu'on ne lui a pas dit pourquoi il a été amené ici ? »

Manteau de cuir secoua la tête. Il avait enlevé son chapeau, de sorte que j'avais une vue plus claire de l'être humain. Lequel ressemblait à un gorille.

« Tout ce qu'on m'a dit, monsieur, c'est qu'on devait l'embarquer et le ramener ici immédiatement. »

Von Helldorf fit tinter le cornet de dés avec irritation, comme s'il regrettait que ce ne soit pas le crâne de Manteau de cuir.

« Manifestement, je dois tout faire moi-même, Herr Gunther », dit-il avant de se diriger vers moi.

Le temps qu'il arrive, je jetai des coups d'œil dans la pièce, qui semblait tout droit sortie du *Prisonnier de Zenda*. Sur un mur, un assemblage géométrique de sabres et de fleurets. En dessous, un buffet de haute mer, abritant une radio de la grandeur d'une pierre tombale et un plateau en argent avec plus de bouteilles et de carafes que le bar de l'Adlon. Un secrétaire à double face était bourré de livres reliés en cuir, quelques-uns traitant de la législation sur les preuves et la procédure judiciaires, mais pour l'essentiel des classiques de la littérature allemande tels que Zane Grey, P. C. Wren, Booth Tarkington et Anita Loos[1]. Jamais le travail de police n'avait paru aussi tranquille et confortable.

Von Helldorf tira une des lourdes chaises entourant la table, s'assit et se laissa aller contre un dossier sculpté avec plus de nervures qu'un vitrail de cathédrale. Puis il posa ses mains à plat comme s'il s'apprêtait à jouer du piano. D'une façon comme de l'autre, il avait toute mon attention.

« Ainsi que vous le savez peut-être, je fais partie du Comité allemand d'organisation des Jeux olympiques, déclara-t-il. C'est mon

---

1. Romanciers populaires anglo-saxons.

travail d'assurer la sécurité non seulement des gens qui viendront à Berlin en 1936, mais aussi de l'ensemble de ceux qui s'appliquent à faire en sorte que tout soit prêt à temps. Il y a plusieurs centaines d'entrepreneurs, ce qui représente un cauchemar logistique s'il faut tenir des délais qui ont l'air presque impossibles. Bon, compte tenu du fait que nous avons moins de deux ans pour que tout soit fini, je ne pense pas que quiconque serait étonné d'apprendre qu'il arrive que des erreurs soient commises ou qu'il faille transiger avec les normes. Malgré tout, cela risque de mettre certaines de ces entreprises mal à l'aise si, bien que faisant de leur mieux, elles ont le sentiment de devenir l'objet d'une surveillance de la part d'éléments qui ne partagent pas le même enthousiasme pour les grands travaux des Jeux olympiques. D'ailleurs, on pourrait avancer que certains de ces éléments se comportent d'une manière qui pourrait facilement passer pour antipatriotique et germanophobe. Vous voyez ce que je veux dire?

— Oui. Au fait, général, cela vous dérange si je fume? »

Il secoua la tête, et je m'en glissai une entre les lèvres, que j'allumai prestement tout en admirant le talent de Von Helldorf à manier calmement l'euphémisme. Pour autant, je n'allais pas commettre l'erreur de le sous-estimer. Sous le gant de velours se dissimulait, j'en étais certain, un poing d'acier. Et même si le général ne s'apprêtait pas à me frapper avec, je pensais qu'il y en avait d'autres dans cette pièce aux dimensions vertigineuses qui n'avaient pas ses scrupules concernant l'usage de la violence.

« Pour dire les choses carrément, Herr Gunther, un certain nombre de personnes sont contrariées que vous et votre ami juive, Mrs Charalambides, ayez posé un tas de questions embarrassantes sur la mort de ce manœuvre juif, Herr Deutsch, et du malheureux Dr Rubusch. Très contrariées, en fait. On me dit que vous n'avez pas hésité à agresser un recruteur fournissant du personnel pour le tunnel du nouveau S-Bahn. Est-ce exact?

— Tout à fait exact. Néanmoins, pour ma défense, je tiens à signaler qu'il m'avait agressé en premier. C'est lui qui m'a fait la marque que j'ai sur la figure.

— Uniquement parce que vous aviez tenté de corrompre sa main-d'œuvre, d'après lui. »

Von Helldorf agita le cornet de dés avec impatience.

« Je ne suis pas sûr que "corrompre" soit le terme adéquat pour décrire ce que je faisais, monsieur.

— Et comment le décririez-vous ?

— Je voulais découvrir comment Isaac Deutsch – ce manœuvre juif dont vous avez parlé – avait trouvé la mort et si c'était, comme je l'avais supposé, parce qu'il avait été employé illégalement sur le site olympique.

— Pour que Mrs Charalambides puisse écrire un article là-dessus quand elle rentrerait en Amérique. Est-ce exact ?

— Oui, monsieur. »

Von Helldorf fronça les sourcils.

« Vous me laissez perplexe, Herr Gunther. Vous ne voulez pas que votre pays fasse bonne impression sur le reste du monde ? Êtes-vous un Allemand patriote ou pas ?

— J'aime à penser que je suis aussi patriote que n'importe qui. Mais je trouve notre politique concernant les Juifs… incohérente.

— Et vous voulez dénoncer cela dans quel but ? Pour que tous ces ouvriers juifs perdent leur emploi ? Parce que c'est ce qui se produira. Si Mrs Charalambides écrit à ce sujet dans son journal américain, je peux vous le certifier.

— Non, monsieur, je ne souhaite rien de tel. C'est tout simplement que je ne suis pas d'accord avec notre politique juive.

— Là n'est pas la question. La plupart des gens en Allemagne l'approuvent. Toutefois, cette politique doit tenir compte des réalités pratiques. Et il n'en demeure pas moins que terminer les travaux à temps est tout bonnement infaisable sans employer quelques ouvriers juifs. »

Il avait dit cela de façon tellement prosaïque que je pouvais difficilement le contredire. Je haussai les épaules.

« Je suppose que non, monsieur.

— Et vous supposez bien, répliqua-t-il. Vous ne pouvez pas vous contenter d'aller çà et là en faisant une montagne de cet incident. Ce n'est pas réaliste, Herr Gunther. Et je ne le permettrai pas. C'est là que la D-11 entre en scène, j'en ai peur. Comme garantie que vous mettrez un terme à cette fâcheuse habitude que vous avez contractée de fourrer votre nez là où il n'est pas le bienvenu. »

Tout ça avait l'air si raisonnable que je fus réellement tenté de signer sa D-11, rien que pour rentrer me coucher. Je devais tirer mon chapeau à Von Helldorff. C'était un fin renard. Il avait sans doute appris bien plus de trucs d'Erik Hanussen, le voyant, que juste son chiffre et sa couleur porte-bonheur. Appris aussi à persuader les gens de faire ce qu'ils ne voulaient pas. Comme signer un document disant que vous acceptiez d'être envoyé dans un camp de concentration. Ce qui en soi faisait probablement de lui un nazi typique. Un assez grand nombre d'entre eux – Goebbels, Goering, et par-dessus tout Hitler – semblaient avoir un don pour convaincre les Allemands d'aller contre leur propre bon sens.

Songeant qu'il risquait de s'écouler un moment avant que je puisse à nouveau m'en fumer une, je tirai à toute vitesse deux ou trois bouffées de ma cigarette puis l'écrasai dans un cendrier en verre fumé du même ton que le regard trompeur de Von Helldorf. Ce qui me laissa assez de temps pour repenser au jour où j'avais assisté au procès sur l'incendie du Reichstag et à la tripotée de menteurs nazis que j'avais vus au tribunal ; et comment chacun avait applaudi à tout rompre le plus gros menteur de tous, Hermann Goering. Être allemand m'avait rarement paru aussi déplaisant qu'en cette journée du mensonge. Avec tout ça en tête, je me sentis obligé d'envoyer Von Helldorf se faire voir. Sauf que je ne le fis pas, naturellement. Je fus un peu plus poli. Après tout, il y a d'un côté le courage et de l'autre la bêtise pure et simple.

« Je suis désolé, général, mais je ne peux pas signer ce document. Ce serait comme une dinde écrivant une carte de Noël. En outre, je sais que tous les pauvres bougres qui se trouvaient à Orianenburg ont été envoyés au camp de concentration de Lichtenberg. »

Le général renversa le godet de dés sur la table devant lui et examina le résultat, comme si ça avait la moindre importance. Peut-être que ça en avait, mais je l'ignorais. Peut-être que, s'il avait lancé deux six, ça aurait été ma chance… et qu'il m'aurait laissé partir. En l'occurrence, il avait fait un un et un deux. Fermant les yeux, il poussa un soupir.

« Emmenez-le, dit-il à Manteau de cuir. Nous verrons si une nuit de cellule peut vous faire changer d'état d'esprit, Herr Gunther. »

Ses sbires me saisirent par les épaules de mon complet et me firent sortir du bureau de Von Helldorf. À ma grande surprise, nous grimpâmes un autre étage.

« Une chambre avec vue, c'est ça ?

— Toutes nos cellules ont une jolie vue sur la Havel, répondit Manteau de cuir. Demain, si tu ne signes pas ce papier, on te donnera une leçon de natation à l'avant du yacht du comte.

— Ça ira. Je sais déjà nager. »

Manteau de cuir éclata de rire.

« Ça m'étonnerait. Pas en étant attaché à l'ancre. »

Ils me flanquèrent dans une cellule dont ils verrouillèrent la porte. Un verrou du mauvais côté de la porte est une des choses qui vous rappellent que vous vous trouvez dans une cellule et non dans une chambre d'hôtel. Ça, des barreaux à la fenêtre et un matelas puant sur du ciment humide. La cellule avait tout le confort habituel, notamment un seau attenant, mais ce sont les petites choses qui me rappelèrent que je ne logeais pas à l'Adlon. Comme les cafards. Même s'ils étaient effectivement un peu plus petits que ceux, de la taille d'un zeppelin, que nous avions rencontrés dans les tranchées. On prétend que jamais l'être humain ne mourra de faim sur cette planète s'il apprend à manger des cafards. Mais allez donc dire ça à quelqu'un qui a déjà marché sur un cafard ou à qui il est arrivé de se réveiller en pleine nuit pour en découvrir un lui rampant sur la figure.

Freud a inventé une technique utilisée en psychanalyse sous le nom d'association libre. D'une manière ou d'une autre, je savais que, si je réussissais à sortir de là, j'associerais pour toujours les cafards aux nazis.

24

Ils m'abandonnèrent à mon triste sort pendant plusieurs jours, ce qui était toujours mieux qu'un passage à tabac. Naturellement, ça me laissa plein de temps pour songer à Noreen, et m'inquiéter qu'elle puisse s'inquiéter pour moi. Qu'allait-elle se dire ? Que se disait-on quand un être cher disparaissait brusquement dans les rues de Berlin pour atterrir dans un camp de concentration ou une cellule de police ? Interrogations qui m'apportèrent un meilleur éclairage sur le statut de Juif ou de communiste dans la nouvelle Allemagne. Mais c'est surtout pour moi que je me faisais du souci. Avaient-ils vraiment l'intention de me balancer dans la Havel si je refusais de signer la D-11 ? Et si je la signais, pouvais-je compter sur Von Helldorf pour ne pas m'expédier dans un camp séance tenante ?

Lorsque je ne me tracassais pas pour moi, je réfléchissais au fait que, grâce à Von Helldorf, j'en savais à présent un peu plus sur la mort d'Isaac Deutsch. Je savais que son cadavre avait un lien avec celui du Dr Heinrich Rubusch. Dès lors, était-il possible que la mort de ce dernier dans une chambre de l'hôtel Adlon ait été le résultat d'autre chose que de causes naturelles ? Mais quoi ? Je n'avais jamais vu de cadavre à l'aspect plus naturel. Les deux flics ayant enquêté sur l'affaire, Rust et Brandt, m'avaient affirmé que le décès avait été provoqué par un anévrisme cérébral. Avaient-ils menti ? Et Max Reles… quel rôle jouait-il dans tout ça ?

Comme ma détention dans une cellule de la police de Potsdam paraissait entièrement due à un coup de fil passé par Reles au comte von Helldorf, il y avait tout lieu de penser que l'Américain n'était pas étranger à la mort des deux hommes et que celle-ci avait quelque chose à voir avec les offres et contrats concernant les Jeux olympiques. Reles avait été informé Dieu sait comment de mon intérêt pour Deutsch et en avait conclu, à juste titre, que cet intérêt avait un rapport avec la récupération par mes soins du coffret chinois volé ou, plus précisément, avec le contenu dudit coffret. Vu l'implication du notoirement corrompu Von Helldorf, il semblait que j'étais tombé sur un complot auquel se trouvaient mêlés divers membres du Comité allemand d'organisation des Jeux et du ministère de l'Intérieur. Comment expliquer autrement qu'on ait donné des objets du Musée ethnologique à Max Reles pour qu'il les envoie à Avery Brundage du Comité américain en échange de l'opposition indéfectible de celui-ci au boycott des Jeux de Berlin?

Si tout ça était exact, alors j'avais beaucoup plus de mouron à me faire que je ne l'avais cru quand les hommes de Von Helldorf m'avaient enlevé dans la Hermann-Goering-Strasse. Et, vers le quatrième ou le cinquième jour, je commençai à regretter de ne pas avoir pris le risque de me fier à Von Helldorf en signant la D-11 – surtout quand je repensais à son ton raisonnable.

De la fenêtre de ma cellule, je pouvais voir et entendre la Havel. Il y avait une rangée d'arbres le long du mur sud de la prison et, au-delà, la ligne de S-Bahn pour Berlin, qui longeait la berge et franchissait un pont à Teltow. De temps à autre, le train et un bateau à vapeur échangeaient quelques sifflements tels des personnages débonnaires dans un conte pour enfants. Une fois, je distinguai une fanfare militaire jouant quelque part à l'ouest, derrière le propre Lustgarten de Potsdam. Il pleuvait beaucoup. Potsdam n'est pas vert pour rien.

Le sixième jour, la porte finit par s'ouvrir plus longtemps qu'il ne m'en fallait pour vider le seau hygiénique ou prendre la nourriture.

Souriant tranquillement, Manteau de cuir me fit signe de sortir dans le couloir devant la cellule.

« Vous pouvez vous en aller, annonça-t-il.

– Qu'est devenue votre D-11 ? »

Il eut un haussement d'épaules.

« Tout simplement ?

– Ce sont les ordres. »

Je me frottai le visage pensivement. Je ne savais pas très bien ce qui me démangeait autant : le besoin urgent d'un rasoir ou la méfiance quant à ce nouveau rebondissement. J'avais entendu parler de types abattus au cours d'une « tentative d'évasion ». Était-ce le sort qui m'attendait ? Une balle dans la nuque pendant que je marchais dans le couloir ?

Sentant mes doutes, Manteau de cuir eut un sourire encore plus épanoui, à croire qu'il avait deviné mon hésitation à partir. Mais il ne fit rien pour me rassurer. Il avait l'air de se délecter de mon malaise, comme s'il m'avait vu avaler un piment rouge extra fort et qu'il attendait avec impatience que je sois saisi d'une quinte de toux. Il alluma une cigarette, contempla un moment ses ongles.

« Et mes affaires ?

– Vous les retrouverez en descendant.

– C'est bien ce qui m'inquiète. »

J'attrapai ma veste et l'enfilai.

« Ah, là, vous blessez mon amour-propre, dit-il.

– Vous en ferez pousser un autre quand vous serez de retour sous votre pierre. »

Il indiqua le couloir d'un geste brusque de la tête.

« Cassez-vous, Gunther, avant que nous changions d'idée. »

Je me mis à marcher devant lui. C'était aussi bien que je n'aie pas mangé le matin, sinon je n'aurais pas eu seulement le cœur au bord des lèvres. Mon cuir chevelu me picotait comme si j'avais un des cafards du Präsidium dans les cheveux. À tout moment, je m'attendais à sentir le canon glacé d'un Luger pressé contre mon crâne et à entendre le bruit d'une détonation, brusquement interrompu tandis qu'une balle de 9,5 grammes à pointe creuse me transperçait la cervelle. Pendant une seconde, je me souvins de cet officier allemand que j'avais vu en 1914 abattre un civil belge soupçonné d'avoir mené une attaque contre nos soldats, et de la manière dont la balle était ressortie de sa tête tel un ballon de foot crevé.

J'avais les jambes en coton, mais je me forçai à avancer le long du couloir sans me retourner pour voir si Manteau de cuir avait un pétard à la main. En haut de l'escalier, le couloir continuait, et je fis halte, attendant ses instructions.

« Descendez! » ordonna une voix derrière moi.

Je pivotai et me mis à descendre les marches d'un pas lourd, mes semelles claquant contre la pierre comme mon cœur contre les parois de ma poitrine. Il faisait agréablement frais dans la cage d'escalier. Un grand souffle d'air pur montait du rez-de-chaussée à la manière d'une brise marine. Et, enfin arrivé là, je vis une porte ouverte sur la cour principale où étaient garés d'autres voitures et fourgons de police.

À mon grand soulagement, Manteau de cuir passa devant moi pour me conduire à un petit bureau où mon manteau et mon chapeau, ma cravate, mes bretelles et le contenu de mes poches me furent rendus. Je calai une cigarette entre mes lèvres et l'allumai avant de le suivre le long d'un autre couloir jusqu'à une pièce de la dimension d'un abattoir. Sur un des murs couverts de briques blanches était fixé un grand crucifix en bois; je crus un moment qu'il s'agissait d'une espèce de chapelle. Nous tournâmes un coin, et je me figeai sur place car là, telles une table et une chaise à l'allure étrange, se trouvait un nouveau couperet étincelant. Fait d'un chêne sombre et poli et d'un acier grisâtre, l'engin mesurait dans les deux mètres cinquante – un peu plus qu'un bourreau portant son traditionnel chapeau haut-de-forme. Il me glaça les os au point que je me mis littéralement à trembler. Je dus me dire qu'il y avait peu de chances que Manteau de cuir essaie de m'exécuter lui-même. S'agissant de procéder à des mises à mort, les nazis étaient rarement à court de personnel.

« Je parie que c'est ici que vous amenez les Jeunesses hitlériennes à l'heure du coucher au lieu de leur raconter une histoire.

– On a pensé que ça vous plairait d'y jeter un coup d'œil. » Manteau de cuir émit un petit gloussement sec et passa fièrement la main sur le cadre en bois du couperet. « Au cas où vous seriez tenté de revenir.

– Votre hospitalité me comble. Je suppose que c'est ce qu'ils veulent dire par perdre la tête pour le nazisme. Cependant, il serait bon de rappeler le sort de tous ces révolutionnaires français qui éprouvaient une telle tendresse pour leur guillotine : Danton, Desmoulins, Robespierre, Saint-Just, Couthon. Ils ont fini par faire un petit tour dessus. »

Il racla la lame avec le plat de son pouce.

« Comme si j'avais quoi que ce soit à faire de ce qui est arrivé à une bande de Françouzes.

– Peut-être que vous devriez. »

D'une pichenette, je jetai ma cigarette à moitié consumée vers l'effroyable machine et suivis Manteau de cuir, qui franchit une autre porte donnant sur un couloir. Lequel, comme j'eus le plaisir de le constater, menait cette fois à la rue.

« À titre de simple curiosité, pourquoi me relâchez-vous ? Après tout, je n'ai jamais signé votre D-11. Est-ce la perspective d'avoir à orthographier "camp de concentration" ? Ou autre chose ? La loi ? La justice ? Les règles de procédure ? Je sais que ça paraît assez peu probable, mais je préférais demander.

– Si j'étais vous, mon vieux, je me dirais que j'ai déjà bien de la chance de sortir d'ici.

– Oh, mais je le reconnais. Et encore plus de chance que vous ne soyez pas moi. Ce serait vraiment déprimant. »

Je portai ma main à mon chapeau pour le saluer et me tirai de là. Peu après, j'entendis la porte claquer derrière moi. Un son beaucoup plus agréable que celui d'un Luger, ce qui ne m'empêcha pas de sursauter. Il pleuvait, mais une bonne pluie parce qu'il n'y avait que le ciel ouvert au-dessus de moi. J'ôtai mon chapeau et penchai en arrière mon visage broussailleux. La pluie semblait encore meilleure qu'elle n'en avait l'air, et je m'en passai sur le menton et les cheveux de la même façon que je m'étais lavé la figure avec dans les tranchées. La pluie : une chose propre et gratuite, qui tombait du ciel et ne risquait pas de vous tuer. Mais, alors même que je célébrais ma libération, je sentis qu'on tirait sur ma manche et me retournai pour voir une femme debout derrière moi. Elle portait une longue robe sombre à ceinture haute, un imperméable beige foncé et un petit chapeau en forme de coquille.

« S'il vous plaît, monsieur, dit-elle d'une voix douce, peut-être étiez-vous prisonnier là ? »

Je me frottai à nouveau le menton.

« Ça se voit tellement ?

– N'auriez-vous pas rencontré par hasard un homme appelé Dettmann, Ludwig Dettmann ? Je suis sa femme. »

Je secouai la tête.

« Je suis désolé, Frau Dettmann, mais non, je n'ai vu personne. Qu'est-ce qui vous fait croire qu'il est ici ? »

Elle secoua la tête tristement.

« Je ne sais pas. Plus maintenant. Mais quand ils l'ont arrêté, c'est là qu'ils l'ont emmené. Ça, au moins, j'en suis certaine. » Elle eut un haussement d'épaules. « Mais ensuite, qui sait ? Personne n'a songé à informer sa famille. À ma connaissance, il pourrait être n'importe où. Plusieurs fois, je suis allée au commissariat demander des renseignements sur mon Ludwig, et ils ont refusé de me dire ce qui lui est arrivé. Ils ont même menacé de m'arrêter également si je revenais.

– Il doit bien y avoir un moyen de le savoir, dis-je avec désinvolture.

– Vous ne comprenez pas. J'ai trois enfants. Et qu'est-ce qu'ils vont devenir, hein ? Qu'est-ce qu'ils vont devenir si je suis arrêtée, moi aussi ? » Elle secoua la tête. « Personne ne comprend. Personne ne veut comprendre. »

J'opinai. Elle avait raison, bien sûr. Je ne comprenais pas. Pas plus que je ne comprenais ce qui avait persuadé Von Helldorf de me remettre en liberté.

Je traversai le Lustgarten. Devant le château de la ville, un pont enjambant la Havel et une île menait à la station de Teltower Tor, où je pris un train pour rentrer à Berlin.

25

Après m'être lavé, rasé et changé, je retournai à l'Adlon, où je provoquai à la fois surprise et liesse, sans parler d'une certaine suspicion. En effet, il n'était pas rare que des membres du personnel se fassent porter pâles quelque temps puis réapparaissent avec la même explication que moi. Il arrivait même que ce soit vrai. Behlert m'accueillit comme un matou regagnant son bercail après plusieurs journées et nuits d'absence : avec un mélange d'amusement et de mépris.

« Où étiez-vous ? demanda-t-il d'un ton réprobateur. Nous nous faisions du souci à votre sujet, Herr Gunther. Dieu merci, votre ami, le sergent Stahlecker, a pu prendre en charge une partie de vos obligations.

— Bien. Je suis content de l'entendre.

— Mais il a été incapable de découvrir ce que vous étiez devenu. Personne au Präsidium de la police de l'Alexanderplatz ne semblait au courant de quoi que ce soit. Cela ne vous ressemble pas de disparaître ainsi. Que s'est-il passé ?

— J'ai dormi dans un autre hôtel, Georg, répondis-je. Tenu par la police de Potsdam. Et je n'ai pas aimé. Mais alors, pas du tout. Je crois que je vais faire un saut à l'agence de voyages MER qui se trouve dans Unter den Linden pour leur dire de ne plus le recommander comme un endroit où loger quand on est à Potsdam. On peut coucher bien plus confortablement dans la rivière. C'est d'ailleurs ce que j'ai failli faire. »

Behlert parcourut d'un regard anxieux le hall d'entrée semblable à un mausolée.

« S'il vous plaît, Herr Gunter, parlez plus bas ou quelqu'un risquerait d'entendre, et nous aurions tous les deux des problèmes avec la police.

— Je n'aurais pas eu de problèmes sans l'aide d'un de nos clients, Georg.

— De qui donc parlez-vous ? »

J'aurais peut-être mentionné le nom de Max Reles. Mais je ne voyais pas l'intérêt d'expliquer en détail ce qui s'était produit. Comme la plupart des Berlinois respectueux des lois, Behlert préférait en savoir le moins possible sur ce qui pouvait lui attirer des ennuis. Et, en un sens, je le comprenais. Compte tenu de mes expériences récentes, c'était probablement l'attitude la plus sensée. Aussi, je répondis :

« De Frau Charalambides, naturellement. Je travaillais pour elle, vous savez. Je l'aidais à écrire son article.

— Oui, c'est ce que j'ai appris. Et je ne peux pas dire que j'ai approuvé. Frau Adlon a eu tort de vous le demander. Cela vous a placé dans une position extrêmement délicate. »

Je haussai les épaules.

« C'est comme ça. On ne peut plus rien y faire. Elle est à l'hôtel ?

— Non. » Il avait l'air gêné. « À mon avis, vous feriez peut-être bien de parler à Frau Adlon. En fait, elle a demandé après vous pas plus tard que ce matin. Je crois qu'elle est à son appartement, en haut.

— Il est arrivé quelque chose à Frau Charalambides ?

— Elle va très bien, je puis vous l'assurer. Voulez-vous que j'appelle Frau Adlon pour qu'elle vous propose un rendez-vous ? »

Mais, sentant qu'il y avait un truc qui ne tournait pas rond, je m'élançais déjà dans les escaliers.

Je frappai à l'appartement de Hedda, et, au son de sa voix, je tournai la poignée et ouvris la porte. Elle était assise sur le canapé, en train de fumer une cigarette et de lire un numéro du magazine *Fortune*, ce qui, étant donné qu'elle en avait une, semblait tout à fait approprié. En me voyant, elle mit le magazine de côté et se leva.

« Dieu merci, vous êtes sain et sauf. Je m'inquiétais pour vous. »

Je fermai la porte.

« Où est-elle ?

— Rentrée à New York, répondit Hedda. Elle a pris le bateau hier, à Hambourg.

— Alors, je présume qu'elle était moins inquiète que vous.

— Inutile de le prendre de cette manière, Bernie. Ce n'est pas du tout comme ça. Son départ d'Allemagne et sa promesse de ne rien écrire sur les Jeux olympiques sont le prix qu'elle a payé pour vous sortir de prison. Et aussi sans doute pour vous empêcher d'y retourner.

— Je vois. » Je m'approchai du buffet et empoignai une de ses carafes. « Ça ne vous dérange pas ? Ça a été une de ces… semaines.

— Je vous en prie. Servez-vous. »

Hedda alla à son secrétaire dont elle ouvrit l'abattant.

Je me remplis un verre. Un grand verre de ce machin quel qu'il soit, ça n'avait guère d'importance, et je l'engloutis comme un médicament que je me serais prescrit à moi-même. Ça avait un goût infect, aussi je m'en prescrivis un deuxième et l'emportai jusqu'au canapé.

« Elle a laissé ceci pour vous. »

Hedda me tendit une enveloppe de l'Adlon.

Je la glissai dans ma poche.

« C'est moi qui vous ai entraîné là-dedans pour commencer. »

Je secouai la tête.

« Je savais ce que je faisais. Même quand je savais que ce que je faisais n'était peut-être pas très judicieux.

— Noreen a toujours eu cet effet-là sur les gens, dit Hedda. Quand nous étions jeunes, c'est toujours moi qui me faisais pincer pour une quelconque infraction au règlement de l'école et Noreen qui s'en tirait. Mais ça ne me décourageait pas. J'étais toujours prête pour une nouvelle escapade. J'aurais probablement dû vous mettre en garde. Je ne sais pas. Aujourd'hui encore, il semble que c'est moi qui dois rester pour réparer les dégâts et présenter des excuses.

— Je savais ce que je faisais, répétai-je d'un ton morne.

— Elle boit trop, fit remarquer Hedda en guise d'explication. Elle et Nick, son mari. Je suppose qu'elle vous a parlé de lui.

— Un peu.

— Elle boit, et ça n'a pas l'air de l'affecter le moins du monde. Tous les gens qui l'entourent boivent, et ça les affecte énormément. C'est ce qui est arrivé à ce pauvre Nick. Bonté divine, il ne buvait pas une goutte avant de rencontrer Noreen.

— Elle est très enivrante. » J'essayai un sourire, mais il eut du mal à sortir. « J'imagine que je vais avoir la gueule de bois avant de m'en remettre. »

Hedda acquiesça.

« Pourquoi ne prendriez-vous pas quelques jours de congé ? Le reste de la semaine, si vous voulez. Après cinq nuits de prison, vous avez probablement besoin de vacances. Votre ami Herr Stahlecker vous remplacera. » Elle hocha la tête. « Ça a très bien marché avec lui. Il n'a pas votre expérience, mais...

— Peut-être bien que je vais prendre un congé. Merci. » Je finis mon second verre. Il n'avait pas meilleur goût que le premier. « À propos, est-ce que Max Reles loge toujours à l'hôtel ?

— Oui, je pense. Pourquoi ?

— Pour rien.

— Il m'a dit que vous aviez retrouvé ce qui lui appartenait. Il était très content. »

J'opinai du chef.

« Il est possible que je parte quelque part. À Würzburg, par exemple.

— Vous avez de la famille à Würzburg ?

— Non, mais j'ai toujours eu envie d'y aller. C'est la capitale de la Franconie, vous savez. De plus, c'est à l'extrémité la plus éloignée de Hambourg. »

Je ne parlai pas du Dr Rubusch ni du fait que la seule raison que j'avais d'aller là-bas est qu'il venait de Würzburg.

« Descendez au Palace Hotel Russia House, suggéra-t-elle. Je crois que c'est le meilleur de la région. Reposez-vous. Rattrapez le sommeil en retard. Vous avez l'air fatigué. Accordez-vous une pause. Si vous voulez, je téléphonerai au directeur de l'hôtel pour qu'il vous fasse un prix.

– Merci. Je n'y manquerai pas. »

Mais je ne lui dis pas que la dernière chose que j'avais l'intention de faire, c'était de m'accorder une pause. Pas maintenant que Noreen était sortie de ma vie pour de bon.

26

En sortant de l'Adlon, je marchai vers l'est en direction de l'Alex. La gare grouillait de SS, et une autre fanfare militaire s'apprêtait à accueillir un pantin gouvernemental imbu de lui-même. Il y a des fois où je jurerais que nous avons plus de fanfares militaires que les Français et les Anglais réunis. Peut-être un tas d'Allemands jouant la prudence. Personne n'aurait l'idée d'accuser quelqu'un soufflant dans un bugle ou un tuba d'être antipatriote. Pas en Allemagne.

M'arrachant à la fièvre manifeste régnant autour de la gare, j'entrai à l'Alex. Seldte, le jeune flic de la Schupo à l'esprit vif, était encore de service à l'accueil.

« Votre carrière fait des bonds de géant, à ce que je vois.

— N'est-ce pas? répondit-il. Encore un peu et je vais me transformer moi aussi en bête curieuse. Si vous cherchez Herr Trettin, je l'ai vu sortir il y a vingt minutes environ.

— Merci, mais j'espérais voir Liebermann von Sonnenberg.

— Voulez-vous que j'appelle son bureau? »

Un quart d'heure plus tard, j'étais assis en face du chef de la Kripo de Berlin et fumais un des cigares Sagesse noire que Bernhard Weiss avait été forcé de laisser derrière lui.

« Si c'est au sujet de cette malheureuse affaire concernant August Krichbaum, dit von Sonnenberg, vous n'avez plus à vous en faire, Bernie. Vous et les autres flics considérés comme des suspects possibles êtes blanchis. Ce qui met en quelque sorte un point final à toute cette histoire. Rien qu'un ramassis de balivernes, bien entendu.

— Ah, comment ça ? »

Je m'efforçai de contenir le soulagement que j'éprouvais. Même si, après le départ de Noreen, c'était le cadet de mes soucis. En même temps, j'espérais qu'on n'avait pas collé le meurtre sur le dos d'un pauvre bougre. Ce qui, pour le coup, aurait donné à ma conscience quelque chose d'indigeste à ruminer.

« Parce que nous n'avons plus de témoin fiable. Le portier d'hôtel qui a aperçu le coupable est un ancien flic, comme vous le savez probablement. Eh bien, il s'avère que c'est aussi un pédé et un communiste. Raison principale pour laquelle il a démissionné, semble-t-il. En fait, nous pensons maintenant que son témoignage a pu être motivé par de la malveillance à l'égard de la police en général. Quoi qu'il en soit, tout ça n'a pas d'importance, dans la mesure où la Gestapo l'avait depuis plusieurs mois sur une liste d'arrestations. Ce qu'il ignorait, naturellement.

— Et où est-il à présent ?

— Dans un camp de concentration, à Lichtenberg. »

Je hochai la tête en me demandant si on lui avait fait signer une D-11.

« Je suis désolé que vous ayez dû en passer par là, Bernie. »

Je haussai les épaules.

« C'est moi qui suis désolé de ne pas avoir pu faire davantage pour votre protégé, Bömer.

— Vous avez fait tout ce que vous pouviez vu les circonstances.

— Si je peux encore être utile, ce sera avec plaisir.

— Ces jeunes gens d'aujourd'hui, fit remarquer Von Sonnenberg. Ils sont beaucoup trop pressés, si vous voulez mon avis.

— J'en ai l'impression. Vous savez, il y a un petit gars futé, habillé en vert, au bureau dans le hall en bas. Nommé Heinz Seldte. Vous devriez lui donner une chance. Ce type est trop intelligent pour qu'on le laisse comme ça, les couilles dans un tiroir de bureau.

— Merci, Bernie. Je passerai le voir. » Il alluma une cigarette. « Eh bien, vous êtes venu jouer de l'accordéon ou y a-t-il une affaire qu'on puisse faire ensemble ?

– Tout dépend.

– De quoi ?

– De votre opinion sur le comte von Helldorf.

– Autant me demander si j'aime Staline.

– Il semble que le comte essaie de se réhabiliter en traquant tous ceux contre lesquels les SA avaient une dent.

– Cela paraîtrait assurément d'une loyauté fort louable, n'est-ce pas ?

– Peut-être a-t-il toujours envie d'être votre patron ici à Berlin.

– Avez-vous un moyen pour que ça ne puisse pas se produire ?

– Possible. » Je tirai sur le cigare au goût corsé et expédiai la fumée vers le haut plafond. « Vous vous rappelez ce macchabée que nous avons eu à l'Adlon ? Celui que vous avez refilé à Rust et à Brandt.

– Bien sûr. Causes naturelles. Je m'en souviens.

– Et si ce n'était pas le cas ?

– Qu'est-ce qui vous fait penser le contraire ?

– Un truc qu'a dit Von Helldorf.

– Je ne savais pas que vous étiez copain comme cochon avec cette tante.

– Ces six derniers jours, j'ai été son invité au Präsidium de la police à Potsdam. J'aimerais le remercier de son hospitalité, si je peux.

– On raconte qu'il continue de se cramponner à quelques-unes des saletés de Hanussen, à titre de police d'assurance contre une arrestation. Les films tournés par celui-ci sur son bateau. Le *Ursel*. J'ai également entendu dire que certaines de ces saletés provenaient d'ongles extrêmement importants.

– De qui, par exemple ?

– Vous êtes-vous déjà demandé comment il a pu se retrouver dans ce comité olympique ? Ce n'est pas sa passion des chevaux, ça, je peux vous l'affirmer.

– Von Tschammer und Oster ?

– Du menu fretin. Non, c'est Goebbels qui lui a procuré le poste.

– Mais c'est lui qui a brisé Hanussen.

– Et c'est Goebbels qui a sauvé Von Helldorf. Mais si ça n'avait tenu qu'à Joey, Helldorf aurait été abattu avec son cher ami Ernst Röhm quand Hitler a réglé leur compte aux SA. Autrement dit, Von Helldorf a encore des relations. Aussi, je vous aiderai à l'avoir, si c'est possible. Mais il vous faudra trouver quelqu'un d'autre pour lui enfoncer le pieu dans le cœur.

– D'accord. Je ne mentionnerai pas votre nom.

– Qu'est-ce que je peux faire pour vous ?

– Le dossier de l'affaire Heinrich Rubusch. J'aimerais vérifier quelques petites choses. Et aller voir la veuve du type, à Würtzburg.

– Würtzburg ?

– C'est près de Regensburg, je crois.

– Je sais où ça se trouve, bon sang. J'essaie seulement de me souvenir pourquoi je le sais. » Liebermann von Sonnenberg appuya sur un bouton de son interphone de bureau pour parler à sa secrétaire. « Ida ? Pourquoi est-ce que Würzburg me dit quelque chose ?

– Vous avez reçu une demande de la Gestapo de Würzburg, fit une voix de femme. En votre qualité d'officier de liaison avec Interpol. Afin de contacter le FBI en Amérique au sujet d'un suspect résidant en Allemagne.

– Et je l'ai fait ?

– Oui. Nous leur avons envoyé la réponse du FBI il y a une semaine environ.

– Attendez, Erich, dis-je. Je commence à penser que cet os pourrait faire beaucoup plus qu'une soupe. Ida ? C'est Bernie Gunther. Vous souvenez-vous du nom de ce suspect sur lequel la Gestapo voulait des renseignements ?

– Une minute. Je pense que la lettre se trouve toujours dans ma corbeille. Je ne l'ai pas encore classée. Oui, la voilà. Le suspect s'appelle Max Reles. »

Von Sonnenberg éteignit l'interphone et hocha la tête.

« Vous souriez comme si ce nom vous disait quelque chose, Bernie, fit-il remarquer.

– Max Reles est un client de l'Adlon et un excellent ami du comte.

– Vraiment ? » Il haussa les épaules. « Le monde est petit.

– Sûr. S'il était plus grand, il nous faudrait chercher des indices comme ils font dans les romans. Avec une loupe, une casquette de chasse et une collection complète de mégots de cigarettes. »

Von Sonnenberg écrasa le sien dans le cendrier plein à ras bords.

« Qui vous dit que je ne le fais pas ?

– Ces informations que vous avez reçues du FBI. Vous n'en auriez pas gardé une copie par hasard ?

– Laissez-moi vous dire ce que c'est que d'être officier de liaison avec Interpol, Bernie. Un supplément de choucroute. J'ai déjà une montagne de viande et de patates dans mon assiette, et, s'il y a bien une chose dont je n'ai pas besoin, c'est de choucroute en plus. Je sais que c'est sur la table parce que Ida me le dit. Mais, en général, c'est elle qui la mange, vous comprenez ? Et, de fait, elle ne garderait pas une copie des quatre-vingt-quinze thèses de Luther sans que je le lui demande. Voilà.

– Alors maintenant, j'ai deux raisons d'aller à Würzburg.

– Trois si vous incluez le vin.

– Ça ne m'est encore jamais arrivé.

– Les vins de Franconie sont excellents, dit Sonnenberg. Enfin, si on aime les vins doux.

– Certains de ces gestapistes de province, fis-je observer. Ils peuvent être tout sauf doux.

– Je n'avais pas remarqué que leurs homologues de la grande ville aidaient les vieilles dames à traverser la rue.

– Écoutez, Erich. Je suis désolé de vous donner de la choucroute en plus, mais une lettre d'introduction de votre part ou même un coup de téléphone redresserait les bretelles de ce type de la Gestapo. Et les maintiendrait bien droites pendant que je lui tords les couilles. »

Von Sonnenberg sourit.

« Avec plaisir. Je n'aime rien tant que botter les fesses de ces jeunes freluquets de la Gestapo.

– Un boulot dans lequel je serais bon, je pense.

– Vous serez peut-être la première personne à avoir jamais eu envie d'aller à Würzburg.

– C'est toujours une possibilité. »

27

Je lus sa lettre dans le train pour Würzburg.

Hôtel Adlon, 1 Unter den Linden, Berlin.

Mon cher Bernie,

Cela me peine plus que les mots ne sauraient l'exprimer de ne pas être là pour te dire au revoir en personne, mais j'ai été avisée par quelqu'un du bureau du chef de la police de Potsdam que tu ne serais pas libéré de prison tant que je n'aurais pas quitté l'Allemagne.

On dirait que c'est pour de bon, je le crains – tout au moins pour aussi longtemps que les nazis seront au gouvernement –, dans la mesure où j'ai été en outre informée par un membre du ministère des Affaires étrangères qu'il ne me serait plus accordé de visa.

Et comme si cela ne suffisait pas, j'ai appris par un fonctionnaire du ministère de la Propagande que, si jamais je publiais l'article de journal que je prévoyais d'écrire en exhortant le Comité olympique américain à boycotter les Jeux de Berlin, tu pourrais te retrouver dans un camp de concentration; comme je n'ai aucune envie de t'exposer à une telle menace, sois certain, mon cher Bernie, qu'aucun article de ce genre ne paraîtra à présent.

Tu penseras peut-être qu'il s'agit d'une tragédie pour moi; mais, bien que je regrette d'avoir désormais perdu la possibilité de m'opposer au fléau du national-socialisme comme je sais le faire, la plus grande tragé-die, au sens que je donne à ce mot, est l'obligation dans laquelle je suis à présent de devoir t'abandonner, et l'extrême improbabilité de te voir dans un avenir proche. Peut-être même jamais!

Si nous avions eu davantage de temps, je t'aurais parlé d'amour et peut-être en aurais-tu fait autant. Aussi grande que soit la tentation pour un écrivain de mettre des mots dans la bouche d'autrui, c'est ma lettre, et je dois me limiter à ce que je peux dire moi-même. Qui est ceci : je t'aime, c'est sûr. Et, si j'ai l'air de tirer un trait là-dessus, c'est uniquement parce qu'à l'allégresse que j'ai pu ressentir d'être à nouveau amou-reuse – aimer quelqu'un n'est pas facile pour moi – se mêle la profonde douleur de nos adieux et de notre séparation.

Il y a un tableau de Caspar David Friedrich qui incarne ce que j'éprouve en ce moment. Il s'intitule Le Voyageur *contemplant une mer de nuages. Si tu passes un jour à Hambourg, tu devrais aller y jeter un coup d'œil au Musée des beaux-arts de la ville. Au cas où tu ne connaîtrais pas ce tableau, il montre un homme seul, debout au sommet d'une montagne, contemplant au loin un paysage de cimes et de roches déchiquetées. Qu'il te suffise alors de m'imaginer dans la même position à l'arrière du SS* Manhattan *me ramenant à New York, les yeux fixés sur une Allemagne aride, déchiquetée et de plus en plus lointaine où tu te trouves, mon amour.*

Si tu veux te faire une image de mon cœur, tu pourras aussi penser à un autre tableau de Friedrich. Il a pour titre La Mer de glaces. *Il représente un navire, à peine visible, broyé par de grands blocs de glace dans un paysage plus désolé que la surface de la lune. Je ne sais pas où l'on peut voir ce tableau, puisque je ne le connais que par les livres. Néanmoins, il illustre très bien la froide dévastation qui m'envahit actuellement.*

Il me semble que je pourrais très facilement maudire le destin qui m'a rendue amoureuse de toi; et pourtant, je sais, en dépit de tout, que je ne regrette rien parce que, à l'avenir, chaque fois que je lirai un article sur la politique pénale ou les mesures odieuses mises en œuvre par ce bateleur de foire dans son uniforme ridicule, je penserai à toi, Bernie, et je me sou-viendrai qu'il existe de bons Allemands, pleins de bravoure et de généro-sité (même si aucun, à mon avis, ne peut être aussi brave et généreux que toi). Et c'est bien, car si Hitler nous apprend quelque chose, c'est qu'il est stupide de porter des jugements sur une race tout entière. Il y a de bons et de mauvais Juifs, comme il y a de bons et de mauvais Allemands.

Toi, tu es un bon Allemand, Bernie. Tu te protèges sous un épais manteau de cynisme, mais, au fond, je sais que tu es un chic type. Cependant, j'ai peur pour tous les chics types d'Allemagne, et je me demande quels choix terribles vous attendent, toi et eux. Je me demande quels compromis épouvantables vous serez amenés à faire.

C'est pourquoi je désire t'aider à en aider d'autres par le moyen dont je dispose encore.

À ce stade, tu auras trouvé le chèque joint, et ton premier mouvement, en constatant qu'il dépasse largement ce que tu souhaitais m'emprunter, sera peut-être de ne pas l'encaisser. Ce serait une erreur. Il me semble que tu devrais l'accepter comme un cadeau de ma part et monter cette agence de détective privé dont tu m'as parlé. Et cela pour une bonne raison : dans une société fondée sur le mensonge, la découverte de la vérité prendra de plus en plus d'importance. Cela t'attirera probablement des ennuis, mais, te connaissant, je pense que tu arriveras à les gérer à ta manière. Par-dessus tout, j'espère que tu pourras venir en aide à d'autres ayant besoin de ton appui, comme tu as essayé de m'aider ; et que tu le feras, parce que c'est juste, ce que tu ne devrais pas parce que c'est dangereux également.

Je ne suis pas sûre de me faire clairement comprendre. J'ai beau parler assez bien l'allemand, je manque de pratique pour l'écrire. J'espère que cette lettre n'aura pas l'air trop formelle. L'empereur Charles Quint disait qu'il parlait espagnol à Dieu, italien aux femmes, français aux hommes et allemand à son cheval. Mais, vois-tu, je gage que le cheval était la créature qu'il aimait le plus au monde et que, comme toi, c'était un cheval intrépide et plein d'esprit ; et je ne vois pas de langue qui convienne mieux à ton tempérament, Bernie. Certainement pas l'anglais, avec ses multiples nuances ! Je n'ai jamais rencontré d'homme plus direct que toi, ce qui est une des raisons pour lesquelles je t'aime tant.

Nous vivons une époque détestable, et il te faudra aller dans des endroits détestables, traiter avec des individus qui se seront rendus détestables, mais tu es mon chevalier céleste, mon Galahad, et je suis persuadée que tu parviendras à traverser toutes ces épreuves sans devenir détestable toi-même. Et répète-toi sans cesse que tu fais bien plus que balayer les feuilles par un jour de grand vent, même si cela te donne parfois cette impression.

Je t'embrasse, Noreen.

Würzburg n'était pas un endroit détestable, même si les Franconiens avaient fait tout leur possible pour transformer leur capitale régionale en un quasi-lieu saint du nazisme et avaient en réalité défiguré ce qui était une ville médiévale aux toits rouges, agréablement située sur le flanc ouvert d'une vallée fluviale. Dans presque toutes les vitrines trônait une photo d'Hitler ou un écriteau interdisant l'accès aux Juifs sous peine d'en subir les conséquences – ou les deux à la fois. La ville donnait à Berlin l'allure d'un modèle de démocratie représentative.

Dominant le paysage, se dressait sur la rive gauche de la rivière le vieux château de Marienberg, bâti par les princes-évêques de Würzburg, champions de la Contre-Réforme lors d'une autre période détestable de l'histoire allemande. Mais il était tout aussi facile d'imaginer que l'imposant château blanc abritait quelque savant maléfique qui exerçait une puissante et pernicieuse influence sur Würzburg, libérant une force élémentaire qui changeait en monstres les paysans sans méfiance de la ville. Ils avaient l'air pour la plupart de gens ordinaires, encore qu'un ou deux avaient des fronts en angles droits, des cicatrices chirurgicales écarlates et des manteaux mal ajustés qui auraient donné au galvaniste le plus convaincu matière à réflexion. Je me sentais moi-même légèrement inhumain et remontai l'Adolf-Hitler-Strasse depuis la gare avec des jambes raides, gauches, qui auraient pu appartenir à un mort, encore que c'était peut-être l'effet persistant de la lettre de Noreen.

Descendre au Palace Hotel Russia House contribua à me remonter un peu le moral. Après une semaine sous les verrous, j'avais envie d'un bon hôtel. C'était le cas, du reste, même en dehors de ça, et, maintenant que j'avais enterré mes scrupules et encaissé le chèque de Noreen, j'avais aussi l'argent. Après un dîner léger au Café Königs de l'hôtel, je pris la Rottendorfer Strasse et marchai huit cents mètres jusqu'à un faubourg paisible près d'un bassin de retenue pour voir la veuve Rubusch.

C'était une grande maison de deux étages – trois en comptant la lucarne du toit mansardé – avec une porte d'entrée incurvée et une longue palissade blanche surmontant un solide mur en granit. La maison était peinte d'un beige jaunâtre, dans le même ton que la petite étoile de David qui ornait le mur de la maison d'en face. Il y avait deux voitures garées devant, deux Mercedes-Benz flambant neuves. Bref, un gentil petit quartier bien allemand : calme, bien entretenu, tout ce qu'il y a de respectable. Même l'étoile jaune paraissait avoir été peinte par un décorateur professionnel.

Je montai les marches du perron et tirai sur une sonnette de la taille d'un canon de navire et presque aussi bruyante. La lumière s'alluma et une servante apparut à la porte – une grosse fille du genre pieds de porc, nattes rousses et menton têtu, sinon belliqueux.

« Oui ?

– Bernhard Gunther, dis-je. Frau Rubusch m'attend.

– On ne m'a rien dit.

– Peut-être que le télégramme d'Hitler n'est pas encore arrivé. Je suis sûr qu'il aurait voulu vous en informer.

– Inutile d'être ironique, répondit-elle, puis, effectuant un pas en arrière, elle ouvrit la porte en grand. Si vous saviez tout ce que je dois faire ici. »

Je posai ma serviette et retirai mon chapeau et mon manteau pendant qu'elle refermait derrière moi en prenant soin de donner un tour de clé.

« J'ai l'impression que vous auriez besoin d'une domestique », fis-je remarquer.

Elle me lança un regard vif.

« Vous feriez mieux d'attendre là. » Elle ouvrit une porte avec le pied et actionna un interrupteur d'un coup sec. « Mettez-vous à l'aise pendant que je vais la chercher. »

Puis, avisant mon chapeau et mon manteau, elle poussa un long soupir et les prit en secouant la tête devant les désagréments occasionnés par cette corvée supplémentaire.

Je m'approchai de la cheminée où une bûche noircie finissait de se consumer et empoignai un long tisonnier.

« Voulez-vous que je le ranime ? Je m'y entends pour allumer un feu. Montrez-moi une étagère de littérature décadente, et je vous la fais flamber en un tournemain. »

La servante sourit d'un air morne, à moins que ce ne fût une moue de dédain. Elle faillit répliquer puis se ravisa. Après tout, j'avais le tisonnier à la main, et elle semblait du genre à s'être déjà pris une rossée avec. Ce que j'aurais probablement fait si j'avais été marié avec elle. Non que ça l'aurait beaucoup dérangée, surtout quand elle avait faim. J'avais déjà vu des hippopotames plus vulnérables.

Je tournai la bûche à moitié brûlée, poussai les braises à côté et allai chercher un nouveau morceau de bois dans le panier près de l'âtre. Je me courbai même en deux et soufflai un moment. Une flamme jaillit autour de la petite pile que j'avais dressée puis s'en empara avec le claquement sec d'un pétard de Noël.

« Vous savez y faire. »

Je me retournai pour voir une petite femme aux allures d'oiseau, arborant un châle et un sourire forcé sur une bouche fraîchement peinte de rouge à lèvres.

Je me redressai, m'essuyai les mains et racontai la blague que j'avais faite quelques instants plus tôt au sujet des livres décadents, laquelle ne parut pas plus drôle la seconde fois. Pas dans cette maison. Dans un coin de la pièce se trouvait une table avec une radio, une petite photographie d'Hitler et une coupe de fruits.

« Nous ne sommes pas tout à fait comme ça par ici, dit-elle en contemplant le feu, les bras croisés. Ils ont bien brûlé quelques livres devant le palais de l'évêché il y a environ un an et demi, mais pas ici. Pas dans l'est de Würzburg. »

Elle avait dit ça comme si on était à Paris.

« Et je suppose que cette étoile sur la maison d'en face, ce sont juste des gamins espiègles. »

Frau Rubusch éclata de rire, mais se couvrit poliment la bouche pour que je n'aie pas à voir ses dents, qui étaient parfaites et d'une blancheur de porcelaine, comme celles d'une poupée. D'ailleurs, c'est surtout à une poupée qu'elle me faisait penser avec ses sourcils dessinés au crayon, ses traits fins, ses jolies joues rouges et ses cheveux encore plus fins.

« Ce n'est pas une étoile de David, expliqua-t-elle à travers ses doigts. Cette maison appartient à un des directeurs de la Würzburger Hofbrau, la brasserie de la ville, et l'étoile est le sigle de la société.

— Il devrait intenter un procès aux nazis pour plagiat.

— Mais j'y pense. Vous aimeriez peut-être un verre de schnaps ? »

Près de la table, il y avait un chariot à boissons de trois étages avec le genre de bouteilles que j'affectionnais. Elle remplit deux grands verres, m'en tendit un d'une petite main osseuse, s'assit sur le canapé, envoya valser ses chaussures et ramena ses pieds sous son petit derrière maigrichon. J'avais déjà vu du linge plié qui avait l'air moins net que le sien.

« Eh bien, votre télégramme disait que vous souhaitiez me rencontrer au sujet de mon défunt mari.

— Oui. Je suis navré, Frau Rubusch. Cela a dû être un choc terrible pour vous.

— Assurément. »

J'allumai une cigarette, inhalai furieusement la fumée, puis ingurgitai la moitié de mon verre. J'avais le trac de dire à cette femme que je pensais que son mari avait peut-être été assassiné. Surtout alors qu'elle venait à peine de l'enterrer, convaincue qu'il était mort pendant son sommeil d'un anévrisme cérébral. Je vidai l'autre moitié.

Elle se rendit compte de ma nervosité.

« Resservez-vous, suggéra-t-elle. Cela vous aidera peut-être à trouver le courage de me dire ce qui a pu inciter le détective de l'hôtel Adlon à faire le voyage depuis Berlin. »

Je m'approchai du chariot à boissons et remplis mon verre. À côté du portrait d'Hitler se trouvait une photo représentant un Heinrich Rubusch plus jeune et plus mince.

« Je ne sais vraiment pas pourquoi Heinrich a mis cette photographie là. Celle d'Hitler, je veux dire. La politique ne nous a jamais beaucoup intéressés. Et ce n'est pas comme si nous avions l'habitude de recevoir des gens et d'essayer de les impressionner. Je suppose qu'il l'a placée à cet endroit au cas où nous aurions de la visite. Pour qu'on reparte avec l'impression que nous sommes de bons Allemands.

– Il n'est pas nécessaire d'être nazi pour ça, fis-je observer. Même si ça facilite quand on appartient à la police. Avant d'être détective à l'Adlon, je travaillais à la Criminelle, à l'Alexanderplatz.

– Et vous pensez que mon mari a pu être assassiné. C'est ça ?

– C'est une possibilité, oui.

– Eh bien, voilà qui m'ôte un poids.

– Je vous demande pardon ?

– Heinrich descendait toujours à l'Adlon quand il était de passage à Berlin. J'avais peur que vous le soupçonniez d'avoir volé des serviettes. » Elle attendit un instant puis sourit. « Je plaisantais.

– Bien. J'espérais que c'était le cas. Mais, comme vous êtes veuve, je me disais que vous aviez peut-être perdu le sens de l'humour depuis quelque temps.

– Avant de rencontrer mon mari, je dirigeais une exploitation de sisal en Afrique de l'Est, Herr Gunther. J'ai abattu mon premier lion à l'âge de quatorze ans. Et j'en avais quinze quand j'ai aidé mon père à réprimer une rébellion indigène pendant la guerre Maji Maji. Je suis beaucoup plus coriace que j'en ai l'air.

– Parfait.

– Avez-vous cessé d'être policier parce que vous n'étiez pas nazi ?

– Je suis parti avant de me faire mettre à la porte. Peut-être que je ne suis pas aussi coriace que j'en ai l'air. Mais je préférerais parler de votre mari. En lisant les notes du dossier dans le train, je me suis souvenu qu'il avait des problèmes cardiaques.

– Il avait une hypertrophie du cœur.

– Vous avez dû vous demander pourquoi il n'était pas mort de ça plutôt que d'un anévrisme cérébral ? Souffrait-il de migraines ?

– Non. » Elle secoua la tête. « Mais sa mort n'a pas vraiment été une surprise. Il mangeait et buvait trop. Il n'aimait rien tant que les saucisses, la bière, les montagnes de crème, les cigares et le chocolat. C'était un Allemand très allemand. » Elle poussa un soupir. « Il aimait tous les plaisirs de la vie. Sans exception.

– Vous voulez dire en dehors de la nourriture, de la boisson et des cigares ?

– Oui, c'est précisément ce que je veux dire. Je n'ai jamais été à Berlin. Mais j'ai cru comprendre que cela a beaucoup changé depuis que les nazis sont au gouvernement. Il paraît que ce n'est plus le lieu de débauche que c'était à l'époque de Weimar.

— En effet.

— Néanmoins, j'ai du mal à croire qu'il soit difficile de se procurer la compagnie de femmes d'un certain genre, si c'est ce qu'on veut. Il y a une limite à ce que les nazis peuvent faire pour changer les choses. Après tout, on n'appelle pas ça le plus vieux métier du monde pour rien. »

Je souris.

« Ai-je dit quelque chose de drôle ?

— Non, absolument pas, Frau Rubusch. C'est juste qu'après voir découvert le corps de votre mari, je me suis donné beaucoup de mal pour convaincre la police de vous épargner certains détails quand elle vous annoncerait la nouvelle de son décès. De laisser de côté le fait qu'il était au lit avec une autre femme. J'avais l'idée vieillotte que cela risquait de vous contrarier inutilement.

— C'était très gentil à vous. Peut-être avez-vous raison. Vous n'êtes pas aussi coriace que vous en avez l'air. »

Elle sirota un peu de son schnaps puis posa le verre sur une table basse en bouleau rouge : la base en X lui conférait un faux air d'antiquité romaine. Frau Rubusch avait elle-même quelque chose de romain. Peut-être sa façon de se tenir, à moitié allongée sur le canapé. Néanmoins, on l'imaginait facilement en épouse influente et dure comme de l'acier d'un gros sénateur ayant probablement fait son temps.

« Dites-moi, Herr Gunther. Est-il habituel que d'anciens policiers soient en possession de dossiers d'enquête ?

— Non. J'ai dépanné un ami à la Criminelle. Et, pour ne rien vous cacher, ce boulot me manque. Le cas de votre mari m'a donné des démangeaisons que je n'ai eu qu'à gratter.

— Oui, je vois comment ça peut se passer. Vous dites avoir lu le dossier de mon mari dans le train. Il est dans ce porte-documents ?

— Excusez-moi, mais je ne crois pas que ce soit une bonne idée. Le dossier contient des photographies du corps de votre mari tel qu'on l'a retrouvé dans sa chambre d'hôtel.

— Je pensais bien. Ce sont ces clichés qui m'intéressent. Oh, vous n'avez pas à vous inquiéter. Est-ce que vous vous figuriez vraiment que je ne le verrais pas avant qu'on l'enterre ? »

De toute évidence, il aurait été inutile d'essayer de la dissuader. De plus, en ce qui me concernait, il y avait des choses plus importantes dont je tenais à discuter avec elle que le sourire béat sur le visage de son défunt mari. Aussi, j'ouvris mon porte-documents, sortis le dossier de la Kripo et le lui passai.

Dès qu'elle vit la photographie, elle se mit à pleurer et, pendant un moment, je m'en voulus de l'avoir prise au mot. Mais ensuite, elle exhala une bouffée d'air, se ventila avec le plat de la main et, avalant une boule invisible coincée dans sa gorge, demanda :

« Et vous l'avez trouvé comme ça ?

– Oui. Exactement comme ça.

– Alors, je crains que vous n'ayez raison d'être méfiant, Herr Gunther. Voyez-vous, mon mari a sa veste de pyjama. Jamais il ne mettait de veste de pyjama au lit. Je plaçais toujours deux pyjamas dans sa valise, mais il ne se servait que des pantalons. Quelqu'un a dû lui enfiler sa veste. Vous comprenez, il transpirait abondamment la nuit. Comme beaucoup d'hommes gros. C'est pourquoi il ne portait jamais le haut. Quand on m'a renvoyé ses affaires, je n'ai reçu qu'une veste de pyjama. Deux pantalons, mais une seule veste. Sur le moment, j'ai pensé que la police avait dû la garder ou qu'elle l'avait peut-être perdue. Encore que cela ne paraissait pas avoir beaucoup d'importance. Mais maintenant que j'ai vu cette photographie, il me semble que cela pourrait être important. Vous ne croyez pas ?

– Oui. Je le crois aussi. » J'allumai une nouvelle cigarette et me levai pour me servir un troisième verre. « Si ça ne vous fait rien. »

Elle secoua la tête tout en continuant à scruter la photo.

« Très bien, dis-je. Quelqu'un a dû lui enfiler sa veste après coup afin que sa mort ait l'air la plus naturelle possible. Mais quelle prostituée ferait une chose pareille ? S'il a succombé pendant ou juste après des rapports sexuels, n'importe quelle fille ayant un peu de bon sens aurait fait un trou dans le mur pour disparaître.

– Sans compter que mon mari pesait très lourd. Je vois mal comment une fille aurait pu à elle toute seule le soulever et lui mettre sa veste. Pour ma part, je sais que j'en aurais été incapable. Une fois, alors qu'il avait bu, j'ai essayé de lui retirer sa chemise, et c'était pratiquement impossible.

– Et pourtant, il y a les résultats de l'autopsie. La cause du décès a été jugée naturelle. À quoi attribuer un anévrisme cérébral, sinon à un accès d'amour épuisant ?

– Tout rapport sexuel était épuisant pour Heinrich, je peux vous l'assurer. Mais qu'est-ce qui vous a fait croire en premier lieu qu'il avait pu être assassiné ?

– Des propos tenus par quelqu'un. Dites-moi, connaissez-vous un certain Max Reles ?

– Non.

– Eh bien, lui connaissait votre mari.

– Et vous pensez que cela pourrait avoir quelque chose à voir avec sa mort ?

– Ce n'est qu'un vague pressentiment, mais oui, je le pense. Laissez-moi vous expliquer pourquoi.

– Attendez. Avez-vous dîné ?

– J'ai pris une collation à l'hôtel. »

Elle sourit, gentiment.

« Pour l'instant, vous êtes en Franconie, Herr Gunther. Nous ne prenons pas de collations dans cet État. Qu'est que c'était ? Ce que vous avez mangé ?

– Assiette de jambon et de fromage. Et une bière.

– Je m'en doutais. Dans ce cas, vous resterez dîner. Magda prépare toujours de trop grosses quantités, de toute manière. Ce sera agréable d'avoir à nouveau quelqu'un qui mange correctement dans cette maison.

– Maintenant que vous le dites, je commence à avoir faim. J'ai sauté pas mal de repas dernièrement. »

La maison était trop grande pour une personne seule. Elle aurait été trop grande pour une équipe de basket. Ses deux fils, maintenant adultes, étaient partis pour aller à l'université, expliqua-t-elle, mais c'était surtout la cuisine de Magda qui me préoccupait. Non qu'il y eût quoi que ce soit à redire. Mais tout homme passant là un certain laps de temps prenait de gros risques avec ses artères. Cela faisait à peine deux heures que je me trouvais dans cette maison que j'avais déjà l'impression d'être aussi gras qu'Hermann Goering. Je ne pouvais pas poser mon couteau et ma fourchette ensemble sans qu'on me pousse à me resservir. Et quand je n'avais pas d'aliments dans la bouche, j'en avais devant les yeux. Il y avait un peu partout des peintures de natures mortes, de cornes d'abondance et de coupes bourrées de fruits, au cas où quelqu'un aurait un creux. Jusqu'aux meubles qui semblaient gavés à la cire d'abeille. Ils étaient gros et lourds, et, à chaque fois qu'elle s'asseyait ou s'appuyait sur l'un d'entre eux, Angelica Rubusch ressemblait à Alice au fond du terrier du lapin blanc.

Je lui donnais dans les quarante-cinq ans, mais elle avait peut-être davantage. C'était une belle femme, ce qui est juste une façon de dire qu'elle vieillissait mieux qu'une jolie. Et il y avait quelques raisons de penser qu'elle me trouvait attirant, ce qui est juste une façon de dire que j'avais probablement trop bu.

Après le dîner, je tâchai de rassembler mes idées sur ce que je savais de son mari.

« Votre époux possédait une carrière, n'est-ce pas ?

— C'est exact. Nous fournissions une large gamme de pierres naturelles aux entrepreneurs de toute l'Europe. Mais principalement du calcaire. C'est une des spécialités de la région. Nous appelons ça du calcaire beige en raison de sa couleur miel. La plupart des bâtiments publics de Würzburg sont en calcaire beige. On n'en trouve qu'en Allemagne, de sorte que les nazis en raffolent. Depuis qu'Hitler est au pouvoir, le secteur a littéralement explosé. Ils n'en ont jamais assez. Chaque nouvel édifice public semble nécessiter du calcaire beige du Jura. Avant qu'il meure, Paul Troost, l'architecte d'Hitler, est même venu jeter un coup d'œil à notre calcaire pour la construction de la nouvelle chancellerie.

— Et les Jeux olympiques ?

— Non, nous n'avons pas obtenu ce contrat-là. Notez que ça n'a plus d'importance, à présent. Voyez-vous, je vends l'affaire. Mes fils ne s'intéressent pas le moins du monde au calcaire. Ils font des études pour devenir avocats. Je ne peux pas m'occuper de l'entreprise toute seule. J'ai eu une très bonne proposition d'une autre société ici à Würzburg. Aussi je vais prendre l'argent et devenir une riche veuve.

— Mais vous avez bien présenté une offre pour un contrat concernant les Jeux olympiques ?

— Bien sûr. D'où le voyage d'Heinrich à Berlin. Il y est allé plusieurs fois, en fait. Pour discuter de notre offre avec Werner March, l'architecte des Jeux, ainsi que des fonctionnaires du ministère de l'Intérieur. La veille de sa mort, Heinrich m'a téléphoné de l'Adlon pour m'informer que nous avions perdu. Cet échec l'avait mis dans un état de grande agitation, et il a déclaré qu'il allait examiner la question avec Werner March, qui tenait beaucoup à notre pierre. Je me rappelle lui avoir dit, sur le moment, de prendre garde à sa tension. Quand il était contrarié, son visage devenait tout rouge. De sorte que, lorsqu'il est mort, j'ai d'abord cru que cela avait un rapport avec sa santé.

— Voyez-vous une raison pour laquelle Max Reles aurait été en possession d'une offre de contrat émanant de votre société ?

— Il appartient au ministère ?

— En fait, non, c'est un homme d'affaires germano-américain. »

Elle secoua la tête.

Je pris la lettre que j'avais trouvée dans le coffret chinois et l'étalai sur la table.

« Je le soupçonnais plus ou moins de se sucrer au passage lors de la conclusion de contrats. Genre commission ou honoraires de courtier. Mais, dans la mesure où, en réalité, la société de votre mari n'a pas obtenu de contrat, j'ai du mal à saisir la nature du lien. Ou en quoi cela aurait pu déranger Max Reles que je pose des questions sur votre mari. Non que j'en aie posé, comprenez-vous. Pas jusqu'à maintenant. Pas jusqu'à ce que quelqu'un fasse le rapprochement entre Heinrich Rubusch et Isaac Deutsch. En croyant que je l'avais déjà fait moi-même. » Je laissai échapper un bâillement. « Alors que ce n'était pas le cas. Désolé, tout ça doit vous paraître complètement loufoque. Je suis fatigué, je suppose. Et sans doute un peu ivre. »

Angelika Rubusch n'écoutait pas, et j'aurais eu du mal à lui en vouloir. Elle ne savait rien d'Isaac Deutsch et s'en fichait probablement. J'étais aussi peu cohérent qu'une équipe de football aveugle. Bernie Gunther trébuchant dans le noir et donnant des coups de pied dans un ballon inexistant. Elle secouait la tête, et j'étais sur le point de m'excuser à nouveau quand je vis qu'elle regardait fixement sa propre lettre répondant à l'appel d'offres.

« Je ne comprends pas, déclara-t-elle.

— Alors, nous sommes deux. Ça fait déjà un moment que je ne pige plus rien. Je suis seulement un type à qui il arrive des choses. Et je ne sais pas pourquoi. Drôle de détective, hein ?

— Où avez-vous eu ça ?

— C'est Max Reles qui l'avait. Il semble courir plusieurs lièvres olympiques à la fois. J'ai trouvé ce papier caché dans une pièce d'antiquité, un coffret chinois ancien qui s'est volatilisé quelque temps. Lors de sa disparition, j'ai eu la nette impression qu'il était très désireux de le récupérer.

— Je crois savoir pourquoi, dit Angelika Rubusch. Ce n'est pas notre offre. C'est bien notre papier à lettres, mais pas notre estimation. Celle-ci dépasse largement le prix que nous avons indiqué pour fournir cette quantité de calcaire. Près du double. Quand je lis ceci, ça ne m'étonne pas que nous n'ayons pas eu le contrat.

— En êtes-vous certaine ?

— Bien sûr que j'en suis certaine. J'étais la secrétaire de mon mari. C'était pour garder un œil sur lui… vous voyez ce que je veux dire. Enfin, peu importe désormais. Je tapais toute notre correspondance, y compris la lettre originale d'offre au Comité allemand d'organisation des Jeux olympiques, et je peux vous assurer que je n'ai jamais tapé ça. Pour commencer, il y a une faute d'orthographe. Il n'y a pas de *e* à Würzburg.

— Vraiment ?

— Non, pas si vous êtes originaire de Würzburg. De plus, sur cette machine à écrire, le *g* monte un peu plus haut que les autres lettres. » Posant la feuille devant moi, elle planta un doigt impeccablement manucuré sous le *g* incriminé. « Vous voyez ? »

À la vérité, j'avais la vue légèrement trouble, mais je hochai quand même la tête.

Elle leva le papier dans la lumière.

« Et vous savez quoi ? Ce n'est même pas notre papier à lettres. Il lui ressemble, mais le filigrane est différent.

— Je vois. » Et cette fois, c'était vrai. « Bien sûr. Max Reles a dû truquer les enchères. Voilà comment ça fonctionne, à mon avis : vous présentez vous-même une offre et vous vous arrangez pour que les offres concurrentes soient fixées à un prix anormalement élevé. Ça ou bien vous évincez les autres concurrents, par tous les moyens possibles. S'il s'agit d'un faux, Max Reles doit posséder des intérêts dans la société qui a décroché le contrat pour fournir le calcaire. Et dont l'offre était probablement élevée elle aussi, mais pas autant que celle de votre mari. En fait, qui a remporté ce contrat ?

– Würzburg Calcaire du Jura, répondit-elle d'un ton morose. Notre principal concurrent. La même société à laquelle j'ai accepté de vendre.

– D'accord. Peut-être Reles avait-il déjà demandé à Heinrich de proposer un prix exorbitant pour que votre concurrent obtienne le contrat. Ce qui lui aurait permis de toucher une commission. Et, si ça se trouve, c'est même lui qui aurait fini par fournir Würzburg Calcaire du Jura. L'avantage étant qu'il aurait été payé deux fois.

– Heinrich avait beau me tromper, il n'était pas comme ça en affaires.

– Alors, Max Reles a dû tenter le coup sans parvenir à le soudoyer. Ou falsifier tout simplement l'offre de la société de votre mari. Voire les deux. Dans tous les cas, Heinrich s'en est aperçu. En conséquence de quoi, Max Reles s'est débarrassé de lui. Rapidement. Discrètement. Et de façon définitive. Tout ça paraît logique à présent. La première fois où j'ai vu votre mari, il participait à un dîner organisé par Max Reles pour un tas d'hommes d'affaires, dîner au cours duquel une dispute a éclaté. L'un d'eux est sorti comme un ouragan. Peut-être lui avait-on demandé de gonfler une offre pour autre chose.

– Qu'allons-nous faire maintenant ?

– Demain matin, j'ai rendez-vous à la Gestapo locale. Il semble que je ne sois pas le seul à m'intéresser à Max Reles. Peut-être qu'ils me diront ce qu'ils savent et que je leur dirai ce que je sais, et qu'avec un peu de chance nous trouverons un moyen d'avancer. Mais je crains que ça ne signifie une nouvelle autopsie. Manifestement, le médecin légiste de Berlin est passé à côté de quelque chose. Ce qui leur arrive souvent de nos jours. Les normes médico-légales ne sont plus aussi rigoureuses qu'elles l'étaient. Comme le reste. »

28

Pour pénétrer dans l'édifice abritant la Gestapo, il fallait monter quelques marches jusqu'à une porte gardée par deux hommes au casque d'acier, vêtus d'un uniforme noir et de gants blancs. L'utilisation des gants blancs m'échappait quelque peu. Étaient-ils destinés à persuader le reste d'entre nous de la pureté de la SS en pensée, en parole et en acte ? Auquel cas, je n'étais pas convaincu : il s'agissait de la milice qui avait assassiné Ernst Röhm et Dieu sait combien d'autres SA.

De l'autre côté d'une lourde porte en verre et bois, un vaste hall dallé et un escalier en marbre. Près de la réception, un drapeau nazi et un portrait en pied d'Hitler. Derrière la table, un autre homme en uniforme noir, affichant cette expression peu coopérative que l'on rencontrait un peu partout en Allemagne. Le visage des instances et de la bureaucratie totalitaires. Ce visage ne cherche pas à plaire. Il n'est pas là pour vous rendre service. Il se moque que vous viviez ou que vous mourriez. Il ne vous considère pas comme un citoyen, mais comme un objet à trier – direction l'escalier ou la sortie. C'est à ça que ressemble un homme quand il cesse de se comporter comme un être humain pour se transformer en une sorte de robot.

Une obéissance absolue. Des ordres exécutés sans hésitation. Voilà ce qu'ils voulaient. Des rangs et des rangs serrés d'automates casqués d'acier.

Un agent vérifia mon rendez-vous sur une liste tapée avec soin et posée sur la table bien astiquée. J'étais en avance. J'étais censé n'être ni en avance ni en retard. Maintenant, j'allais devoir attendre, et le robot ne savait pas quoi faire avec quelqu'un qui était en avance et devait attendre. Il y avait une chaise vide à côté de la cage d'ascenseur. Occupée normalement par un garde, me dit-on, mais, jusqu'à l'heure de mon rendez-vous, je pouvais m'y asseoir.

Je m'assis. Quelques minutes s'écoulèrent. Je fumais. À dix heures précises, le robot décrocha le téléphone, composa un numéro et annonça mon arrivée. On me donna l'ordre de prendre l'ascenseur et de monter au quatrième étage, où un autre robot viendrait me chercher. J'entrai dans l'ascenseur. Ayant entendu l'ordre, le robot commandant la machine prit temporairement en charge mes allées et venues au sein de l'immeuble.

Au quatrième étage, un groupe de gens attendait l'ascenseur pour descendre. Dont un homme soutenu sous les bras par deux autres robots. Il était menotté et à demi évanoui, et du sang dégoulinait de son nez sur ses vêtements. Personne ne semblait honteux ni même gêné en raison de ma présence. Cela aurait été admettre la possibilité qu'on ait fait là quelque chose de mal. Et comme le traitement qu'avait subi ce type lui avait été infligé au nom du Führer, ça ne pouvait pas être le cas, tout simplement. L'homme fut traîné dans l'ascenseur, et le troisième robot resté sur le palier du quatrième étage m'escorta le long d'un couloir interminable. Il s'arrêta devant une porte numérotée 43, frappa et ouvrit sans attendre. Lorsque je fus entré, il referma la porte derrière moi.

La pièce était meublée, mais vide. La fenêtre avait beau être grande ouverte, une odeur flottait dans l'air qui me donna à penser que c'était la pièce dans laquelle on venait d'interroger l'homme au nez sanguinolent. À la vue de deux ou trois taches de sang sur le linoléum brun, je compris que j'avais raison. Je m'approchai de la fenêtre et regardai dans la Ludwigstrasse. Mon hôtel était situé juste au coin ; malgré le temps brumeux, j'apercevais le toit. De l'autre côté de la rue, en face du siège de la Gestapo de Würzburg, se trouvait la section locale du Parti nazi. À travers une fenêtre du haut, je pouvais distinguer un type avec les pieds sur un bureau, et je me demandai quelle besogne on accomplissait là-bas, au nom du Parti, que l'on n'accomplissait pas ici.

Une cloche retentit. Le son se répercutait le long des toits rouges, depuis la cathédrale, présumai-je, et pourtant il donnait l'impression de quelque chose de maritime, un signal destiné à avertir les bateaux de la proximité d'écueils dans le brouillard. Et je songeai à Noreen, quelque part dans l'Atlantique Nord, debout à l'arrière du *SS Manhattan*, me regardant à travers la brume épaisse.

La porte s'ouvrit derrière moi, et une forte odeur de savon envahit la pièce. Je me retournai pour voir un type plutôt petit fermer la porte et descendre ses manches de chemise. Je supposai qu'il venait de se laver les mains. Peut-être y avait-il du sang dessus. Il ne dit rien jusqu'à ce qu'il ait décroché sa tunique noire de SS pendue à un crochet dans le placard et qu'il l'ait enfilée, comme si l'uniforme pouvait compenser ses centimètres manquants.

« Vous êtes Gunther ? demanda-t-il d'une voix à l'accent franconien.

— C'est ça. Et vous devez être le capitaine Weinberger. »

Il finit de boutonner sa tunique sans prendre la peine de répondre. Puis il indiqua la chaise devant son bureau.

« Asseyez-vous, je vous en prie.

— Non, merci, répondis-je en me perchant sur le rebord de la fenêtre. Je suis un peu comme un chat. Je ne m'assieds pas n'importe où.

— Qu'est-ce que vous voulez dire ?

— Il y a du sang par terre sous cette chaise et, pour autant que je sache, il y en a dessus également. Je ne gagne pas assez d'argent pour risquer de gâcher un bon costume. »

Weinberger s'empourpra légèrement.

« Comme vous voulez. »

Il s'installa derrière le bureau. Son front, la seule chose qui fût d'une certaine hauteur chez lui, était surmonté d'une épaisse tignasse de cheveux bruns et bouclés. Il avait des yeux verts perçants. Une bouche insolente. On aurait dit un collégien effronté. Et on avait du mal à imaginer qu'il puisse être brutal avec quoi que ce soit d'autre que des soldats de plomb ou des ballons de fête foraine.

« Eh bien, que puis-je pour vous, Herr Gunther ? »

Il avait une tête qui ne me revenait pas. Mais ça n'avait guère d'importance. Un étalage de bonnes manières n'aurait pas été dans la note. Botter les fesses des jeunes freluquets de la Gestapo constituait, comme l'avait dit Liebermann von Sonnenberg, un sport réservé aux officiers de police haut placés.

« Un Américain appelé Max Reles. Que savez-vous de lui ?

— Et à quel titre me demandez-vous ça ? » Weinberger posa ses bottes sur la table, à l'instar de l'homme dans le bureau de l'autre côté de la rue, et croisa ses mains derrière la tête. « Vous n'êtes ni de la Gestapo ni de la Kripo. Et l'on peut prendre pour acquis, je pense, que vous n'êtes pas de la SS non plus.

— Je mène une enquête confidentielle pour le directeur adjoint de la police de Berlin, Liebermann von Sonnenberg.

— Oui, j'ai eu sa lettre. Et son coup de téléphone. Ce n'est pas souvent que Berlin se préoccupe d'un endroit comme celui-ci. Mais vous n'avez toujours pas répondu à ma question. »

J'allumai une cigarette et expédiai l'allumette par la fenêtre.

« Ne vous foutez pas de ma gueule. Est-ce que vous allez m'aider ou est-ce que je dois retourner à mon hôtel pour appeler l'Alex ?

— Oh, jamais je n'aurais l'idée de me foutre de votre gueule, Herr Gunther. » Il sourit avec affabilité. « Dans la mesure où cela ne semble pas être une affaire officielle, je voulais seulement savoir pourquoi je devrais vous aider. C'est vrai, n'est-ce pas ? Je veux dire, s'il s'agissait d'une affaire officielle, la requête du directeur adjoint devrait passer par la voie hiérarchique.

— Nous pouvons procéder de cette manière si vous préférez. Mais vous me feriez perdre mon temps. Sans parler du vôtre. Aussi, pourquoi ne pas considérer ça comme un service que vous rendez au chef de la Kripo de Berlin ?

— Je suis content que vous abordiez ce sujet. Un service. Parce que j'aimerais un service en échange. C'est de bonne guerre, non ?

— Que voulez-vous ? »

Weinberger secoua la tête.

« Pas ici, hein ? Sortons prendre un café. Votre hôtel n'est pas loin. Allons-y.

– Très bien. Si vous y tenez.

– Je crois que cela vaudrait mieux. Compte tenu de ce que vous me demandez. » Il se leva, prit son ceinturon et sa casquette. « De plus, je vous rends déjà un service. Le café ici est infect. »

Il n'en dit pas plus jusqu'à ce que nous ayons quitté l'immeuble. Mais ensuite, je pouvais à peine l'arrêter.

« Würzburg n'est pas une ville désagréable. J'en sais quelque chose. Je suis allé à l'université ici. J'ai fait des études de droit et, après avoir obtenu mon diplôme, je me suis engagé dans la Gestapo. C'est une ville très catholique, naturellement, ce qui signifie que, au début, elle n'était pas particulièrement nazie. Je vois que ça vous étonne, mais c'est vrai – quand j'ai adhéré au Parti, c'était une des villes d'Allemagne où il comptait le moins de membres. Ce qui vous montre tout ce qu'on peut accomplir en peu de temps, hein ?

« La plupart des affaires qui nous arrivent à la Gestapo de Würzburg sont des dénonciations. Des Allemands ayant des relations sexuelles avec des Juives, ce genre de chose. Mais ce qu'il y a de curieux, c'est que la majorité de ces dénonciations ne vient pas de membres du Parti, mais de bons catholiques. Bien sûr, il n'y a pas vraiment de lois interdisant aux Allemands et aux Juifs d'avoir de sordides petites aventures. Du moins, pas encore. Mais ça n'empêche pas les dénonciations, et nous sommes forcés d'enquêter, ne serait-ce que pour prouver que le Parti désapprouve ces relations obscènes. De temps en temps, nous baladons un couple accusé de profanation raciale autour de la grand-place, mais ça va rarement plus loin. Une ou deux fois, nous avons expulsé un Juif parce qu'il réalisait des profits excessifs, mais c'est tout. Et il va sans dire que la plupart de ces dénonciations ne reposent sur rien et sont le fruit de la stupidité et de l'ignorance. Bien évidemment. Pour l'essentiel, les gens qui vivent ici ne sont que de simples paysans. Nous ne sommes pas à Berlin. Hélas.

« Ma propre situation en est un exemple, Herr Gunther. Weinberger n'est pas un nom juif. Je ne suis pas juif. Aucun de mes grands-parents n'est juif. Et pourtant, j'ai moi-même été dénoncé comme Juif, et en plus d'une occasion, soit dit en passant. Ce qui ne favorise pas précisément ma carrière ici à Würzburg.

– J'imagine. »

Je m'autorisai un sourire, mais pas plus. Je n'avais pas encore obtenu l'information dont j'avais besoin et, jusque-là, je ne tenais pas à indisposer le jeune gestapiste marchant sur le trottoir à côté de moi. Nous tournâmes dans l'Adolf-Hitler-Strasse en direction de mon hôtel.

« Oui, je sais, c'est comique. Naturellement. Même moi je m'en rends compte. Mais j'ai l'impression que cela ne se produirait pas dans un endroit plus évolué, comme Berlin. Après tout, il y a là-bas des nazis avec des noms à consonance juive, pas vrai ? Liebermann von Sonnenberg ? Je vous demande un peu. Eh bien, je suis sûr qu'il comprendrait mon problème. »

Je préférais ne pas lui dire que le directeur adjoint de la police de Berlin avait beau être membre du Parti, ça ne l'empêchait pas de mépriser la Gestapo et tout ce qu'elle représentait.

« Alors voilà ce que je pense, dit-il sérieusement. Mon nom ne constituerait pas un obstacle pour moi dans un endroit comme Berlin. Ici à Würzburg, il subsistera toujours un léger soupçon que je ne sois pas complètement aryen.

– Qui l'est ? Je veux dire, vous remontez suffisamment en arrière, et, si la Bible a raison, nous sommes tous juifs. La Tour de Babel. N'est-ce-pas ?

– Hmm, oui. » Il hocha la tête d'un air incertain. « En outre, ma pile de dossiers est si insignifiante que ça ne vaut guère la peine que je les examine. C'est comme ça que j'en suis venu à m'intéresser à Max Reles.

– Et qu'est-ce que vous voulez ? Soyez un peu plus précis, capitaine.

– Rien de plus qu'une chance. Une chance de faire mes preuves, voilà tout. Un mot du directeur adjoint à la Gestapo de Berlin faciliterait sûrement mon transfert. Vous ne pensez pas ?

– Possible, admis-je. C'est bien possible. »

Nous franchîmes l'entrée de l'hôtel et nous rendîmes au restaurant, où je commandai du café et un morceau de gâteau pour chacun.

« Une fois de retour à Berlin, déclarai-je, je verrai ce que je peux faire. À vrai dire, je connais moi-même quelqu'un à la Gestapo. Il dirige son propre service dans la Prinz-Albrecht-Strasse. Il pourrait peut-être vous donner un coup de pouce. Oui, c'est très possible. En supposant que vous puissiez m'aider. »

Maintenant, tout marchait ainsi en Allemagne. Ce qui, pour des rats comme Othman Weinberger, constituait probablement la seule façon d'avancer. Et même si, personnellement, je le considérais comme une chose à décoller avec soin de la semelle de mes Salamander, je ne pouvais guère lui en vouloir d'avoir envie de fiche le camp de Würzburg. Cela faisait à peine vingt-quatre heures que j'étais là que je n'avais pas moins hâte de quitter cette ville que le chien perdu du Juif errant.

« Mais vous savez, repris-je, cette affaire... Ensemble, nous pourrions peut-être encore en tirer quelque chose. Quelque chose sur quoi un homme pourrait bâtir sa carrière. Si cela en mettait plein la vue à vos supérieurs, vous n'auriez plus besoin de mot d'aucune sorte. »

Weinberger eut un sourire ironique et gratifia la jolie serveuse d'un lent regard de bas en haut alors qu'elle se courbait pour nous servir café et parts de gâteau.

« Vous croyez ? J'en doute. Personne n'a l'air très intéressé par ce que je pourrais raconter sur Max Reles.

— Je ne suis pas venu ici pour me remplir les oreilles de café, capitaine. Alors, je vous écoute. »

Ignorant sa tasse et l'excellent gâteau, Weinberger se pencha en avant, tout excité.

« Ce type est un authentique gangster. Comme Al Capone et tous ces truands de Chicago. Le FBI...

— Pas si vite. J'aimerais que vous commenciez par le commencement.

— Bon, eh bien, vous savez que Würzburg est la capitale du secteur carrier allemand. Notre calcaire est très apprécié des architectes dans tout le pays. Mais il n'y a en fait que quatre entreprises qui vendent ce matériau. L'une d'elles, Würzburg Calcaire du Jura, appartient à un éminent citoyen local, Roland Rothenberger. » Il haussa les épaules d'un air malheureux. « Est-ce que ça vous paraît moins juif que mon nom ? Dites-moi.

– Continuez.

– Rothenberger est un ami de mon père. Lequel est médecin ici et conseiller municipal. Il y a quelques mois, Rothenberger est venu le trouver en sa qualité de conseiller et lui a expliqué qu'il faisait l'objet d'intimidations de la part d'un dénommé Krempel. Gerhard Krempel. Un ancien SA, devenu à présent le garde du corps de Max Reles. Bref, d'après Rothenberger, un certain Max Reles avait offert d'acheter des parts dans sa société, et ce Krempel s'était montré menaçant lorsque Rothenberger avait répondu qu'il ne désirait pas vendre. Alors, je me suis mis à me renseigner, mais j'avais à peine ouvert le dossier que Rothenberger m'a contacté parce qu'il souhaitait retirer sa plainte. Il m'a informé que Reles avait augmenté son offre de façon substantielle, qu'il s'agissait d'un simple malentendu et que celui-ci était à présent actionnaire de Würzburg Calcaire du Jura. Et que je devais oublier tout ça. C'est ce qu'il m'a dit.

« Mais l'ennui ayant eu raison de moi, j'en ai peur, j'ai voulu voir ce que je pourrais dénicher d'autre sur Reles. Rapidement, j'ai découvert qu'il était citoyen américain, ce qui, à première vue, constituait une infraction en soi. Comme vous le savez probablement, seules les sociétés allemandes peuvent faire des offres pour les contrats relatifs aux Jeux olympiques. Or, apparemment, Würzburg Calcaire du Jura venait juste de surenchérir sur celles de ses concurrents locaux pour fournir la pierre destinée au nouveau stade de Berlin. J'ai découvert également que Reles avait, semble-t-il, des relations importantes en Allemagne, de sorte que j'ai eu envie de voir ce qu'on savait de lui en Amérique. Ce pourquoi je me suis mis en rapport avec Liebermann von Sonnenberg.

– Que vous a dit le FBI ?

– Beaucoup plus que je ne m'y attendais, pour être franc. Assez pour me persuader de me renseigner auprès de la Kripo de Vienne. Le portrait que j'ai dressé de Reles repose sur deux types de données distincts. Et ce que j'ai moi-même récolté.

– Vous n'avez pas chômé.

– Originaire de Brownsville, à New York, Max Reles est un Juif hungaro-allemand. Ce qui serait déjà suffisant, mais il y a beaucoup plus. Son père, Theodor Reles, a quitté Vienne pour l'Amérique au début du siècle, très probablement pour échapper à une inculpation de meurtre. Il était fortement soupçonné par la Kripo de Vienne d'avoir assassiné quelqu'un – peut-être même plusieurs personnes – avec un pic à glace. Une technique secrète qu'il tenait apparemment d'un médecin juif du nom d'Arnstein. Une fois installé en Amérique, Theodor s'est marié et a eu deux fils : Max et Abraham, son frère cadet.

« Jusqu'ici, Max n'a jamais été condamné, bien qu'il ait trempé dans les trafics de la Prohibition, ainsi que dans le prêt usuraire et les paris clandestins. Depuis la fin de la Prohibition en mars de l'année dernière, il a noué des liens avec la pègre de Chicago. Abraham, le petit frère, a écopé d'une condamnation pour délit juvénile et est également impliqué dans le crime organisé. Il passe pour l'un des pires tueurs de sang-froid des gangs de Brooklyn et a la réputation de se servir d'un pic à glace pour commettre ses assassinats, à l'instar de son père. Arme avec laquelle il fait preuve d'une telle adresse que, dans certains cas, il ne laisse aucune trace.

– Comment ça marche ? demandai-je. Vous poignardez un type avec un pic à glace, vous imaginez bien que ça laisse plus qu'un bleu. »

Weinberger souriait.

« C'est ce que j'ai pensé. Sauf qu'il n'y avait rien sur cette méthode dans les informations que j'ai reçues du FBI. Mais la Kripo de Vienne avait encore un vieux dossier sur Theodor Reles. Vous savez, le père. Apparemment, son truc, c'est qu'il enfonçait le pic à glace dans l'oreille de ses victimes et leur transperçait la cervelle ; et il était si doué qu'elles donnaient presque toutes l'impression d'avoir succombé à une hémorragie cérébrale. Une cause naturelle, en tout cas.

– Bon Dieu, grommelai-je. C'est ainsi que Reles a dû tuer Rubusch.

– Pardon ? »

Je racontai à Weinberger ce que je savais du meurtre d'Heinrich Rubusch et que Würzburg Calcaire du Jura était maintenant le nouveau propriétaire de la société d'extraction de pierre de Rubusch.

« Vous dites que Max Reles a noué des liens avec la pègre de Chicago. Tels que ?

— Jusque récemment, Chicago était dirigée par Capone lui-même. Originaire lui aussi de Brooklyn. Mais Capone se trouve actuellement en prison, et l'organisation a étendu ses activités à d'autres secteurs, notamment le racket de la main-d'œuvre et de la construction. Le FBI soupçonne la pègre de Chicago d'avoir participé au trucage des contrats de travaux pour les Jeux olympiques de Los Angeles en 1932.

— Ça paraît logique. Max Reles a un ami proche au sein du Comité olympique américain, qui est également propriétaire d'une entreprise de construction à Chicago. Un certain Brundage. Il se fait graisser la patte par notre propre comité pour s'opposer à un boycott américain.

— De l'argent ?

— Non. On lui distille au compte-gouttes des trésors du patrimoine est-asiatique faisant partie d'une collection léguée au Musée ethnologique de Berlin par un vieux Juif. » J'approuvai d'un hochement de tête. « Comme j'ai dit, vous n'avez pas chômé, capitaine. Je suis impressionné de voir tout ce que vous avez réussi à glaner. Franchement, je pense que le directeur adjoint va être aussi impressionné que moi. Avec vos talents, vous devriez peut-être envisager une carrière dans la vraie police. La Kripo.

— La Kripo ? » Weinberger secoua la tête. « Non, merci. La Gestapo représente la police de l'avenir. À mon avis, la Gestapo et la SS devront absorber la Kripo à long terme. Non, non, je vous remercie du compliment, mais, du point de vue de ma carrière, il vaut mieux que je reste dans la Gestapo. De préférence celle de Berlin, naturellement.

— Naturellement.

— Dites-moi, Herr Gunther, vous ne croyez pas qu'il s'agit là d'un morceau un peu trop gros pour nous ? Ce Reles est peut-être un Juif et un gangster. N'empêche qu'il a des relations très haut placées à Berlin.

– J'ai déjà parlé à Frau Rubusch d'exhumer le corps de son mari, ce qui apportera la preuve qu'il a été assassiné. Je pense pouvoir mettre la main sur l'arme du crime. Comme la plupart des Américains, Reles aime son alcool avec plein de glace. Il y a un pic à glace à l'aspect meurtrier sur le buffet de sa chambre d'hôtel. Et, si ça ne suffit pas, il y a le fait qu'il est juif, comme vous l'avez dit. J'aimerais bien voir ce qu'en penseront ses relations dans le Parti. Jouer cette carte ne me plaît pas beaucoup, mais, en fin de compte, il se pourrait qu'il n'y ait pas d'autre moyen d'épingler ce salaud. Liebermann von Sonnenberg a été nommé par Hermann Goering lui-même. Nous aurons peut-être à lui exposer ces faits édifiants. Et, dans la mesure où Goering n'appartient à aucune commission olympique, on imagine difficilement qu'il choisisse de fermer les yeux sur la corruption régnant parmi les membres du Comité, même si d'autres ne demanderaient pas mieux.

– Vous avez intérêt à être sûr de vous avant de faire ça. Qu'est-ce que dit le proverbe ? Le coq qui chante trop tôt finit à la casserole.

– C'est ce qu'on vous apprend à l'école d'apprentissage de la Gestapo, je suppose. Non, je ne bougerai pas avant d'avoir toutes les preuves en main. Je sais ne pas mettre la charrue avant les bœufs. »

Weinberger opina.

« J'aurai besoin de voir la veuve. Pour obtenir son autorisation écrite concernant l'exhumation du corps. Il faudra probablement aussi que je mette la Kripo dans le coup. Dans l'état actuel des choses. Ainsi qu'un magistrat. Tout cela pourrait prendre un peu de temps. Au moins une semaine. Peut-être plus.

– Heinrich Rubusch a tout son temps, capitaine. Mais il est nécessaire qu'il ressuscite et se mette à parler pour que cette affaire aboutisse. Fermer les yeux sur des magouilles pour des travaux de construction est une chose. Laisser impuni le meurtre d'un éminent citoyen allemand en est une tout autre. Surtout quand il s'agit d'un aryen cent pour cent. Vous êtes un peu rustre à mon goût, Weinberger, mais nous ferons de vous un policier de premier ordre. À l'Alex, quand j'étais flic, nous avions notre propre dicton. L'os ne vient pas au chien. C'est le chien qui va à l'os. »

29

Il y avait trois heures de train jusqu'à Francfort. Nous nous arrêtions dans presque chaque ville de la vallée du Main, et, quand je n'étais pas occupé à regarder par la fenêtre pour admirer le paysage, j'écrivais une lettre. Je l'écrivais de différentes manières. Ce n'était pas le genre de lettre dont j'avais l'habitude ni qui m'enchantait, mais il fallait quand même la faire. Et je finis par me convaincre que c'était une manière de me protéger.

Je n'aurais pas dû penser aux autres femmes, mais je n'y arrivais pas. À Francfort, je suivis le long du quai une créature bâtie comme un Stradivarius et ressentis un pincement de déception lorsqu'elle monta dans le compartiment pour dames, me laissant dans un wagon fumeurs de première classe, à côté d'une sorte de notaire avec une pipe en forme de saxophone ténor et d'un chef SA ayant une prédilection pour les cigares format Zeppelin à l'odeur encore plus horrible que celle de la locomotive. Au cours des huit heures qu'il fallut au train pour atteindre la capitale, nous produisîmes pas mal de fumée – presque autant que la R 101 à vapeur de Borsig.

Il pleuvait à verse quand j'arrivai enfin à Berlin, avec un trou dans la semelle de ma chaussure. Je dus attendre un taxi à la station devant la gare. Les hallebardes martelaient le grand toit en verre, avant de dégouliner sur la tête de file. Comme les chauffeurs de taxis ne pouvaient pas le voir, ils s'arrêtaient toujours exactement au même endroit, de sorte que le suivant dans la queue devait prendre une douche avant de pouvoir grimper à l'intérieur, comme dans un film avec Laurel et Hardy. Lorsque arriva mon tour, je tirai mon manteau par-dessus ma tête et plongeai dans le taxi ; je réussis à laver toute une manche de ma chemise sans avoir à passer à la blanchisserie. Heureusement, il était encore trop tôt dans l'hiver pour la neige. Chaque fois qu'il neige à Berlin, cela vous rappelle que la ville est plus proche de Moscou que de Madrid de deux bonnes centaines de kilomètres.

Les magasins étaient fermés. Il n'y avait pas d'alcool chez moi et je n'avais pas envie d'aller dans un bar. Me souvenant qu'il y avait une demi-bouteille de Bismarck dans mon tiroir à l'hôtel – cette même bouteille que j'avais confisquée à Fritz Muller –, je demandai au chauffeur de me conduire à l'Adlon. Je comptais en boire un verre, histoire de me réchauffer et, si Max Reles n'était pas dans les parages, de me donner suffisamment de cœur au ventre pour tester mes propres talents de secrétaire sur la Torpedo dans sa suite.

L'hôtel grouillait d'activité. Il y avait une réception au salon Raphaël, et les nombreux clients dans la salle à manger devaient sans doute regarder le plafond panégyrique de Tiepolo, ne serait-ce que pour se rappeler à quoi ressemblait un ciel bleu et sans nuages. D'épaisses volutes blanches de fumée de tabac s'échappaient mollement par la porte de la salle de lecture tel un édredon glissant du lit de Freyja dans l'Asgard. Un type saoul, en cravate et queue-de-pie, se tenait devant la réception, où il se plaignait bruyamment à Pieck, le sous-directeur, que le phonographe dans sa suite ne marchait pas. Je pouvais sentir son haleine à l'autre bout du hall. Mais, au moment même où j'allais prêter main forte, le type s'effondra en arrière comme si on lui avait scié les chevilles. Heureusement pour lui, il heurta la moquette, qui était encore plus épaisse que son crâne. Sa tête rebondit une fois puis s'immobilisa. On aurait dit une imitation presque parfaite d'un combat que j'avais vu aux actualités, quand, un soir à San Francisco, Madcap Maxie Baer avait mis knock-out Frankie Campbell.

Pieck fit précipitamment le tour du comptoir pour donner un coup de main. Deux chasseurs l'imitèrent, et, dans la confusion, je parvins à attraper la clé de la 114 et à la glisser dans ma poche avant de m'agenouiller près de l'homme sans connaissance. Je vérifiai son pouls.

« Dieu merci, vous êtes là, Herr Gunther, dit Pieck.

— Où est Stahlecker? demandai-je. Le type censé me remplacer?

— Il y a eu un incident tout à l'heure dans les cuisines. Une altercation entre deux membres de la Brigade. Le rôtisseur a tenté de frapper le pâtissier avec un couteau. Stahlecker est parti s'en occuper. »

La Brigade, c'est ainsi qu'on appelait le personnel des cuisines à l'Adlon.

« Il vivra, dis-je, lâchant le cou de l'ivrogne. Il est seulement dans les vapes. Il empeste autant que l'académie du schnaps d'Oberkirch. C'est probablement ce qui lui a évité de se faire mal en tombant. On enfoncerait une épingle à chapeau dans ce sac à vin qu'il ne le sentirait même pas. Écartez-vous un peu, je vais le ramener à sa chambre, où il pourra cuver tranquille. »

Je saisis l'homme par l'arrière du col de son manteau et le traînai vers l'ascenseur.

« Vous ne pensez pas que vous devriez prendre l'ascenseur de service? objecta Pieck. Un des clients pourrait vous voir.

— Vous voulez le porter jusque-là?

— Euh… non. Peut-être pas. »

Un groom courut après moi avec la clé de la chambre du type. En échange, je lui remis la lettre que j'avais écrite dans le train.

« Poste ça, veux-tu, fiston? Mais pas dans l'hôtel. Sers-toi de la boîte qui se trouve au coin de la Dorotheenstrasse. » Je glissai ma main dans ma poche et lui donnai cinquante pfennigs. « Tiens. Tu ferais mieux de prendre ça. Il pleut. »

Je tirai le type toujours inconscient dans l'ascenseur et jetai un coup d'œil au chiffre inscrit sur le porte-clés.

« Trois cent vingt, dis-je à Wolfgang.

— Bien, monsieur », répondit-il avant de fermer la porte.

Je me baissai, hissai l'homme sur mon épaule et le soulevai.

Quelques minutes plus tard, il était allongé sur son lit. J'essuyai la sueur sur mon visage puis avalai une lampée d'une bouteille ouverte d'excellent Korn posée par terre. Il ne me brûla pas le gosier, n'irrita

même pas mon bouton de col – de la gnôle de luxe que vous savou-
riez à petites gorgées tout en lisant un bon livre ou en écoutant un
impromptu de Schubert, pas pour vous aider à vous consoler d'un
chagrin d'amour. Mais cela faisait tout de même l'affaire. Il se répan-
dit comme une bonne conscience, du moins aussi bonne que j'étais
en droit de l'espérer après voir posté cette lettre.

Je décrochai le téléphone et, déguisant ma voix, demandai à
une des opératrices de me passer la suite 114. Elle laissa sonner un
moment avant de revenir en ligne pour me dire, comme je le savais
déjà, que ça ne répondait pas. Je la priai de me donner le concierge,
et Franz Joseph prit la communication.

« Salut, Franz, c'est moi, Gunther.

– Salut. Il paraît que vous êtes de retour. Je vous croyais en
vacances.

– Oui. Mais vous savez ce que c'est, je n'arrivais pas à dételer. Est-
ce que vous sauriez par hasard où est Herr Reles ce soir ?

– Il dîne chez Habel. C'est moi qui ai réservé la table. »

Habel, dans Unter den Linden, avec sa fameuse cave à vin et ses
prix encore plus fameux, était l'un des plus vieux et des meilleurs
restaurants de Berlin. Tout à fait le genre d'endroit que Reles aurait
choisi.

« Merci. »

J'ouvris le col de chemise de l'homme dormant à présent comme
un loir sur le lit puis, avec prévenance, le tournai sur le côté. Après
quoi je rebouchai sa bouteille et l'emportai avec moi, la fourrant
dans la poche de mon manteau en sortant. Elle était aux deux tiers
pleine, et je pensais que le client me devait bien ça ; plus qu'aucun de
nous deux ne le saurait jamais s'il finissait par rendre tripes et boyaux
dans son sommeil.

30

J'entrai dans la suite 114 et refermai la porte derrière moi avant d'allumer la lumière. La porte-fenêtre était ouverte, et il faisait froid dans la pièce. Les rideaux de tulle ondulaient derrière le canapé tel un couple de fantômes d'opérette, et la forte pluie avait mouillé le bord de la coûteuse moquette. Je fermai les fenêtres. Ça n'inquiéterait pas Reles. Il mettrait ça sur le compte de la femme de chambre.

Il y avait plusieurs paquets ouverts par terre. Chacun contenant un objet d'art est-asiatique enveloppé dans de la paille. J'en pris un pour l'examiner de plus près. C'était un bronze ou peut-être une statuette en or de quelque divinité orientale avec douze bras et quatre têtes. D'une trentaine de centimètres de haut, le personnage semblait danser le tango avec une fille en tenue plutôt légère me rappelant fortement Anita Berber. Anita avait été autrefois la reine des danseuses nues de Berlin au cabaret de la Souris blanche dans la Jägerstrasse, jusqu'au jour où elle avait assommé un client avec une bouteille de champagne vide. La légende voulait qu'il se soit opposé à ce qu'elle pisse sur la table, ce qui était sa blague de prédilection. Ce bon vieux Berlin me manquait.

Je replaçai la statuette dans son nid et parcourus la suite du regard. La chambre au-delà de la porte entrouverte était plongée dans l'obscurité. Celle de la salle de bains fermée. Je me demandais si la mitraillette, l'argent et les pièces d'or se trouvaient toujours derrière le panneau carrelé de la chasse d'eau des toilettes.

À cet instant, mon attention fut attirée par le seau à glace près du plateau sur le buffet. À côté du seau reposait un pic à glace.

Je le pris. L'objet mesurait environ vingt-cinq centimètres de long et était pointu comme une aiguille. Gravés sur la lourde poignée en métal rectangulaire, on pouvait lire *Citizens Ice 100 % Pure* d'un côté et *Citizens* de l'autre. Ce qui semblait un drôle de truc à amener d'Amérique, jusqu'à ce que vous vous souveniez qu'il s'agissait peut-être de l'arme de prédilection de Reles. Elle avait l'air assurément efficace. J'avais vu des couteaux à cran d'arrêt moins redoutables dépasser du dos d'un homme. Mais il n'aurait sans doute servi à rien de l'emprunter dans l'espoir que quelqu'un à l'Alex le soumette à des tests. Pas tant que Reles l'utilisait aussi pour mettre des glaçons dans ses cocktails.

Je reposai le pic à glace et pivotai pour examiner la machine à écrire. Une lettre à moitié finie était toujours insérée dans le chariot de la rutilante Torpedo portable. Je tournai le bouton du rouleau afin de libérer la feuille de papier. La lettre, adressée à Avery Brundage à Chicago, était rédigée en anglais, ce qui ne m'empêcha pas de constater que le *g* de la Torpedo montait un demi-millimètre plus haut que les autres caractères.

J'avais l'arme probable du crime. J'avais la machine à écrire sur laquelle Max Reles avait tapé de fausses offres pour les contrats olympiques. J'avais une copie du rapport du FBI. Et un document de la Kripo de Vienne. Il ne me restait plus qu'à vérifier que la mitraillette se trouvait encore là où je pensais. Expliquer ça serait une gageure même pour un homme comme Max Reles. Je regardai autour de moi à la recherche du tournevis et, ne le voyant pas, je commençai à fouiller dans les tiroirs.

« Vous cherchez quelque chose de précis ? »

C'était Dora Bauer. Elle se tenait dans l'encadrement de la chambre, nue, encore qu'elle aurait très bien pu se couvrir avec l'objet qu'elle avait à la main. Il était assez gros pour ça. Un Mauser Bolo est une arme plutôt maousse. Je me demandai combien de temps elle arriverait à le tenir à bout de bras avant d'attraper des crampes.

« Je pensais qu'il n'y avait personne, dis-je. Je ne m'attendais certainement pas à vous voir, ma chère Dora. Ni à ce point-là non plus.

— J'ai l'habitude qu'on me reluque, polype.

— Où avez-vous pêché cette idée? Moi, un polype. Tsk tsk.

— Ne me dites pas que vous fouillez les tiroirs pour voler quelque chose. Pas vous. Ce n'est pas votre genre.

— Qui sait?

— Non. » Elle secoua la tête. « Vous m'avez filé ce boulot et vous n'avez même pas demandé à avoir votre part. Quel voleur aurait fait ça?

— Ça prouve que vous me devez quelque chose, aucun doute.

— Cette dette, vous l'avez déjà récupérée.

— Vraiment?

— Sûr. Un homme avec une bouteille dans sa poche s'introduit ici et se met à farfouiller dans les tiroirs? J'aurais pu vous abattre il y a cinq minutes. Et parce que je n'ai pas encore pressé la détente, ne pensez pas que je ne le ferai pas. Flic ou pas. D'après ce que je sais déjà sur vous, Gunther, vos anciens collègues à l'Alex risquent de penser que je leur ai fait une faveur.

— C'est à moi que vous faites une faveur, fraülein. Depuis que l'Eldorado a fermé, je n'avais pas vu un aussi joli brin de fille. Est-ce ainsi que vous vous habillez normalement pour faire un peu de dactylographie? Ou attendez-vous que Max Reles ait fini de vous faire la dictée? D'une façon comme de l'autre, je ne me plains pas. Même avec un pistolet à la main, Dora, vous êtes un régal pour les yeux.

— Je dormais, dit-elle. Du moins, jusqu'à ce que le téléphone se mette à sonner. Je suppose que vous vouliez vérifier que la voie était libre.

— Quel dommage que vous n'ayez pas répondu. J'aurais pu éviter de vous faire rougir.

— Vous pouvez regarder mon minou autant que vous voudrez, polype, mais vous ne me verrez pas rougir.

— Écoutez. Pourquoi ne pas poser ce pistolet et aller chercher une chemise de nuit. Ensuite nous pourrons discuter. Il y a une raison extrêmement simple à ma présence ici.

— Ne croyez pas que je ne sache pas laquelle, Gunther. Nous vous attendions, Max et moi. Depuis votre petite excursion à Würzburg.

— Une jolie petite ville. Cela dit, je ne l'ai pas aimée tout de suite. Saviez-vous qu'ils avaient l'une des plus belles cathédrales baroques de toute l'Allemagne? Bâtie par les princes-évêques, pour racheter l'assassinat par les citoyens de la ville d'un pauvre prêtre irlandais en l'an 689. Saint Kilian. Max Reles s'intégrerait très bien s'il allait là-bas. D'ailleurs, il y va certainement, vu qu'il possède une carrière ou deux, qui fournissent des pierres au Comité olympique allemand. Sans compter, bien sûr, qu'il a assassiné quelqu'un. Ne l'oublions pas. En utilisant ce pic à glace sur le buffet.

— Vous devriez faire de la radio.

— Écoutez-moi, Dora. Dans l'immédiat, c'est seulement Max qui regarde dans le panier du bourreau. Vous vous rappelez Myra Scheidemann? La meurtrière de la Forêt-Noire? Au cas où vous l'auriez oublié, nous exécutons aussi les femmes, dans ce beau pays qui est le nôtre. Ce serait fâcheux pour vous si vous finissiez de la même façon. Alors, soyez raisonnable et rangez ce pistolet. Je peux vous aider. Comme je l'ai déjà fait.

— Bouclez-la. » Elle pointa le long canon du pistolet sur moi puis vers la salle de bains. « Là-dedans », ordonna-t-elle d'un ton féroce.

Je m'exécutai. J'avais vu les dégâts provoqués sur un homme par une balle de Mauser. Ce n'est pas le trou qu'elle fait en entrant qui me donna matière à réflexion, mais le trou qu'elle fait en sortant. La même différence qu'entre une cacahuète et une orange.

Après avoir ouvert la porte de la salle de bains, j'allumai la lumière.

« Retirez la clé de la porte, dit-elle. Et remettez-la de ce côté. »

Il faut rajouter à cela que Dora avait été une prostituée. Elle l'était probablement encore. Et les prostituées ne sont pas très regardantes quand il s'agit de tirer sur les gens. Surtout sur des hommes. Myra Scheidemann avait abattu trois de ses clients d'une balle dans la tête avec un .32 pendant qu'ils s'activaient dans la forêt. Parfois, j'avais le sentiment que nombre de prostituées n'aimaient pas beaucoup les hommes. Celle-là donnait l'impression que me coller une balle dans la peau ne la dérangerait pas outre mesure. Si bien que je pris la clé et la mis dans la serrure de l'autre côté de la porte, comme elle le demandait.

« Maintenant, fermez la porte.

— Pour rater le spectacle ?

— Ne m'obligez pas à prouver que je sais me servir d'une arme à feu.

— Vous devriez peut-être essayer d'entrer dans l'équipe olympique de tir. Vêtue comme ça, vous n'auriez sans doute aucun mal à impressionner les sélectionneurs. Bien sûr, épingler une médaille sur votre poitrine pourrait s'avérer difficile. Encore que vous pourriez toujours vous servir d'un pic à glace. »

Dora allongea le bras, visa posément ma tête et serra fermement le Mauser.

« D'accord, d'accord. »

Je refermai la porte avec le pied, m'en voulant de ne pas avoir pensé à apporter le petit automatique que j'avais pris à Eric Goetz. En entendant la clé tourner dans la serrure, je pressai mon oreille contre le panneau et m'efforçai de poursuivre la conversation.

« Je croyais que nous étions amis, Dora. Après tout, c'est moi qui vous ai procuré ce travail avec Max Reles. Vous vous souvenez ? C'est moi qui vous ai permis d'abandonner le tapin.

— Lorsque nous nous sommes rencontrés vous et moi, Gunther, Max était déjà un client. Vous m'avez seulement permis d'être ici avec lui légitimement. Je vous l'ai déjà dit, j'adore les hôtels de luxe comme celui-ci.

— Je me souviens, en effet. Vous aimez les grandes salles de bains.

— Et qui a dit que je voulais abandonner le tapin ?

— Vous. Et je vous ai crue.

— Alors, vous êtes bien mauvais psychologue, vous ne croyez pas ? Max pense que vous lui tournez autour comme un essaim de mouches, mais, à mon avis, vous avez simplement joué au jeu de l'âne. Et vous avez eu de la chance. Max croit que, parce que vous êtes allé à Würburg, vous savez sûrement tout. Mais j'en doute. Comment pourriez-vous ?

— Juste par curiosité, comment l'a-t-il appris ? Que j'étais allé à Würzburg.

— Par Frau Adlon. Après votre voyage à Potsdam, il se demandait où vous étiez. Alors il lui a posé la question. Il lui a raconté qu'il voulait vous donner une récompense pour avoir retrouvé ce coffret chinois. Naturellement, dès qu'il a su que vous étiez là-bas, il a deviné que c'était pour vous renseigner sur lui. Auprès de la veuve Rubusch ou de la Gestapo. Voire les deux.

— La Gestapo ne semblait pas particulièrement intéressée par Reles et ses activités, dis-je.

— Je suppose que c'est pour ça qu'ils ont demandé des informations sur Max au FBI. » Dora rit. « Oui, je savais que ça vous en boucherait un coin. Max a reçu un télégramme de son frère en Amérique pour lui transmettre un tuyau de quelqu'un du FBI disant qu'ils avaient reçu de la Gestapo de Würzburg une demande d'information à son sujet. Comme vous voyez, Max a des amis au FBI, tout comme il a beaucoup d'amis utiles ici. Il est très malin.

— Ah oui ? »

J'inspectai la salle de bains. J'aurais peut-être pu casser la fenêtre d'un coup de pied et descendre le long de la façade pour atteindre la rue, sauf que la pièce n'avait pas de fenêtre. J'avais besoin de l'arme à feu derrière le panneau. Je regardai autour de moi si je ne voyais pas le tournevis puis ouvris les quatre placards.

« Vous savez, Max ne va pas être très content, en revenant, de me trouver dans la salle de bains. À commencer par le fait qu'il ne pourra même pas se servir de ses propres cabinets. »

Il n'y avait pas grand-chose à l'intérieur des placards. La plupart des articles de toilette masculins étaient posés sur l'étagère ou sur le bord du lavabo. Dans l'un d'eux, un flacon de Blue Grass d'Elizabeth Arden voisinait avec de l'eau de Cologne pour hommes Grand Prix de Charbert. Semblables à un couple parfait. Dans un autre, je trouvai un sac contenant des godemichés à l'aspect nettement moins chic, une perruque blonde, de la lingerie de luxe et un diadème de diamants manifestement en strass. Personne ne laisserait un vrai dans un placard de salle de bains. Pas quand l'hôtel possède un excellent coffre. De tournevis, toutefois, aucun signe.

« Que faire de moi risque de poser un véritable problème à Max. Je veux dire, il peut difficilement me tuer ici à l'Adlon, pas vrai ? Je ne suis pas du genre à attendre bien gentiment qu'on me seringue les oreilles avec un pic à glace. Et le bruit d'un coup de feu attirera l'attention et nécessitera des explications. Mais ne vous méprenez pas, Dora, il va devoir me tuer. Et vous serez sa complice. »

Bien évidemment, j'avais maintenant compris la signification de la perruque, du diadème et du parfum Blue Grass. J'hésitais à en parler à Dora, dans la mesure où j'espérais encore pouvoir la convaincre de coopérer avec moi. Mais, à chaque minute qui passait, il devenait de plus en plus clair que je n'avais pas beaucoup d'autres solutions pour l'amener à le faire que de lui flanquer la frousse en me servant de ce que je savais sur elle.

« Sauf que vous ne voyez aucun inconvénient à vous faire la complice d'un meurtre, hein, Dora ? Pour la bonne raison que vous l'avez déjà aidé à en commettre un. C'est avec vous qu'était Heinrich Rubusch la nuit où Max l'a tué avec le pic à glace. La blonde au diadème, c'était vous, n'est-ce pas ? Ça ne l'a pas ennuyé quand vous lui avez montré votre minou ? Que vous ne soyez pas une vraie blonde ?

— Il était comme tous les mâles quand ils voient une chatte. La seule chose qui l'intéressait, c'était qu'elle pousse de petits cris quand il la caressait.

— Je vous en prie, ne me dites pas que Max l'a tué pendant que vous étiez occupés à ça.

— Qu'est-ce que vous en avez à fiche, de toute façon ? Il n'a fait aucun bruit. Il n'y a même pas eu de sang. Enfin, peut-être juste un peu. Max l'a essuyé avec la veste de pyjama du type. Vous n'auriez même pas pu distinguer une trace. Incroyable, vraiment. Et croyez-moi, il n'a rien senti du tout. N'aurait pas pu. Contrairement à moi. Ce n'est pas une fille que voulait Rubusch, c'est un cheval de course. Pendant des jours, j'ai gardé les marques de sa brosse à cheveux sur les fesses. Si vous voulez mon avis, ce gros pervers n'a eu que ce qu'il méritait.

— Mais la porte était fermée de l'intérieur quand on l'a découvert. La clé se trouvait encore dans la serrure.

— Vous l'avez ouverte, non ? Je l'ai fermée de même. Des tas de putains d'hôtel se baladent avec des passe-partout ou des tourneurs de clé. Ou savent comment s'en procurer. Parfois, un client vous règle sans laisser de pourboire. D'autres fois, ils sortent des billets d'une liasse trop alléchante pour que vous la laissiez derrière vous. Alors vous attendez un moment dehors, puis vous y retournez pour vous resservir. Quel détective d'hôtel vous faites, Gunther! L'autre flic. Comment s'appelait-il? Le sac à vin. Muller. Il connaissait la chanson. C'est lui qui m'a vendu un tourneur de clé et un bon petit passe. En échange, ben, vous pouvez imaginer ce qu'il voulait. La première fois, en tout cas. La nuit où Max a tué Rubusch, je suis tombée sur lui par hasard, et j'ai été forcée de lui glisser quelques billets.

— Qui faisaient partie de ceux que vous avait donnés Rubusch.

— Évidemment. »

À ce stade, j'avais renoncé à chercher le tournevis. Et j'examinais ma monnaie pour voir si je n'avais pas une pièce assez fine pour les têtes de vis sur le panneau du réservoir de la chasse d'eau. Sans résultat. J'avais en revanche une pince à billets en argent – un cadeau de mariage de ma défunte épouse –, et je passai plusieurs minutes à essayer de défaire une des vis avec; mais je ne réussis qu'à esquinter le coin de la pince. Telle que la situation se présentait, je n'allais pas tarder à avoir l'occasion de m'excuser auprès d'elle, sinon en personne, du moins sous une forme vaguement similaire.

Dora Bauer avait cessé de parler. Ce qui était très bien. Chaque fois qu'elle ouvrait la bouche, ça me rappelait combien j'avais été stupide. Je pris le verre à dents, le rinçai, me versai une généreuse dose de Korn et m'assis sur les toilettes. Avec un verre et une cigarette, les choses ont toujours l'air d'aller mieux.

Tu es dans de sales draps, Gunther, me dis-je. Dans un instant, un type va franchir cette porte avec un pétard et soit il va t'abattre, soit il va essayer de t'emmener hors de l'hôtel pour te flinguer ailleurs. Bien sûr, il se peut également qu'il t'en colle un coup sur le crâne et qu'il te liquide ensuite avec le pic à glace avant de te sortir dans un panier à linge. Ça fait un moment qu'il loge ici. Il doit connaître la disposition des lieux sur le bout des doigts. Le fonctionnement de la maison. Ou il pourrait tout simplement balancer ton corps dans la cage d'ascenseur. Il s'écoulerait pas mal de temps avant qu'on te retrouve. À moins qu'il se contente de passer un coup de fil à ses amis de Potsdam pour qu'ils viennent t'embarquer à nouveau. Ce n'est pas comme si ça allait provoquer un tollé. De nos jours à Berlin, chacun détourne le regard quand quelqu'un se fait arrêter. Ce n'est pas son affaire. Personne n'a rien vu.

Quoiqu'il pouvait difficilement prendre le risque que je dise quelque chose devant tout le monde lorsqu'il essaierait de me faire passer la porte d'entrée comme un somnambule. Von Helldorf n'aimerait pas ça. Ni notre honoré Reichsportsführer, Von Tschammer und Osten.

Je repris un peu de Korn. Ça ne m'aida pas à me sentir mieux. Mais ça me donna une idée. Pas vraiment une idée. Mais enfin, je n'étais pas vraiment un détective non plus. Ce qui était déjà passablement évident.

31

Quelques heures s'écoulèrent. Ainsi que quelques verres en plus. Qu'aurais-je pu faire d'autre ? En entendant le bruit de la clé dans la serrure, je me levai. La porte s'ouvrit. À la place de Max Reles, je me retrouvai face à face avec Gerhard Krempel, ce qui mit sérieusement à mal mon idée. Krempel n'avait rien d'une lumière, et je ne voyais pas comment j'allais m'en tirer par des boniments si c'étaient ses oreilles en feuille de chou qui se chargeaient de l'écoute. Il avait un .32 dans une main et un coussin dans l'autre.

« Vous avez pris du bon temps à ce que je vois.

— J'ai besoin de parler à Max Reles.

— Dommage, parce qu'il n'est pas là.

— J'ai un marché à lui proposer. Il aura envie de l'entendre. Je peux vous le garantir. »

Krempel sourit d'un air lugubre.

« Alors, c'est quoi ?

— Pour gâcher la surprise ? Disons seulement qu'il s'agit de la police.

— Ouais, mais quelle police ? La police de bons à rien dans laquelle vous étiez, Gunther ? Ou celle que connaît mon patron et qui fait disparaître les problèmes ? Vous avez perdu trois cartes et vous essayez de relancer. Eh bien, le bluff est terminé. Je me fiche complètement de ce que vous avez à dire. Voilà ce que moi, je vous dis : vous avez deux manières de sortir de cette salle de bains. Mort, ou ivre mort. À vous de choisir. Les deux sont gênantes pour moi, mais l'une d'elles est moins gênante pour vous. Surtout que vous avez eu l'obligeance d'apporter une bouteille et, apparemment, de prendre une longueur d'avance sur ce dont je parle.

— Qu'est-ce qui se passera ensuite ?

— À Reles de décider. Mais il n'est pas possible que je vous fasse sortir de cet hôtel sans que vous soyez réduit à l'impuissance, d'une façon ou d'une autre. Si vous êtes ivre, vous pourrez gueuler autant que vous voulez, personne ne prêtera attention à un ivrogne comme vous. Pas même ici. Surtout ici, en fait. On n'aime pas beaucoup les soûlards à l'Adlon. Ils font peur aux dames. Si vous croisez quelqu'un qui vous connaît, vous donnerez juste l'impression d'un de ces anciens flics incapables de tenir l'alcool. Comme l'autre pochard qui bossait ici. Fritz Muller. »

Krempel haussa les épaules.

« Cela dit, je pourrais très bien vous abattre sur-le-champ, ici même, fouineur. Avec un coussin autour de ce petit .32, le bruit passera pour une pétarade de voiture. Après quoi, je vous balancerai par la porte-fenêtre. Ça ne devrait pas faire beaucoup plus qu'un plof en arrivant en bas. On n'est qu'au premier étage. Avant que quelqu'un vous remarque avec ce déluge dans le noir, je vous aurai rangé bien à l'abri dans le coffre de ma bagnole. Prochain arrêt : la rivière. »

La voix était calme et assurée, comme si me tuer n'allait pas l'empêcher de dormir. Il replia le coussin sur le pistolet, d'un geste éloquent.

« Feriez mieux de boire. Assez discuté comme ça. »

Je me versai un verre et le vidai d'un trait.

Krempel secoua la tête.

« Oublions que nous sommes à l'Adlon, d'accord ? À la bouteille si ça ne vous dérange pas. Je n'ai pas toute la nuit.

— Ça vous dirait de vous joindre à moi ? »

Il fit un bref pas en avant et me frappa au visage. Pas assez fort pour me faire perdre l'équilibre. Seulement l'usage de mes cordes vocales.

« Fermez-la et buvez. »

Je portai le goulot de la grande bouteille en grès à mes lèvres et avalai comme si c'était de l'eau. Une partie fit mine de remonter, mais je serrai les dents pour l'en empêcher. Krempel ne semblait pas d'humeur à poireauter en attendant que je dégueule. Je m'assis sur le bord de la baignoire, respirai à fond et bus un peu plus. Et encore un peu plus. Comme je levais la bouteille pour la troisième fois, mon chapeau tomba dans la baignoire vide, mais ça aurait aussi bien pu être ma tête. Il roula sous le robinet suintant et s'immobilisa sur le fond comme un gros scarabée brun retourné. Je me penchai pour le ramasser, sous-estimai la profondeur de la baignoire et tombai dedans, mais sans lâcher la bouteille de schnaps. Je crois que si je l'avais cassée, Krempel m'aurait abattu séance tenante. J'engloutis une nouvelle lampée à la bouteille pour le rassurer, qu'il sache qu'il y avait encore plein d'alcool dedans, saisis mon chapeau et l'enfonçai au sommet de mon crâne déjà à la dérive.

Krempel me considéra avec autant de sympathie que si j'avais été une luffa desséchée et s'assit sur le couvercle des toilettes. Ses yeux ressemblaient à deux fentes bouffies, comme s'ils avaient été mordus par un serpent. Il alluma une cigarette, croisa ses longues jambes et poussa un soupir empestant le tabac.

Plusieurs minutes passèrent. Oisives pour lui, mais pour moi de plus en plus hasardeuses et enivrantes. L'alcool me contraignait d'une poigne de fer à un mol abandon.

« Gehrard ? Qu'est-ce que vous penseriez de gagner un paquet de fric ? Et je dis bien un paquet. Des milliers de marks.

– Des milliers, hein ? » Son corps se tortilla, secoué d'un rire moqueur. « Et ça venant de vous, Gunther. Un type avec un trou dans sa godasse qui prend le bus pour rentrer chez lui. Quand vous avez de quoi vous payer un ticket.

– Pour ça, vous avez tout compris, mon ami. » Avec mon derrière sur la paroi de la baignoire de la profondeur d'un canyon et mes Salamander en l'air, je me sentais comme Bobby Leach descendant les chutes du Niagara dans un tonneau. De temps en temps, mon ventre semblait exploser sous moi. Je tournai le robinet et aspergeai mon visage en sueur d'eau glacée. « N'empêche. Il y a de l'argent à se faire. Mon ami. Beaucoup d'argent. Derrière vous, sur le dessus du réservoir de la chasse d'eau, est vissé un panneau. Caché là-dedans, il y a un sac. Un sac contenant des billets de banque. Dans plusieurs devises. Une mitraillette Thompson. Et assez de pièces d'or suisses pour ouvrir un magasin de chocolat.

— C'est encore un peu tôt pour Noël », dit Krempel. Il poussa une exclamation sonore. « Et moi qui n'ai même pas laissé une botte devant la cheminée.

— L'an passé, la mienne était remplie de petit bois. Mais il est là et bien là. L'argent, je veux dire. Reles a dû vouloir le planquer, je suppose. Une Thompson, ce n'est pas le genre de truc qu'on met dans un coffre d'hôtel. Même ici.

— Que ça ne vous empêche pas de boire », grommela Krempel.

Se penchant en avant sur le siège des toilettes, il donna une tape sur la semelle de ma chaussure – celle avec le trou dedans – en se servant du canon du pistolet.

J'emplis mes joues de l'odieux liquide, avalai avec difficulté et laissai échapper une bouffée nauséeuse.

« Je l'ai découvert. En fouillant la chambre. Il y a de ça un petit moment.

— Et vous l'avez simplement laissé là.

— Je suis beaucoup de choses, Gerhard. Mais pas un voleur. Vous avez l'avantage sur moi, en l'occurrence. Ce vieux Max garde un tournevis dans sa suite. Quelque part, pour retirer ledit panneau. J'en suis certain. Je l'ai cherché tout à l'heure. Pour pouvoir vous accueillir quand vous vous êtes ramené avec votre joujou dans la main. Rien de personnel, vous comprenez. Mais une Thompson mérite un claquement de talons et un salut dans n'importe quelle langue. »

Je fermai les yeux un instant, levai la bouteille de grès en un toast silencieux et ingurgitai une nouvelle rasade. Lorsque je les rouvris, Krempel examinait avec intérêt les vis sur le panneau.

« Il y a là de quoi acheter plusieurs sociétés ou soudoyer quiconque a besoin de l'être. Ouais, il y a un paquet d'oseille dans ce sac. Beaucoup plus que ce qu'il vous paie, Gerhard.

— La ferme, Gunther.

– Peux pas. J'ai toujours été un poivrot bavard comme une pie. La dernière fois que je me suis beurré comme ça, c'est quand ma femme est morte. Grippe espagnole. Est-ce que vous vous êtes déjà demandé pourquoi on appelle ça la grippe espagnole, Gerhard ? Ça a commencé au Kansas, vous savez. Mais les Amerloques ont écrasé le coup parce que la censure de guerre était toujours en vigueur. Et ça n'a fait la une des journaux qu'une fois arrivé en Espagne, où il n'y avait pas de censure. Déjà eu la grippe, Gerhard ? C'est comme ça que je me sens en ce moment. Comme si j'avais attrapé une épidémie individuelle de ce truc. Bon Dieu, je me suis même pissé dessus.

– Vous avez ouvert le robinet, espèce d'andouille, vous vous rappelez ? »

Je bâillai.

« Vraiment ?

– Allons, buvez.

– Alors à la sienne. C'était une femme bien. Trop bien pour moi. Vous avez une femme ? »

Il secoua la tête.

« Avec tout le fric qu'il y a dans ce sac vous pourriez en avoir plusieurs. Et ça ne les gênerait pas le moins du monde que vous soyez un affreux salaud. Une femme est capable de passer sur presque tous les défauts d'un homme à condition qu'il y ait un gros sac de fric dans son assiette. Je parierais que cette garce à côté, Dora, n'est pas au courant non plus pour le sac. Sans quoi, elle l'aurait embarqué, sûr et certain. Une petite chèvre affamée. Remarquez qu'elle a aussi de bons côtés. Je l'ai vue à poil. Veloutée comme une pêche. À condition, bien sûr, de ne pas oublier que toutes les pêches ont un noyau à l'intérieur. Et que celui de Dora est plus gros que la moyenne. Mais, pour une pêche, c'en est une. »

J'avais la tête lourde. Un noyau de pêche géant. Et lorsqu'elle s'affaissa sur ma poitrine, elle sembla parcourir un tel chemin que, pendant un instant, je crus qu'elle était tombée dans le panier en cuir sous le couperet. Et je me mis à crier en pensant que j'étais mort. Ouvrant les yeux, j'avalai une grande bouffée d'air, le souffle saccadé, et luttai pour rester vaguement à la verticale, mais c'était désormais une bataille perdue.

« Très bien, dit Krempel. On y va ? »

Il se leva, serra le col de mon manteau dans ses poings comme des grenades et me tira brutalement hors de la baignoire. C'était un type costaud – trop costaud pour que je me risque à faire quoi que ce soit de stupide. Mais je lui en balançai un quand même et le manquai avant de perdre l'équilibre et de tomber sur le sol de la salle de bains, où Krempel me flanqua un coup de pied dans les côtes pour la peine.

« Et le fric ? demandai-je, sentant à peine la douleur. Vous oubliez le fric.

– Je suppose qu'il va me falloir revenir plus tard. »

Il me hissa à nouveau sur mes pieds et manœuvra pour me sortir de la salle de bains.

Dora était assise sur le canapé, lisant un magazine. Elle portait un manteau de fourrure. Je me demandai si c'était Reles qui le lui avait offert.

« Ah, c'est vous, dis-je en soulevant mon chapeau. Je ne vous avais pas reconnue avec vos fringues sur le dos. Mais je suppose qu'on n'arrête pas de vous le dire. »

Elle se leva et me gifla, et elle s'apprêtait à remettre ça quand Krempel lui attrapa le poignet et le tordit.

« Allez chercher la voiture, lui ordonna-t-il.

– Oui, dis-je. Allez chercher la voiture. Et grouillez-vous. J'ai besoin de m'écrouler et de tourner de l'œil. »

Krempel m'avait calé contre le mur comme une malle. Je fermai les yeux, et quand je les rouvris, elle avait fichu le camp. Il me poussa hors de la suite jusqu'en haut de l'escalier.

« Comment vous allez descendre ces marches, ça m'est complètement égal, Gunther. Je peux vous aider à le faire ou vous envoyer valdinguer. Mais si vous tentez quoi que ce soit, je vous jure que vous n'avez aucune chance.

– Merci à vous », m'entendis-je marmonner d'une voix pâteuse.

Nous arrivâmes au bas des marches sans que je sache comment. Mes jambes appartenaient à Charlie Chaplin. Je reconnus la porte de la Wilhelmstrasse et me dis que c'était sage de sa part d'avoir choisi de quitter l'hôtel par là à cette heure de la nuit. La porte de la

Wilhelmstrasse était toujours plus tranquille que celle d'Unter den Linden. Le hall plus petit également. Mais si Krempel avait espéré éviter que nous rencontrions quelqu'un que je connaissais, il s'était fourré le doigt dans l'œil.

La plupart des serveurs de l'Adlon avaient la moustache ou étaient imberbes et un seul, Abd el-Krim, portait une barbe. Il ne s'appelait pas Abd el-Krim. Je ne connaissais pas son vrai nom, mais il était marocain, et les gens l'appelaient comme ça parce qu'il ressemblait au chef rebelle qui s'était rendu aux Français en 1926 et qui vivait à présent en exil sur une île de merde. Pour les talents de rebelle, je ne pouvais pas dire, mais notre Abd el-Krim était un excellent serveur. En tant que mahométan, il ne buvait pas, et il me regarda avec un mélange d'étonnement et d'inquiétude alors que, un bras passé autour du linteau des épaules de Krempel, je me dirigeais vers la sortie en titubant.

« Herr Gunther ? demanda-t-il d'une voix pleine de sollicitude. Est-ce que ça va ? Vous n'avez pas l'air bien. »

Des mots jaillirent de mes lèvres flasques telle de la salive. Peut-être n'était-ce que ça. Je l'ignore. Ce que je dis n'avait aucun sens pour moi, aussi je doute que ça en ait eu pour Abd el-Krim.

« Il a trop bu, je le crains, lui expliqua Krempel. Je le ramène chez lui avant que Behlert ou un des Adlon le voie dans cet état. »

Vêtu pour rentrer chez lui, Abd el-Krim hocha gravement la tête.

« Oui, ça vaut mieux, je pense. Vous avez besoin d'un coup de main ?

– Non, merci. Une voiture nous attend dehors. Je vais me débrouiller. »

Le serveur inclina solennellement la tête et ouvrit la porte à mon kidnappeur tandis qu'il me faisait faire un tour de valse jusqu'à la rue.

À peine l'air froid et la pluie avaient-ils atteint mes poumons que je me mis à vomir dans le caniveau. Le machin que je vomissais avait le goût de Korn pur, au point que vous auriez pu le mettre en bouteille pour le vendre. Une voiture pila aussitôt devant moi, aspergeant les revers de mon pantalon avec ses pneus. Mon chapeau

dégringola à nouveau. La porte de la voiture s'ouvrit, et Krempel
m'expédia à l'intérieur avec la semelle de sa chaussure. Quelques
secondes plus tard, la portière claqua, et nous commençâmes à
rouler – vers l'avant, me figurais-je, mais, pour moi, c'était comme
si nous tournions et tournions en cercle sur un manège de Luna
Park. Je ne savais pas où nous allions et je cessai d'y attacher une
importance particulière. Je n'aurais pas pu me sentir plus mal si
j'avais été allongé nu dans la vitrine d'un entrepreneur des pompes
funèbres.

32

Il y avait une tempête en mer. Le pont bougea comme un ascenseur accélérant, puis une vague glacée me frappa en plein visage. Je secouai péniblement la tête et ouvris des yeux comme des coquilles d'huîtres vides encore pleines de sauce Tabasco. Une seconde vague me fouetta. Sauf qu'il ne s'agissait pas d'une vague, mais de l'eau d'un seau tenu par Gerhard Krempel. Néanmoins, nous étions sur le pont d'un navire, ou du moins d'un assez grand bateau. Derrière Krempel se tenait Max Reles, habillé comme un richard jouant les capitaines de vaisseau. Blazer bleu, pantalon blanc, chemise et cravate blanches, et casquette blanche à visière. Autour de nous, rien que du blanc également, et il me fallut quelques instants pour me rendre compte que c'était la journée et que nous étions probablement entourés de brume.

La bouche de Reles se mit à remuer, et de là aussi s'échappa de la brume blanche. Froide. Très froide. Pendant une seconde, je crus qu'il parlait norvégien. En tout cas, quelque chose de froid. Puis ça sembla se rapprocher – du danois, peut-être. C'est seulement lorsqu'un troisième seau d'eau, rempli à l'aide d'une corde sur le flanc du bateau, me fut jeté à la figure que je finis par comprendre qu'il parlait en allemand.

« Bonjour, dit Reles. Et bon retour. Nous commencions à nous inquiéter pour vous, Gunther. Vous savez, je pensais que vous autres

Boches arriviez à supporter votre gnôle. Mais cela fait un moment que vous êtes dans le cirage. À mon grand dam, soit dit en passant. »

J'étais assis sur un pont en bois ciré, la tête levée vers lui. J'essayai de me mettre debout, pour m'apercevoir que mes mains étaient attachées sur mes genoux. Mais le pire, dans la mesure où le bateau paraissait voguer, c'est que mes pieds étaient attachés aussi, à des blocs de ciment gris empilés à côté de moi sur le pont.

Je me penchai en biais et fus secoué de haut-le-cœur pendant près d'une minute. Émerveillé qu'un tel bruit puisse venir de mon propre corps. Le bruit d'une créature vivante en mutation. Dans l'intervalle, Reles s'en alla, une expression de dégoût sur son visage en jarret de veau. Lorsqu'il revint, Dora l'accompagnait. Elle portait son manteau de fourrure avec un chapeau assorti et tenait un verre d'eau.

Elle l'approcha de mes lèvres et m'aida à avaler. Une fois le verre vide, j'exprimai ma sincère gratitude par un signe de tête et m'efforçai d'apprécier ma situation. Que je n'appréciais pas beaucoup. Mon chapeau, mon manteau et ma veste avaient disparu, et ma tête faisait l'effet d'avoir servi pour la finale de la Coupe Mitropa. De plus, l'odeur âcre du gros cigare de Reles me retournait l'estomac. J'étais dans une mauvaise passe. J'avais l'affreux pressentiment, parmi une myriade d'affreux pressentiments, que Max Reles projetait de me faire une démonstration pratique de la manière dont Eric Goetz s'était débarrassé du cadavre d'Isaac Deutsch. Je n'aurais pas pu être dans une plus mauvaise passe si j'avais été un chien famélique enchaîné à une ligne ferroviaire à grande vitesse.

« On se sent mieux ? » Il s'assit sur la pile de blocs de ciment. « C'est un petit peu prématuré, direz-vous. Mais j'ai bien peur que votre état actuel ne constitue le nec plus ultra, pour le restant de vos jours. En fait, je peux même vous le garantir. »

Il ralluma son cigare avec un petit rire. Appuyée au bastingage, Dora contemplait ce qui avait l'air de limbes dans lesquels nous flottions comme des âmes en peine. Les poings sur les hanches, Krempel semblait prêt à me frapper dès qu'il en recevrait l'ordre.

« Vous auriez dû écouter le comte von Helldorf. Il n'aurait pas pu être plus explicite. Mais, non, il a fallu que vous jouiez les foutus Sam Spade et que vous fourriez votre nez là où on n'en voulait pas.

Je ne pige pas ça. Vraiment. Vous auriez bien dû vous rendre compte qu'il y avait beaucoup trop d'argent en jeu, et beaucoup trop de gens importants recevant une grosse tranche de ce gâteau à la cerise façon Forêt-Noire appelé les Jeux olympiques pour qu'on tolère que quelque chose vienne tout gâcher. Surtout quelque chose d'aussi insignifiant que vous, Gunther. »

Je fermai un instant les yeux.

« Vous savez, vous n'êtes pas un mauvais bougre. J'ai presque de la sympathie pour vous. J'avais même songé à vous affranchir et à vous proposer un boulot. Un vrai, pas cet emploi bidon que vous avez à l'Adlon. Mais il y a je ne sais quoi chez vous qui me dit que je ne pourrais pas vous faire confiance. C'est probablement que vous avez été flic. » Il secoua la tête. « Non, ça ne peut pas être ça. De mon temps, des flics, j'en ai acheté à foison. C'est que vous ayez été un flic honnête, je suppose. Et un bon, à ce qu'il paraît. J'admire votre intégrité. Mais je n'en ai pas l'utilité actuellement. Ni qui que ce soit d'autre, à mon avis. Pas en Allemagne. Pas cette année. »

« Vraiment, vous n'avez pas idée du nombre de fichus porcs qui veulent manger dans cette auge. Évidemment, ils avaient besoin de quelqu'un pour leur montrer comment ça fonctionne. Je veux dire, nous – les gens que je représente aux États-Unis – avons gagné énormément en 1932 avec les Jeux olympiques de Los Angeles. Mais les nazis s'y entendent vraiment pour faire des affaires. Brundage n'en revenait pas la première fois qu'il s'est pointé ici. C'est lui qui nous a tuyautés à Chicago sur tout l'argent qu'il y avait à gagner.

– Et les objets est-asiatiques constituent une sorte de rétribution.

– Exact. Quelques bricoles dans le genre de ce qu'il collectionne et apprécie, mais qui ne manquera à personne ici. Il devrait aussi ramasser un joli petit contrat pour la construction d'une nouvelle ambassade d'Allemagne à Washington. Le véritable pactole, si vous voulez mon avis. Voyez-vous, avec Hitler, le ciel semble être la seule limite. Je suis ravi de dire que ce type n'a absolument aucune notion en économie. S'il désire quelque chose, il le prend et tant pis pour le coût. Au début, le budget olympique se montait à quoi, vingt millions de marks ? Maintenant, il est de quatre ou cinq fois ça. Dont, je suppose, quinze ou vingt pour cent s'évaporent au passage. Vous imaginez?

« Bien sûr, ce n'est pas toujours simple de traiter avec Hitler. Le personnage est capricieux. Voyez-vous, j'avais déjà acheté une société fabriquant du ciment tout prêt et passé un accord avec l'architecte, Werner March, quand je me suis aperçu qu'il n'aimait pas le ciment. En fait, il le déteste. Il déteste tout ce qui est un tant soit peu moderne. Il se contrefiche que la moitié des édifices en Europe soient en foutu ciment. Ce n'est pas ce qu'il désire, et rien ne le fera changer d'avis.

« Lorsque Werner March lui a montré les plans et le cahier des charges pour le nouveau stade, Hitler est devenu fou. Seul convenait le calcaire. Et pas n'importe quel calcaire merdique, vous comprenez. Il fallait que ce soit du calcaire allemand. Alors j'ai dû acheter précipitamment une entreprise de calcaire et veiller à ce que celle-ci – Würtzburg Calcaire du Jura – remporte le contrat. Trop précipitamment, à dire vrai. Avec un peu plus de temps, j'aurais pu faire les choses en douceur, mais voilà. Bon, vous savez tout sur cette partie-là, espèce de fils de pute. Je me retrouve donc avec un tas de ciment sur les bras, mais vous allez m'aider à me débarrasser d'une partie, Gunther. Ces trois parpaings sur lesquels je suis assis vont aller au fond du lac de Tegel, et vous allez les accompagner.

– Tout comme Isaac Deutsch, dis-je d'une voix rauque. Je suppose qu'Eric Goerz travaille pour vous.

– Exact. Oui. Un type correct, Eric. Mais il manque d'expérience dans ce domaine. Alors, cette fois, je vais m'en charger moi-même, pour m'assurer que le boulot est bien fait. Nous ne tenons pas à ce que vous remontiez à la surface, à l'instar de Deutsch. Comme je dis toujours, si on veut éliminer quelqu'un proprement et sans bavure, mieux vaut s'en occuper en personne. » Il poussa un soupir. « Ce sont des choses qui arrivent, hein? Même aux meilleurs d'entre nous. »

Il tira un moment sur le cigare puis souffla un panache de fumée qui aurait pu sortir de la cheminée au-dessus de ma tête. Le bateau devait mesurer dans les dix mètres de long, et j'avais l'impression de l'avoir déjà vu quelque part.

« J'imagine que ça été une erreur de flanquer ce salaud d'Isaac dans le canal. Neuf mètres. Pas assez profond. Mais ici, il y a seize mètres d'eau. Pas le lac Michigan ni l'Hudson River, mais ça ira. Sans compter que je ne suis pas tout à fait un novice en la matière. Alors, détendez-vous, vous êtes entre de bonnes mains. La dernière question qui se pose à votre sujet, Gunther – question importante de votre point de vue, aussi je vous conseille de faire bien attention –, c'est si on vous balance mort ou vivant. J'ai vu les deux, et, après mûre réflexion, je pense qu'il vaut mieux que vous soyez mort quand vous coulerez. La noyade n'est pas un truc rapide, à mon avis. Moi, je préférerais une balle dans la tête avant.

— Je tâcherai de m'en souvenir.

— Mais ne vous laissez pas influencer. C'est votre décision. Seulement j'ai besoin de savoir ce que vous savez, Gunther. Tout. À qui vous avez parlé de moi, et de quoi. Réfléchissez une minute. Il faut que j'aille pisser et mettre un manteau. Il fait un peu frais sur l'eau par ici, vous ne trouvez pas ? Dora ? Apporte-lui un autre verre d'eau. Ça le rendra peut-être plus loquace. »

Il tourna les talons et s'en alla. Krempel lui emboîta le pas, et, en l'absence de crachoir personnel, j'expédiai un mollard dans leur direction.

Dora me redonna de l'eau. Je la bus goulûment.

« Je présume que j'aurai de l'eau jusqu'à plus soif dans un petit moment, dis-je.

— Ce n'est même pas drôle. »

Elle m'essuya la bouche avec ma cravate.

« J'avais oublié à quel point vous êtes belle.

— Merci.

— Non. Vous ne riez toujours pas. Je suppose que ce n'était pas drôle non plus. »

Elle me lança un regard noir comme si j'étais une plaque de dermite.

« Vous savez, dans *Grand Hôtel*, Joan Crawford n'est pas censée tomber amoureuse de Wallace Beery, repris-je.

— Max ? Il n'est pas si méchant.

— J'essaierai de m'en souvenir quand j'atteindrai le fond du lac.

– Vous vous prenez probablement pour John Barrymore.

– Pas avec ce profil. Mais une cigarette ne me déplairait pas, si vous en avez une. Appelez ça une dernière requête, dans la mesure où je vous ai déjà vue à poil. Au moins, maintenant, je sais quand vous portez une perruque.

– Un vrai Kurt Valentin, hein ? »

Sous la fourrure, elle était vêtue d'une robe en tricot bleu lavande qui enserrait sa silhouette comme une couche de peinture. Et à son poignet pendait un petit sac contenant un joli étui à cigarettes en or et un briquet.

« On dirait que la Saint-Nicolas a déjà eu lieu, dis-je, tandis qu'elle enfonçait une cigarette entre mes lèvres craquelées et l'allumait. Il y a au moins quelqu'un qui pense que vous avez été sage.

– Maintenant, tout le monde croira que vous avez appris à ne plus fourrer votre nez dans les affaires des autres, répliqua-t-elle.

– Oh, pour ça, je l'ai appris. Si vous le souhaitez, vous pouvez le lui dire. Peut-être qu'une bonne parole de votre part aurait plus de chances de succès que de la mienne. Encore mieux, peut-être que vous avez toujours ce pistolet. D'après moi, en ce qui concerne Max Reles, un Mauser a de bien meilleures chances que toutes les bonnes paroles. »

Elle me prit la cigarette, aspira de la fumée puis la remit dans ma bouche avec des doigts froids presque aussi lourdement parfumés que bagués.

« Qu'est-ce qui vous fait croire que je pourrais trahir un homme comme Max pour un minable dans votre genre, Gunther ?

– La même chose que ce qui rend un type comme lui attirant pour une fille comme vous. L'argent. Des tas. Voyez-vous, je pense que, s'il y avait suffisamment d'argent en jeu, vous n'hésiteriez pas à trahir l'enfant Jésus. Justement, il y en a encore plus que ça caché dans la salle de bains de Max Reles à l'Adlon. Un sac bourré de pognon qui se trouve derrière un panneau vissé devant le réservoir de la chasse d'eau. Des milliers de dollars, de marks, de francs-or suisses et j'en passe, mon ange. Tout ce qu'il vous faut, c'est un tournevis. Reles en a un quelque part dans ses tiroirs. C'est ce que je cherchais quand vous êtes venus me déranger, votre minou et vous. »

Elle se pencha vers moi. Suffisamment près pour que je sente le café dont son haleine était encore chargée.

« Vous avez intérêt à faire mieux que ça, polype, pour que je vous donne un coup de main.

– Non, je ne crois pas. Voyez-vous, je ne dis pas ça pour que vous me donniez un coup de main. Je le dis au cas où vous seriez tentée de vous donner un petit coup de main à vous-même, et que vous deviez le descendre par la même occasion. Ou peut-être que c'est lui qui vous descendra. Ça ne fera aucune différence pour moi au fond du lac Tegel, c'est certain. »

Elle se leva brusquement.

« Espèce de salopard !

– C'est vrai. Mais au moins, de cette manière, vous pouvez être sûre que je suis réglo pour le fric. Parce qu'il y est bel et bien. De quoi commencer une nouvelle vie à Paris. Acheter un gentil petit appartement dans un quartier chic de Londres. Bon Dieu, il y en a assez pour acheter tout Bremerhaven. »

Elle rit et détourna la tête.

« Si vous ne me croyez pas, à votre aise. Je m'en tamponne. Mais réfléchissez à ceci, chère Dora. Un type comme Max Reles. Et les zèbres qu'il doit arroser pour se livrer à ses activités. Pas le genre à prendre des chèques personnels. La corruption est un trafic en liquide, Dora. Comme vous le savez. Et un sac entier plein de liquide, c'est ce qu'il faut pour maintenir à flot un trafic comme celui-ci. »

Elle garda un moment le silence, l'air préoccupé. Elle se voyait probablement remontant Bond Street avec un nouveau chapeau et une épaisse liasse de livres sterling sous sa jarretière. Moi-même, ça ne me dérangeait pas d'envisager une telle perspective. C'était certainement préférable à envisager ma propre situation.

Max Reles remonta sur le pont, suivi de près par Krempel. Il portait un épais manteau de fourrure et tenait un gros Colt .45 automatique attaché à un cordon autour de son cou comme s'il avait peur de l'égarer.

« Comme je dis toujours, fis-je remarquer, on n'est jamais trop prudent avec son arme quand on prévoit de tirer sur un homme désarmé.

– C'est la seule espèce sur laquelle je tire. » Il poussa un gloussement. « Est-ce que vous me croyez assez bête pour m'opposer à un
homme armé ? Je suis un chef d'entreprise, Gunther, pas Tom Mix. »

Il laissa tomber le Colt au bout du cordon et passa son bras autour
de Dora, puis pressa ses doigts entre les jambes de celle-ci. L'autre
main tenait toujours le cigare.

Dora laissa la main de Reles où elle était tandis qu'il se mettait à
lui frotter la chatte. Elle sembla même essayer d'y prendre plaisir.
Mais je voyais bien qu'elle avait la tête ailleurs. Sous le réservoir de la
chasse d'eau de la suite 114, probablement.

« Un chef d'entreprise du genre Petit César. Oui, j'imagine très
bien.

– On dirait que nous avons un mordu de cinéma. Et *Vingt mille
lieues sous les mers* ? Vous l'avez vu celui-là ? N'importe. Vous allez
avoir la bonne surprise d'admirer la chose en vrai dans quelques instants.

– C'est vous qui allez avoir une bonne surprise, Reles. Pas moi.
Voyez-vous, j'ai une police d'assurance. Ce n'est pas Germania Life,
mais ça devrait aller. Et ça démarre à la minute où je suis mort. Vous
n'êtes pas le seul à avoir des relations, mon ami américain. J'en ai
aussi et je peux vous garantir que ce ne sont pas les mêmes que celles
avec qui vous copinez. »

Reles secoua la tête et repoussa Dora.

« C'est curieux, mais les gens ne pensent jamais qu'ils vont mourir. Pourtant, aussi peuplés que paraissent les cimetières, il y a toujours de la place, semble-t-il, pour en mettre un de plus.

– Je ne vois pas de cimetière, Reles. Maintenant que je suis ici sur
l'eau, je me félicite, grâce à vous, de ne pas avoir payé mes obsèques
à l'avance.

– Vraiment, je vous aime bien, dit-il. Nous nous ressemblons. »

Reles me retira la cigarette de la bouche puis la jeta d'une pichenette par-dessus bord. Armant son pétard avec le pouce, il me le
braqua en pleine figure. Le Colt était assez près pour qu'on puisse
distinguer le fond du canon, se représenter la puissance d'arrêt et
sentir l'odeur de lubrifiant. Avec un Colt .45 automatique à la main,
Tom Mix aurait pu retarder l'arrivée du cinéma parlant.

« Très bien, Gunther. Voyons vos cartes.

– Dans ma poche de manteau, il y a une enveloppe. Elle contient deux brouillons d'une lettre adressée à un de mes amis. Un dénommé Otto Schuchardt. Il travaille sous les ordres du commissaire adjoint Volk à la Gestapo, dans la Prinz-Albrecht-Strasse. Vous pouvez aisément vérifier ces noms. Si je disparaissais de l'Adlon, un autre ami à l'Alex, un inspecteur principal, posterait la version finale de cette lettre à Schuchardt. Et alors, on vous ferait frire les rognons au beurre.

– Et pourquoi la Gestapo s'intéresserait-elle à moi ? Un citoyen américain, comme vous avez dit.

– Le capitaine Weinberger m'a montré ce que le FBI a envoyé à la Gestapo de Würzburg. Plutôt léger. Vous êtes soupçonné de ci. Soupçonné de ça. La belle affaire, direz-vous. Mais s'agissant de votre redoutable frère, Abe, le FBI en connaît un rayon. Sur lui et sur votre père, Theodor. Un homme passionnant, lui aussi. Il semble que la police viennoise le recherchait lorsqu'il est parti vivre en Amérique. Pour des meurtres perpétrés avec un pic à glace. Bien sûr, on ne peut jamais exclure un coup monté. Les Autrichiens sont encore pires que nous à Berlin dans la façon de traiter les Juifs. Mais c'est précisément de ça dont je voulais parler à mon ami Otto Schuchardt. Voyez-vous, il travaille à ce que la Gestapo appelle le bureau des affaires juives. Vous pouvez imaginer le genre de personnes auquel il s'intéresse. »

Reles se tourna vers Krempel.

« Va chercher son manteau », ordonna-t-il. Puis il me lança un regard sinistre. « Si je m'aperçois que vous mentez, Gunther » – il appuya le Colt contre ma rotule – « je vous en loge une dans chaque guibolle avant de vous expédier par-dessus bord.

– Je ne mens pas. Vous le savez très bien.

– C'est ce qu'on va voir.

– Je me demande comment vos amis nazis haut placés réagiraient s'ils savaient ce que vous êtes. Von Helldorf, par exemple. Vous vous rappelez ce qui s'est produit quand il a appris la vérité sur Erik Hanussen, le voyant ? Voyons, bien sûr que vous vous en souvenez. Après tout, c'est le yacht d'Hanussen, n'est-ce pas ? »

J'indiquai d'un signe de tête une des bouées de sauvetage fixées au bastingage. Dessus était peint le nom du bateau : *Ursel IV*. C'était celui que j'avais vu devant les fenêtres du bureau de Von Helldorf au Präsidium de la police de Potsdam. Je ne pus m'empêcher de sourire.

« Vous savez, c'est plutôt cocasse quand on y pense, Reles. Que ce soit justement vous qui deviez vous servir de l'*Ursel*. Est-ce Von Helldorf qui vous a vendu ce rafiot, ou s'agit-il d'un prêt d'un ami aristocrate qui va se sentir terriblement déçu quand il découvrira la triste vérité sur votre compte, Max ? À savoir que vous êtes juif. Cruellement déçu, je dirais. Sinon trahi. Je connaissais certains des flics qui ont retrouvé le cadavre d'Erik Hanussen, et ils m'ont raconté qu'on l'avait torturé avant de le tuer. Il paraît même que ça s'est passé sur son bateau. Pour qu'on ne l'entende pas crier. Von Helldorf est un homme impitoyable. Impitoyable et déséquilibré. Il adore fouetter les gens. Vous saviez ça ? Mais enfin, vous pourriez peut-être devenir son chouchou juif. On prétend que même Goering en a un ces temps-ci. »

Krempel revint avec mon manteau chiffonné dans une main et dans l'autre l'enveloppe contenant les brouillons de la lettre que j'avais demandé au chasseur de l'Adlon de poster la veille au soir. Je regardai Max Reles les lire avec un mélange d'impatience et de honte.

« Vous savez, c'est étonnant de voir tout ce qu'un homme est capable de faire quand il se retrouve acculé. Je n'aurais jamais cru pouvoir écrire une lettre dénonçant quelqu'un à la Gestapo. Sans parler de baser cette dénonciation sur des critères raciaux. En temps normal, je me dégoûterais moi-même, Max. Mais, dans votre cas, ça a été un vrai plaisir. J'espère presque que vous allez me tuer. Ça en vaudrait la peine, rien qu'à l'idée de la tête qu'ils feraient tous. Avery Brundage y compris. »

Reles froissa les feuilles avec colère avant de les jeter par-dessus bord.

« Pas de problème, dis-je. J'ai gardé une copie. »

Le Colt .45 était toujours dans son autre main. Il avait l'air aussi gros qu'un fer 4.

« Vous êtes un malin, Gunther. » Il gloussa, mais, à l'absence de couleurs sur son visage, je sus qu'il ne riait pas. « Vous avez très bien joué ces cartes. Je vous l'accorde. Toutefois, même si je vous épargne la vie, ça me laisse avec un sacré problème. Oui, mon vieux, un sacré problème. » Il tira des bouffées de son cigare puis l'envoya aussi par-dessus bord. « Cependant, vous savez, je crois que j'ai la solution. Oui, je crois bien que je connais la solution. Mais toi, ma chère… » Il se tourna pour regarder Dora. Elle avait sorti son poudrier de son sac et vérifiait à cet instant le périmètre de son rouge à lèvres. « Tu en sais trop. »

Dora lâcha le poudrier. Max Reles pointait à présent le Colt non pas sur moi mais sur elle, ce qui n'étonna personne.

« Max ? » Elle sourit – nerveusement peut-être –, pensant une fraction de seconde qu'il plaisantait « De quoi est-ce que tu parles ? Je t'aime, mon chéri. Jamais je ne te trahirais, Max. Tu le sais bien.

— Nous savons tous les deux que ce n'est pas vrai. Et, alors que je pense avoir un moyen de m'assurer que Gunther ne me dénoncera pas à la Gestapo, je n'en ai aucun qui me garantisse qu'il en ira de même de ton côté. Je voudrais pouvoir trouver une autre possibilité. Vraiment. Mais tu es ce que tu es.

— Max ! » Cette fois, Dora avait crié son nom. Puis elle pivota et se mit à courir, comme si elle avait quelque part où aller.

Reles poussa un profond soupir qui me donna presque envie de le plaindre. Je voyais qu'il regrettait d'avoir à la tuer. Mais je ne lui avais pas laissé le choix. C'était maintenant évident. Il visa et tira. On aurait cru le bruit d'un canon sur un bateau pirate. Le coup de feu la renversa comme un guépard sautant sur une gazelle, et sa tête sembla exploser, libérant une pensée rosâtre entièrement faite de sang et de cervelle.

Il tira à nouveau, mais, cette fois, ce n'était pas sur Dora qu'il braquait l'arme. Elle gisait, face à moi, dans une mare d'un rouge sombre et épais qui s'élargissait déjà sur le pont, agitée de légères contractions, mais probablement morte. Le second coup de feu atteignit Gerhard Krempel. Il le prit au dépourvu et lui arracha le sommet du crâne comme si c'était le haut d'un œuf à la coque. L'impact fut tel qu'il bascula par-dessus le bastingage et tomba à l'eau.

Une forte odeur de cordite emplissait l'air, intimement mêlée à l'odeur âcre de ma propre peur mortelle.

« Ah merde, gémit Reles en regardant par-dessus bord. Et moi qui comptais les expédier au fond ensemble. Comme dans un opéra. Un de ces foutus opéras allemands qui n'en finissent pas. » Il verrouilla le pistolet et le laissa retomber sur le cordon. « Je suppose que je vais devoir le laisser où il est. Tant pis. Dora, en revanche. Dora ? »

Contournant avec méticulosité la mare de sang, il lui donna un léger coup à la nuque du bout de sa chaussure blanche, puis un coup un peu plus fort, comme pour avoir la certitude qu'elle était morte. Ses yeux, encore agrandis par la peur, demeurèrent immobiles, me fixant d'un air accusateur, comme si elle me tenait pour entièrement responsable de ce qui lui était arrivé. Et elle avait raison, bien sûr. Reles n'aurait jamais pu avoir confiance en elle.

Il s'approcha pour examiner mes chevilles, dénoua la corde fixée aux trois blocs de ciment. Puis il l'attacha solidement autour des jolies chevilles de Dora.

« Je ne sais pas pourquoi vous faites cette tête-là, Gunther. Je ne vais pas vous tuer. Évidemment, c'est de votre faute si elle est morte.

— Qu'est-ce qui vous fait croire que vous pouvez vous permettre de me laisser en vie ? demandai-je en essayant de contenir ma peur bien réelle qu'il me tue de toute façon, en dépit de ce que je lui avais servi en guise de menace, et de ce qu'il avait rétorqué comme réponse.

— Vous voulez dire, qu'est-ce qui vous empêcherait d'envoyer cette lettre à la Gestapo si vous réussissiez à sortir de là en vie ? »

J'acquiesçai.

Il rit de son petit rire sadique et tira avec vigueur sur le nœud assujettissant les chevilles de Dora aux blocs de ciment.

« Très bonne question, Gunther. Et je vais y répondre, dès que j'aurai envoyé cette petite dame faire son dernier et plus important voyage. Vous pouvez en être sûr. »

Les blocs de ciment étaient attachés à la corde comme des poids de filet de pêche. Il les porta l'un après l'autre avec des grognements sonores jusqu'au bord du bateau puis ouvrit un portillon dans la rambarde. Après quoi, il les poussa un par un avec la semelle de sa chaussure. Le poids des blocs fit pivoter le corps de Dora et commença à l'entraîner.

Ce fut probablement de se sentir déplacée qui la tira de son évanouissement. Elle poussa d'abord des gémissements, puis inhala bruyamment, ses seins se soulevant comme deux petites tentes de cirque couleur lavande. En même temps, elle leva un bras en l'air, se tourna sur le ventre, souleva ce qui restait de sa tête et se mit à parler. À me parler.

« Gunther. Aidez-moi. »

De surprise, Max Reles éclata de rire et se mit à chercher à tâtons son automatique pour tirer à nouveau sur Dora avant que les trois blocs lui fassent franchir le portillon ; lorsqu'il finit par actionner la glissière du Colt, il était trop tard. Quoi qu'elle ait essayé de me dire, les mots disparurent dans un cri à l'instant où elle se rendit compte de ce qui se passait. La seconde suivante, elle était entraînée par-dessus le bord du bateau.

Je fermai les yeux. Je ne pouvais lui être d'aucune aide. Il y eut un grand plouf, suivi d'un autre. La bouche hurlante se remplit d'eau, puis il y eut un silence terrible.

« Seigneur, dit Reles en contemplant la surface de l'eau. C'est dingue, non ? J'aurais juré que cette garce était morte. Enfin, vous m'avez vu lui donner un coup de pied pour vérifier. Et je lui aurais tiré une deuxième balle, pour lui épargner ça. Si j'en avais eu le temps, bon Dieu. » Il secoua la tête et souffla nerveusement une bouffée d'air. « Qu'est-ce que vous dites de ça ? »

Une fois encore, il verrouilla l'arme et la laissa retomber sur le cordon. De son manteau, il sortit une flasque et en avala une bonne rasade avant de me la tendre.

« Du poil de la bête ? »

Je secouai la tête.

« Non, je suppose que non. C'est le problème avec les intoxications par l'alcool. Il faut un moment avant de pouvoir supporter jusqu'à l'odeur du schnaps, sans parler d'en boire.

– Espèce de fumier !

– Moi ? C'est vous qui l'avez tuée, Gunther. Et lui également. Une fois que vous avez eu fini de parler, il n'y avait pas d'autre choix. Ils devaient mourir. Ils m'auraient tenu à leur merci, le pantalon sur les chevilles, et auraient pu me baiser d'ici jusqu'à Noël sans que je puisse y faire quoi que ce soit. » Il prit une nouvelle lampée d'alcool. « Vous, par contre. Je sais exactement ce qu'il faut pour vous empêcher d'en faire autant. Pouvez-vous deviner ce que c'est ? »

Je poussai un soupir.

« Franchement ? Non. »

Il éclata d'un petit rire qui me donna envie de le tuer.

« Alors, heureusement que je suis là pour vous le dire, espèce de crétin. Noreen Charalambides. Tout simplement. Elle était, est toujours, amoureuse de vous. Dieu sait pourquoi. Je veux dire, vous êtes un looser, Gunther. Un libéral dans un pays regorgeant de nazis. Et si ça ne suffit pas à faire de vous un looser, il y a ce trou dans votre foutue chaussure. Comment une dame comme elle peut-elle s'éprendre d'un connard avec un trou dans sa putain de chaussure ?

« Non moins important, cependant, vous êtes amoureux d'elle. Inutile de le nier. Voyez-vous, nous avons papoté, elle et moi, avant qu'elle quitte Berlin pour retourner aux États-Unis. Et elle m'a expliqué ce que vous ressentez l'un pour l'autre. Ce qui, je dois le reconnaître, a été une déception pour moi. Du fait que nous avons eu nous-mêmes une petite aventure sur le bateau venant de New York. Elle vous l'a dit ?

– Non.

– Peu importe à présent. Tout ce qui compte, c'est que vous teniez suffisamment à Noreen pour l'empêcher de se faire tuer. Parce que c'est ce qui va arriver. Dès que je serai descendu de ce bateau, j'enverrai un télégramme à mon petit frère à New York. Pour être franc, c'est mon demi-frère. Mais le sang est le sang, pas vrai ? Kid le Tordu, on l'appelle, parce qu'il faut dire qu'il est un peu tordu dans sa tête. Enfin, ça et la manie qu'il a de tordre le cou des mecs qu'il n'aime pas. Jusqu'à ce qu'il casse. Mais c'était avant qu'il développe son vrai talent. Avec un pic à glace. Bref, le fait est qu'il éprouve du plaisir à tuer les gens. Moi, je le fais parce que j'y suis forcé. Comme maintenant. Mais lui, il adore son boulot.

« Donc, ce que je vais lui dire. Dans ce télégramme que je vais envoyer. C'est ceci, voyez-vous ? Que si jamais il m'arrivait quelque chose pendant que je suis en Allemagne. Par exemple, être arrêté par la Gestapo. Ou quoi que ce soit d'autre. Alors, il devra retrouver Mrs Charalambides et la tuer. Avec un nom pareil, croyez-moi, elle ne devrait pas être difficile à localiser. Il peut la violer également s'il a une moitié de cervelle. Ce qui est le cas. Et s'il est d'humeur. Ce qui lui arrive assez fréquemment. »

Il sourit.

« Vous pouvez considérer ça comme ma propre dénonciation, si vous voulez, à cette réserve près que, contrairement à la vôtre, Gunther, le fait qu'elle soit juive n'a rien à voir. De toute façon, je suis sûr que vous saisissez l'idée générale. Que je vous laisse tranquille est garanti par la lettre que vous avez adressée au bureau des affaires juives de la Gestapo. Et que vous me laissiez tranquille est garanti de la même façon par le télégramme que je vais envoyer à mon petit frère dès que j'aurai regagné ma suite. Nous nous tenons mutuellement en respect. Comme un pat dans une partie d'échecs. Ou ce qu'on nomme un équilibre des forces en sciences politiques. Votre assurance neutralisée par la mienne. Qu'est-ce que vous en dites ? »

Une vague de nausée me saisit soudain. Je me penchai sur le côté et vomis à nouveau.

« Je prendrai ça pour un oui, continua Reles. Parce que, à première vue, vous n'avez pas le choix. Je me flatte de savoir lire dans un homme comme dans un journal, Gunther. C'était plus facile à l'époque de la Prohibition. Les types avec qui je traitais étaient tout d'une pièce et, la plupart du temps, il suffisait de les regarder dans les yeux pour savoir sur quel pied danser. Puis, après l'abrogation de la loi Volstead, mon organisation a dû se diversifier. Trouver de nouvelles activités. Je suis pratiquement le premier à m'être lancé dans le racket de la main-d'œuvre et des syndicats aux États-Unis, Gunther. Mais, en général, ces types sont beaucoup plus difficiles à déchiffrer. Vous savez, les types dans les affaires. On avait du mal à comprendre ce qu'ils voulaient parce que, contrairement aux gars bossant dans le trafic d'alcool, ils ne le savaient pas eux-mêmes. Comme la plupart des gens, et c'est bien ça leur problème.

« Vous, par contre, mon ami, vous êtes un petit peu les deux. Vous vous croyez tout d'une pièce. Vous croyez savoir ce que vous voulez. Mais il n'en est rien. La première fois que je vous ai vu, je vous ai pris pour un de ces anciens flics à la con cherchant à gagner du fric vite fait. J'imagine qu'il y a même des jours où c'est ainsi que vous vous considérez. Mais vous êtes plus que ça. Ce que Noreen a senti, je suppose. Qu'il y avait autre chose. Quelque chose de plus compliqué. En tout cas, elle n'est pas du style à tomber amoureuse d'un type qui n'éprouverait pas les mêmes sentiments à son égard. » Il haussa les épaules. « Entre elle et moi, c'est juste qu'elle s'ennuyait. Avec vous, je pense que c'était pour de vrai. »

Reles parlait calmement, sinon d'une façon raisonnable, et, en l'écoutant, j'avais du mal à croire qu'il venait de supprimer deux personnes. Si je m'étais senti mieux, je lui aurais peut-être répondu, mais, avec mon estomac et la conversation à laquelle j'avais déjà eu droit, je me sentais plus ou moins épuisé. Tout ce que je voulais, c'était aller me coucher et dormir pendant très longtemps. Et peut-être vomir encore un peu si nécessaire. Au moins, je saurais alors que j'étais en vie.

« Telles que je vois les choses, dit-il, il ne reste qu'un seul problème.

— J'imagine que ce n'est pas un problème que vous pouvez régler avec ce Colt.

— Pas directement, non. Naturellement, vous pourriez vous en charger pour moi, mais je parie que vous êtes du genre pointilleux. Enfin, pour l'instant. J'aimerais bien vous rencontrer dans dix ans pour voir si vous le serez toujours autant.

— Si vous voulez dire pointilleux s'agissant de tuer les gens de sang-froid, vous avez raison. Encore que je pourrais faire une exception dans votre cas. Du moins, jusqu'à ce que vous ayez envoyé ce télégramme.

— Raison pour laquelle je vais vous laisser sur ce bateau le temps que j'aille au Palace Hotel à Potsdam et que j'envoie le message à Abe. Un hôtel agréable, soit dit en passant. J'ai aussi une suite là-bas, pour quand je passe à Potsdam. » Il secoua la tête. « Non, mon problème est le suivant : qu'est-ce que je vais faire de ce capitaine de la Gestapo à Würzburg ? Comment s'appelle-t-il déjà ? Weinberger ? »

J'opinai.

« Il en sait trop sur moi. »

J'opinai à nouveau.

« Dites-moi, Gunther. Est-il marié ? A-t-il des gosses ? Quelqu'un qu'il aime et que je pourrais menacer au cas où il lui prendrait l'envie de se montrer récalcitrant. »

Je fis non de la tête.

« Franchement, je peux dire que la seule personne qui compte vraiment à ses yeux, c'est lui-même. Sur ce plan au moins, il est assez typique de ses collègues de la Gestapo. La seule chose qui intéresse Weinberger, c'est sa carrière et réussir, à n'importe quel prix. »

Reles opina et se mit à aller et venir sur le pont pendant quelques instants.

« Sur ce plan au moins, avez-vous dit. En quoi est-il atypique ? »

J'agitai la tête pour m'apercevoir que j'avais une migraine de tous les diables. Du genre à vous laisser aveugle.

« Je ne suis pas sûr de comprendre où vous voulez en venir.

— Est-il homosexuel ? Aime-t-il les petites filles ? Peut-on l'acheter ? Quel est son talon d'Achille ? Est-ce qu'il en a un ? » Il haussa les épaules. « Écoutez, j'aurais probablement pu le faire descendre, mais ça provoque toujours des remous quand un flic est tué. Comme celui qu'on a démoli devant l'Excelsior, cet été. Les poulets de Berlin se sont mis à s'agiter dans tous les sens, n'est-ce pas ?

— À qui le dites-vous !

— Je ne tiens pas à avoir sa peau. N'empêche, chacun a un point faible. Vous, c'est Noreen Charalambides. Moi, cette fichue lettre qui se trouve dans le tiroir de bureau de je ne sais quel flic, d'accord ? Alors, quel est le point faible du capitaine Weinberger ?

— Maintenant que vous en parlez, il y a en effet quelque chose. »

Il fit claquer ses doigts

« Très bien. Je vous écoute. »

Je ne dis rien.

« Allez-vous faire foutre, Gunther. Il ne s'agit pas de votre conscience. Il s'agit de Noreen. Ouvrant la porte un soir et trouvant mon petit frère sur le seuil. À vrai dire, il n'est pas aussi habile avec un pic à glace que moi. Peu de gens le sont, à part peut-être mon paternel, et le médecin qui lui a appris. Moi, j'aime autant utiliser un pétard. Pour obtenir des résultats. Mais Abe… » Max Reles secoua la tête et sourit. « Une fois à Brooklyn, à l'époque où on travaillait pour les frères Shapiro – des figures de la pègre locale –, le gamin a tué un type dans une station de lavage de voitures parce qu'il n'avait pas bien nettoyé sa bagnole. Il avait laissé les roues sales. C'est en tout cas ce que m'a raconté Abe. En plein jour, le gamin l'a frappé puis il lui a flanqué un coup de pic à glace dans sa putain d'oreille. Aucune marque. Les flics ont cru que le type avait succombé à une crise cardiaque. Et les Shapiro, hein ? Morts également. Abe et moi, on a enterré Bill vivant dans une carrière de sable en mai dernier. C'est une des raisons qui font que je suis venu à Berlin en premier lieu, Gunther. Pour attendre que l'émotion soulevée par ce meurtre se soit un peu calmée. » Il marqua une pause. « Alors. Est-ce que j'ai été suffisamment clair ? Vous voulez que je demande au Kid d'enterrer cette garce vivante, comme Bill Shapiro ? »

Je secouai négativement la tête.

« D'accord. Je vais vous le dire. »

Deuxième partie

LA HAVANE, FÉVRIER 1954

1

Quand le vent souffle du nord, la mer déferle contre le mur du Malecón, comme déchaînée par une armée de siège préparant le renversement révolutionnaire de La Havane. Des mètres cube d'eau s'élèvent dans les airs puis retombent en pluie sur le large boulevard bordant l'océan, chassant la poussière laissée par les grosses voitures américaines se dirigeant vers l'ouest, ou trempant jusqu'aux os les piétons assez audacieux ou assez stupides pour marcher le long du mur pendant la saison hivernale.

Pendant quelques minutes, je regardai les grosses vagues éclairées par la lune avec un réel espoir. Elles étaient proches, mais pas tout à fait assez pour atteindre le gramophone à manivelle appartenant aux jeunes Cubains qui avaient passé la majeure partie de la nuit agglutinés devant mon immeuble, me tenant éveillé, moi et probablement plusieurs autres, avec ces airs de rumba qu'on entendait un peu partout sur l'île. Il y avait des fois où je me surprenais à regretter les martèlements de souliers cloutés des fanfares allemandes ; sans parler des maisons aux rues aussi propres qu'une grenade à main modèle 24.

Incapable de dormir, je songeai à aller à la Casa Marina, puis repoussai cette idée, certain que, à cette heure tardive, la *chica* ayant ma préférence ne serait plus libre. En outre, Yara dormait dans mon lit, et alors même que cela ne l'aurait pas étonnée que je quitte l'appartement au petit matin, les dix dollars payables à Doña Marina auraient probablement été de l'argent gaspillé, dans la mesure où je n'étais plus à même d'accomplir l'exploit de faire l'amour deux fois en deux jours, à plus forte raison dans la même soirée. De sorte que je m'assis et finis le livre que j'avais commencé.

C'était un livre en anglais.

Depuis quelque temps déjà, je m'étais mis à apprendre cette langue pour essayer de convaincre un Anglais du nom de Robert Freeman de me confier un boulot. Freeman travaillait pour Gallaher, le géant britannique du tabac, où il dirigeait une filiale appelée J. Frankau, qui était le distributeur britannique de tous les cigares de La Havane depuis 1790. J'avais cultivé des relations avec Freeman dans l'espoir de le persuader de m'envoyer en Allemagne – à mes propres frais, dois-je préciser – pour voir si je ne pourrais pas lui ouvrir des débouchés sur le nouveau marché ouest-allemand. Une lettre de recommandation et quelques boîtes d'échantillons suffiraient, supposais-je, à aplanir l'arrivée de Carlos Hausner, un Argentin d'origine allemande, en terre germanique et me permettraient de me fondre dans le décor.

Ce n'est pas que Cuba me déplaisait. Loin de là. J'avais quitté l'Argentine avec quelque cent mille dollars américains et je vivais très confortablement à La Havane. Mais je rêvais d'un endroit sans insectes piqueurs, où les gens allaient se coucher à une heure raisonnable et où les boissons n'étaient pas en glace : j'en avais assez d'attraper un rhume de cerveau chaque fois que je mettais le pied dans un bar. L'autre raison pour laquelle je désirais retourner en Allemagne, c'est que mon passeport argentin ne durerait pas éternellement. Et, une fois à l'abri là-bas, je pourrais disparaître gentiment. À nouveau.

Regagner Berlin était hors de question, naturellement. D'une part, la ville se trouvait enclavée dans la République démocratique allemande contrôlée par les communistes ; et, d'autre part, la police berlinoise me recherchait probablement en liaison avec les meurtres de deux femmes à Vienne en 1949. Non que je les eusse tuées. J'ai fait pas mal de choses dans ma vie dont je ne suis pas très fier, mais je n'ai jamais tué de femmes. À moins de compter la Soviétique que j'avais abattue pendant le long et torride été 1941 – un des membres d'un escadron de la mort du NKVD qui venait d'assassiner plusieurs milliers de prisonniers désarmés dans leurs cellules. Je suppose que les Russes auraient compté ça comme un meurtre, ce qui était une raison de plus d'éviter Berlin. Hambourg semblait un meilleur pari. Hambourg se trouvait en République fédérale, et je ne connaissais personne là-bas. Plus important : personne ne me connaissait.

En attendant, je n'étais pas à plaindre. J'avais ce à quoi aspiraient la plupart des Habaneros : un grand appartement sur le Malecón, une grosse voiture américaine, une femme pour le sexe, et une autre pour préparer mes repas. Parfois, c'était la même qui faisait la cuisine et qui fournissait le sexe. Mais mon appartement de Vedado était situé à une distance alléchante d'à peine quelques blocs de la vingt-cinquième rue, et, bien avant que Yara ne devienne ma fidèle intendante, j'avais pris l'habitude de me rendre régulièrement à la plus célèbre et la plus luxueuse *casa de putas* de La Havane.

J'aimais bien Yara, mais c'était tout. Elle restait quand ça lui chantait, non pas parce que je le lui demandais, mais parce qu'elle en avait envie. Je pense que Yara était noire, même si on ne peut jamais être tout à fait sûr de ce genre de chose à Cuba. Grande et mince, elle avait environ vingt ans de moins que moi, avec un visage de poney bien-aimé. Ce n'était pas une putain car elle ne prenait pas d'argent pour ça. Elle en avait seulement l'air. La plupart des femmes de La Havane ressemblaient à des putains. Et la plupart des putains ressemblaient à votre petite sœur. Yara n'était pas une putain car elle gagnait mieux sa vie comme voleuse en me détroussant. Je m'en moquais. Ça m'évitait d'avoir à la payer. De plus, elle volait uniquement ce dont elle estimait que je pouvais me passer, et qui se trouvait faire beaucoup moins que ce que la culpabilité m'aurait obligé à lui donner. Yara ne crachait pas, ne fumait pas le cigare et était une adepte de la religion Santeria, qui, me semblait-il, se rapprochait du vaudou. J'étais content qu'elle prie pour moi je ne sais quels dieux africains. Ils devaient faire du meilleur boulot que ceux auxquels je m'étais adressé jusque-là.

Dès que le reste de La Havane fut réveillé, je pris la direction du Prado au volant de ma Chevrolet Styline. La Styline était sans doute la voiture la plus courante à Cuba et, très probablement, la plus mastoque. Il fallait plus de métal pour fabriquer une Styline qu'il n'y en avait à la Bethlehem Steel. Je me garai devant le Gran Teatro. Un édifice néo-baroque avec tellement d'anges entassés sur sa façade imposante qu'à l'évidence, l'architecte avait dû penser qu'il valait mieux être un dramaturge ou un acteur qu'un apôtre. De nos jours, tout vaut mieux qu'être un apôtre. Surtout à Cuba.

J'avais prévu de rencontrer Freeman dans le fumoir de la fabrique de cigares Partagas située tout près, mais, comme j'étais en avance, j'allai à l'hôtel Inglaterra et commandai un petit déjeuner en terrasse. Là, je tombai sur la galerie habituelle de personnages de La Havane, moins les prostituées : il était encore un peu tôt pour les prostituées. Il y avait des officiers de marine américains en permission venant d'un bâtiment de guerre amarré dans le port, des matrones en voyage d'agrément, quelques hommes d'affaires chinois du Barrio Chino voisin, deux types louches portant des costumes en crêpe et des petits chapeaux Stetson, et un trio de hauts fonctionnaires en vestes à rayures, avec des visages aussi sombres que des feuilles de tabac et des lunettes encore plus sombres. Après un petit déjeuner à l'anglaise, je traversai le Parque Central, ombragé de palmiers et plein d'animation, pour jeter un coup d'œil à mon magasin préféré à La Havane.

Hobby Centre, au coin d'Obispo et de Berniz, vendait des maquettes de bateaux, des petites voitures et, plus important pour mes besoins, des trains électriques. Ma propre installation se composait d'un Dublo de table à trois rails. Elle était loin d'égaler les dimensions du train miniature que j'avais vu autrefois chez Hermann Goering, mais elle me donnait beaucoup de plaisir. Dans la boutique, je récupérai une nouvelle locomotive avec tender que j'avais commandée en Angleterre. Je faisais venir pas mal d'accessoires d'Angleterre, mais mon dispositif comportait plusieurs trucs que j'avais bricolés dans mon atelier. Yara détestait presque autant l'atelier qu'elle avait peur du train électrique. Elle lui attribuait un caractère démoniaque. Rien à voir avec la circulation des trains réels. Elle n'était pas totalement fruste. Non, c'était la fascination qu'un train miniature pouvait exercer sur un mâle adulte qui lui paraissait avoir quelque chose d'envoûtant et de diabolique.

Le magasin se trouvait à quelques mètres seulement de La Modernia Poesia. Ce n'était pas la plus grande librairie de La Havane, simplement elle ressemblait à un abri anti-aérien en béton. Bien en sécurité à l'intérieur, je choisis une édition des *Essais* de Montaigne en anglais, non pas parce que je brûlais du désir de lire Montaigne, dont je n'avais que vaguement entendu parler, mais parce que je pensais que ça me permettrait de m'améliorer. Et que presque tout le monde à la Casa Marina aurait pu me dire que j'avais besoin de m'améliorer un peu. Au bas mot, je pensais que je devrais commencer à mettre mes lunettes plus souvent. Pendant un instant, je crus avoir des visions. Là, dans la librairie, se trouvait quelqu'un que j'avais vu pour la dernière fois dans une autre vie, vingt ans auparavant.

C'était Noreen Charalambides.

Sauf que ce n'était pas Noreen Charalambides. Plus maintenant. Pas plus que je n'étais Bernhard Gunther. Elle avait depuis longtemps quitté son mari, Nick, pour redevenir Noreen Eisner, et c'est sous ce nom, en tant qu'auteur de plus d'une dizaine de romans à succès et de plusieurs pièces célèbres, que la connaissait à présent le monde des lecteurs. Sous le regard obséquieux d'une touriste américaine adipeuse, Noreen dédicaçait un livre à la caisse où je m'apprêtais à payer Montaigne, ce qui veut dire que nous nous vîmes en même temps, elle et moi. Sans quoi, il est probable que je serais sorti discrètement. Discrètement parce que je vivais à Cuba sous un faux nom et que, moins il y aurait de gens au courant, mieux ça vaudrait. L'autre raison, c'est que je ne paraissais guère au mieux de ma forme. Et ça depuis le printemps 1945. Noreen, au contraire, n'avait pratiquement pas changé. Il y avait certes quelques touches de gris dans ses cheveux bruns et une ride ou deux sur son front, mais c'était toujours une beauté. Elle portait une jolie broche ornée d'un saphir et une montre-bracelet en or. Dans sa main se trouvait un stylo plume en argent et à son bras un coûteux sac en crocodile.

En m'apercevant Noreen mit sa main sur sa bouche comme si elle avait vu un fantôme. Ce qui était peut-être le cas. Plus je vieillis et plus je croirais volontiers que mon propre passé appartient à la vie d'un autre et que je ne suis qu'une âme perdue dans les limbes, une sorte de Hollandais volant condamné à parcourir les mers pour l'éternité.

Je touchai le bord de mon chapeau, histoire de vérifier que ma tête fonctionnait encore et dis « Bonjour ». Par-dessus le marché, je parlais en anglais, ce qui, probablement, ne fit qu'augmenter sa confusion. Pensant qu'elle avait dû oublier mon nom, j'étais sur le point d'ôter mon chapeau quand je me ravisai. Après tout, il était peut-être préférable qu'elle ne s'en souvienne pas. Pas avant que je lui aie donné le nouveau.

« Est-ce bien toi ? murmura-t-elle.

— Oui. »

J'avais une boule dans la gorge de la grosseur de mon poing.

« Je me disais que tu devais être mort. En fait, j'en étais même persuadée. Je ne peux pas croire que ce soit vraiment toi.

— J'ai le même problème quand je me lève le matin pour aller à la salle de bains à tâtons. Il me semble toujours que quelqu'un m'a volé mon corps pendant la nuit pour mettre celui de mon père à la place. »

Noreen secoua la tête. Elle avait les larmes aux yeux. Elle ouvrit son sac à main et en tira un mouchoir qui n'aurait pas séché les yeux d'une souris.

« Peut-être est-ce la réponse à ma prière, dit-elle.

— Alors, cela devait être une prière santeriste. Une prière à un saint catholique servant en fait de masque à un esprit vaudou. Sinon pire. »

Pendant un moment, je restai sans rien dire, me demandant quels démons primitifs, quelles puissances infernales avaient pu revendiquer Bernie Gunther comme un des leurs, et le désigner comme la réponse sombre et malicieuse à la futile prière de quelqu'un.

Je regardai avec gêne autour de moi. La touriste américaine obséquieuse était une sexagénaire de forte corpulence portant des gants fins et un chapeau d'été muni d'une voilette qui la faisait ressembler à une apicultrice. Elle nous observait attentivement, Noreen et moi, comme si nous étions au théâtre. Et quand elle ne nous regardait pas

jouer notre touchante petite scène de retrouvailles, elle lançait des coups d'œil à la dédicace dans son livre comme si elle n'arrivait pas tout à fait à croire qu'elle ait été marquée par l'auteur.

« Écoute, dis-je. On ne peut pas parler ici. Le bar au coin de la rue.

— Le Floridita ?

— Retrouve-moi là dans cinq minutes. » Puis, me tournant vers l'employé : « J'aimerais que vous mettiez ceci sur mon compte. Mon nom est Hausner. Carlos Hausner. » J'avais parlé en espagnol, mais j'étais sûr que Noreen avait compris. Elle avait toujours été rapide pour comprendre ce qui se passait. Je lui décochai un regard et hochai la tête. Elle hocha la tête en retour comme pour m'assurer que mon secret était bien gardé. Pour l'instant.

« En fait, j'ai fini », annonça-t-elle. Elle regarda la touriste et sourit. Celle-ci lui rendit son sourire et la remercia avec effusion, comme si, au lieu de lui dédicacer un exemplaire, Noreen lui avait signé un chèque de mille dollars. « Alors pourquoi est-ce que je ne viendrais pas tout de suite avec toi ? » ajouta-t-elle en glissant son bras sous le mien. Elle m'escorta jusqu'à la porte. « Je ne tiens pas à ce que tu disparaisses maintenant que je t'ai retrouvé.

— Pourquoi ferais-je une chose pareille ?

— Oh, je peux imaginer plusieurs raisons. *Señor Hausner*. Je suis un auteur, après tout. »

Nous sortîmes de la librairie et montâmes une pente douce vers le Floridita Bar.

« Je sais, j'ai même lu un de tes livres. Celui sur la guerre civile espagnole : *Le pire devient le meilleur pour le brave.*

— Et qu'en as-tu pensé ?

— Franchement ?

— Tu peux toujours essayer, je suppose, *Carlos.*

— Ça m'a plu.

— Alors il n'y a pas que ton nom qui est faux.

— Non, vraiment. »

Nous étions devant le bar. Un homme se détacha du capot d'une Oldsmobile et s'inclina sur notre passage.

« Taxi, *senõr* ? Taxi ? »

Je l'écartai d'un geste et laissai Noreen entrer en premier dans le bar.

« J'ai le temps de prendre un verre en vitesse et ensuite je dois m'en aller. J'ai rendez-vous dans un quart d'heure. À la fabrique de cigares. Pour affaires. Peut-être un travail, aussi je ne peux pas le rater.

— Si c'est ce que tu souhaites. Ça ne fait qu'une demi-vie, en fin de compte. »

2

Il y avait un comptoir en acajou de la taille d'un vélodrome avec, derrière, une fresque miteuse représentant un vieux voilier entrant dans le port de La Havane. Sans doute un navire négrier, encore qu'une des habituelles cargaisons de touristes ou de marins américains semblait une hypothèse plus probable. Le Floridita était bourré d'Américains, pour la plupart fraîchement débarqués du paquebot de croisière amarré à côté du destroyer dans le port. Près de la porte, un trio de musiciens était en train de s'installer. Nous trouvâmes une table, et je commandai rapidement des consommations pendant que le serveur pouvait encore m'entendre.

Noreen était occupée à examiner mes achats.

« Montaigne, hein ? Je suis impressionnée. »

Elle parlait à présent en allemand, probablement dans l'idée de me poser des questions embarrassantes sans risquer qu'on comprenne ce que nous disions.

« Ne le sois pas. Je ne l'ai pas encore lu.

— Et ça, qu'est-ce que c'est ? Hobby Centre ? Tu as des enfants ?

— Non, c'est pour moi. » En la voyant sourire, je haussai les épaules. « J'aime bien les trains miniatures. La façon dont ils tournent sans cesse en rond, comme une pensée innocente, simple et unique dans ma tête. Ça me permet d'ignorer les autres.

— Je sais. Tu es comme la gouvernante dans *Le Tour d'écrou*.

– Vraiment ?

– C'est un roman de Henry James.

– Jamais lu. Eh bien. Tu as des enfants de ton côté ?

– Une fille. Dinah. Elle vient de finir le lycée. »

Le serveur arriva et disposa méticuleusement les verres devant nous, tel un grand-maître d'échecs effectuant un roque avec un roi et une tour. Lorsqu'il eut disparu, Noreen dit :

« De quoi s'agit-il, Carlos ? Tu es recherché ou quoi ?

– C'est une longue histoire. »

Nous trinquâmes en silence.

« Je veux bien le croire. »

Je jetai un coup d'œil à ma montre.

« Trop longue pour en parler maintenant. Une autre fois. Et toi ? Que fais-tu à Cuba ? Aux dernières nouvelles, tu étais convoquée devant ce stupide tribunal fantoche. Le Commission sur les activités antiaméricaines. L'HUAC. Quand était-ce ?

– En mai 1952. J'ai été accusée d'être communiste. Et mise sur une liste noire par plusieurs studios de Hollywood. » Elle remua son verre avec une pique à apéritif. « C'est pourquoi je suis ici. Un grand ami à moi qui habite Cuba a lu un article sur les auditions de l'HUAC et m'a proposé de venir habiter quelque temps chez lui.

– Un grand ami à avoir.

– C'est Ernest Hemingway.

– Tiens, et en plus un ami dont j'ai entendu parler.

– En fait, il s'agit d'un de ses bars préférés.

– Est-ce que toi et lui… ?

– Non. Ernest est marié. De toute façon, il n'est pas là actuellement. Parti en Afrique. Tuer des trucs. Surtout lui-même.

– Il est communiste, lui aussi ?

– Grands dieux, non ! Ernest se fiche de la politique. Ce sont les gens qui l'intéressent. Pas les idéologies.

– Un sage.

– Pas exactement ce que je dirais. »

Les musiciens se mirent à jouer, et je poussai un grognement. C'était le genre d'orchestre qui vous file le mal de mer à se pencher dans un sens puis dans l'autre. L'un des hommes soufflait dans une flûte de sorcier et un autre frappait une clochette à vache monotone à vous faire plaindre ces animaux. Leurs harmonies chantées rappelaient le klaxon d'un train de marchandises. La fille poussait des solos et jouait de la guitare. Je n'ai encore jamais vu de guitare dont je n'aie pas envie de me servir pour enfoncer un clou dans un morceau de bois. Ou dans le crâne de l'idiot qui la gratte.

« Maintenant, il faut vraiment que j'y aille, annonçai-je.

— Qu'est-ce qu'il y a ? Tu n'aimes donc pas la musique ?

— Pas depuis que je suis arrivé à Cuba. » Je finis mon verre et consultai à nouveau ma montre. « Écoute, mon rendez-vous ne devrait pas prendre plus d'une heure. Pourquoi ne pas manger ensemble ?

— Impossible. Je dois rentrer. J'ai des gens à dîner ce soir, et il faut que j'achète des choses pour le repas. Je serais très heureuse si tu pouvais venir.

— D'accord. Je viendrai.

— C'est la Finca Vigía dans San Francisco de Paula. » Noreen ouvrit son sac, en tira un bloc et griffonna une adresse et un numéro de téléphone. « Pourquoi n'arriverais-tu pas de bonne heure ? Disons vers cinq heures. Avant que mes autres invités n'arrivent. Nous rattraperons le retard.

— J'aimerais bien. » Je pris le bloc et écrivis mes propres coordonnées. « Tiens. Au cas où tu penserais que je vais te laisser tomber.

— Ça fait plaisir de te revoir, Gunther.

— Toi aussi, Noreen. »

Je me dirigeai vers la porte puis me retournai pour jeter un coup d'œil aux clients du Floridita Bar. Personne n'écoutait l'orchestre ni n'en avait même l'intention. Pas tant qu'il y avait de quoi écluser. Le barman faisait des daiquiris comme s'ils étaient en offre spéciale, près d'une douzaine à la fois. D'après tout ce que j'avais entendu dire et lu sur Ernest Hemingway, c'était précisément comme ça qu'il les aimait.

3

J'achetai des *petit robustos* à la boutique de la fabrique de cigares et les emportai au fumoir, où plusieurs hommes, dont Robert Freeman, habitaient un monde quasi infernal de panaches de fumée, d'étincelles d'allumettes et de braises rougeoyantes. Chaque fois que je pénétrais dans cette pièce, l'odeur m'évoquait la bibliothèque de l'hôtel Adlon et, pendant un moment, je pouvais presque voir ce pauvre Louis Adlon debout devant moi, tenant un de ses Upmann favoris dans ses doigts gantés de blanc.

Freeman était un grand gaillard aux manières directes faisant davantage sud-américain que britannique. Il parlait un bon espagnol pour un Anglais – presque aussi bon que le mien –, ce qui n'avait sans doute rien d'étonnant compte tenu de ses origines : son grand-père, James Freeman, avait commencé à vendre des cigares cubains dès 1839. Il écouta poliment tous les détails de ma proposition, puis me parla de ses propres projets pour développer l'entreprise familiale :

« Jusque récemment, je possédais une fabrique de cigares à la Jamaïque. Mais, comme les Jamaïcains eux-mêmes, la qualité du produit est inégale, si bien que j'ai vendu et décidé de me concentrer sur la vente de cigares cubains en Grande-Bretagne. Je compte acheter deux autres sociétés, ce qui me donnerait environ vingt pour cent du marché britannique. Mais le marché allemand... je ne sais pas. Y en a-t-il vraiment un ? À vous de me le dire, mon vieux. »

Je lui parlai de l'adhésion de l'Allemagne à la Communauté européenne du charbon et de l'acier, du fait que le pays, grâce à la réforme monétaire de 1948, avait connu une croissance plus rapide que n'importe quelle autre nation dans toute l'histoire européenne. Je lui dis que la production industrielle avait augmenté de trente-cinq pour cent et que la production agricole avait déjà dépassé ses niveaux d'avant-guerre. C'est incroyable le nombre d'informations dignes de foi que l'on peut trouver aujourd'hui dans un journal allemand.

« La question n'est pas : pouvez-vous vous permettre d'essayer de gagner une part du marché ouest-allemand, mais pouvez-vous vous permettre de ne pas essayer ? »

Freeman parut impressionné. Je l'étais moi-même. C'était un agréable changement de discuter de marché d'exportation plutôt que de rapport médico-légal.

Et pourtant, je ne pouvais penser à rien d'autre qu'à Noreen Eisner et à notre rencontre après si longtemps. Vingt ans ! Ça semblait presque miraculeux que nous nous en soyons sortis – elle au volant d'une ambulance pendant la guerre civile espagnole et moi dans l'Allemagne nazie et la Russie soviétique. En vérité, je n'avais aucune visée sentimentale à son endroit. Vingt ans, c'était trop long pour que des sentiments aient survécu. De plus, notre aventure n'avait duré que quelques semaines. Mais j'espérais qu'elle et moi pourrions devenir amis. Je n'avais pas beaucoup d'amis à La Havane, et j'aurais été content de partager des souvenirs avec quelqu'un dans la compagnie de qui je puisse être moi-même. Mon vrai moi, au lieu de la personne que j'étais censé être. Je n'avais rien fait d'aussi naturel depuis quatre ans. Et je me demandai comment aurait réagi un homme comme Robert Freeman si je lui avais raconté la vie de Bernie Gunther. Sans doute en aurait-il avalé son cigare. En l'occurrence, nous nous quittâmes amicalement, lui déclarant que nous devrions nous revoir dès qu'il aurait acquis les deux sociétés concurrentes, ce qui le mettrait à même de vendre les marques Montecristo et Ramon Allones.

« Vous savez, Carlos, dit-il alors que nous sortions du fumoir. Vous êtes le premier Allemand à qui j'ai parlé depuis la guerre.

— Germano-argentin, rectifiai-je.

— Oui, bien sûr. Non que j'aie quoi que ce soit contre les Allemands, comprenez-vous. Nous sommes tous du même côté à présent, n'est-ce pas ? Contre les communistes et tout ça. Vous savez, parfois, je me demande ce qu'il faut en conclure. De ce qui s'est passé entre nos deux pays. La guerre, je veux dire. Les nazis et Hitler. Qu'est-ce que vous en pensez ?

— J'essaie de ne pas y penser. Mais quand ça m'arrive, je me dis que, pendant une courte période, la langue allemande a été une suite de très grands mots allemands formés à partir d'une pensée allemande très petite. »

Freeman gloussa tout en tirant des bouffées de son cigare.

« Tout à fait, approuva-t-il. Oui, tout à fait.

— C'est le destin de chaque race de se croire élue par Dieu, ajoutai-je. Mais c'est le destin de quelques races seulement d'être assez stupides pour essayer de le mettre en pratique. »

Dans la salle des ventes, en passant devant une photographie du Premier ministre britannique un cigare à la bouche, j'eus un hochement de tête.

« Je vais vous dire autre chose. Hitler ne buvait pas et ne fumait pas, et il était en bonne santé jusqu'au jour où il s'est logé une balle dans la tête.

— Tout à fait, répéta Freeman. Oui, tout à fait. »

4

La Finca Vigía se trouvait à une dizaine de kilomètres du centre de La Havane – une maison coloniale espagnole de plain-pied entourée d'un terrain de vingt hectares et dotée d'une superbe vue sur le nord de la baie. Je me garai près d'une Pontiac Chieftain décapotable jaune citron – celle avec sur le capot la tête de chef indien qui flamboie quand les phares sont allumés. Il y avait quelque chose de vaguement africain dans la bâtisse blanche et son emplacement, et, comme je descendais de voiture, jetant un coup d'œil aux manguiers et aux énormes jacarandas tout autour, je songeai que j'aurais pu être en train de rendre visite à quelque haut commissaire de province au Kenya.

Une impression que l'intérieur ne faisait qu'accentuer. L'endroit était un véritable musée dédié à la passion de Hemingway pour la chasse. Chacune des nombreuses pièces claires et spacieuses, y compris la chambre principale – mais pas la salle de bains –, contenait des têtes de koudous, de buffles d'eau et de bouquetins. Tout ce qui a des cornes, en fait. Je n'aurais pas été surpris de trouver la tête de la dernière licorne dans la maison. Ou peut-être de deux ou trois ex-femmes. En plus de ces trophées, il y avait une ribambelle de livres, même dans la salle de bains, dont la plupart, contrairement à ceux qui étaient chez moi, semblaient avoir été lus. Le sol carrelé, pratiquement sans tapis, devait être rude pour les pattes de la horde de chats qui semblait régner sur les lieux. Il y avait très peu d'images sur les murs blanchis à la chaux, seulement quelques affiches de courses de taureaux. Le mobilier avait été choisi pour le confort plus que pour l'élégance. Dans la salle de séjour, le canapé et les fauteuils garnis de tissu à fleurs jetaient une touche discordante dans ce culte masculin de la mort. Au beau milieu, tel le diamant de vingt-quatre carats serti dans le sol du hall d'entrée du Capitole national, et qui marque le kilomètre zéro de toutes les mesures de distance à Cuba, trônait une table à boissons chargée de plus de bouteilles qu'un camion de bière.

Noreen nous servit deux grands bourbons que nous emportâmes jusqu'à une terrasse tout en longueur, où elle me parla de sa vie depuis notre dernière rencontre. En échange, je lui fournis une version de la mienne – version dont j'avais soigneusement retranché mon passage dans la SS, sans compter mon service actif dans un bataillon de police en Ukraine. Toutefois, je lui racontai que j'avais été détective privé, puis à nouveau flic dans la police régulière, et l'épisode Erich Gruen, que la CIA et lui avaient réussi à me faire passer pour un criminel de guerre nazi, ce qui m'avait contraint à réclamer l'aide des Vieux Camarades et à fuir l'Europe pour commencer une nouvelle vie en Argentine.

« C'est comme ça que j'ai fini avec un faux nom et un passeport argentin, expliquai-je d'un ton désinvolte. Je serais probablement encore là-bas si les péronistes n'avaient pas découvert que je n'avais rien d'un nazi.

– Mais pourquoi venir à Cuba ?

– Oh, je ne sais pas. Les mêmes raisons que n'importe qui, je suppose. Le climat. Les cigares. Les femmes. Les casinos. Je joue au backgammon dans quelques casinos. »

Je bus une gorgée de bourbon, savourant l'arôme aigre-doux de l'alcool du célèbre écrivain.

« Ernest, lui, est venu pour la pêche au gros. »

Je regardai autour de moi, en quête d'un poisson, mais il n'y en avait pas.

« Quand il est ici, il passe le plus clair de son temps à Cojimar. Un petit village de pêcheurs minable sur un bout de côte desséché où il laisse son bateau. Ernest adore pêcher. Mais il y a un joli bar à Cojimar, et je le soupçonne de préférer le bar au bateau. Ou à la pêche, du reste. Je crains qu'Ernest ne préfère les bars à tout le reste.

— Cojimar. J'y allais souvent, jusqu'à ce que j'apprenne que la milice s'en servait pour faire des exercices de tir. Et que, parfois, les cibles respiraient encore. »

Noreen acquiesça.

« Oui, j'ai entendu cette histoire. Et je suis sûre qu'elle est vraie. Je pourrais pratiquement tout croire concernant Fulgencio Batista. Le long de cette plage, il a fait construire un village de pavillons de luxe entouré de barbelés, pour ses généraux en chef. Je suis passée devant l'autre jour. Tous roses. Pas les généraux — ce serait trop demander. Les pavillons.

— Roses ?

— Oui. On dirait un camp de vacances dans un rêve raconté par Samuel Taylor Coleridge.

— Encore un que je n'ai pas lu. Un de ces jours il va falloir que je my mette sérieusement. C'est bizarre. J'achète des tas de livres. Mais je me suis rendu compte que rien ne remplaçait le fait de les lire. »

En entendant des pas sur la terrasse, je me retournai pour voir une jolie jeune femme approcher. Je me levai et souris tout en m'efforçant de faire disparaître un peu du loup-garou sur mon visage.

« Carlos, voici ma fille, Dinah. »

Elle était plus grande que sa mère, et pas seulement à cause de ses talons aiguilles. Elle portait une robe dos nu à pois qui lui couvrait à peine les genoux et laissait à découvert la plus grande partie de ses reins et même un peu au-delà, ce qui faisait paraître les petits gants en filet quelque peu superflus. À son bras musclé, doré par le soleil, pendait un sac en mohair ayant la forme, la taille et la couleur de la plus belle barbe de Karl Marx. Ses cheveux à elle tout en douces ondulations étaient presque blonds, mais pas complètement, ce qui lui allait d'autant mieux, et le rang de perles autour de son jeune cou élancé semblaient avoir été accrochés là comme un hommage de quelque dieu de la mer admiratif. À coup sûr, sa silhouette valait à elle seule un panier de pommes d'or. Sa bouche était aussi pleine qu'une voile sur une goélette de haute mer et bordée d'un signal rouge tracé par une main ferme et habile qui avait dû faire partie de l'école de Rubens. Ses grands yeux bleus brillaient d'une intelligence à laquelle le menton carré et creusé d'une légère fossette donnait une expression encore plus déterminée. Il y a des belles filles et des belles filles qui le savent ; Dinah Charalambides était une belle fille sachant résoudre une équation du second degré.

« Salut », dit-elle nonchalamment.

Je répondis par un signe de tête, mais j'avais déjà perdu son attention.

« Je peux avoir la voiture, maman ?

— Tu ne vas pas sortir.

— Je ne rentrerai pas tard.

— Je n'aime pas que tu sortes le soir, rétorqua Noreen. Et si tu te faisais arrêter à un poste de contrôle ?

— Est-ce que j'ai l'air d'une révolutionnaire ? demanda Dinah.

— Hélas, non.

— Bon, alors.

— Ma fille a dix-neuf ans, Carlos. Et elle se comporte comme si elle en avait trente.

— Tout ce que je sais, je l'ai appris de toi, mère chérie.

— Où vas-tu, d'ailleurs ?

— Au Barraccuda Club.

— Je préférerais que tu n'ailles pas dans cet endroit.

— Nous avons déjà discuté de ça. » Dinah poussa un soupir. « Écoute, tous mes amis y seront.

— C'est bien de ça qu'il s'agit. Tu ne peux donc pas fréquenter des amis de ton âge ?

— Peut-être que je le ferais, répondit Dinah d'un ton plein de sous-entendus, si nous étions à Los Angeles et pas exilés ici.

— Nous ne sommes pas exilés, affirma Noreen. J'avais juste besoin de partir me reposer un moment loin des États-Unis.

— Je comprends ça. Bien sûr. Mais, s'il te plaît, essaie de comprendre ce que ça signifie pour moi. J'ai envie de sortir et de m'amuser un peu. Pas de rester assise à une table et de parler politique avec une bande de raseurs. » Dinah me regarda et m'adressa un bref sourire d'excuse. « Oh, je ne parle pas de vous, Señor Gunther. D'après ce que ma mère m'a raconté, vous êtes sûrement quelqu'un de très intéressant. Mais la plupart des amis de Noreen sont des écrivains et des avocats de gauche. Des intellectuels. Et des amis d'Ernest qui boivent trop. »

J'eus un léger tressaillement en l'entendant m'appeler Gunther. Cela voulait dire que Noreen avait déjà révélé mon secret à sa fille. Ce qui m'irrita.

Dinah mit une cigarette à sa bouche et l'alluma comme si c'était un pétard.

« Et je préférerais aussi que tu ne fumes pas », asséna Noreen.

Dinah roula les yeux et tendit une main gantée.

« Les clés.

— Sur la table, près du téléphone. »

Dinah sortit avec raideur dans une bouffée de parfum, de fumée de cigarette et d'exaspération, telle une jolie peau de vache dans les pièces américano-gothiques de sa mère. Je n'en avais vu aucune sur scène, seulement les films qu'on en avait tirés. C'étaient des histoires pleines de mères sans scrupule, de pères cinglés, d'épouses volages, de fils malhonnêtes et sadiques et de maris ivrognes et homosexuels – le genre d'histoires qui faisait que j'étais content de ne pas avoir moi-même de famille.

J'allumai un cigare et m'efforçai de contenir mon amusement.

Noreen nous versa un autre bourbon d'une bouteille d'Old Forester qu'elle avait ramenée de la salle de séjour et se servit de la glace dans un seau fait avec une patte d'éléphant.

« La petite garce! s'exclama-t-elle d'une voix blanche. Elle a une place à Brown University, mais elle continue à entretenir cette fiction ridicule qu'elle est obligée de vivre à La Havane avec moi. Je ne lui ai pas demandé de venir. Je n'ai pas écrit une ligne depuis que je suis ici. Elle reste là à écouter des disques toute la journée. Je ne peux pas travailler quand quelqu'un écoute des disques. Surtout les disques ridicules qu'elle écoute. *The Rat Pack : Live at the Sands*. Je te demande un peu. Seigneur, je déteste ces enfoirés imbus d'eux-mêmes. Et je ne peux pas travailler le soir quand elle est dehors parce que j'ai peur qu'il lui arrive quelque chose. »

Quelques secondes plus tard, la Pontiac Chieftain démarra et se mit à descendre l'allée, le chef indien du capot ouvrant la voie dans l'obscurité grandissante.

« Tu ne veux pas d'elle ici avec toi ? »

Noreen me lança un regard, les paupières plissées, par-dessus le bord de son verre.

« Tu avais l'esprit un peu plus vif autrefois, Gunther. Qu'est-ce qui t'est arrivé ? Tu as reçu quelque chose sur la tête pendant la guerre ?

— Seulement quelques éclats d'obus de temps à autre. Je pourrais te montrer les cicatrices, sauf qu'il faudrait que j'enlève ma perruque. »

Mais elle avait perdu sa bonne humeur. Pour le moment. Elle alluma une cigarette et jeta l'allumette dans les buissons.

« Si tu avais une fille de dix-neuf ans, tu aurais envie qu'elle vive à La Havane ?

— Tout dépend si elle a des amis sympas ou non. »

Noreen fit la grimace.

« C'est précisément le genre de remarque qui me fait penser qu'elle serait mieux à Rhode Island. Il y a trop de mauvaises influences à La Havane. Trop de sexe facile. Trop d'alcool bon marché.

— Ce pourquoi je vis ici.

— Et elle a des fréquentations exécrables, continua Noreen sans me prêter attention. En fait, c'est une des raisons pour lesquelles je t'ai demandé de venir ce soir.

— Et moi qui pensais naïvement qu'il s'agissait de raisons purement sentimentales. Tu as toujours du punch, Noreen.

— Ce n'était pas mon intention.

— Non ? » Je laissai passer. Je humai un moment mon verre, savourant le parfum de brûlé. Ce bourbon avait un arôme d'enfer. « Crois-moi, mon ange, il y a des tas d'endroits bien pires que Cuba. Je le sais. J'ai essayé d'y vivre. Berlin après la guerre n'avait rien d'un dortoir de l'Ivy League, et Vienne non plus. Surtout pour une jeune fille. Les soldats russes ont de l'avance sur les marlous et les plagistes gigolos en matière de mauvaise influence, Noreen. Et ce n'est pas de l'anticommunisme primaire, mon cœur, mais la simple vérité. Puisqu'on aborde ce sujet épineux, que lui as-tu raconté sur moi ?

– Pas grand-chose. Il y a encore quelques minutes, je ne savais même pas ce qu'il y avait à raconter. Tout ce que tu m'as dit ce matin – et, d'ailleurs, tu ne t'adressais pas directement à moi, mais à l'employé de La Moderna Poesia –, c'est que tu t'appelais Carlos Hausner. Pourquoi diable avoir choisi Carlos comme pseudonyme ? Carlos, c'est un prénom pour un gros paysan mexicain dans un film de John Wayne. Non, je ne te vois pas du tout sous les traits d'un Carlos. Je suppose que c'est pour ça que j'ai utilisé ton vrai nom, Bernie… Ça m'a échappé en quelque sorte alors que j'étais en train de lui parler de Berlin, en 1934.

– C'est bien regrettable vu tous les efforts que ça m'a demandé de prendre un nouveau nom. Pour être tout à fait franc avec toi, si les autorités apprenaient qui je suis, Noreen, on pourrait me renvoyer en Allemagne, ce qui me mettrait dans une position délicate, c'est le moins qu'on puisse dire. Comme je te l'ai dit, il y a un certain nombre de gens – les Russes en particulier – qui ne seraient sans doute pas mécontents de me passer la corde au cou. »

Elle me jeta un regard chargé de soupçons.

« C'est peut-être ce que tu mérites.

– Peut-être. » Posant mon verre sur un guéridon, je soupesai sa remarque pendant un moment. « Cela dit, dans la plupart des cas, il n'y a que dans les livres que les gens ont ce qu'ils méritent. Mais si tu le penses vraiment, alors je ferais mieux de filer. »

Je rentrai dans la maison avant de ressortir par la porte d'entrée. Elle se tenait près de la balustrade de la terrasse, au-dessus des marches descendant à ma voiture.

« Excuse-moi, dit-elle. Je ne pense absolument pas que tu le mérites, d'accord ? Je te taquinais. S'il te plaît, reviens. »

M'arrêtant, je levai la tête vers elle sans grand enthousiasme. J'étais en colère et me fichais qu'elle le sache. Et pas seulement à cause de sa remarque sur le fait que je méritais d'être pendu. Je lui en voulais, et à moi aussi, de ne pas avoir fait comprendre plus clairement que Bernie Gunther n'existait plus ; et que Carlos Hausner avait pris sa place.

« J'étais tellement bouleversée de te revoir, après toutes ces années… » dit-elle d'une voix qui buta comme un pull en cachemire ayant pris un accroc sur un clou. Navrée d'avoir vendu la mèche. Je verrai Dinah quand elle rentrera et je lui demanderai de garder pour elle ce que je lui ai dit, d'accord ? Je crains de ne pas avoir songé aux conséquences possibles en lui parlant de toi. Mais, tu sais, elle et moi sommes devenues très proches depuis que son père, Nick, est mort. Nous nous disons toujours tout. »

La plupart des femmes possèdent un cadran de vulnérabilité. Dont elles peuvent faire varier l'intensité comme bon leur semble, et qui agit sur les hommes comme de l'herbe à chat. Noreen s'en servait à merveille. D'abord la voix entrecoupée, puis un long soupir mal assuré. C'était très efficace, et elle n'opérait qu'au niveau trois ou quatre. Il y avait encore en réserve une foule de choses qui font que le sexe faible est, semble-t-il, le sexe faible. Peu après, ses épaules s'affaissèrent et elle détourna la tête. « S'il te plaît. S'il te plaît, ne t'en va pas. » Niveau cinq.

Debout sur le perron, je contemplai mon cigare, puis la longue allée venteuse menant à la route de San Francisco de Paula. La Finca Vigía. Autrement dit, la ferme de vigilance, un nom approprié car il y avait une sorte de tour à gauche du bâtiment principal, où quelqu'un pourrait s'asseoir dans une pièce et écrire un livre et observer le monde en dessous et se prendre pour une sorte de divinité. Raison pour laquelle, probablement, les gens devenaient écrivains en premier lieu. Un chat vint frotter son corps gris contre mes tibias, comme si lui aussi essayait de me persuader de rester. D'un autre côté, peut-être cherchait-il à se débarrasser d'un tas de poils indésirables sur mon meilleur pantalon. Un autre chat, dressé comme un sommier à ressorts, attendait à côté de ma voiture, prêt à perturber mon départ si son collègue félin n'y parvenait pas avant. La Finca Vigía. Quelque chose me disait de m'occuper de moi et de m'en aller. Que, si je restais, je risquais de finir comme un de ces stupides personnages de roman, sans volonté propre. Que l'un d'eux – Noreen ou Hemingway – pourrait m'amener à faire quelque chose que je ne voulais pas.

« Très bien. »

Dans l'obscurité, ma voix ressemblait à celle d'un animal. Ou peut-être d'un orisha de la forêt dans le royaume de la Santeria.

Je jetai le cigare et retournai à l'intérieur. Noreen m'épargna la moitié du chemin, ce qui était généreux de sa part, et nous nous étreignîmes, tendrement. Serrer son corps dans mes bras était toujours aussi agréable, et cela me rappela tout ce que c'était censé me rappeler. Niveau six. Elle savait encore comment m'émouvoir, pas de doute. Elle posa sa tête sur mon épaule, mais le visage tourné, et me laissa inhaler sa beauté un moment. Nous ne nous embrassâmes pas. Ce n'était pas encore requis. Pas tant que nous restions au niveau six. Pas tant qu'elle gardait le visage tourné. Au bout de quelques instants, elle se dégagea et se rassit.

« Tu as dit que Dinah avait de mauvaises fréquentations. Que c'était une des raisons pour lesquelles tu m'avais demandé de venir.

— Désolée de m'être exprimée aussi mal. Ça ne me ressemble pas. Après tout, je suis supposée être douée avec les mots. Mais j'ai vraiment besoin de ton aide. Concernant Dinah.

— Mon savoir sur les jeunes filles de dix-neuf ans date de pas mal d'années, Noreen. Et même alors, ce que je savais était sans doute totalement faux. De sorte que, à part lui flanquer une fessée, je ne vois pas ce que je pourrais faire.

— Je me demande si ça marcherait.

— Je ne pense pas que ça l'aiderait beaucoup. Bien sûr, il n'est pas exclu que j'y trouve du plaisir, ce qui constitue une raison supplémentaire de l'expédier à Rhode Island. Mais je suis d'accord avec toi. Le Barracuda Club n'est pas un endroit pour une fille de dix-neuf ans. Même s'il en existe de bien pires à La Havane.

— Oh, elle est allée dans tous, je peux te l'assurer. Le Shanghai Theater. Le cabaret Kursaal. L'hôtel Chic. Uniquement pour ceux dont j'ai trouvé les boîtes d'allumettes dans sa chambre. Il y a peut-être encore pire que ça. »

Je secouai la tête. « Non, je ne pense pas qu'on puisse faire pire, même à La Havane. » J'allai chercher mon verre sur le guéridon et l'avalai d'un seul trait. « Certes, elle est un peu casse-cou. Mais, si les films ont raison, c'est le cas de la plupart des gosses aujourd'hui. Et eux au moins ne tabassent pas les Juifs. Par ailleurs, je ne vois toujours pas ce que je peux faire. »

Noreen récupéra l'Old Forester et remplit mon verre.

« Eh bien, nous pourrions peut-être y réfléchir. Ensemble. Comme au bon vieux temps, tu te souviens ? À Berlin ? Si les choses avaient tourné différemment, nous aurions peut-être pu provoquer un changement. Si seulement j'avais écrit cet article, nous aurions peut-être mis fin aux Jeux olympiques de Hitler.

— Je suis assez content que tu ne l'aies pas écrit. Dans le cas contraire, je serais probablement mort. »

Elle opina.

« Pendant un moment, nous avons formé une véritable équipe d'enquête, Gunther. Tu étais mon Galahad, mon chevalier céleste.

— Sûr. Je me souviens de ta lettre. J'aimerais pouvoir dire que je l'ai encore, mais les Américains ont réorganisé mon système de classement lorsqu'ils ont bombardé Berlin. Tu veux mon avis à propos de Dinah ? Je pense que tu devrais faire installer un verrou sur sa porte et lui imposer un couvre-feu à neuf heures. Ça marchait pas mal à Vienne. Quand les Quatre Puissances administraient la ville. De plus, tu pourrais peut-être songer à ne pas lui prêter la voiture à chaque fois qu'elle la demande. Si c'est moi qui portais ces hauts talons, j'y réfléchirais à deux fois avant de me taper quinze kilomètres à pied jusqu'au centre de La Havane.

— J'aimerais voir ça.

— Moi avec des hauts talons ? Sûr, je suis un habitué du Palette Club, même si on me connaît mieux là-bas sous le nom de Rita. Tu sais, ce n'est pas forcément une mauvaise chose que les enfants aient tendance à désobéir à leurs parents. Surtout quand on considère les erreurs des parents en question. Et quand ils sont aussi adultes que Dinah, à l'évidence.

— Peut-être que si je te donnais tous les éléments, dit-elle, tu comprendrais le problème.

— Tu peux toujours essayer. Mais je ne suis plus détective, Noreen.

— Mais tu l'as été, n'est-ce pas ? » Elle sourit d'un air rusé. « C'est grâce à moi que tu as débuté. Comme détective privé. Ou peut-être faut-il que je te le rappelle.

— Si c'est ainsi que tu prends les choses. »

Elle eut une moue de mécontentement.

« Ce n'est pas ainsi que je prends les choses, comme tu dis. Absolument pas. Mais je suis une mère à court d'options.

– Je t'enverrai un chèque. Avec intérêts.

– Oh, arrête ça, pour l'amour du ciel. Je ne veux pas de ton argent. De l'argent, j'en ai plein. Mais tu pourrais au moins la boucler une minute et avoir l'obligeance de me laisser parler avant d'ouvrir le feu avec les deux canons en même temps. Je pense que tu me dois bien ça. Pas vrai ?

– Très bien. Je ne peux pas promettre de tout entendre. Mais j'écouterai. »

Noreen secoua la tête.

« Tu sais, Gunther, cela me dépasse que tu aies pu survivre à la guerre. Je viens à peine de te retrouver que j'ai déjà envie de te descendre. » Elle eut un petit ricanement. « Tu devrais être prudent, tu sais. Cette maison possède plus d'armes à feu que toute la milice cubaine. Il m'est arrivé certains soirs d'être ici en train de boire un verre avec Hem, et il avait un fusil de chasse posé sur les genoux pour dégommer les oiseaux dans les arbres.

– Ça semble dangereux pour les chats.

– Pas seulement ces satanés chats. » Elle secoua la tête tout en continuant à rire. « Les gens également.

– Ma tête ferait très bien dans ta salle de bains.

– Quelle horrible idée. Toi me regardant à chaque fois que je prends un bain.

– Je pensais à ta fille.

– Ça suffit. » Noreen se leva brusquement. « Va te faire voir et sors ! s'écria-t-elle. Tire-toi d'ici. »

Je retournai à nouveau dans la maison.

« Attends, lança-t-elle d'un ton sec. Attends, je t'en prie. »

J'attendis.

« Pourquoi faut-il que tu sois aussi dur ?

– Je suppose que je ne suis pas habitué à la vie en société.

– S'il te plaît, écoute. Tu pourrais l'aider. Tu es la seule personne à pouvoir le faire, à mon avis. Plus que tu ne crois. Je ne vois vraiment pas à qui d'autre m'adresser.

– Elle est dans le pétrin ?

— Pas exactement, non. Du moins, pas encore. Il y a un homme avec lequel elle a une liaison, vois-tu. J'ai peur qu'elle ne finisse comme… comme Gloria Grahame dans ce film, *Règlement de comptes*. Tu sais, quand ce salaud de détraqué lui jette du café bouillant en pleine figure.

— Connais pas. Le dernier film que j'ai vu, c'est *Peter Pan*. »

Nous nous retournâmes en même temps lorsqu'une Oldsmobile blanche remonta l'allée. Elle avait un pare-soleil et des pneus à flanc blanc, et faisait autant de bruit que l'autocar de Santiago.

« Mince, fit Noreen. C'est Alfredo. »

L'Olds blanche était suivie par une Buick rouge à deux portes.

« Et le reste de mes invités, semble-t-il. »

5

Nous étions huit pour le dîner. Dîner préparé et servi par Ramón, le cuisinier chinois de Hemingway, et par René, son maître d'hôtel noir. Ce que je fis seulement mine de trouver amusant. Non pas que j'avais quelque chose contre les Chinois et les Noirs, bien sûr. Mais il me paraissait un tantinet ironique que Noreen et ses convives soient prêts à proclamer de façon péremptoire leurs convictions communistes pendant que d'autres se farcissaient tout le boulot.

On ne pouvait pas nier que Cuba et ses habitants avaient souffert, d'abord aux mains des Espagnols, puis des Américains et ensuite à nouveau des Espagnols. Mais tout aussi néfastes peut-être avaient été les gouvernements de Ramón Grau San Martin et maintenant de Fulgencio Batista. Ancien sergent de l'armée cubaine, F.B. – comme l'appelaient la plupart des Européens et des Américains vivant à Cuba – n'était qu'un pantin à la solde des États-Unis. Tant qu'il dansait sur l'air de Washington, le soutien américain semblait devoir continuer, quelle que soit la brutalité avec laquelle se comportait son régime. Malgré tout, je n'arrivais pas à croire qu'un système de gouvernement totalitaire, dans lequel un parti unique contrôlait l'ensemble des moyens de production, soit, ou puisse jamais être, la solution. Et c'est ce que je dis aux invités de gauche de Noreen.

« À mon avis, le communisme serait un mal bien pire pour ce pays que tout ce que pourrait imaginer ou faire un petit despote comme

F.B. Un bandit de troisième ordre tel que lui peut provoquer un drame individuel ici et là. Voire plusieurs. Mais rien de comparable avec la domination d'authentiques tyrans comme Staline et Mao Tsé-Toung. Ils ont engendré des tragédies nationales. Je ne peux pas parler de tous les pays du rideau de fer. Mais je connais assez bien l'Allemagne, et je peux vous garantir que la classe ouvrière de RDA ne demanderait pas mieux que d'échanger sa place contre celle des populations opprimées de Cuba. »

Guillermo Infante était un jeune étudiant qui venait d'être chassé de l'école de journalisme de La Havane. Il avait également purgé une courte peine pour avoir écrit dans un magazine populaire d'opposition appelé *Bohemia*. Ce qui m'incita à faire observer qu'il n'existait aucun magazine d'opposition en Union soviétique, et que la critique même la plus légère contre le gouvernement lui aurait valu un très long séjour dans quelque trou perdu de Sibérie. Cigare Montecristo en main, Infante jugea bon de me traiter de « bourgeois réactionnaire », plus quelques autres expressions chères aux Popovs et à leurs acolytes que je n'avais pas entendues depuis des années. Épithètes qui me donnèrent presque la nostalgie de la Russie, comme un personnage de chiffe molle chez Tchekhov.

Je me bagarrai un moment dans mon coin, mais, lorsque deux créatures aussi sérieuses que peu attrayantes se mirent à me traiter d'« apologiste du fascisme », je finis par me sentir aux abois. Autant il peut être amusant de se faire insulter par une jolie femme si l'on part du principe qu'elle a au moins pris la peine de vous remarquer. Autant ça n'a rien de drôle de subir les invectives de ses deux laiderons de sœurs. Ne recevant guère de soutien de la part de Noreen, qui avait peut-être un peu trop bu pour voler à mon secours, j'allai aux toilettes et, ce faisant, décidai d'arrêter les frais pour ce soir.

Lorsque je regagnai ma voiture, un des invités était déjà là. Pour me présenter des excuses en quelque sorte. Alfredo Lopez était avocat – un des vingt-deux avocats, semblait-il, qui avaient défendu les rebelles responsables de l'attaque contre la caserne de Moncada en juillet 1953. Suivant l'inévitable verdict de culpabilité, le juge du palais de justice de Santiago avait condamné les accusés à ce qui me paraissait une peine de prison plutôt modeste. Même le chef des rebelles, Fidel Castro Ruiz, n'avait écopé que de quinze ans. Certes, quinze ans n'étaient pas exactement une condamnation légère, mais, pour un homme ayant dirigé une insurrection armée contre un dictateur puissant, ça valait beaucoup mieux qu'une petite balade jusqu'à la guillotine de Plotenzee.

Lopez avait dans les trente-cinq ans. Séduisant, le teint bronzé, le sourire facile, avec un regard bleu perçant, une fine moustache et des cheveux noirs et brillants semblables à un bonnet de bain en caoutchouc. Il portait un pantalon de toile et une chemise brodée à col ouvert bleu foncé qui contribuait à cacher un début de bedaine. Il fumait de longs cigarillos ayant la teinte et la forme de ses doigts efféminés. Le tout faisait penser à un gros chat auquel on aurait confié les clés de la plus grande laiterie des Caraïbes.

« Je suis vraiment désolé, mon vieux, dit-il. Lola et Carmen n'auraient pas dû se conduire de façon aussi grossière. Faire passer la politique avant la politesse la plus élémentaire est impardonnable. Surtout à un dîner. Si l'on n'est même pas capable de se montrer aimable au cours d'un repas, comment peut-on espérer avoir de vraies discussions ailleurs ?

— Laissez tomber. J'ai la peau suffisamment dure pour que ça ne me touche pas beaucoup. De plus, la politique ne m'a jamais intéressé à ce point-là. Surtout pour ce qui est d'en parler. Il m'a toujours semblé qu'en essayant d'intimider les autres, on cherche avant tout à se convaincre soi-même.

— Oui, il y a un peu de ça, j'imagine, reconnut-il. Mais vous devez vous souvenir que les Cubains sont un peuple extrêmement passionné. Nous sommes déjà quelques-uns à être convaincus.

— Vraiment ? Je me le demande.

— Croyez-moi. Nombre d'entre nous sacrifieraient tout ce qu'ils ont pour instaurer la liberté à Cuba. La tyrannie est la tyrannie, quel que soit le nom du tyran.

— Peut-être aurai-je l'occasion de vous le rappeler un jour, quand votre homme sera en charge de la tyrannie.

— Fidel ? Oh, ce n'est pas du tout un mauvais diable. Si vous en saviez davantage sur lui, vous éprouveriez un peu plus de sympathie pour notre cause.

– J'en doute. Les guérilleros d'aujourd'hui sont généralement les dictateurs de demain.

– Non, je vous assure. Castro est très différent. Il ne fait pas ça pour lui-même.

– C'est lui qui vous l'a dit ? Ou est-ce que vous avez vu son relevé de compte ?

– Non, mais j'ai vu ceci. »

Ouvrant la porte de sa voiture, Lopez prit un porte-documents, dont il tira une petite brochure. Il y en avait plusieurs dizaines d'autres à l'intérieur. Ainsi qu'un gros pistolet automatique. Qu'il gardait à proximité, supposai-je, pour le cas où les discussions politiques civilisées et dignes de ce nom ne marcheraient pas. Il me tendit la brochure à deux mains, comme s'il s'agissait de quelque chose de précieux, un objet rare qu'un commissaire-priseur montrerait à une salle pleine d'acheteurs potentiels. Sur la couverture figurait la photo d'un jeune homme corpulent, ressemblant à Lopez lui-même, avec une fine moustache et des yeux sombres aux paupières tombantes. Il avait davantage l'allure d'un chef d'orchestre que du révolutionnaire dont j'avais entendu parler dans les journaux.

« C'est un exemplaire de la déclaration faite par Fidel Castro à son procès en novembre dernier, expliqua Lopez.

– La tyrannie lui a donc donné la possibilité de s'exprimer, dis-je d'un ton plein de sous-entendus. Je me rappelle que le juge Roland Freisler – Roland l'Irascible, comme on le surnommait – s'est contenté d'agonir d'injures les hommes qui avaient tenté de faire sauter Hitler. Avant de les envoyer à la potence. Curieusement, je ne me souviens pas qu'aucun d'entre eux ait écrit de brochure. »

Lopez m'ignora.

« Elle s'intitule *L'Histoire m'acquittera*. On vient juste de finir de l'imprimer. De sorte que vous pouvez avoir l'honneur d'être le premier à la lire. Au cours des prochains mois, nous comptons la distribuer dans toute la ville. Je vous en prie, *señor*. Au moins, lisez-la, hein ? Ne serait-ce que parce que l'homme qui l'a écrite se morfond à l'heure actuelle dans la prison modèle de l'île des Pins.

– Hitler a écrit un livre sensiblement plus long, dans la prison de Landsberg, en 1928. Que je n'ai pas lu non plus.

– Ne plaisantez pas avec ça, s'il vous plaît. Fidel est un ami du peuple.

– Moi aussi. Les chats et les chiens semblent également avoir de l'affection pour moi. Mais je ne m'attends pas à ce qu'ils me placent à la tête du gouvernement.

– Promettez-moi que vous y jetterez au moins un coup d'œil.

– Très bien, répondis-je en prenant la brochure, pressé de me débarrasser de lui. Si vous y tenez tellement, je la lirai. Mais, de grâce, ne me posez pas de questions ensuite sur son contenu. Je ne voudrais pas oublier quelque chose et rater la chance d'acquérir une part dans une coopérative agricole. Ou l'occasion de dénoncer quelqu'un pour sabotage du plan quinquennal. »

Je grimpai dans ma voiture et démarrai en toute hâte, peu satisfait de la tournure prise par la soirée. Au bout de l'allée, je baissai la vitre et balançai la stupide brochure de Castro dans les buissons avant de tourner sur la grande route en direction de San Miguel del Padrón. J'avais d'autres projets en tête que le chef rebelle cubain, même s'ils n'étaient pas sans inclure les filles de la Casa Marina : que chacun donne selon ses capacités, que chacun reçoive selon ses besoins. C'était le genre de dialectique marxiste cubaine qui avait ma totale sympathie.

J'avais plutôt bien fait de jeter la brochure de Castro car, devant une station-service, après le virage suivant, était installé un barrage. Un milicien armé me fit signe de m'arrêter et m'ordonna de sortir. Les mains en l'air, j'attendis docilement sur le bas-côté tandis que deux autres soldats me fouillaient, puis ma voiture, sous le regard attentif du reste de la section et de leur officier en herbe. Je ne lui accordai même pas un regard. Je fixais des yeux les deux cadavres gisant face contre terre sur le talus herbeux, une bonne partie de leur cervelle s'échappant de leur cuir chevelu.

L'espace d'un instant, je me crus à nouveau en juin 1941, avec mon bataillon de réserve de la police, le 316e, sur la route de Smolensk, à un endroit appelé Goloby, en Ukraine, rengainant mon pistolet. J'étais l'officier responsable d'un peloton d'exécution qui venait de fusiller une unité spéciale du NKVD. Laquelle unité avait assassiné récemment trois mille prisonniers ukrainiens blancs dans la prison de Lutsk, alors que nos panzers approchaient. Nous les avions tous abattus. Tous les trente. Au fil du temps, j'avais essayé de justifier cette exécution à mes propres yeux, sans grand succès. Et il m'arrivait bien souvent de me réveiller en pensant à ces vingt-huit hommes et deux femmes. Dont la majorité se trouvaient être juifs. J'en avais abattu deux moi-même, en leur donnant le prétendu coup de grâce. Mais la grâce n'avait rien à voir là-dedans. Vous pouviez toujours vous dire que c'était la guerre. Vous pouviez même vous dire que la population de Lutsk nous avait suppliés de nous lancer aux trousses de l'unité ayant massacré leurs proches. Ou qu'une balle dans la tête était une mort rapide, clémente, par rapport à ce que ces individus avaient infligé à leurs prisonniers – la plupart brûlés vifs lorsque le NKVD avait mis le feu délibérément à la prison. Ça n'en ressemblait pas moins à un meurtre…

Et quand je ne regardais pas les deux cadavres allongés au bord de la route, j'observais le fourgon de police garé à quelques mètres de là, et les occupants terrorisés dans la lumière brillante à l'intérieur. Leur visage meurtri, ensanglanté et en proie à la peur. C'était comme regarder dans un aquarium plein de homards. Vous aviez l'impression qu'à tout instant, on allait en extraire un pour le tuer, comme les deux sur l'accotement. Puis l'officier contrôla ma carte d'identité et me posa quelques questions d'une voix nasillarde de personnage de dessin animé qui m'aurait fait sourire dans toute autre situation. Quelques minutes plus tard, j'étais libre de poursuivre mon voyage de retour vers Vedado.

Je roulai environ cinq cents mètres puis m'arrêtai à un petit café en pierre rose situé au bord de la route, où je demandai au patron si je pouvais me servir du téléphone, avec l'idée d'appeler la Finca Vigía pour informer Noreen – et surtout Alfredo Lopez – de la présence du barrage. Ce n'est pas que j'aimais tellement l'avocat. Je n'ai encore jamais rencontré d'avocat que je n'aie pas envie de gifler. Mais je ne pensais pas qu'il méritait une balle dans la nuque – ce qui lui serait très certainement arrivé si la milice l'avait trouvé en possession de ces brochures et d'un pistolet. Personne ne méritait ce genre de fin ignominieuse. Pas même le NKVD.

Le patron du café était un type chauve et imberbe, avec des lèvres épaisses et un nez cassé. Il m'expliqua que cela faisait plusieurs jours que le téléphone était en dérangement et en accusa les *pequeños rebeldes*, qui ne trouvaient rien de mieux, pour montrer leur attachement à la révolution, que de tirer leurs *catapultas* sur les conducteurs en porcelaine des poteaux téléphoniques. Si je voulais alerter Lopez, ce ne serait pas par téléphone.

L'expérience me disait que la milice ne me permettrait pas de repasser le barrage. Ils penseraient, à juste titre, que j'allais alerter quelqu'un. Il me faudrait trouver un autre chemin pour retourner à la Finca Vigía – en empruntant les petites rues et avenues parallèles de San Francisco de Paula. Quartier qui ne m'était pas familier, surtout la nuit.

« Est-ce que vous connaissez la Finca Vigía, la maison de l'écrivain américain ? demandai-je au patron du café.

– Bien sûr. Tout le monde connaît la maison d'Ernesto Hemingway.

– Comment quelqu'un pourrait-il faire pour y arriver s'il n'avait pas envie de prendre la grande route de Cotorro ? »

Je brandis un billet de cinq pesos pour l'aider à réfléchir.

Le patron sourit.

« Vous voulez peut-être dire quelqu'un qui n'aurait pas envie de traverser le barrage près de la station-service ? »

J'acquiesçai.

« Gardez votre argent, *señor*. Je m'en voudrais de profiter d'un homme qui souhaite seulement éviter notre milice bien-aimée. » Il m'emmena hors du café. « Un homme tel que vous irait vers le nord, passerait la station-service de Diezmero et tournerait dans Varona. Après quoi, il franchirait la rivière à Mantilla. Au croisement, il obliquerait vers le sud, dans Managua, et continuerait jusqu'à ce qu'il tombe sur la route nationale allant à Santa Maria del Rosario. À ce moment, vous n'auriez plus qu'à retraverser la grande route pour trouver la Finca Vigía. »

Cette série d'indications s'accompagna de force gestes de la main et, comme pratiquement tout à Cuba, nous ne mîmes pas longtemps à attirer une petite foule de patrons de bistrot, de gosses et de chiens errants.

« Ça vous prendra un quart d'heure, peut-être, ajouta l'homme. En admettant que vous ne finissiez pas dans le Rio Hondo ou criblé par les balles de la milice. »

Deux minutes plus tard, je me bringuebalais à travers les petites rues plantées d'arbres et mal éclairées de Mantilla et d'El Cavario comme l'équipage d'un Dornier en détresse, en regrettant amèrement d'avoir bu trop de bourbon et de vin rouge, et probablement un ou deux cognacs. Je me dirigeai vers l'ouest, le sud, puis l'est. Au-delà de la route goudronnée à deux voies, ce n'était plus guère que des chemins de terre, et l'arrière de la Chevrolet adhérait encore moins bien qu'un patin à glace fraîchement aiguisé. Troublé par le spectacle des deux cadavres, je roulais probablement trop vite. Soudain, un troupeau de chèvres surgit sur la route, et je braquai violemment à gauche, de sorte que la voiture fit un tour sur elle-même dans un nuage de poussière, évitant de justesse un arbre puis la clôture d'un court de tennis. Quelque chose céda en dessous alors que j'appuyais sur le frein et m'arrêtais. Pensant que j'avais peut-être un pneu crevé ou, pire, un essieu cassé, j'ouvris tout grand la portière et me penchai au-dehors pour inspecter les dégâts.

« Voilà ce qu'on gagne à essayer de rendre service à quelqu'un », me dis-je avec irritation.

Je vis que la voiture n'avait rien, mais que le pneu avant gauche semblait avoir brisé plusieurs planches enfouies dans le sol.

Me redressant, je reculai avec précaution sur la route. Puis je sortis pour examiner de plus près ce qui était enterré. Mais, comme il faisait nuit, je n'arrivais pas à bien voir, même dans les phares de la voiture, et je dus aller prendre une lampe torche dans le coffre pour éclairer les planches cassées. Soulevant un des morceaux de bois, je braquai la lampe sur le trou et distinguai ce qui ressemblait à une caisse. Il était difficile d'évaluer sa taille, mais plusieurs boîtes en bois plus petites se trouvaient à l'intérieur. Sur le couvercle de l'une d'elles était inscrit au pochoir : MARK 2 FHGs ; et sur une autre : BROWNING M19.

J'étais tombé sur une cache d'armes.

J'éteignis aussitôt la lampe puis les phares de la voiture, et regardai autour de moi au cas où quelqu'un m'aurait vu. Le court de tennis était en terre battue et en piteux état. Les bandes blanches en plastique par terre avaient disparu ou étaient abîmées, et le filet pendait mollement comme les bas nylon d'une vieille femme. Au-delà du court, se dressait une villa délabrée avec une véranda et un grand portail rongé par la rouille. Le stuc de la façade s'écaillait, et on ne voyait de lumière nulle part. Cela faisait manifestement un bail qu'elle n'était plus habitée.

Au bout d'un moment, je retirai une des planches cassées, dont je me servis pour remettre de la terre sur le haut de la cache – suffisamment pour la masquer. Puis je marquai rapidement l'emplacement à l'aide de trois pierres que je ramassai de l'autre côté de la route. Tout ça prit moins de cinq minutes. Ce n'était pas le genre d'endroit où j'avais envie de m'attarder. Pas avec la milice dans les parages. Il y avait peu de chances qu'ils acceptent mes explications quant à ce qui m'avait poussé à recouvrir de terre une caisse d'armes à minuit sur une route déserte dans El Calvario, pas plus que les gens qui l'avaient enterrée là ne croiraient que je n'avais pas l'intention d'avertir la police. Je devais fiche le camp le plus vite possible. Aussi je sautai dans la voiture et m'éloignai.

J'arrivai à la Finca Vigía juste au moment où Alfredo Lopez remontait dans l'Oldsmobile blanche pour rentrer chez lui. Je fis marche arrière jusqu'à lui et baissai ma vitre. Lopez m'imita.

« Quelque chose qui ne va pas ?

– Ça se pourrait. Si vous étiez un type avec un .38 et un porte-documents bourré de brochures rebelles.

– Vous le savez bien.

– Lopez, mon vieux, vous devriez peut-être songer à abandonner un moment le secteur de la brochurisation. Il y a un barrage de la milice sur la grande route en direction du nord, juste à côté de la station-service de Diezmero.

– Merci pour l'avertissement. Je suppose qu'il va falloir que je trouve un autre chemin pour rentrer. »

Je secouai la tête.

« Je suis passé par Mantilla et El Calvario pour revenir. Il y avait un camion prêt à se déployer là aussi. »

Je ne dis rien de la cache d'armes que j'avais découverte. Il me semblait préférable d'oublier ça. Pour le moment.

« On dirait qu'ils comptent attraper du poisson ce soir, fit-il observer.

— La bourriche était pleine, en effet. Mais j'ai eu l'impression qu'ils prévoyaient de faire un peu plus qu'attraper du poisson. Leur tirer dessus dans un tonneau, peut-être. J'en ai vu deux sur le bord de la route, et ils paraissaient aussi morts que des maquereaux fumés.

— Des drames individuels, je présume, dit-il. Mais bien sûr, deux morts ne sauraient se comparer avec la domination d'authentiques tyrans comme Staline et Mao Tsé-Toung.

— Pensez ce que vous voulez. Je ne suis pas venu ici pour vous convertir. Juste pour sauver votre peau d'idiot.

— Oui, bien sûr, je vous demande pardon. » Lopez pinça les lèvres, puis en mordit une à se faire mal. « D'habitude, ils ne se donnent pas la peine d'aller aussi loin au sud de La Havane. »

Noreen sortit de la maison et descendit les marches de devant. Un verre à la main, et il n'était pas vide. Elle n'avait pas l'air ivre. Pas plus que ça ne s'entendait. Mais comme j'étais probablement ivre moi-même, ça ne voulait pas dire grand-chose.

« Qu'y a-t-il ? demanda-t-elle. Tu as finalement changé d'avis ? »

Il y avait une pointe de sarcasme dans sa voix.

« C'est exact. Je suis revenu voir si quelqu'un avait un exemplaire indésirable du *Manifeste du parti communiste*.

— Tu aurais pu dire que tu t'en allais, répliqua-t-elle avec raideur.

— C'est drôle, mais je n'ai pas eu le sentiment que ça dérangeait quiconque.

— Eh bien, pourquoi es-tu revenu ?

— La milice est en train d'installer des barrages dans le secteur, expliqua Lopez. Ton ami a eu la bonté de revenir pour m'avertir du danger.

— Pourquoi feraient-ils ça ? Il n'y a pas de cibles que les rebelles voudraient attaquer par ici. Non ? »

Lopez ne répondit pas.

« Ce qu'il veut dire, expliquai-je, c'est que tout dépend de ce qu'on entend par cible. Au retour, j'ai aperçu un panneau pour une centrale électrique. Exactement le genre de cible sur lequel des rebelles pourraient jeter leur dévolu. Après tout, faire la révolution ne consiste pas seulement à assassiner des fonctionnaires gouvernementaux ou à aménager des caches d'armes. Couper l'approvisionnement en électricité contribue à démoraliser l'ensemble de la population. À lui faire croire que le gouvernement est en train de perdre le contrôle de la situation. C'est aussi beaucoup moins dangereux que d'attaquer une garnison. Pas vrai, Lopez ? »

Celui-ci semblait perplexe.

« Je ne comprends pas. Vous n'avez aucune sympathie pour notre cause et, malgré ça, vous prenez le risque de revenir ici me prévenir. Pourquoi ?

— Les lignes téléphoniques sont en panne. Sans quoi j'aurais appelé. »

Lopez sourit et secoua la tête.

« Non. Je ne pige toujours pas. »

Je haussai les épaules.

« D'accord, je n'aime pas le communisme. Mais ça paie parfois de miser sur l'outsider. Comme Braddock contre Baer en 1935. En outre, je me suis dit que ça vous ferait tous chier… moi, un bourgeois réactionnaire et apologiste du fascisme rebroussant chemin pour sauver du feu vos couilles de bolcheviques. »

Noreen hocha la tête et sourit.

« Te connaissant, c'est suffisamment tordu pour être vrai. »

Avec un grand sourire, je m'inclinai dans sa direction.

« Je savais que tu saisirais le côté comique de la chose.

— Salopard.

— Vous savez, il serait dangereux pour vous de repasser le barrage, dit Lopez. Ils pourraient se souvenir de vous et faire le rapprochement. Même la milice n'est pas stupide au point de ne pas en tirer la conclusion qui s'impose.

— Fredo a raison, dit Noreen. Il ne serait pas raisonnable que tu retournes à La Havane ce soir, Gunther. Il vaut mieux que tu passes la nuit ici.

– Je ne voudrais surtout pas te déranger.

– Ça ne me dérange pas, répondit-elle. Je vais demander à Ramón de te préparer un lit. »

Tournant les talons, elle s'éloigna en fredonnant à voix basse, saisit un chat puis posa son verre vide sur la terrasse au passage.

Lopez contempla son derrière qui s'éloignait plus longtemps que moi. Ce qui me donna le loisir de l'observer. Il la dévorait des yeux : il se léchait les lèvres en même temps, ce qui m'incita à me demander si leur terrain d'entente n'était pas seulement politique mais également sexuel. Dans l'idée de l'obliger à dévoiler une partie de ses sentiments, je dis :

« Quelle femme, n'est-ce pas ?

– Oui, répondit-il d'un air distrait. C'est sûr. » Avec un sourire, il ajouta, rapidement : « Un merveilleux écrivain.

– Ce n'est pas à sa bibliographie que je pensais. »

Lopez émit un petit rire.

« Je ne suis pas prêt à croire à vos pires défauts. En dépit de ce qu'a dit Noreen tout à l'heure.

– Elle a dit quelque chose ? » Je haussai les épaules. « Je n'écoutais pas quand elle m'a insulté.

– Je veux dire, merci, mon vieux. Merci infiniment. Ce soir, vous m'avez sans aucun doute sauvé la vie. » Il prit la serviette sur le siège de l'Oldsmobile. « S'ils m'avaient attrapé avec ça, ils m'auraient certainement abattu séance tenante.

– Vous croyez pouvoir rentrer chez vous sain et sauf ?

– Sans ça ? Oui. Je suis avocat, après tout. Un avocat respectable, en dépit de ce que vous pensez. Non, vraiment, j'ai des tas de clients riches et célèbres ici à La Havane. Y compris Noreen. J'ai dressé son testament. Et celui d'Ernest Hemingway. C'est lui qui nous a présentés l'un à l'autre. Si un jour vous avez besoin d'un bon avocat, je serai ravi de vous représenter, *señor*.

– Merci. Je m'en souviendrai.

– Dites-moi. Je suis curieux.

– À Cuba ? Ça peut être malsain.

– La brochure que je vous ai donnée. La milice ne l'a pas trouvée ?

– Je l'ai jetée dans les buissons en bas de l'allée. Comme je vous l'ai dit, je ne m'intéresse pas à la politique locale.

– Je vois que Noreen avait raison à votre sujet, *señor* Hausner. Vous avez un instinct de survie extrêmement développé.

– Elle a à nouveau parlé de moi ?

– Seulement un peu. En dépit de toutes les preuves du contraire données précédemment, elle a une haute opinion de vous. »

Je ris.

« C'était peut-être vrai il y a vingt ans. Elle voulait quelque chose à l'époque.

– Vous vous sous-estimez. Considérablement.

– Cela faisait longtemps qu'on ne m'avait pas dit ça. »

Il jeta un coup d'œil à la serviette dans ses bras.

« Peut-être… peut-être pourrais-je abuser encore une fois de votre générosité et de votre courage.

– Essayez toujours.

– Peut-être seriez-vous assez bon pour apporter cette serviette à mon bureau. Dans l'immeuble Bacardi.

– Je connais. Il y a un snack-bar où je vais quelquefois.

– Vous l'aimez bien, vous aussi ?

– Ils font le meilleur café de La Havane.

– Je ne pense pas que vous risquiez grand-chose, en tant qu'étranger. Mais ce n'est pas totalement exclu.

– Au moins, voilà qui est franc. D'accord, je ferai ça pour vous, *señor* Lopez.

– Je vous en prie. Appelez-moi Fredo.

– OK, Fredo.

– Mettons onze heures demain matin ?

– Si vous voulez.

– Vous savez, il se pourrait que je puisse faire quelque chose pour vous.

– Vous pouvez me payer un café. Je ne veux pas plus de testament que de brochure.

– Mais vous viendrez.

– J'ai dit que j'y serai. Et j'y serai.

– Bien. » Lopez hocha la tête patiemment. « Dites-moi, avez-vous rencontré Dinah, la fille de Noreen ? »

J'acquiesçai.

« Que pensez-vous d'elle ?

– Je continue d'y penser.

– Quelle fille, n'est-ce pas ? »

Il haussa les sourcils de façon suggestive.

« Si vous le dites. La seule chose que je sais sur les jeunes femmes de La Havane, c'est que ce sont des marxistes bien plus efficaces que vous et vos amis. Question redistribution des richesses, je n'ai jamais rencontré plus calé. Au premier abord, Dinah me fait l'effet d'être le genre de gamine qui sait ce qu'elle veut.

– Elle rêve de devenir actrice. À Hollywood. En dépit de ce qui est arrivé à Noreen avec la Commission sur les activités antiaméricaines. Liste noire. Lettres de menaces. Enfin, vous avez pu voir combien tout ça la tracasse.

– Je n'ai pas eu l'impression qu'elle s'inquiétait pour ça.

– Ce ne sont pas les raisons de s'inquiéter qui manquent quand on a une fille aussi têtue que Dinah, croyez-moi.

– Ça m'a paru l'essentiel. Elle a prétendu que Dinah avait de mauvaises fréquentations. Est-ce qu'il y a du vrai ?

– Mon vieux, on est à Cuba. » Il arbora un large sourire. « Nous avons de mauvaises fréquentations comme d'autres pays ont des religions différentes. » Il secoua la tête. « Demain. Nous parlerons un peu plus. En privé.

– Allez. Donnez. Je vous ai juste évité une soirée tardive avec la milice.

– La milice n'est pas le seul chien dangereux en ville.

– Ce qui veut dire ? »

À cet instant, des grincements de pneus se firent entendre au bas de l'allée. Je tournai la tête pour voir une autre voiture monter en ronronnant jusqu'à la maison. Je dis une voiture, mais la Cadillac avec son pare-brise panoramique ressemblait davantage à un engin venu de Mars – une décapotable rouge envoyée par la planète rouge. Le genre de voiture sur lequel les feux de brouillard intégrés auraient facilement pu être des rayons thermiques destinés à l'extermination méthodique des êtres humains. Elle était aussi longue qu'un camion de pompiers et probablement aussi bien équipée.

« Ce qui veut dire que vous n'allez pas tarder à le savoir, je pense », répondit Lopez.

Le gros moteur de cinq litres de la Cadillac avala une dernière bouffée d'air par le carburateur quatre cylindres puis poussa un bruyant soupir à travers son double tuyau d'échappement encastré dans le pare-chocs. Une des portières à la ligne élancée s'écarta, et Dinah descendit. Elle était ravissante. Le trajet en voiture lui avait légèrement ébouriffé les cheveux, lui donnant un air plus naturel. Plus sexy également, si c'était possible. Sur ses épaules, une étole qui aurait pu être du vison d'élevage, mais je ne regardais déjà plus. Toute mon attention était centrée sur le chauffeur sortant de l'autre côté de l'Eldorado rouge. Il portait un costume d'été gris bien coupé, une cravate blanche et une paire de boutons de manchettes ornés d'une pierre précieuse rutilante assortie à la voiture. Il me regardait fixement avec un mélange d'amusement et d'hésitation, comme s'il notait les changements sur mon visage et se demandait comment je les avais récoltés. Dinah vint à son côté après un long pèlerinage autour de l'extrémité la plus éloignée de la voiture et passa d'un geste éloquent un bras dans le sien.

« Salut, Gunther », dit l'homme, en allemand.

Il avait beau avoir la moustache à présent, il ressemblait toujours à un pit-bull dans un seau.

C'était Max Reles.

6

« Surpris de me voir ? »

Il partit de son petit rire familier.

« J'imagine que nous le sommes tous les deux, Max.

— Dès que Dinah m'a parlé de vous, j'ai pensé : ça ne peut pas
être lui. Puis elle vous a décrit, et alors… Bon sang ! Noreen ne serait
pas contente que je sois là, mais je tenais absolument à jeter un coup
d'œil par moi-même afin de m'assurer que c'était bien ce fichu casse-
couilles. »

Je haussai les épaules.

« Qui croit encore aux miracles ?

— Bon sang, Gunther, je me disais que vous étiez sûrement mort,
entre les nazis, les Russes et votre satanée grande gueule.

— Ces derniers temps, je suis un peu plus discret.

— On ne laisse passer que les conneries, dit Reles. Et on garde
pour soi tout ce qui est sincère. Seigneur Dieu, ça fait combien de
temps ?

— Sûrement un millénaire. C'est ce que Hitler disait que durerait
son Reich.

— Tant que ça, hein ? » Reles secoua la tête. « Mais qu'est-ce qui
vous amène à Cuba ?

— Oh, vous savez. Fuir tout ça. » Je haussai les épaules. « Et au
fait, mon nom est Hausner. Carlos Hausner. C'est en tout cas ce que
dit mon passeport argentin.

– Ah ouais ?

– J'aime bien la bagnole. Je suppose que vous vous en tirez plutôt pas mal. À combien se monte la rançon pour un truc pareil ?

– Oh, dans les sept mille dollars.

– Le trafic de main-d'œuvre doit être florissant à Cuba.

– J'ai laissé tomber cette merde. Aujourd'hui, je suis dans l'hôtellerie et les loisirs.

– Sept mille dollars, ça fait un paquet de gîtes ruraux.

– Je sens frémir votre nez de flic.

– Ça arrive encore parfois. Mais je n'y fais plus attention. Désormais, je suis un simple citoyen. »

Reles eut un grand sourire.

« Ce qui recouvre pas mal de choses, à Cuba. En particulier dans cette maison. Il y a ici des citoyens qui feraient passer Joseph Staline pour Theodore Roosevelt. »

Tout en parlant, il regardait avec froideur Alfredo Lopez, qui me dit au revoir d'un signe de tête avant de s'éloigner lentement.

« Vous vous connaissez tous les deux ? demandai-je.

– On peut dire ça. »

Dinah nous interrompit.

« Je ne savais pas que tu parlais allemand, Max.

– Il y a un tas de choses que tu ne sais pas sur moi, mon chou.

– Je ne lui dirai rien, soyez tranquille, déclarai-je, en allemand. Non que ce soit nécessaire. Je présume que Noreen s'en est déjà chargée. Vous êtes sans doute les mauvaises relations de La Havane dont elle m'a parlé. Celle avec qui Dinah a une liaison. On peut difficilement lui en vouloir, Max. Si c'était ma fille, je me ferais du mauvais sang, moi aussi. »

Reles eut un sourire ironique.

« Je ne suis plus comme ça. J'ai changé.

– Le monde est petit. »

Une autre voiture remonta l'allée. Ça commençait à devenir la porte d'entrée de l'hôtel National. Quelqu'un conduisait la Pontiac de Noreen.

« Pas vraiment, affirma Reles. À présent, je suis un citoyen respectable. »

L'homme au volant de la Pontiac mit pied à terre et s'installa en silence sur le siège passager de la voiture avec laquelle était venu Reles. Soudain, la Cadillac parut toute petite. L'homme avait des yeux marron, un visage pâle et bouffi. Un complet blanc, ample, avec de gros boutons noirs. Une profusion de cheveux frisés, noirs et gris, comme s'il y avait eu une solde de pelotes de laine au magasin à prix unique dans Obispo. Il avait l'air triste, peut-être parce qu'il n'avait rien mangé depuis plusieurs minutes. Il donnait l'impression de manger beaucoup. Des animaux écrasés, probablement. Il fumait un cigare de la taille d'un obus perforant, mais, dans sa bouche, on aurait dit un orgelet sur une paupière. En le voyant, vous pensiez à Paillasse avec deux ténors dans le rôle au lieu d'un : un ténor dans chaque jambe de pantalon. Il avait l'air aussi respectable qu'un rouleau de pesos dans un gant de boxe.

« Respectable, ouais. »

Je lorgnai le gros type dans la Cadillac, de façon ostensible, et dis :

« Je suppose que cet ogre est en réalité votre comptable.

— Waxey ? C'est un *babke*. Une bonne pâte, vraiment. De plus, j'ai de très gros registres. »

Dinah poussa un soupir et roula les yeux comme une collégienne irritable.

« Max, se plaignit-elle, ce n'est pas poli de tenir une conversation en allemand alors que tu sais que je ne parle pas cette langue.

— Je n'arrive pas à comprendre ça », répondit Reles en anglais. « Vraiment, je ne comprends pas, alors que ta mère parle si bien l'allemand. »

Dinah fit la grimace.

« Qui a envie d'apprendre l'allemand ? Les Allemands ont assassiné quatre-vingt-dix pour cent des Juifs d'Europe. Personne ne veut apprendre l'allemand de nos jours. » Elle me regarda et haussa les épaules d'un air contrit. « Désolée, mais c'est la réalité, je suppose.

— De rien. Je suis désolé également. C'est ma faute. Pour avoir parlé allemand à Max, je veux dire. Pas pour l'autre chose. Même si je suis désolé pour ça aussi, évidemment.

— Vous autres Boches allez être désolés pendant un bout de temps. » Max rit. « Nous autres Juifs allons y veiller.

— Absolument désolé. Croyez-moi, je ne faisais qu'obéir aux ordres. »

Dinah n'écoutait pas. Elle n'écoutait pas parce qu'elle n'était pas douée pour ça. Même s'il faut dire que Max avait le nez dans son oreille et ensuite les lèvres sur sa joue, ce qui aurait distrait quiconque n'aurait pas eu des nerfs d'acier.

« Excuse-moi, *honik*, lui murmura-t-il. Mais tu sais, ça fait vingt ans que je n'ai pas vu ce *fershtinkiner*. » Il s'arrêta un instant de lui caresser le visage et se tourna à nouveau vers moi. « Est-ce qu'elle n'est pas splendide ?

— Oui, c'est sûr, Max. De surcroît, elle a toute la vie devant elle. Contrairement à vous et moi. »

Reles se mordit la lèvre. J'avais comme l'impression qu'il aurait préféré que ce soit mon cou. Puis il sourit et agita son doigt dans ma direction. Je lui retournai son sourire comme si nous jouions une partie de tennis. En frappant violemment la balle. Plus violemment qu'il n'en avait l'habitude, j'imagine.

« Toujours le même foutu emmerdeur », dit-il en secouant la tête. Le gros visage qu'il y avait devant avait toujours été carré et belliqueux, mais maintenant il était hâlé et parcheminé, et il y avait une balafre sur sa joue comme une étiquette de valise. Je me demandai ce que Dinah pouvait trouver à un type pareil. « Toujours le même vieux Gunther.

— Là-dessus, Noreen et vous semblez d'accord, dis-je. Vous avez raison, bien sûr. Je suis un vieil emmerdeur. Et ça empire sans arrêt. Du reste, c'est la vieille partie qui mouille ma jambe de pantalon. La fascination que j'éprouvais jadis à contempler ma propre perfection physique est aujourd'hui à l'égal de l'horreur que je ressens au spectacle de mon avancée dans l'âge mûr. Ma bedaine, mes jambes arquées, mes cheveux clairsemés, ma myopie et mes dents qui se déchaussent. D'aucuns diraient que je suis sur la pente descendante. Il me reste cependant une consolation : je ne suis pas aussi vieux que vous, Max. »

Reles continuait à sourire, sauf que, cette fois, il dut avaler une goulée d'air pour y arriver. Puis il secoua la tête, regarda Dinah et dit :

« Doux Jésus, tu entends ce type ? Devant toi, il m'insulte de front. » Il laissa échapper un rire de stupéfaction. « Il n'est pas merveilleux ? C'est ce que j'aime chez ce minable. Personne ne m'a jamais parlé comme il le fait. J'adore ça.

— Je ne sais pas, Max, dit-elle. Parfois, tu es vraiment bizarre.

— Vous devriez l'écouter, Max. Elle n'est pas seulement splendide. Elle est aussi très intelligente.

— Ça suffit, s'exclama Reles. Vous savez, nous pourrions nous reparler, vous et moi. Venez me voir demain. »

Je le regardai poliment.

« Passez à mon hôtel. » Il joignit les mains comme pour prier. « S'il vous plaît.

— Où logez-vous ?

— Le Saratoga, dans le vieux La Havane. En face du Capitolio, vous voyez ? Il m'appartient.

— D'accord. Je vois. L'hôtellerie et les loisirs. Le Saratoga. Oui, je connais.

— Vous viendrez ? En mémoire du bon vieux temps.

— Vous voulez dire le vôtre, Max ?

— Bien sûr, pourquoi pas ? Ça fait vingt ans que tout ce truc est fini et bien fini. Vingt ans. Mais on croirait que ça en fait mille. Comme vous l'avez dit. Venez déjeuner. »

Je réfléchis un instant. J'allais au bureau d'Alfredo Lopez dans l'immeuble Bacardi à onze heures, et le Bacardi n'était qu'à quelques pâtés de maisons de l'hôtel Saratoga. Soudain, voilà que j'avais deux rendez-vous dans la journée. Il allait peut-être falloir que je m'achète un agenda sans tarder. Me payer une coupe de cheveux et une manucure. J'avais presque le sentiment d'être redevenu quelqu'un d'utile, même si je ne savais pas très bien en quoi je pourrais l'être. Pas encore, en tout cas.

Je pensais que rendre le porte-documents avec l'arme et les brochures à Alfredo Lopez ne prendrait pas beaucoup de temps. Déjeuner au Saratogo paraissait aller. Même si c'était en compagnie de Max Reles. Le Saratoga était un bon hôtel. Avec un excellent restaurant. Et, à La Havane, on ne peut faire le difficile quand on est un pestiféré. Surtout un pestiféré comme moi.

« Très bien, dis-je. Je viendrai vers midi. »

7

À l'extrémité sud du Prado, le Saratoga se trouvait juste en face du Capitolio. C'était un splendide bâtiment blanc de huit étages, de style colonial, qui me rappela un hôtel que j'avais vu jadis à Gênes. J'entrai. Il était un peu plus d'une heure. La fille à la réception dans le hall m'indiqua les ascenseurs en me disant de monter au huitième étage. Je m'avançai dans une cour à colonnades ressemblant à un monastère et attendis l'ascenseur. Au milieu de la cour trônaient une fontaine et un cheval en marbre sculpté par l'artiste cubaine Rita Longa. Je savais que la statue était d'elle parce que l'ascenseur prenait son temps et qu'il y avait un écriteau à côté du cheval avec des « informations utiles » sur l'artiste. Les informations n'étaient pas beaucoup plus utiles que ce que j'avais déjà compris moi-même, à savoir que Rita ne connaissait rien aux chevaux, et pas grand-chose à la sculpture. Et j'étais plus intéressé par ce qui se passait de l'autre côté de la série de portes en verre fumé menant aux salles de jeu de l'hôtel. Avec leurs magnifiques lustres, leurs grands miroirs dorés et leurs sols en marbre, elles évoquaient l'atmosphère du Paris de la Belle Époque. Un endroit plus chic que La Havane, en tout cas. Il n'y avait pas de machines à sous, seulement des tables de roulette, de black-jack, de craps, de poker, de baccarat et de punto banco. Manifestement, on n'avait pas regardé à la dépense, et, peut-être à juste titre, le casino se décrivait lui-même – sur un autre écriteau à l'intérieur des portes en verre – comme le Monte-Carlo des Amériques.

Dans la mesure où le contrôle sur le dollar venait tout juste d'être aboli, il y avait peu de chances qu'une telle allégation soit remise en cause dans un avenir proche par les représentants de commerce américains et leurs épouses venus jouer à La Havane. Moi-même, je détestais le jeu sous toutes ses formes depuis que j'avais dû abandonner une petite fortune dans un casino de Vienne pendant l'hiver 1947. Heureusement, la petite fortune en question ne m'appartenait pas, mais il y avait quelque chose dans le fait de perdre de l'argent – même l'argent des autres – que je n'aimais pas. Raison pour laquelle, quand il m'arrivait de jouer, j'avais une préférence pour le backgammon. C'est un jeu que pratiquent très peu de gens, ce qui signifie que vous ne pouvez jamais perdre beaucoup. Et, d'ailleurs, j'étais plutôt bon.

Je pris l'ascenseur jusqu'au huitième étage et sa piscine en terrasse, qui était la seule de La Havane.

En fait de terrasse, il y avait encore un niveau, situé en retrait de la piscine, lequel niveau, d'après mon nouvel ami, Alfredo Lopez, constituait l'appartement privé où Max Reles vivait dans le grand luxe. Le seul moyen d'y accéder était d'avoir une clé spéciale de l'ascenseur – là encore, d'après Lopez. Mais, en parcourant du regard la piscine déserte – il faisait trop de vent pour y prendre des bains de soleil –, je me laissais aller à imaginer comment un homme n'ayant pas le vertige pourrait atteindre l'appartement en terrasse depuis l'extérieur. Il lui faudrait se hisser par-dessus le parapet entourant la piscine, contourner l'angle avec précaution puis grimper sur l'espèce d'échafaudage servant à réparer l'enseigne au néon qui ornait le coin arrondi de la façade. Il y avait des gens qui allaient sur les toits pour admirer la vue ; et d'autres, comme moi, qui se souvenaient de scènes de crime, de tireurs isolés et, par-dessus tout, de la guerre sur le front de l'Est. À Minsk, un tireur d'élite de l'Armée rouge était resté tapi sur le toit de l'unique hôtel de la ville trois jours de suite, abattant des officiers de l'armée allemande avant d'être descendu à l'aide d'un fusil antichar. Ce type aurait apprécié la terrasse du Saratoga.

Cela dit, Max Reles avait probablement envisagé cette possibilité. Selon Alfredo Lopez, il n'était pas du genre à prendre des risques avec sa sécurité personnelle. Il avait beaucoup trop d'amis pour ça.

D'amis à La Havane, s'entend. De l'espèce qui fait de ferventes doublures d'ennemis mortels.

« Je pensais que vous aviez peut-être changé d'avis, dit Max Reles en émergeant d'une porte conduisant aux ascenseurs. Que vous n'alliez pas vous pointer. »

Son ton était chargé de reproche et quelque peu perplexe, comme s'il n'arrivait pas à trouver de bonne raison qui aurait pu faire que je sois en retard pour notre déjeuner.

« Désolé. J'ai eu un petit contretemps. Voyez-vous, hier soir, j'ai parlé à Lopez de ce barrage sur la route à la sortie de San Francisco de Paula.

— Pourquoi diable avez-vous fait ça?

— Il avait un porte-documents bourré de brochures dissidentes et, je ne sais pas pourquoi, mais j'ai accepté de le prendre et de le lui rapporter ce matin. Il y avait une voiture de police devant l'immeuble Bacardi quand je suis arrivé, de sorte que j'ai dû attendre qu'elle s'en aille.

— Vous ne devriez pas fréquenter ce type, dit Reles. Vraiment. Cette merde est dangereuse. Vous feriez mieux de rester en dehors de la politique sur cette île.

— Vous avez raison, bien sûr. Je ne devrais pas. Et je me demande pourquoi j'ai accepté. J'avais probablement trop bu. Comme souvent. Il n'y a pas grand-chose d'autre à faire à Cuba que de trop boire.

— Rien d'étonnant. Tout le monde boit trop dans cette foutue baraque.

— Mais j'avais dit que je le ferais, et quand je dis que je ferai quelque chose, je vais en général jusqu'au bout. J'ai toujours été assez bête pour ça.

— Exact. » Reles arbora un grand sourire. « Tout à fait exact. Est-ce qu'il vous a parlé de moi? Lopez?

— Seulement que vous aviez été associés.

— C'est presque vrai. Laissez-moi vous raconter un truc à propos de votre copain Fredo. Le beau-frère de F.B.[1] est un nommé Roberto

---

1. F.B. : Fugencio Batista.

Miranda. Miranda possède toutes les *traganiqueles* de La Havane. Vous en voulez dans votre boui-boui, il vous les loue. En outre, il prend cinquante pour cent de la recette. Ce qui, croyez-moi, peut faire un joli paquet dans un casino de La Havane. Quoi qu'il en soit, Fredo Lopez se chargeait de vider pour moi les machines à sous au Saratoga. Je pensais que confier cette tâche à un avocat était le meilleur moyen d'éviter les fraudes. Mais, très vite, je me suis aperçu que seulement un quart de l'argent allait à Miranda. Le reste atterrissait dans la poche de Lopez, qui s'en servait pour nourrir les familles de ces types qui ont attaqué la caserne de Moncada l'année dernière. Pendant un moment, j'ai fermé les yeux. Comme il le savait très bien. Je ne tenais pas à me mettre les rebelles à dos. Mais Miranda a fini par comprendre qu'il se faisait rouler et, comme on pouvait s'y attendre, il s'en est pris à votre serviteur. Ce qui me plaçait devant l'alternative suivante : garder les machines à sous, mais me débarrasser de Lopez et risquer de devenir la cible des rebelles. Ou me débarrasser des machines à sous et subir les foudres de Miranda. J'ai choisi de me débarrasser des machines à sous. En vertu de quoi, une fois par semaine, je dois maintenant vérifier mes livres avec F.B. lui-même du fait qu'il possède une part substantielle de cet endroit. Ce qui me coûte un tas de fric et de désagréments. Et, à mon avis, cet enfoiré de Lopez a une sacrée veine. D'être encore en vie, je veux dire.

— Vous avez raison, Max. Vous avez changé. L'ancien Max Reles lui aurait enfoncé un pic à glace dans l'oreille. »

Il sourit au souvenir de cette ombre de lui-même.

« Ouais. Je suppose. Les choses étaient plus simples alors. Je l'aurais tué sans la moindre hésitation. » Il eut un haussement d'épaules. « Mais on est à Cuba, et on essaie de faire les choses un peu différemment ici. Je me disais que, peut-être, en y réfléchissant, ce petit con s'en rendrait compte. Et qu'il ferait preuve d'un minimum de gratitude. Mais rien du tout. Il me débine auprès de Noreen dans mon dos alors que j'essaie d'arrondir les angles avec elle à cause de ma relation avec Dinah.

— Alors comme ça, vous versiez de l'argent à Batista et aux rebelles.

– Indirectement. Pour être franc, je ne leur donne pas la plus petite chance, mais on ne sait jamais avec ces fumiers.

– Mais vous leur en donnez une tout de même.

– Avant l'incident avec les machines à sous, j'ai assisté à une scène intéressante. Un jour, alors que je regardais par une fenêtre du rez-de-chaussée de l'hôtel, sans penser à rien de spécial, comme ça arrive parfois, j'ai aperçu un jeune Habañero qui marchait dans la rue – juste un gosse, vous savez. Et comme il passait devant ma Cadillac, je l'ai vu flanquer un coup de pied dans l'aile.

– Cette jolie petite décapotable ? Et où était l'ogre ?

– Waxey ? Vu sa rapidité à se déplacer, il n'avait aucune chance d'attraper ce morveux. Quoi qu'il en soit, ça m'a ennuyé. Pas la marque sur la voiture. Une peccadille, en réalité. Non, quelque chose d'autre. J'y ai pas mal réfléchi, voyez-vous. D'abord, j'ai cru que le gosse avait fait ça pour épater sa petite amie. Puis j'ai pensé qu'il ne pouvait pas blairer les Cadillac. Et, finalement, ça a fait tilt, Bernie. J'ai compris que ce n'étaient pas les putains de Cadillac qu'il n'aimait pas. Mais les Américains. Ce qui m'a amené à m'interroger sur cette révolution. Comme la plupart des gens, je pensais que c'était fini après juillet dernier. Après la caserne de Moncada. Mais, en voyant ce foutu gamin shooter dans ma bagnole, je me suis dit que ce n'était peut-être pas fini du tout. Et qu'ils détestaient peut-être autant les Américains que Batista. Auquel cas, si jamais ils réussissaient à se débarrasser de lui, ils pourraient bien se débarrasser de nous aussi. »

Manquant de mon côté d'anecdotes édifiantes, je restai silencieux. De plus, je ne débordais pas moi-même d'affection pour les Américains. Ils n'étaient pas pires que les Russes ou les Français, mais eux ne s'attendaient pas à ce qu'on les aime et se fichaient de ne pas l'être. Contrairement aux Américains : même après avoir lâché deux bombes atomiques sur les Japs, ils voulaient encore être aimés. Ce qui me semblait un peu naïf. Aussi, je ne dis rien, et, presque comme deux vieux amis, nous admirâmes un moment la vue qu'on avait de la terrasse. Une vue sensationnelle. En dessous de nous se trouvaient les toits de Campo de Marte et, à droite, telle une gigantesque pièce montée, le Capitole. Derrière, on apercevait la fabrique de cigares Partagas et le Barrio Chino. Au sud, j'arrivais à voir jusqu'au navire de guerre américain dans le port et, à l'ouest, jusqu'aux toits de Miramar, mais seulement en me servant de mes lunettes. Les lunettes me faisaient paraître plus vieux, évidemment. Plus vieux que Max Reles. Mais enfin, il en avait probablement quelque part, simplement il ne tenait pas à ce que je le voie avec.

Il essayait, sans succès, d'allumer un gros cigare dans la brise de plus en plus forte balayant la terrasse. Un des parasols, qui étaient tous fermés, se renversa, ce qui sembla l'irriter.

« Comme je dis toujours, la meilleure façon de voir La Havane, c'est du toit d'un bon hôtel. » Il renonça au cigare. « Le National possède une vue, mais c'est juste cette foutue mer ou les toits de Vedado et, à mon humble avis, ça ne se compare pas avec ce qu'on voit d'ici.

— Je suis d'accord. »

J'avais fini de l'asticoter pour le moment. Je commençais à avoir mes raisons pour ça.

« Bien sûr, il arrive que ça souffle pas mal là-haut, et si j'attrape l'enfant de putain qui m'a persuadé d'acheter ces saloperies de parasols, je lui montrerai ce que ça fait quand le vent s'engouffre dans un de ces trucs et l'emporte par-dessus bord. »

Il sourit d'une manière qui me donna à penser qu'il ne plaisantait pas.

« C'est une vue splendide, dis-je.

— N'est-ce pas ? Vous savez, je parie que Hedda Adlon aurait donné cher pour en avoir une comme ça. »

J'acquiesçai, guère désireux de lui dire que le toit de l'Adlon procurait à la clientèle de l'hôtel l'une des plus belles vues de Berlin. J'avais regardé le Reichstag brûler depuis le toit en question. On pouvait difficilement avoir une meilleure vue.

« Que lui est-il arrivé, d'ailleurs ?

— Hedda avait coutume de dire qu'un bon hôtelier doit toujours espérer le meilleur, mais s'attendre au pire. C'est le pire qui s'est produit. Tout au long de la guerre, Louis et elle ont continué à faire marcher l'hôtel. Qui, Dieu sait comment, a échappé aux bombardements. Quelqu'un dans la RAF y avait peut-être logé jadis. Mais ensuite, lors de la bataille de Berlin, les Popovs ont soumis la ville à un tir de barrage qui a détruit presque tout ce que la RAF n'avait pas bousillé. L'hôtel a pris feu et a été réduit en cendres. Hedda et Louis sont allés se réfugier dans leur propriété de campagne près de Potsdam, où ils ont attendu. Quand les Popovs se sont ramenés, ils ont pillé la maison et, prenant Louis pour un général allemand en fuite, ils l'ont collé devant un peloton d'exécution et l'ont fusillé. Hedda a été violée, pas mal de fois, comme la plupart des femmes de Berlin. Après ça, j'ignore ce qu'elle est devenue.

— Bon Dieu, s'exclama Reles. Quelle histoire. Dommage. Je les aimais bien tous les deux. Merde alors, je ne savais pas. »

Il poussa un soupir, fit une nouvelle tentative pour allumer son cigare et y parvint cette fois.

« Vous savez, c'est drôle que vous ayez surgi brusquement, Gunther.

— Je vous l'ai déjà dit, Max. C'est Hausner, maintenant. Carlos Hausner.

— Hé, ne vous inquiétez pas pour ça. Vous et moi n'avons pas à nous en faire pour ces conneries. Cette île contient plus de pseudos qu'un classeur du FBI. Si jamais vous aviez des problèmes avec la milice concernant votre passeport, votre visa, ou n'importe quoi d'autre, venez me voir. Je peux arranger ça.

— Très bien. Merci.

— Comme je le disais, c'est drôle que vous ayez surgi brusquement. Voyez-vous, c'est en partie à cause de l'Adlon que je me suis lancé dans l'industrie hôtelière à La Havane. J'adorais cet hôtel. J'avais envie d'avoir un endroit sélect ici, dans le vieux La Havane, plutôt que Vedado comme Lansky et tous ces types de la mafia. J'avais dans l'idée que c'était le genre de lieu que Hedda aurait elle-même choisi, vous ne croyez pas ?

— Possible. Pourquoi pas ? J'étais seulement le voyeur maison, alors qu'est-ce que j'en sais ? Mais elle disait toujours qu'un bon hôtel est comme une voiture. L'extérieur a beaucoup moins d'importance que la façon dont elle roule : ce qui compte vraiment, c'est à quelle vitesse elle va, si les freins marchent correctement et si elle est confortable. Tout le reste n'est que de la foutaise.

– Elle avait raison, naturellement, approuva Reles. Bon Dieu, sa bonne vieille expérience européenne me serait bien utile actuellement. Je vise la même clientèle haut de gamme, vous comprenez. Les sénateurs et les diplomates. J'essaie de diriger un hôtel de qualité et un casino honnête. À vrai dire, vous n'avez guère besoin de diriger un casino véreux. Les chances sont toujours du côté de la maison, et l'argent rentre à flots. C'est aussi simple que ça. Enfin presque. De fait, dans une ville comme La Havane, vous avez intérêt à vous méfier des requins et des escrocs. Sans parler des tantes et des travelos. Merde, je ne laisse même pas les putains opérer ici. À moins qu'elles soient au bras d'un gros légume. Je laisse ce genre de vice aux Cubains. Une bande de dégénérés. Ces types vendraient leur grand-mère pour un billet de cinq dollars. Et croyez-moi, j'en sais quelque chose. J'ai eu plus que mon compte de chair au moka dans cette ville.

« En même temps, continua-t-il, il ne faut jamais sous-estimer ces gens. Ils vous collent une balle dans le crâne comme un rien s'ils bossent pour la mafia. Ou ils balancent une grenade dans vos chiottes s'ils sont dans la politique. Un homme dans ma position a besoin d'avoir des yeux derrière la tête s'il ne veut pas se retrouver allongé sur le dos à brève échéance. Et c'est là que vous entrez en scène, Gunther.

– Moi? Je ne vois pas en quoi je peux vous aider, Max.

– Allons déjeuner. Je vous le dirai. »

Nous prîmes l'ascenseur jusqu'à l'appartement en terrasse, où nous fûmes accueillis par Waxey. Vu de près, son visage faisait penser à un catcheur mexicain – du genre qui porte généralement un masque. À la réflexion, le reste de sa personne aussi. Chacune de ses épaules ressemblait à la péninsule du Yucatan. Il ne dit rien. Il se contenta de me fouiller avec des mains pareilles à celles de l'oncle aux moutons noirs d'Esaü.

L'appartement était moderne et à peu près aussi confortable qu'un vaisseau spatial. Assis à une table en verre, nous contemplâmes mutuellement nos chaussures tout en mangeant. Les miennes d'origine locale et d'une propreté douteuse. Celles de mon hôte plus brillantes qu'une cloche en bronze et tout aussi sonores. À ma grande surprise, le repas était casher, ou du moins juif, même si la grande et belle femme qui le servait était noire. Cela dit, elle s'était peut-être convertie au judaïsme, comme Sammy Davis Jr. Un vrai cordon-bleu.

« Plus je vieillis, expliqua Max, plus j'apprécie la cuisine juive. Je suppose que ça me rappelle mon enfance. Toute la bouffe qu'avaient les autres mioches et pas moi, vu que ma garce de mère avait fichu le camp avec un tailleur et qu'on n'a plus jamais eu de ses nouvelles, Abe et moi. »

Au moment du café, il ralluma son cigare déjà à moitié fumé tandis que j'allais m'en prendre un dans sa boîte de la taille d'un cimetière.

« Bon, laissez-moi vous dire en quoi vous pouvez m'aider, Gunther. Tout d'abord, vous n'êtes pas juif. »

Je ne relevai pas. Ces jours-ci, un quart de sang juif ne semblait guère valoir la peine d'en parler.

« Vous n'êtes pas italien. Vous n'êtes pas cubain. Vous n'êtes même pas américain et vous ne me devez rien. Et par-dessus le marché, Gunther, vous ne m'aimez pas tellement. »

Je ne le contredis pas. Nous étions de grands garçons à présent. Mais là encore, je m'abstins de tout commentaire. Vingt ans, c'est assez pour oublier un tas de choses, mais j'avais plus de raisons de le détester qu'il ne le savait ou qu'il ne pouvait s'en souvenir.

« Toutes choses qui vous rendent indépendant. Une qualité précieuse à La Havane. Parce que ça signifie que vous n'êtes inféodé à personne. Ça n'aurait aucune importance si vous étiez un *potchka*, mais vous n'êtes pas un *potchka*, vous êtes un type bien, et, la vérité, c'est que je pourrais utiliser un type bien ayant l'expérience d'un grand hôtel – sans parler des années que vous avez passées dans la police de Berlin. Pourquoi ? Pour m'aider à maintenir les choses en bon ordre ici, voilà pourquoi. Je voudrais que vous remplissiez le rôle de directeur général. De l'hôtel et du casino. Quelqu'un en qui je puisse avoir confiance. Quelqu'un qui ne m'emmerde pas. Quelqu'un qui n'y aille pas par quatre chemins. Qui saurait faire ça mieux que vous ?

– Écoutez, Max, je suis très flatté, ne vous y trompez pas. Mais je n'ai pas besoin d'un emploi pour l'instant.

— Ne voyez pas ça comme un emploi. Ce n'en est pas un. Il n'y a pas de neuf à cinq dans ce métier. C'est une occupation. Chaque homme a besoin d'avoir une occupation, pas vrai? Un endroit où aller tous les jours. Parfois, vous serez là un peu plus que les autres. Ce qui est une bonne chose dans la mesure où ça maintient les salopards qui bossent pour moi sous pression. Écoutez, j'ai horreur d'avoir l'air d'un *noodge,* mais vous me rendriez service. Un grand service. C'est pourquoi je suis prêt à vous payer au prix fort. Qu'est-ce que vous diriez de vingt mille dollars par an? Je parie que vous n'avez jamais gagné autant à l'Adlon. Une voiture. Un bureau. Une secrétaire qui croise beaucoup les jambes et ne porte pas de petite culotte. Et tout le tremblement.

— Je ne sais pas, Max. Si je le faisais, il faudrait que ce soit à ma manière. Honnêtement ou pas du tout.

— Vous n'avez donc pas entendu ce que j'ai dit? Il n'y a pas d'autre façon de faire ce boulot qu'honnêtement.

— Je suis sérieux. Pas d'ingérence. Je ne rends de comptes qu'à vous et à personne d'autre.

— Vous y êtes.

— Qu'est-ce que je ferais? Donnez-moi un exemple.

— Une chose dont je souhaiterais que vous vous occupiez immédiatement, ce sont les embauches et les licenciements. Il y a un chef de partie que je voudrais que vous viriez. C'est un pédé, et je n'aime pas beaucoup que des pédés travaillent dans mon hôtel. Je souhaiterais aussi que vous vous occupiez des entretiens pour les postes à pourvoir dans l'hôtel et le casino. Vous avez du flair pour ce genre de truc, Gunther. Un cynique comme vous devra veiller à ce que nous engagions des gens droits et intègres. Ce qui n'est pas toujours facile. On peut vous balancer pas mal de poudre aux yeux. Pour prendre un cas concret : je paie bien. Mieux que dans n'importe quel autre hôtel de La Havane. Ce qui signifie que la plupart des filles qui veulent turbiner ici – et ce sont surtout des filles que j'engage, parce que c'est ce que veulent voir les clients –, eh bien, elles feraient n'importe quoi pour avoir une place. Et je dis bien, n'importe quoi. Seulement ce n'est pas toujours bon pour le business, vous comprenez? Ni pour moi non plus. Je ne suis qu'un être humain, et toute cette putain de tentation n'est pas ce que je désire dans ma vie actuellement. J'en ai terminé avec ces conneries. Et vous savez pourquoi ? Parce que je vais épouser Dinah, voilà pourquoi.

— Félicitations.

— Merci.

— Elle le sait ?

— Bien sûr qu'elle le sait, espèce de débile. Cette fille est folle de moi, et je ressens la même chose pour elle. Ouais, ouais, je sais ce que vous allez dire... je suis assez vieux pour être son père. Ne recommencez pas avec les cheveux gris et les fausses dents, comme hier soir, parce c'est du vrai de vrai. Je vais l'épouser et ensuite je me servirai de toutes les relations que je possède dans le show business pour faire d'elle une vedette de cinéma.

— Et Brown ?

— Brown ? Quel Brown ?

— L'université où Noreen veut l'envoyer. »

Reles fit la grimace.

« C'est ce que Noreen désire pour Noreen. Pas pour Dinah. Dinah a envie de faire du cinéma. Je l'ai déjà présentée à Sinatra. George Raft. Nat King Cole. Est-ce que Noreen vous a dit que la gosse sait chanter ?

— Non.

— Avec son talent et mes relations, Dinah pourrait faire pratiquement tout ce qu'elle veut.

— Est-ce que ça comprend être heureuse ? »

Reles tressaillit.

« Y compris être heureuse, ouais. Bon sang, Gunther, vous êtes vraiment un affreux salaud. Pourquoi ça ?

— J'ai eu pas mal d'entraînement. Plus que vous, peut-être. Et c'est dire, j'imagine. Je ne vais pas vous donner tout le fichu résumé, Max. Mais, au moment où la guerre a pris fin, j'avais déjà vu et fait quelques petites choses qui auraient flanqué une crise cardiaque à Jiminy Cricket. La conscience avec laquelle j'avais démarré dans l'existence s'est épaissie de deux ou trois couches supplémentaires, comme la corne de mes pieds. Puis j'ai été invité pendant deux ans par les Soviétiques dans une de leurs maisons de repos pour prisonniers de guerre allemands au bout du rouleau. Les Popovs m'ont beaucoup appris sur l'hospitalité. Mais uniquement ce qu'elle n'était pas. En m'évadant, j'en ai tué deux. Ça a été un plaisir. Comme jamais auparavant. Prenez ça comme vous voudrez. Ensuite, j'ai dirigé mon propre hôtel jusqu'à la mort de ma femme dans un asile d'aliénés. Je n'étais pas fait pour ça. J'aurais aussi bien pu essayer de diriger une école de bonnes manières en Suisse pour jeunes filles de l'aristocratie anglaise. À la réflexion, ça ne m'aurait pas déplu. J'aurais pu compléter pas mal leur éducation. Jusqu'à la fin de leurs jours. Bonnes manières, courtoisie, charme, hospitalité allemande – je manque de tout ça, Max. Je suis un salaud qui rend les salauds contents d'eux. Ils me rencontrent et ils rentrent lire leur Bible et remercier le Seigneur de ne pas être moi. Bon, qu'est-ce qui vous fait croire que je sois à la hauteur ?

– Vous tenez vraiment à le savoir ? » Il haussa les épaules. « Il y a des années de ça. Le bateau sur le lac Tegel. Vous vous souvenez ?

– Comment pourrais-je l'oublier ?

– Je vous ai dit alors que j'avais de la sympathie pour vous. Que j'avais songé à vous offrir un boulot, mais que je n'avais pas de place pour un honnête homme.

– Je me souviens. L'épisode est encore gravé sur ma rétine.

– Eh bien, maintenant, j'ai une place. C'est aussi simple que ça, mon vieux. J'ai besoin d'un homme de caractère. Purement et simplement. »

Un homme de caractère, qu'il disait. Un type bien. J'avais mes doutes. Un type bien aurait-il aidé Max Reles à réduire au silence Othman Weinberger en procurant à l'Américain les moyens de briser sa carrière, et peut-être même sa vie ? Après tout, c'est moi qui avais dévoilé à Reles le talon d'Achille de Weinberger : que le petit gestapiste de Würzburg était soupçonné, à tort, d'être juif. Et c'est moi qui avais parlé à Max Reles d'Emil Linthe, le faussaire, et de la faculté qu'avait un escroc comme Linthe d'accéder, grâce à des pots-de-vin, au service des archives publiques et de faire à un autre homme comme Weinberger une transfusion juive aussi aisément qu'il m'en avait fait une aryenne. Pour ma défense, je pouvais mettre en avant que je n'avais agi ainsi que pour empêcher Noreen Charalambides d'être assassinée par le frère de Max. Mais quel caractère restait-il à un individu ayant commis une action de ce genre? Un type bien? Non, j'étais tout sauf ça.

« D'accord, dis-je. Je suis preneur.

— Vraiment? » Max Reles semblait surpris. Il m'observa un moment en plissant les paupières. « Voilà que je suis curieux. Qu'est-ce qui vous a persuadé?

— Peut-être que nous nous ressemblons davantage que je ne veux bien l'admettre. Peut-être est-ce l'idée de ce que votre frère pourrait me faire avec un pic à glace si j'avais le malheur de refuser. Comment va le gamin?

— Il est mort.

— Désolé.

— Ne le soyez pas. Il a balancé des amis à moi pour sauver sa propre peau. Envoyé six gus à la chaise électrique. Dont un avec qui j'étais allé à l'école. Mais c'était un canari incapable de voler. Abe s'apprêtait à donner un caïd quand on l'a poussé par une fenêtre de l'hôtel Half Moon à Coney Island en novembre 1951.

— Vous savez qui a fait ça?

— Il était placé sous protection à l'époque, alors, bien sûr que je le sais. Et un jour, je me vengerai de ces types. Le sang est le sang, après tout, et il n'y a jamais eu de permission de demandée ou d'accordée. Mais, actuellement, ce serait mauvais pour les affaires.

— Désolé d'avoir abordé le sujet. »

L'air sombre, Reles acquiesça.

« Et je vous serais reconnaissant de ne plus jamais m'interroger là-dessus.

— J'ai déjà oublié quelle était la question. Écoutez, nous autres Allemands sommes doués pour oublier toutes sortes de trucs. Nous avons passé ces neuf dernières années à essayer d'oublier qu'il y avait eu un homme du nom d'Adolf Hitler. Croyez-moi, si on peut l'oublier, lui, on peut oublier n'importe quoi. »

Reles poussa un grognement.

« Un nom dont je me souviens par contre, dis-je. Avery Brundage. Que lui est-il arrivé?

– Avery ? Nous nous sommes comme qui dirait brouillés lorsqu'il a adhéré au comité America First, opposé à l'entrée en guerre des États-Unis. Ça changeait des tentatives pour virer les Juifs des clubs sportifs de Chicago. Mais cette espèce d'anguille s'est bien débrouillée sur le plan personnel. Il a ramassé des millions de dollars. Son entreprise de bâtiment a construit un gros morceau de la Côte d'or de Chicago : Lake Shore Drive. À un moment, il a même envisagé de se présenter au poste de gouverneur de l'Illinois, jusqu'à ce que certaines personnes à Chicago lui conseillent de s'en tenir à l'administration des sports. On peut dire qu'on est devenus concurrents aujourd'hui. Il possède l'hôtel La Salle à Chicago. Le Cosmopolitan à Denver. Le Hollywood Plaza en Californie. Et une bonne portion du Nevada. » Reles hocha la tête. « La vie a été clémente avec Avery. Récemment, il s'est faire élire président du Comité international olympique.

– Je suppose que vous avez gagné une fortune en 1936.

– Sûr. Mais Avery également. Les Jeux olympiques une fois terminés, il a obtenu un contrat des nazis pour construire la nouvelle ambassade d'Allemagne à Washington. Un cadeau du Führer reconnaissant pour le rejet du boycott américain. Il a dû se faire plusieurs millions. Et je n'en ai pas vu un centime. » Reles sourit. « Mais ça fait longtemps. Dinah est la meilleure chose qui me soit arrivée depuis. C'est une fille du tonnerre.

– Tout comme sa mère.

– Elle a envie de tout expérimenter.

– Je suppose que c'est vous qui l'avez emmenée au Shanghai Theater.

– Je ne l'aurais pas fait, dit Reles. L'emmener là-bas. Mais elle a insisté. Et cette fille sait ce qu'elle veut. Dinah a un sacré tempérament.

– Et comment était le spectacle ?

– D'après vous ? » Il eut un haussement d'épaules. « À dire vrai, je ne pense pas que ça l'ait beaucoup troublée. Cette gosse est prête à tout. En ce moment, elle veut que je l'emmène dans une fumerie d'opium.

– D'opium ?

– Vous devriez essayer un de ces jours. Il n'y a pas mieux que l'opium pour vous faire perdre du poids. »

Il se donna une claque sur le ventre avec le plat de la main et, à la vérité, il avait l'air plus mince que je ne me le rappelais à Berlin.

« Il y a une petite boîte dans Cuchillo où on peut fumer quelques pipes et tout oublier. Même Hitler.

– Alors, peut-être que j'essaierai, après tout.

– Je suis content de vous avoir à bord, Gunther. Écoutez. Revenez demain soir et je vous présenterai à quelques-uns des gars. Ils seront tous là. Le mercredi soir, c'est ma séance de cartes. Vous jouez aux cartes ?

– Non. Seulement au backgammon.

– Au backgammon ? C'est un jeu de dés pour pédoques, non ?

– Pas vraiment.

– Je vous taquine. J'avais un ami qui y jouait. Vous êtes bon ?

– Tout dépend des dés.

– Maintenant que j'y pense, Garcia joue au backgammon. Jose Orozco Garcia. Le fumier qui possède le Shanghai. Il est toujours à l'affût d'une partie. » Un sourire illumina son visage. « Bon Dieu, si vous pouviez battre ce gros salopard, j'en serai ravi. Vous voulez que je vous arrange une rencontre ? Demain soir, éventuellement ? Il faudrait que ce soit tôt parce qu'il aime bien surveiller ce qui se passe au théâtre après onze heures. Vous savez, ça pourrait très bien se combiner. Jouer avec lui à huit heures. Monter ici vers onze heures moins le quart. Rencontrer les potes. Peut-être même avec un peu d'argent en plus dans les poches.

– Ça paraît pas mal. Je ne cracherais pas sur un peu de fric en plus.

– À ce propos. »

Il m'emmena dans son bureau. Il contenait un secrétaire en teck recouvert d'un placage blanc cassé et quelques fauteuils en cuir qui semblaient sortir d'un bateau de pêche sportive.

Ouvrant un tiroir, il en tira une enveloppe qu'il me tendit.

« Il y a là mille pesos. Pour vous montrer que ma proposition est sérieuse.

– Je vous ai toujours pris au sérieux, Max. Depuis cette journée sur le lac. »

Sur les murs, il y avait plusieurs grands tableaux sans cadre, qui étaient soit d'excellentes représentations de vomi, soit de l'abstraction contemporaine. Je n'arrivais pas à trancher. Un des murs était entièrement réservé à des étagères en bois sombre, remplies de disques, de magazines, d'objets d'art, et même de quelques livres. Dans le mur d'en face, une grande porte en verre coulissante à travers laquelle je pouvais apercevoir une version privée, plus petite, de la piscine existant à l'étage inférieur. Il y avait un canapé-lit en cuir boutonné et, à côté, une table tulipe sur laquelle était posé un téléphone rouge vif. Reles indiqua l'appareil.

« Vous voyez ce téléphone ? C'est une ligne spéciale reliée au palais présidentiel. Et il ne sert qu'à un coup de fil par semaine. Celui dont je vous ai parlé. Tous les mercredis, à minuit moins le quart, sans faute, je m'en sers pour appeler F.B. et lui donner les chiffres. Je n'ai jamais connu de type aussi intéressé par l'argent que F.B. Parfois, nous parlons pendant près d'une demi-heure. Ce qui explique que le mercredi soir soit ma séance de cartes. Je joue quelques parties avec les copains, après quoi je les mets à la porte à onze heures et demie tapante. Sans exception. Je passe mon coup de fil et je vais me coucher directement. Puisque vous travaillez pour moi, autant que vous sachiez que vous travaillez aussi pour F.B. Il possède trente pour cent de cet hôtel. Mais vous pouvez me laisser ce Latino. Pour le moment. »

Reles s'approcha de la bibliothèque, tira sur un tiroir dont il sortit un luxueux attaché-case en cuir qu'il me passa.

« Je voudrais que vous ayez ceci, Gunther. Pour fêter notre association. »

Je brandis l'enveloppe de pesos.

« Je pensais que vous m'aviez déjà donné quelque chose pour ça.

— Un supplément. »

Je jetai un coup d'œil aux verrous à combinaison.

« Allez-y. Il n'est pas fermé. Entre parenthèses, la combinaison est six-six-six de chaque côté. Mais, si vous le désirez, vous pouvez en changer grâce à une petite clé dissimulée dans la poignée de transport. »

J'ouvris l'attaché-case avec un claquement sec et vis qu'il contenait un magnifique jeu de backgammon, fait sur commande. Les pièces étaient en ivoire et en ébène, les dés et le cube doubleur ornés de diamants.

« Je ne peux pas accepter, protestai-je.

— Bien sûr que si. Ce jeu a appartenu à un de mes amis, nommé Ben Siegel.

— Ben Siegel, le gangster?

— Non. Ben était un joueur et un homme d'affaires. Comme moi. Sa petite amie, Virginia, avait fait fabriquer ce jeu de backgammon spécialement pour ses quarante-cinq ans, par Asprey à Londres. Trois mois plus tard, il était mort.

— Abattu, c'est ça?

— Mmm-hmm.

— Elle n'en voulait pas?

— Elle me l'a donné en souvenir. Et maintenant, j'aimerais que ce soit vous qui l'ayez. Espérons qu'il vous portera plus chance qu'à lui.

— Espérons. »

8

Du Saratoga, je me rendis à la Finca Vigía. La Chieftain était toujours là où Waxey l'avait garée, sauf qu'il y avait maintenant un chat sur le toit. Descendant de voiture, je me dirigeai vers la porte d'entrée et actionnai la cloche de navire suspendue au porche. Un autre chat m'observait depuis la branche d'un gigantesque ceiba. Un troisième sur la terrasse passa la tête à travers la balustrade blanche comme s'il attendait que les pompiers viennent le tirer de là. Je caressai la tête du chat en franchissant lentement les derniers mètres. La porte s'ouvrit, et la mince silhouette de René, le domestique noir d'Hemingway, apparut. Il était en veste blanche de serveur. Les rayons de soleil filtrant dans la maison derrière lui donnaient l'allure d'un prêtre de la Santeria.

« La *señora* Eisner est-elle là ?

— Oui, mais elle dort.

— Et la *señorita* ?

— Miss Dinah. Je crois qu'elle est dans la piscine, *señor*.

— Pensez-vous que ça la dérangerait que je la voie ?

— Je ne pense pas que ça la dérange d'être vue par qui que ce soit », répondit-il.

Sans prêter attention à cette remarque, je suivis le sentier menant à la piscine, qui était entourée de palmiers royaux, de flamboyants et de quelques amandiers ainsi que de plates-bandes remplies d'ixoras –

une fleur indienne d'un rouge ardent, mieux connue sous le nom de flamme de la jungle. Rien que de les voir, j'en avais les yeux qui me brûlaient. Dinah effectuait tranquillement un gracieux dos crawlé dans l'eau fumante. Je suppose qu'elle était fumante pour la même raison que mes yeux me brûlaient et que la jungle était en flammes. Son costume de bain s'ornait d'un motif léopard approprié, si ce n'est qu'il semblait légèrement moins approprié à cet instant précis, étant donné qu'elle ne le portait pas. Le costume gisait au milieu du sentier, en compagnie de ma mâchoire.

Elle avait un corps ravissant : long, athlétique, harmonieux. Dans l'eau, sa silhouette avait la couleur du miel. Étant allemand, je n'étais pas vraiment choqué par sa nudité. Avant même la Grande Guerre, il avait existé des clubs naturistes à Berlin et, jusqu'à l'avènement du nazisme, il était impossible d'aller dans certains parcs et piscines de la capitale sans voir des tas de nudistes. En outre, Dinah elle-même semblait s'en moquer comme de l'an quarante. Elle alla jusqu'à accomplir deux pirouettes qui ne laissaient pas grand-chose à mon imagination.

« Venez, me cria-t-elle. L'eau est délicieuse.

– Non, merci. De plus, je ne pense pas que ça plairait beaucoup à votre mère.

– Probablement pas, mais elle est ivre. Ou, du moins, elle est en train de cuver. Elle a passé la soirée à boire. Noreen boit toujours trop quand on a eu une dispute.

– À quel sujet ?

– D'après vous ?

– Max, je suppose.

– Dans le mille. Alors, ça s'est bien passé, entre vous et lui ?

– Très bien. »

Dinah exécuta une nouvelle pirouette impeccable. À présent, je commençais à la connaître encore mieux que son médecin. J'aurais peut-être même goûté le spectacle s'il n'y avait pas eu qui elle était et pourquoi j'étais là. Tournant le dos à la piscine, je dis :

« Peut-être que je ferais mieux d'attendre dans la maison.

– Je vous mets mal à l'aise, *señor* Gunther ? Pardon. Je voulais dire *señor* Hausner. »

Elle cessa de nager, et je l'entendis sortir de la piscine derrière moi.

« Vous êtes très agréable à regarder, mais je suis l'ami de votre mère, vous vous souvenez ? Et il y a certaines choses que les hommes ne font pas avec les filles de leurs amis. J'imagine qu'elle compte sur moi pour ne pas aller coller mon nez à votre vitrine.

— Une manière intéressante de présenter la chose. »

Je pouvais entendre l'eau dégouliner de son corps nu. Je l'aurais léché de haut en bas qu'elle aurait fait à peu près le même bruit.

« Pourquoi ne pas être une bonne fille et remettre votre maillot de bain, après quoi nous pourrons parler ?

— D'accord. » Quelques instants s'écoulèrent, puis elle dit : « Vous pouvez vous détendre à présent. »

Je me tournai et la remerciai d'un bref signe de tête. J'avais l'impression d'être le dernier des crétins, même maintenant qu'elle avait remis son maillot. Éviter de regarder les jolies femmes quand elles sont nues : c'était une première pour moi.

« En fait, je suis content que vous soyez venu, déclara-t-elle. Ce matin, elle semblait un peu suicidaire.

— Un peu ?

— Un peu, oui. Elle a menacé de se tirer une balle si je ne lui promettais pas de ne plus voir Max.

— Et vous l'avez fait ?

— Fait quoi ?

— Promis de ne plus le revoir ?

— Bien sûr que non. En réalité, c'est juste du chantage affectif.

— Mmm-hmm. Elle possède une arme ?

— Question stupide, dans cette maison. Il y a un placard dans la tour avec assez d'artillerie pour déclencher une nouvelle révolution. Mais elle a effectivement une arme à elle. C'est Ernest qui lui en a fait cadeau. Il s'est sans doute dit qu'elle risquait d'en avoir besoin.

— Vous croyez qu'elle pourrait s'en servir ?

— Je n'en sais rien. C'est pourquoi j'en parle, je suppose. Vraiment, je n'en sais rien. Ernest et elle avaient l'habitude de discuter du suicide. Sans arrêt. Et ça l'étonne que je préfère sortir avec Max que de traîner ici !

– Quand Hemingway revient-il au juste?

– En juillet, je crois. Il serait déjà de retour, sauf qu'il se trouve dans un hôpital de Nairobi.

– Une de ces bestioles qui s'est rebiffée, je suppose.

– Non, un accident d'avion. Ou un feu de brousse. Ou peut-être les deux. Je ne sais pas. Il allait plutôt mal pendant un moment.

– Que se passe-t-il quand il rentre? Est-ce que votre mère et lui ont une liaison?

– Sûrement pas. Ernest a une femme, Mary. Encore que ce n'est pas ça qui les arrêterait. De plus, elle voit quelqu'un, je pense. Noreen, je veux dire. De toute façon, elle a acheté une maison à Marianao, où on est censés aller s'installer dans un mois ou deux. »

Dinah chercha un paquet de cigarettes, en alluma une et souffla la fumée vers le sol, loin de moi.

« Je vais me marier avec lui, et ni elle ni personne d'autre ne pourra rien y faire.

– Excepté se tirer une balle dans la tête. »

Dinah fit la moue. Une moue analogue à celle que j'avais dû faire quand elle m'avait dit que Noreen voyait quelqu'un.

« Et qu'est-ce que vous en pensez? Au sujet de Max et moi.

– Ça change quelque chose? »

Elle secoua la tête.

« De quoi avez-vous parlé, vous et lui?

– Il m'a proposé un job.

– Vous allez le prendre?

– Je ne sais pas. C'est ce que j'ai répondu. Mais travailler pour un gangster me débecte un peu.

– Vous croyez que c'en est un?

– Je vous l'ai dit. Ce que je crois n'a pas d'importance. Et il m'a simplement proposé un boulot, mon ange. Pas le mariage. Si ça ne me plaît pas de travailler pour lui, je peux m'en aller, ça ne l'empêchera pas de dormir. Mais j'ai cette idée romantique que les sentiments qu'il éprouve pour vous sont différents. N'importe quel homme réagirait de la même façon.

– Vous ne seriez pas en train de me faire des avances?

– Dans ce cas, je serais dans la piscine.

– Max va m'aider à devenir une actrice de cinéma.

– C'est ce que j'ai entendu dire. C'est pour ça que vous allez vous marier avec lui ?

– En fait, non. » Elle rougit légèrement, et de l'irritation perça dans sa voix. « Il se trouve que nous nous aimons. »

Ce fut mon tour de faire la moue.

« Qu'est-ce qu'il y a, Gunther ? Vous n'avez jamais été amoureux de quelqu'un ?

– Oh, bien sûr. De votre mère, par exemple. Mais c'était il y a vingt ans. En ce temps-là, je pouvais encore prétendre que j'étais amoureux d'elle et le penser de toutes les fibres de mon être. Aujourd'hui, ce ne sont plus que des mots. Quand un homme arrive à mon âge, ce n'est pas d'amour qu'il s'agit. Il aura beau essayer de s'en convaincre. Ce n'est pas ça du tout. C'est toujours autre chose.

– Vous pensez qu'il veut m'épouser pour le sexe, c'est ça ?

– Non, c'est plus compliqué. Ce dont il s'agit, c'est du désir de se sentir à nouveau jeune. Raison pour laquelle beaucoup d'hommes d'un certain âge épousent des femmes plus jeunes. Parce qu'ils croient que la jeunesse est contagieuse. Ce qui n'est pas le cas, naturellement. Contrairement au grand âge. Je veux dire, je peux plus ou moins vous garantir qu'à un moment, vous l'attraperez vous aussi. » Je haussai les épaules. « Mais, comme je n'arrête pas de vous le répéter, mon ange, mon opinion n'a aucune importance. Je ne suis qu'un vieux schnoque qui a été jadis amoureux de votre mère.

– Ce n'est pas un club aussi fermé.

– Je n'en doute pas. Votre mère est une belle femme. Tout ce que vous avez, vous le tenez d'elle, je suppose. » Je hochai la tête. « À propos de ce que vous avez dit. Qu'elle était suicidaire. Je vais passer la voir avant de partir. »

Je me hâtai de m'éloigner et de regagner la maison avant de lui balancer une remarque désagréable. Parce que j'en avais bien envie.

À l'arrière de la maison, les portes-fenêtres étaient ouvertes, et il n'y avait qu'une antilope pour monter la garde, de sorte que j'entrai et allai jeter un coup d'œil dans la chambre de Noreen. Elle dormait, nue, sur le drap dessus. Je restai planté là à regarder pendant une minute entière. Deux femmes nues en un après-midi. C'était comme aller à la Casa Marina, sauf que je me rendais compte à présent que j'étais amoureux de Noreen. Ou peut-être étaient-ce les mêmes sentiments que j'avais toujours eus, simplement j'avais oublié où je les avais fourrés. Toujours est-il qu'en dépit de ce que j'avais dit à Dinah, il y en avait pléthore dont j'aurais pu faire la surprise à Noreen si elle avait été réveillée. Et probablement quelques-uns de sincères.

Elle avait les cuisses entrouvertes, de sorte que je détournai les yeux comme le voulait la galanterie. C'est alors que j'aperçus le revolver posé sur l'étagère, à côté de quelques photographies et d'un bocal contenant une grenouille dans du formol. Elle avait l'air de n'importe quelle vieille grenouille. Mais ce n'était pas n'importe quel vieux revolver. Bien que conçu et fabriqué par un Belge qui lui avait donné son nom, le Nagant avait été le modèle standard d'arme de poing des officiers de l'Armée rouge et du NKVD. Une arme lourde et quelque peu incongrue dans cette maison. Je la pris, curieux de renouer le contact avec cette vieille connaissance. Laquelle avait une étoile rouge en relief sur la crosse, ce qui semblait attester clairement son origine.

« C'est son revolver », dit Dinah.

Je me retournai au moment où elle pénétrait dans la chambre et tirai le drap par-dessus sa mère.

« Pas vraiment une arme de femme.

— Sans blague. »

Sur ce, elle se rendit dans la salle de bains.

« Je laisserai mon numéro sur la table près du téléphone, lançai-je. Appelez-moi si vous croyez qu'elle a vraiment l'intention de se faire du mal. Peu importe l'heure. »

Je boutonnai ma veste et quittai la chambre. Un bref instant, j'aperçus Dinah assise sur les toilettes et l'entendis uriner. Je me dépêchai de gagner le bureau.

« Je ne crois pas qu'elle était sérieuse, répondit Dinah. Elle dit un tas de choses qu'elle ne pense pas.

— Comme nous tous. »

Il y avait une table en bois à trois tiroirs couverte de statuettes d'animaux ainsi que de cartouches de fusils et de carabines de chasse de différentes tailles, que quelqu'un avait posées debout comme

autant de bâtons de rouge à lèvres mortels. Ayant mis la main sur
un bout de papier et un crayon, j'écrivis mon numéro de téléphone
en gros afin qu'on ne puisse pas le manquer. Contrairement à moi.
Puis je m'en allai.

Je rentrai et passai le reste de la journée et la moitié de la nuit dans
mon petit atelier. Tout en travaillant, je songeais à Noreen, à Max
Reles et à Dinah. Personne ne me téléphona. Mais ça n'avait rien
d'exceptionnel.

9

Le quartier chinois de La Havane – le Barrio Chino – n'avait pas son pareil dans toute l'Amérique latine, et, comme c'était le nouvel an chinois, des marchés en plein air et des troupes de danse du lion occupaient les rues décorées de lanternes en papier autour de Zanja et de Chuchillo. À l'intersection d'Armistad et de Dragones se dressait une porte de la taille de la Cité interdite. Plus tard dans la soirée, ce serait le centre d'un formidable tir de feux d'artifice qui marquerait le point culminant des festivités.

Yara raffolait de toutes les manifestations bruyantes, raison pour laquelle, contrairement à l'habitude, j'avais choisi de sortir avec elle pour l'après-midi. Les rues de Chinatown pullulaient de blanchisseries, de restaurants de nouilles, de magasins de produits séchés, d'herboristes, d'acupuncteurs, de sex-clubs, de fumeries d'opium et de bordels. Mais, par-dessus tout, elles étaient pleines de monde. Des Chinois pour la plupart. En si grand nombre que vous vous demandiez d'où ils pouvaient bien sortir.

J'achetai à Yara quelques menus cadeaux – des fruits et des bonbons –, ce qui l'enchanta. En échange, elle insista pour me payer une tasse de liqueur de plantes macérées dans un marché de remèdes traditionnels, liqueur qui, m'assura-t-elle, me rendrait extrêmement viril ; c'est seulement après l'avoir bue que je découvris qu'elle contenait du wolfberry, de l'iguane et du ginseng. L'élément iguane me fit tiquer, et, durant quelques minutes, je fus convaincu d'avoir été empoisonné. Au point de croire dur comme fer que j'avais des hallucinations lorsque, juste à la lisière de Chinatown, au coin de Maurique et de Simon Bolivar, je tombai sur une boutique que je n'avais encore jamais vue. Pas même en Argentine, où l'existence de ce type de commerce aurait peut-être été plus justifiée. C'était une boutique vendant des souvenirs nazis.

Au bout d'un moment, je me rendis compte que Yara avait vu la boutique elle aussi et, la laissant dans la rue, j'entrai, aussi curieux de savoir quelle sorte d'individu pouvait bien vendre des trucs pareils que de savoir qui pouvait en acheter.

À l'intérieur de l'échoppe, des vitrines renfermaient des pistolets Luger et Walther P38, des croix de fer, des brassards du Parti nazi, des plaques d'identité de la Gestapo et des poignards SS. Plusieurs numéros du journal _Der Stürmer_ étaient exposés dans de la cellophane, telles des chemises fraîchement lavées et repassées. Un mannequin portait un uniforme de capitaine SS, ce qui semblait on ne peut plus adéquat. Derrière un comptoir, entre deux bannières nazies, se tenait un type plutôt jeune, avec une barbe noire qui n'aurait pas pu faire moins allemande. Il était grand, mince et cadavérique comme s'il sortait d'une peinture du Greco.

« Vous cherchez quelque chose de précis ? me demanda-t-il.

– Une croix de fer, peut-être. »

Non pas que j'étais intéressé par une croix de fer. C'est lui qui m'intéressait.

Il ouvrit une des vitrines et posa la médaille sur le comptoir comme s'il s'agissait d'une broche en diamants pour dames ou d'une jolie montre.

Je la contemplai un moment, la retournant entre mes doigts.

« Qu'est-ce que vous en pensez ? demanda-t-il.

– C'est un faux, répondis-je. Et pas fameux par-dessus le marché. Autre chose. La bretelle de l'uniforme du capitaine SS est passée sur la mauvaise épaule. Un faux est une chose. Une erreur aussi élémentaire en est une autre.

– Vous vous y connaissez dans ce domaine ?

– Je croyais que c'était illégal à Cuba, répondis-je tout en évitant de répondre.

– La loi interdit seulement la promotion de l'idéologie nazie. Vendre des souvenirs historiques est permis.

– Qui achète ces machins?

– Des Américains, en majorité. Beaucoup de marins. Il y a aussi des touristes qui ont tâté du service militaire en Europe et veulent se procurer le souvenir qu'ils n'ont jamais réussi à s'offrir quand ils étaient là-bas. Ce sont surtout des objets SS qu'ils cherchent. Je suppose que la SS suscite une espèce de fascination malsaine, pour des raisons évidentes. Je pourrais vendre des cargaisons de trucs SS. Par exemple, les poignards SS sont très appréciés comme coupe-papiers. Bien sûr, collectionner ce genre de souvenirs ne veut pas dire que vous sympathisez avec le nazisme, ni même que vous fermez les yeux sur ce qui s'est passé. C'est arrivé et ça appartient à l'histoire, et je ne vois rien de mal à s'intéresser à ça au point d'avoir envie de posséder quelque chose qui est presque une partie vivante de cette histoire. Quel mal est-ce que je pourrais y voir? Je veux dire, je suis polonais. Je m'appelle Szymon Woytak. »

Il me tendit la main, que je pris mollement et sans grand enthousiasme pour lui et son négoce. À travers la devanture, je pouvais apercevoir une troupe de danseurs chinois. Ils avaient enlevé leurs têtes de lion et faisaient une pause cigarette comme s'ils n'avaient guère conscience des esprits mauvais habitant à l'intérieur, sans quoi ils auraient peut-être franchi la porte. Woytak prit la croix de fer que j'avais demandé à voir.

« Comment pouvez-vous dire que c'est un faux? interrogea-t-il en l'examinant avec soin.

– Comment je le sais? » Je lui souris. « Parce que j'ai eu moi-même une de ces babioles autrefois, durant la Grande Guerre. Mais vous savez, ce n'est rien que du faux. Tout ça. Tout ce qu'il y a là-dedans. » J'indiquai la boutique d'un geste de la main. « Et les conceptions qui ont rendu tous ces objets ridicules? Ça aussi, c'était du toc destiné à tromper les gens. Un faux stupide qui n'aurait jamais dû abuser personne, sauf que les gens voulaient y croire. Tout le monde savait qu'il s'agissait d'un mensonge. Évidemment. Mais ils voulaient y croire à tout prix. Et ils ont perdu de vue que ce n'est pas parce que Hitler aimait bien les petits enfants que ce n'était pas un grand méchant loup. Ce qu'il était, et même bien, bien pire. Voilà de l'histoire pour vous, *señor* Woytak. De l'authentique histoire allemande, et pas cette... boutique de souvenirs grotesque. »

Je ramenai Yara à la maison et passai le reste de la journée dans mon atelier, en proie à une légère déprime. Pas à cause de ce que j'avais vu dans la boutique de Szymon Woytak. C'était La Havane. Vous pouviez tout acheter à La Havane, du moment que vous aviez de quoi payer. Tout et n'importe quoi. C'était autre chose qui me flanquait le bourdon. Quelque chose de plus proche. Plus proche, en tout cas de la villa d'Ernest Hemingway.

Dinah, la fille de Noreen.

J'aurais bien voulu la trouver sympathique, mais je m'en sentais incapable. Il s'en fallait de beaucoup. Dinah me semblait aussi têtue que gâtée. OK pour l'entêtement. Ça lui passerait sans doute. Comme à la plupart des gens. Mais elle allait avoir besoin d'une paire de claques carabinée pour cesser de se comporter comme une gosse pourrie. C'était bien dommage que Nick et Noreen Charalambides aient divorcé alors que Dinah était encore enfant. Sa jeune existence avait probablement manqué d'une autorité paternelle. D'où peut-être son désir d'épouser un homme deux fois plus âgé qu'elle. Des tas de filles se mariaient avec des substituts paternels. Ou peut-être voulait-elle simplement se venger de sa mère parce qu'elle avait quitté son père. Des tas de filles faisaient ça aussi. Peut-être était-ce les deux à la fois. Ou peut-être que je ne savais pas de quoi je parlais, n'ayant jamais eu d'enfant moi-même.

Une chance que je me trouvais à l'atelier. « Peut-être » n'est pas une expression ayant cours dans ce genre d'endroit. Si vous utilisez un tour pour découper un bout de métal, « exactement » est un meilleur terme. J'avais de la patience pour le travail des métaux. C'était facile. Être un parent paraissait beaucoup plus ardu.

Un peu plus tard, je pris un bain et enfilai un costume habillé. Avant de sortir, je m'inclinai quelques instants devant la châsse de la Santeria. Yara l'avait installée dans sa chambre. Une simple maison de poupée en fait, couverte de dentelle blanche et de bougies. Mais chaque étage de la maison comportait de petits animaux, des crucifix, des noix, des coquillages et des figurines au visage noir et en robe blanche. Il y avait aussi plusieurs images de la Vierge Marie et celle d'une femme à la langue transpercée d'un couteau. Yara m'avait expliqué que c'était pour faire cesser les ragots sur elle et moi. Quant aux autres bricoles, je n'avais pas la moindre idée de ce qu'elles signifiaient. À l'exception éventuellement de la Vierge Marie. Je ne savais pas pourquoi je me prosternais devant son autel. J'avais probablement besoin de croire à quelque chose, mais, au fond de moi, je savais que la boutique de souvenirs de Yara n'était qu'un stupide mensonge elle aussi. Tout comme le nazisme.

Avant de sortir, j'attrapai la mallette de backgammon de Ben Siegel, puis Yara me prit par les épaules et plongea son regard dans le mien comme pour juger de l'effet que sa châsse avait produit sur mon âme. En supposant que je possède quoi que ce soit de ce genre. Et, apercevant quelque chose, elle recula d'un pas et se signa à plusieurs reprises.

« Tu ressembles au seigneur Elegua, dit-elle. Il règne sur les carrefours. Et protège les maisons de tous les dangers. De plus, il a raison dans tout ce qu'il fait. Car il sait ce que personne d'autre ne sait et agit toujours selon son entendement parfait. » Elle ôta le collier qu'elle portait et le glissa dans la poche de poitrine de ma veste. « Pour te porter chance au jeu.

— Merci, dis-je. Mais ce n'est qu'un jeu.

— Pas cette fois, répondit-elle. Pas pour toi. Pas pour toi, patron. »

10

Je garai ma voiture dans Zulueta, en vue du poste de police du coin, et retournai au Saratoga, où il y avait déjà quantité de taxis et de voitures, dont deux Cadillac noires 75, coqueluches des hauts fonctionnaires du gouvernement.

Une fois dans l'hôtel, je traversai la cour de monastère, où une rangée de projecteurs donnait à l'eau de la fontaine des couleurs pastel qui semblaient laisser le cheval en marbre quelque peu perplexe, comme s'il osait à peine boire de ce breuvage exotique de peur qu'il ne soit nocif, ce qui, à la réflexion, résumait parfaitement l'impression que l'on éprouvait à se trouver dans un casino de La Havane.

Un portier habillé comme un impressionniste français prospère m'ouvrit la porte, et je pénétrai dans le casino. Il était tôt, mais l'endroit était aussi animé qu'un arrêt de bus à l'heure de pointe, avec seulement des lustres en plus, et résonnait du claquement des jetons et des dés, du bruit des billes d'acier tournant dans les roulettes en bois, des exclamations des gagnants, des grognements des perdants, du tintement des verres, et toujours les voix nettes, pragmatiques, impassibles des croupiers proclamant les paris ou appelant les cartes et les chiffres.

Je regardai autour de moi et m'aperçus qu'un certain nombre de célébrités locales étaient déjà là : Desi Arnaz le musicien, Celia Cruz la chanteuse, George Raft l'acteur de cinéma et le colonel Esteban

Ventura – un des officiers de police les plus redoutés de La Havane. Les joueurs, en smoking blanc, passaient d'une table à l'autre, tripotant des plaques et se demandant où pouvait résider leur chance ce soir-là : à la table de roulette ou à celle de craps ? Des femmes séduisantes, avec coiffures haut perchées et décolletés plongeants, patrouillaient aux abords de la salle comme des guépards cherchant à repérer le mâle le plus faible à poursuivre et à terrasser. L'une d'elles se dirigea vers moi, mais je la chassai d'un mouvement de tête.

J'aperçus ce qui ressemblait au directeur du casino. De fait, il avait les bras croisés et des yeux de juge de chaise ; de surcroît, il ne fumait pas et ne tenait pas de jetons. Comme la plupart des Habañeros, il avait une moustache style griffonnage d'écolier et plus de graisse sur la tête qu'un hamburger cubain.

« Puis-je vous aider, *señor* ?

– Je m'appelle Carlos Hausner. J'ai rendez-vous en haut avec le *señor* Reles, à onze heures moins le quart. Mais, avant ça, je dois rencontrer le *señor* Garcia, pour jouer au backgammon. »

Il avait sans doute un peu de la graisse de ses cheveux sur le bout des doigts car il se mit à se frotter les mains, façon Ponce Pilate.

« Le *señor* Garcia vous attend, dit-il, ouvrant le chemin. Le *señor* Reles m'a demandé de vous trouver un coin tranquille dans le bar, entre le salon privé et la grande salle de jeu. Je veillerai à ce que vous ne soyez pas dérangés. »

Nous allâmes à un endroit situé près d'un palmier. Garcia était assis sur une chaise style Louis XV faisant face à la salle. Devant lui, sur une table dorée à dessus en marbre, était déjà disposé un jeu de backgammon. Derrière lui, sur le mur jaune canari, s'étalait une fresque à la Fragonard représentant une odalisque nue, allongée avec langueur, une main posée sur les genoux d'un homme à l'air las portant un turban rouge. Vu l'emplacement de la main, on aurait pu s'attendre à ce qu'il manifeste davantage d'intérêt. Garcia étant propriétaire du Shanghai, ça semblait un décor tout à fait indiqué pour notre tournoi.

Le Shanghai, dans Zanja, était le plus chaud et, de ce fait, le plus célèbre et le plus populaire des cabarets de La Havane. Même avec

sept cent cinquante places, il y avait toujours une longue file de
types excités devant l'établissement – en majorité de jeunes matelots
américains – attendant de payer un dollar vingt-cinq pour assister
à un spectacle à côté duquel tout ce que j'avais vu dans le Berlin
de Weimar paraissait insipide. Insipide, mais plutôt de bon goût.
Il n'y avait pas la moindre parcelle de bon goût dans le spectacle
du Shanghai. En grande partie grâce à la présence à l'affiche d'un
gigantesque mulâtre appelé Superman dont le membre dressé avait
la grosseur d'un aiguillon à bestiaux et qu'il utilisait à des fins assez
similaires. Le point culminant résidait dans les outrages infligés par
le colosse à une succession de blondes à l'air innocent, sous les encou-
ragements frénétiques d'Oncle Sam. Ce n'était pas le genre d'endroit
où emmener un satyre aux idées libérales, encore moins une jeune
fille de dix-neuf ans.

Garcia se leva poliment, mais il me déplut rien qu'à le voir, comme
m'aurait déplu un maquereau, ou même un gorille en smoking, ce
dont il avait l'air. Il se déplaçait avec l'économie de mouvements
d'un robot, ses deux bras épais tenus raides de chaque côté de son
corps, jusqu'au moment où, avec une égale raideur, l'un d'eux se leva
vers moi, tendant une main de la taille et de la couleur d'un gant de
fauconnier. Le crâne chauve, avec ses énormes oreilles et ses lèvres
épaisses, aurait pu avoir été pillé sur un site archéologique égyptien
– sinon la Vallée des rois, du moins le ravin de leurs serviles satrapes.
Je sentis la force dans sa main avant qu'il la retire et la glisse dans la
poche de son smoking. Elle ressortit avec une liasse de billets qu'il
jeta sur la table à côté du plateau.

« Un *cash-game* serait le mieux, vous ne croyez pas ? dit-il.

– Sûr, répondis-je, avant de poser près de Garcia l'enveloppe avec
l'argent que m'avait donnée Reles la veille. Nous pouvons certes
régler les comptes à la fin de la soirée. Ou préférez-vous que nous le
fassions à la fin de chaque partie ?

– À la fin de la soirée ce sera très bien, répondit-il.

– Auquel cas, ajoutai-je en empochant l'argent, nous n'avons pas
vraiment besoin de ceci, maintenant que nous savons tous les deux
que l'autre a une grosse somme sur lui. »

Il acquiesça et reprit la liasse de billets.

« Il faut que je m'absente un moment vers onze heures, déclara-t-il. Je dois aller surveiller la porte du Shanghai pour le spectacle de onze heures trente.

— Et celui de neuf heures trente ? demandai-je. Ou est-ce qu'il marche tout seul ?

— Vous connaissez mon théâtre ? »

On aurait dit qu'il parlait de l'Abbey Theater de Dublin. La voix était comme je m'y attendais : trop de cigares et pas assez d'exercice. Une voix d'hippopotame se vautrant. Boueuse, pleine de dents jaunâtres et de gaz. Dangereuse aussi, probablement.

« Oui, je le connais.

— Mais je peux toujours revenir ensuite. Pour vous laisser une chance de vous refaire.

— Et je peux toujours vous retourner la faveur.

— Pour répondre à votre question précédente. » Les lèvres épaisses s'étirèrent comme une jarretière rose bon marché. « Le spectacle de onze heures trente est toujours le plus difficile à gérer. À ce stade de la soirée, les gens ont déjà pas mal bu. Et parfois, il y a du grabuge s'ils ne parviennent pas à entrer. Le poste de police dans Zanja se trouve heureusement tout près, mais il n'est pas rare qu'ils aient besoin d'une motivation sonnante et trébuchante pour se pointer.

— L'argent fait la loi.

— Dans cette ville, pas de doute. »

Je considérai le plateau de backgammon, ne serait-ce que pour ne pas avoir à regarder son visage affreux et à respirer l'odeur encore plus affreuse de son haleine. Je pouvais la sentir à un mètre. À ma grande stupéfaction, je me retrouvai à contempler une boîte de backgammon d'un style d'une remarquable obscénité. Les cases sur le plateau, noires ou blanches, et en pointes de flèche dans tout modèle ordinaire, avaient la forme de phallus érigés. Entre chaque phallus, ou allongée langoureusement dessus tel un modèle d'artiste peintre, se trouvait la silhouette d'une fille nue. Les pions étaient peints de manière à ressembler aux fesses de femmes noires ou blanches, tandis que les deux cornets avec lesquels chacun des joueurs lançait les dés avaient la forme d'un sein. Ces deux cornets emboîtés formaient une poitrine qui aurait fait envie à n'importe quelle serveuse de l'Oktoberfest. Seuls les quatre dés et le cube doubleur se distinguaient par leur décence.

« Vous aimez ma boîte ? demanda-t-il en gloussant comme un bain de boue fétide.

— Je préfère la mienne, répondis-je. Mais elle est fermée à clé et je n'arrive pas à me rappeler la combinaison. Alors, si ça vous amuse de jouer avec celle-ci, ça me va très bien. Je suis plutôt large d'esprit.

— Il faut ça pour vivre à La Havane, pas vrai ? Vous jouez au points ou juste le cube ?

— Je me sens paresseux. Toute cette arithmétique. Tenons-nous-en au cube. Disons dix pesos la partie ? »

J'allumai un cigare et me calai dans mon fauteuil. À mesure que la partie progressait, j'oubliai le décor pornographique du plateau et l'haleine de mon adversaire. Nous étions plus ou moins à égalité quand Garcia fit deux doubles consécutifs et, changeant le quatre en huit, poussa le cube doubleur vers moi. J'hésitai. Ses deux doubles d'affilée suffisaient à me faire réfléchir avant d'accepter le nouvel enjeu. Je n'avais jamais été le genre de joueur cent pour cent capable de regarder la position de tous les pions sur le plateau et de calculer la différence entre mes points et ceux de l'autre joueur. Je préférais me baser sur l'aspect des choses et sur ma mémoire du résultat des dés. Décidant que je devais faire un double sans tarder pour rattraper son trois, je ramassai le cube et fis un double cinq, ce qui était exactement ce qu'il me fallait à cet instant précis, de sorte que nous commençâmes à sortir nos pions au coude à coude.

Nous en étions tous les deux aux derniers pions dans nos compartiments intérieurs – douze dans le sien et dix dans le mien – quand il m'offrit à nouveau le cube. L'arithmétique était de mon côté tant qu'il ne faisait pas un quatrième double, et comme ça semblait peu probable, je l'acceptai. Toute autre décision de ma part n'aurait servi qu'à montrer un manque de ce que les Cubains appelaient des *cojones* et aurait certainement eu un effet désastreux sur le reste du match de la soirée. L'enjeu était maintenant de cent soixante pesos.

Il lança un double quatre, ce qui le mettait maintenant à égalité avec moi et en bonne position pour gagner la partie à moins que je ne fasse moi-même un double. Ses yeux scintillèrent à peine lorsque je fis une fois de plus un un et un deux quand j'en avais le moins besoin et ne réussis à sortir qu'un pion. Il fit un six et un cinq, sortant deux pions. Je lançai un cinq et un trois, sortant deux pions. Puis il fit un nouveau double et en retira quatre autres – ses deux contre mes cinq. Même un double ne pouvait plus me sauver à présent.

Garcia ne sourit pas. Il se contenta de prendre son cornet et vida les dés avec pas plus d'émotion que s'il s'était agi du premier lancer de la partie. Négligeable. Rien n'était encore joué. Sauf que la première partie était maintenant finie et que j'avais perdu.

Il sortit ses deux derniers pions et glissa sa grosse paluche dans la poche de son smoking. Cette fois, elle réapparut avec un petit carnet en cuir noir et un porte-mine en argent dont il se servit pour écrire 160 sur la première page.

Il était huit heures trente. Vingt minutes s'étaient écoulées. Vingt coûteuses minutes. Garcia avait beau être un pornographe et un goret, il n'y avait rien à redire à sa chance et à sa capacité à jouer. Je compris que ça allait être plus duraille que je ne pensais.

11

C'est en Uruguay que je m'étais mis à jouer au backgammon. Au café de l'hôtel Alhambra à Montevideo. J'avais appris avec un ancien champion. Mais la vie en Uruguay coûtait cher – beaucoup plus cher qu'à Cuba –, ce qui était la principale raison qui m'avait poussé à venir sur l'île. D'habitude, je jouais avec un couple de libraires d'occasion dans un café de la Plaza de Armas à La Havane, et pour quelques centavos seulement. J'aimais bien le backgammon. Son caractère ordonné – la disposition des pions sur les cases et la nécessité de les faire sortir tous pour finir la partie. Une netteté et une opération de nettoyage qui me paraissaient très germaniques. J'aimais aussi le mélange d'adresse et de chance ; plus de chance qu'il n'en fallait au bridge et plus d'adresse que n'en réclamait le black-jack. Par-dessus tout, j'aimais l'idée de prendre des risques contre la banque céleste, de rivaliser avec le destin. Le sentiment d'une justice cosmique que l'on pouvait invoquer à chaque lancer de dés. En un sens, c'est ainsi que j'avais vécu toute ma vie. À contre-courant.

Ce n'était pas avec Garcia que je jouais – il n'était que la face hideuse du hasard –, mais avec la vie elle-même.

Aussi, je rallumai mon cigare, le tournai entre mes lèvres et fis signe au serveur.

« Donnez-moi un carafon d'eau-de-vie de pêche, dis-je. Fraîche mais sans glace. »

Je ne demandai pas à Garcia s'il voulait boire quelque chose. Je m'en fichais. La seule chose qui m'importait à présent, c'était de le battre.

« Ce n'est pas une boisson de femme ? demanda-t-il.

– Je ne pense pas. Elle est à 45 % d'alcool. Mais croyez ce que vous voulez. »

Je pris mon cornet à dés.

« Et pour vous, *señor* ? »

Le serveur n'avait pas bougé.

« Un daiquiri citron. »

Nous continuâmes le jeu. Garcia perdit la partie suivante aux points, et celle d'après lorsqu'il déclina mon double. Et petit à petit, il devint de plus en plus imprudent, frappant des pions alors qu'il aurait mieux fait de les laisser tranquilles et acceptant ensuite des doubles quand il aurait dû les refuser. Il commençait à perdre gros, et, à dix heures et quart, je l'emportais de plus de mille pesos et j'étais plutôt content de moi.

Il n'y avait toujours pas trace d'émotion sur son visage, une sorte d'argument en faveur du darwinisme, mais je savais que l'assurance de mon adversaire en avait pris un coup à la façon dont il lançait ses dés. Au backgammon, la coutume veut que vous jetiez vos dés dans votre jan intérieur, où ils doivent s'immobiliser complètement à plat. Mais, à plusieurs reprises au cours de la dernière partie, la main de Garcia avait été un peu trop fébrile et ses dés avaient traversé la barre ou n'avaient pas atterri à plat. Dans chaque cas, la règle l'obligeait à lancer à nouveau, ce qui, à une occasion, l'avait privé d'un double précieux.

Il y avait une autre raison qui me donnait à penser que je l'avais déstabilisé. Il proposa que nous augmentions notre enjeu de dix pesos la partie. Quand un type fait ça, vous pouvez être sûr qu'il pense qu'il a déjà perdu beaucoup trop et qu'il tient à regagner ses pertes le plus vite possible. Mais c'était oublier le principe fondamental du backgammon, à savoir que ce sont les dés qui dictent votre façon de jouer, et pas le cube ou l'argent.

Je me laissai aller en arrière et avalai une gorgée de mon eau-de-vie.

« À combien songiez-vous ?

– Disons cent pesos la partie.

– Très bien. Mais à une condition. C'est que nous jouions la règle du beaver. »

Il sourit comme s'il avait failli le suggérer.

« D'accord. »

Il prit le cornet, bien que ce ne fût pas à son tour de lancer, et fit un six.

Je lançai un un. Garcia remporta le lancer et construisit simultanément son point 7. Il se rapprocha de la table, comme avide de regagner son argent. Une légère pellicule de sueur luisait sur son crâne éléphantesque, et, voyant cela, je doublai aussitôt. Garcia accepta le double et tenta de redoubler jusqu'à ce que je lui rappelle que je n'avais pas encore pris mon tour. Je lançai deux quatre, ce qui permit à deux de mes pions d'enjamber son point 7, le rendant pour l'instant inutile.

Garcia fit une petite grimace, mais doubla tout de même et lança ensuite un deux et un un, ce qui le déçut. J'avais maintenant le cube doubleur, et, sentant que je possédais l'avantage psychologique, je tournai le cube et dis « Beaver », doublant en réalité le cube sans avoir besoin de son consentement. Je marquai alors un temps d'arrêt et lui proposai un double en plus de mon beaver. Il se mordit la lèvre. Confronté à une perte potentielle de huit milles pesos – en plus de ce qu'il avait déjà perdu –, il aurait dû décliner l'offre. Au lieu de ça, il accepta. Je jetai à présent deux six, ce qui me permit de construire mon point 7 et ensuite le point 10. La partie penchait maintenant en ma faveur, avec à la clé un enjeu de mille six cents pesos.

Ses lancers devinrent de plus en plus agités. D'abord, il mit un dé de guingois. Puis il lança deux quatre, ce qui aurait dû le sortir de la mélasse dans laquelle il se trouvait, si ce n'est qu'un des deux quatre était dans son jan extérieur et ne comptait donc pas. D'un geste rageur, il reprit les dés, les laissa tomber dans le cornet et les lança à nouveau, avec beaucoup moins de succès : un deux et un trois. Les choses s'aggravèrent rapidement pour lui après ça, et il ne s'écoula pas longtemps avant qu'il soit immobilisé dans mon jan intérieur, avec deux pions sur la barre.

Je commençai à sortir, lui toujours paralysé. À présent, il existait un réel danger qu'il ne parvienne pas à faire rentrer ses pions dans son jan avant que j'aie fini de sortir. Ce qu'on appelle un « gammon », lequel lui aurait coûté le double de l'enjeu sur le cube.

Garcia lançait maintenant comme un fou, et il ne subsistait plus rien de son sang-froid antérieur. À chaque lancer de dés, il demeurait bloqué. La partie était perdue pour lui, avec rien d'autre à jouer que la possibilité d'éviter le gammon. Finalement, il revint sur le plateau, cavalant pour arriver à destination tandis qu'il ne me restait plus que six pions à sortir. Mais des lancers médiocres continuèrent à entraver ses déplacements. Quelques secondes plus tard, la partie et le gammon étaient à moi.

« C'est un gammon, annonçai-je tranquillement. Autrement dit le double de ce qu'il y a sur le cube. Soit, si je ne me trompe, trente-deux mille pesos. Ce qui donne, en ajoutant les onze cent quarante que vous me deviez déjà…

— Je sais faire une addition, m'interrompit-il avec brusquerie. Je ne me trompe jamais dans mes calculs. »

Je résistai à la tentation de faire observer que c'étaient ses compétences au backgammon qui posaient problème, pas ses aptitudes en calcul.

Garcia regarda sa montre. Moi de même. Il était dix heures quarante.

« Il faut que je parte, annonça-t-il en refermant brusquement le plateau.

— Vous allez revenir ? Après être allé à votre boîte ?

— Je ne sais pas.

— Eh bien, je serai encore là un moment. Pour vous donner une chance de vous rattraper. »

Mais nous savions tous les deux qu'il n'en ferait rien. Il compta quarante-trois billets de cents pesos qu'il retira d'une liasse de cinquante et me les tendit.

Je hochai la tête.

« Plus dix pour cent pour la maison, dis-je, ce qui fait deux cents chacun. » Je frottai mes doigts en direction de l'argent qui lui restait. « Je paierai les consommations. »

D'un air maussade, il me tendit deux autres billets. Puis il ferma les loquets de la vilaine boîte de backgammon, la fourra sous son bras et s'éloigna rapidement, se frayant un passage à coups d'épaule entre les joueurs tel un personnage de film d'horreur.

J'empochai mes gains et allai trouver à nouveau le directeur du casino. Il semblait ne pas avoir bougé d'un pouce depuis que je lui avais parlé.

« Vous avez fini de jouer ?

— Pour le moment. Le *señor* Garcia doit faire un tour à son club. Et j'ai rendez-vous en haut avec le *señor* Reles. Après ça, il se peut qu'on continue. Je lui ai dit que j'attendrais ici pour lui laisser une chance de se refaire. Alors on verra.

— Je garderai la table libre, répondit le directeur.

— Merci. Et peut-être auriez-vous la gentillesse de prévenir le *señor* Reles que je monte le voir.

— Oui, bien sûr. »

Je lui tendis quatre cents pesos.

« Dix pour cent des enjeux à la table. C'est l'habitude, je crois. »

Le directeur secoua la tête.

« Ce ne sera pas nécessaire. Merci de l'avoir battu. Cela faisait déjà longtemps que j'espérais que quelqu'un humilierait cette espèce de porc. Et apparemment, vous lui avez flanqué une belle raclée. »

J'acquiesçai.

« Quand vous aurez fini votre rendez-vous avec le *señor* Reles, peut-être pourriez-vous venir à mon bureau. J'aimerais vous offrir un verre pour arroser votre victoire. »

12

Portant toujours la boîte de backgammon de Ben Siegel, je pris l'ascenseur jusqu'au huitième étage et la terrasse avec piscine de l'hôtel, où Waxey et un autre ascenseur m'attendaient déjà. Le garde du corps de Max se montra un peu plus cordial cette fois-ci, mais pas au point que ça se remarque, à moins de savoir lire sur les lèvres. Pour un type costaud, il avait une voix extrêmement douce, et c'est seulement par la suite que j'appris qu'il avait eu les cordes vocales abîmées par une balle qu'on lui avait tirée dans la gorge.

« Désolé, chuchota-t-il. Mais faut que je vous fouille avant que vous montiez. »

Je posai la mallette et regardai par-dessus son épaule tandis qu'il faisait son boulot. Au loin, le Barrio Chino scintillait comme un arbre de Noël.

« Y a quoi dans cette mallette ?

– Le backgammon de Ben Siegel. Un cadeau de Max. Malheureusement, il ne m'a pas donné la bonne combinaison pour les serrures. Il a dit que c'était six-six-six. Ce qui paraissait coller en l'occurrence. Sauf que ce n'était pas le cas. »

Waxey hocha la tête et recula. Il était vêtu d'un ample pantalon noir et d'une guyabera assortie à la couleur de ses cheveux. Sans sa veste, je pouvais voir ses bras nus, ce qui me permit de me faire une meilleure idée de sa force. Il avait des avant-bras comme des quilles de bowling. La chemise flottante avait probablement pour but de dissimuler l'arme dans un étui à l'arrière de sa hanche, sauf que l'ourlet s'était coincé sous la poignée en bois poli d'un Colt Detective Special calibre .38 – sans doute l'un des plus chouettes pétards jamais fabriqués.

Il plongea la main dans sa poche de pantalon et en tira une clé attachée à une chaîne en argent, l'inséra dans le panneau de commande de l'ascenseur et la tourna. Sans avoir à appuyer sur un bouton. L'engin se mit aussitôt à grimper. Les portes se rouvrirent.

« Ils sont sur la terrasse », indiqua Waxey.

Je les reniflais d'abord. La forte odeur d'un mini-feu de forêt : plusieurs gros havanes. Puis je les entendis : des voix américaines sonores, un rire masculin bruyant, un juron retentissant, des bribes de yiddish et d'italien, un autre rire tonitruant. Je passai près des vestiges d'une partie de cartes dans la salle de séjour : une grande table couverte de jetons et de verres vides. Maintenant que la partie était terminée, ils se tenaient tous sur la petite terrasse avec piscine : des types dans des costumes chic avec des visages de brutes, mais peut-être plus aussi épaisses. Certains portaient des lunettes et des vestes sport avec des mouchoirs immaculés dans leur poche de poitrine. Tous ayant exactement l'air de ce qu'ils prétendaient être : hommes d'affaires, hôteliers, propriétaires de boîtes de nuit, restaurateurs. Et seul un policier ou un agent du FBI aurait peut-être reconnu ces hommes pour ce qu'ils étaient vraiment : tous avec des réputations acquises dans les rues de Chicago, de Boston, de Miami et de New York durant les années Volstead. J'avais à peine fait un pas sur cette terrasse que je savais que je me trouvais parmi les gros bonnets de la pègre de La Havane – les chefs mafieux en vue auxquels le sénateur Estes Kefauver était si désireux de parler. J'avais regardé quelques-unes des dépositions devant la commission sénatoriale aux actualités. Les auditions avaient rendu célèbres certains de ces caïds, dont le petit homme au gros nez et aux cheveux bruns coiffés avec soin. Il portait une veste sport marron sur une chemise ouverte. C'était Meyer Lansky.

« Ah, le voilà ! », s'exclama Reles.

Il avait la voix un peu plus braillarde que de coutume, mais c'était un modèle de rectitude vestimentaire : pantalon de flanelle gris, chaussures marron avec bouts renforcés richelieu, chemise bleue à col boutonné, cravate de soie bleue et blazer bleu marine en cachemire. On aurait dit le secrétaire chargé des adhésions du Yacht Club de La Havane.

« Messieurs, continua-t-il, voici l'homme dont je vous ai parlé. Bernie Gunther. Celui qui va devenir mon nouveau directeur général. »

Comme toujours, je tressaillis en entendant mon vrai nom, posai l'attaché-case et serrai la main de Max.

« Allons, détendez-vous. Il n'y en a pas un parmi nous qui n'ait pas un passé aussi sombre que le vôtre, Bernie. Sinon davantage. Presque tous les gars ici présents ont vu l'intérieur d'une cellule de prison à un moment ou à un autre. Moi y compris. » Il éclata de rire, du petit rire de l'ancien Max Reles. « Vous ne saviez pas ça, hein ? »

Je secouai la tête.

« Comme je dis, nous avons tous un tas de putains d'antécédents. Bernie, voici Meyer Lansky ; son frère, Jake ; Moe Dalitz ; Norman Rothman ; Morris Kleinman et Eddie Levinson. Je parie que vous ne vous doutiez pas qu'il y avait autant de youpins sur cette île. Naturellement, nous sommes le cerveau de l'équipe. Pour le reste, nous avons des Ritals et des Irlandais. Et voici Santo Trafficante, Vincent Alo, Tom McGinty, Sam Tucker, les frères Cellini et Wilbur Clark.

— Bonsoir », dis-je.

La pègre de La Havane me rendit mon regard avec un enthousiasme mitigé.

« Ça a dû être une sacré partie de cartes, fis-je remarquer.

— Waxey, apporte un verre à Bernie. Qu'est-ce que vous buvez, Bernie ?

— Une bière m'ira très bien.

— Certains d'entre nous jouent au gin, d'autres au poker, expliqua Max. D'autres encore ne font pas de différence entre une partie de cartes et une salle de tri dans un bureau de poste. Mais l'important, c'est qu'on puisse se rencontrer et discuter ensemble, dans un esprit de saine compétition. Comme Jésus et ses foutus disciples. Vous avez lu *Richesse des nations* d'Adam Smith, Bernie ?

— Pas vraiment.

— Smith parle de quelque chose qu'il appelle la "main invisible". Il dit que, dans un marché libre, la recherche de l'intérêt individuel contribue à l'enrichissement de l'ensemble de la collectivité à travers un principe qu'il nomme la main invisible. » Il eut un haussement d'épaules. « Voilà ce que nous faisons. Tout simplement. La main invisible. Et ça depuis des années.

— C'est sûr », grommela Lansky.

Reles gloussa.

« Meyer se croit le plus intelligent sous prétexte qu'il lit beaucoup. » Il agita son doigt vers Lansky. « Mais moi aussi, je lis, Meyer. Moi aussi, je lis.

— Lire. C'est un truc juif », lança Alo.

Il était grand avec un long nez pointu qui aurait pu me laisser supposer qu'il appartenait au clan des Juifs, alors que c'était un des Italiens.

« Et ils se demandent pourquoi les Juifs réussissent », répliqua un type au sourire facile et au nez comme un ballon de boxe.

C'était Moe Dalitz.

« Moi, j'ai lu deux livres dans ma vie, dit un des Irlandais. Hoyle sur les jeux de société et le manuel de la Cadillac. »

Waxey revint avec ma bière. Elle était froide et sombre, comme ses yeux.

« F.B. songe à relancer son vieux programme d'éducation rurale, déclara Lansky. M'est avis que certains d'entre vous devraient essayer de s'y mettre. Un peu d'éducation ne vous ferait pas de mal.

— C'est le même que celui qu'il avait mis sur pied en trente-six ? » demanda son frère, Jake.

Meyer Lansky acquiesça.

« Seulement il a peur qu'une partie des gosses auxquels il apprend à lire ne deviennent les rebelles de demain. Comme ce dernier lot qui fait actuellement de la taule sur l'île des Pins.

— Il a raison de s'inquiéter, affirma Alo. Certains de ces salopards sont nourris de communisme.

– Cela dit, fit observer Lansky, quand l'économie de ce pays va décoller, vraiment décoller, on aura besoin de gens instruits pour travailler dans nos hôtels. Devenir les croupiers de demain. Il faut être dégourdi pour être croupier. Dégourdi en maths. Vous lisez, Bernie?

– De plus en plus, avouai-je. Pour moi, c'est comme la Légion étrangère. Je le fais pour oublier. Moi-même, je suppose. »

Max Reles regardait sa montre-bracelet.

« À propos de livres, il est temps que je vous mette dehors, les gars. J'ai mon coup de fil avec F.B. Pour examiner les comptes.

– Comment ça fonctionne? demanda quelqu'un. Au téléphone. »

Reles haussa les épaules.

« Je lis les chiffres à haute voix, et il les note. Nous savons tous les deux qu'un jour il va contrôler, alors pourquoi est-ce que j'essaierais de l'entuber? »

Lansky hocha la tête.

« Totalement *verboten*. »

Quittant la terrasse, nous nous dirigeâmes vers les ascenseurs. Comme je pénétrais dans une cabine, Reles me prit le bras et dit :

« Vous commencez à travailler demain. Venez aux environs de dix heures. Je vous ferai visiter.

– Très bien. »

Je regagnai le casino. Ces temps-ci, mes fréquentations avaient quelque chose d'un peu effrayant. J'avais l'impression d'être monté au Berghof pour une audience avec Hitler et les autres dirigeants nazis.

13

Lorsque je retournai au Saratoga le lendemain matin, à dix heures comme prévu, le spectacle offert était bien différent. Il y avait des flics partout – devant l'entrée principale de l'hôtel et dans le hall. Comme je priais la réceptionniste d'annoncer mon arrivée à Max Reles, elle me répondit que personne n'était autorisé à aller à l'appartement du dernier étage hormis les propriétaires de l'hôtel et la police.

« Qu'est-il arrivé ? demandai-je.

– Je ne sais pas. Ils refusent de nous dire quoi que ce soit. Mais le bruit court qu'un des clients de l'hôtel a été assassiné par les rebelles. »

Tournant les talons, je rebroussai chemin vers la porte d'entrée et croisai la petite silhouette de Meyer Lansky.

« Vous partez ? demanda-t-il. Pourquoi ?

– Ils ne veulent pas me laisser monter.

– Venez avec moi. »

Je le suivis jusqu'à l'ascenseur, où un policier s'apprêtait à me barrer le passage quand son supérieur reconnut tout à coup le gangster et le salua. À l'intérieur de la cabine, Lansky sortit une clé de sa poche – semblable à celle de Waxey – et s'en servit pour nous faire monter à l'appartement. Je vis que sa main tremblait.

« Qu'est-ce qui s'est passé ? » demandai-je.

Les portes de l'ascenseur s'ouvrirent, révélant encore plus de policiers. Dans la salle de séjour, nous trouvâmes un capitaine de la milice, Waxey, Jake Lansky et Moe Dalitz.

« Est-ce vrai ? » demanda Meyer Lansky à son frère.

Jake Lansky était légèrement plus grand, avec des traits plus vulgaires. Il avait des lunettes comme des culs de bouteille et des sourcils semblables à des blaireaux en train de s'accoupler. Il portait un costume crème, une chemise blanche et un nœud papillon. Son visage avait des rides d'expression, sauf qu'il n'en trahissait aucune pour le moment. Il hocha gravement la tête.

« C'est vrai.

— Où ?

— Dans son bureau. »

Je suivis les deux Lansky dans le bureau de Max Reles. Un capitaine de police en uniforme fermait la marche.

Quelqu'un avait redécoré les murs. À croire que Jackson Pollock était passé par là et s'était exprimé allègrement avec un pinceau brosse et un grand pot de peinture rouge. Sauf que ce n'était pas de la peinture rouge qui avait éclaboussé le bureau ; c'était du sang, et même un paquet. Max Reles allait devoir changer également sa moquette chinchilla, mais ce n'est pas lui qui irait dans un magasin acheter la nouvelle. Il n'irait plus jamais rien acheter – même pas un cercueil, ce dont il avait le plus besoin à cette minute. Il gisait sur le sol, dans ce qui avait l'air d'être les mêmes vêtements que la veille au soir, à ceci près que la chemise bleue s'ornait à présent de taches sombres. Il fixait le plafond recouvert de plaques de liège avec un seul œil. L'autre paraissait s'être volatilisé. À première vue, deux balles l'avaient atteint à la tête, mais il y avait de bonnes raisons de penser qu'au moins deux ou trois autres avaient fini dans son dos et sa poitrine. Un meurtre dans le plus pur style gangster, du fait que le tireur avait effectué un boulot soigné pour être certain d'avoir sa peau. Et malgré ça, à part le capitaine de police qui nous avait escortés dans le bureau – plus par curiosité qu'autre chose –, il n'y avait aucun flic dans la pièce, personne prenant des photos du corps, ni avec un mètre ruban à la main, rien de ce à quoi on aurait pu normalement s'attendre. Bon, me dis-je, on est à Cuba, où tout prend un peu plus de temps, y compris peut-être l'envoi d'un médecin légiste sur une scène de crime. Max Reles était déjà mort, à quoi bon se presser ?

Waxey apparut derrière nous, sur le seuil du bureau de son défunt maître. Il y avait des larmes dans ses yeux et, dans sa main de la taille d'une encyclopédie, un mouchoir blanc qui semblait avoir été arraché à un des lits à deux places. Il renifla un moment, puis se moucha bruyamment, produisant le son d'un paquebot arrivant au port.

Meyer Lansky le regarda avec irritation.

« Nom de Dieu, où étiez-vous quand il s'est fait éclater la cervelle ? Où étiez-vous, Waxey ?

— Ici même, chuchota Waxey. Comme toujours. Je croyais que le patron était allé se coucher. Après son coup de téléphone à F.B. Il se couchait toujours de bonne heure ensuite. Réglé comme une horloge. Je me doutais de rien, jusqu'à ce que j'entre à sept heures ce matin et que je le trouve comme ça. Mort. »

Il avait ajouté le mot « mort » comme s'il y avait le moindre doute là-dessus.

« Il n'a pas été tué avec une carabine à air comprimé, Waxey, répliqua Lansky. Vous n'avez rien entendu ? »

Waxey secoua la tête d'un air malheureux.

« Rien. Comme j'ai dit. »

Le capitaine de police finit d'allumer un petit cigarillo, puis déclara :

« Il est possible que le *señor* Reles ait été tué pendant le feu d'artifice d'hier soir. Pour le nouvel an chinois. Cela aurait sûrement couvert les détonations de n'importe quelle arme. »

C'était un petit homme séduisant, sans barbe ni moustache. Son élégant uniforme vert olive semblait assorti à la couleur brun clair de son visage lisse. Il parlait l'anglais avec juste une pointe d'accent espagnol. Et, tout en parlant, il s'appuyait avec nonchalance au montant de la porte, comme s'il n'avait rien à faire de plus pressant que de proposer sans grande conviction un moyen de réparer une voiture en panne. Presque comme si l'assassin de Max Reles ne l'intéressait pas vraiment. Ce qui était peut-être le cas. Même dans la milice de Batista, il y avait quantité de gens que la présence de gangsters américains à Cuba ne préoccupait guère.

« Le feu d'artifice a commencé à minuit, continua le capitaine. Il a duré à peu près trente minutes. » Il franchit la porte coulissante en verre pour aller dehors. « À mon avis, pendant le vacarme, qui était considérable, l'assassin a tiré sur le *señor* Reles d'ici, sur la terrasse. »

Nous suivîmes le capitaine.

« Il se peut qu'il ait grimpé depuis le huitième étage en utilisant l'échafaudage entourant l'enseigne de l'hôtel. »

Meyer Lansky examina la façade.

« Une sacrée ascension, murmura-t-il. Qu'est-ce que tu en penses, Jake ? »

Jake Lansky eut un hochement de tête.

« Le capitaine a raison. Le tueur a dû monter jusqu'ici. Ou alors il avait une clé, auquel cas il lui aurait fallu éviter Waxey. Ce qui semble peu probable.

— Peu probable, mais possible tout de même. »

Waxey secoua la tête.

« Jamais de la vie, bon Dieu ! »

Subitement, sa voix habituellement basse était devenue coléreuse.

« Vous dormiez peut-être », suggéra le capitaine de police.

Cette hypothèse parut indigner vivement Waxey, ce qui suffit pour que Jake Lansky s'interpose entre lui et le policier afin de désamorcer une situation menaçant de tourner au vinaigre. Comme l'aurait fait n'importe quelle situation dans laquelle était impliqué Waxey.

Une main posée fermement sur la poitrine de celui-ci, il déclara :

« Il faut que je vous présente, Meyer. Voici le capitaine Sanchez. Du poste de police au coin de Zulueta. Capitaine Sanchez, voici mon frère, Meyer. Et voici » – il se tourna vers moi – « voici… » Il hésita un instant comme s'il essayait de se rappeler non pas mon vrai nom – je pouvais voir qu'il le connaissait –, mais le faux.

« Carlos Hausner », dis-je.

Le capitaine Sanchez hocha la tête, puis se mit à adresser toutes ses remarques à Meyer Lansky.

« J'ai parlé à Son Excellence le président il y a seulement quelques minutes. Avant tout, il souhaite que je vous transmette ses condoléances, *señor* Lansky. Pour la terrible perte de votre ami. Il tient aussi à ce que je vous assure que la police de La Havane fera tout ce qui est en son pouvoir pour attraper l'auteur de ce crime odieux.

— Merci, répondit Lansky.

— Son Excellence m'a dit avoir parlé avec le *señor* Reles au téléphone hier soir, comme elle le faisait chaque mercredi. L'appel a commencé à exactement onze heures quarante-cinq pour se terminer à onze heures cinquante-cinq. Ce qui semble indiquer également que le décès s'est produit pendant le feu d'artifice, entre minuit et minuit et demi. En fait, j'en suis convaincu. Laissez-moi vous montrer pourquoi. »

Il tenait une balle estropiée dans la paume de sa main.

« J'ai extrait cette balle du mur du bureau. On dirait une cartouche de calibre .38. En toute autre circonstance, un .38 serait une arme on ne peut moins discrète. Mais, pendant le feu d'artifice, on pouvait aisément tirer six coups de feu sans que personne entende. »

Meyer Lansky se tourna vers moi.

« Que pensez-vous de cette idée ?

— Moi ?

— Oui, vous. Max prétendait que vous aviez été flic. Quel genre de flic, d'ailleurs ?

— Du genre honnête.

— Pas ça, bon Dieu ! Votre domaine d'investigation.

— Les homicides.

— Eh bien, que pensez-vous de ce que vient de dire le capitaine ? »
Je haussai les épaules.

« Je pense que nous jonglons avec les suppositions. Il vaudrait sans doute mieux laisser un médecin examiner le corps pour voir si nous pouvons déterminer l'heure du décès. Ça coïncidera peut-être avec le feu d'artifice, je n'en sais rien. Mais ce serait judicieux, à mon avis. » Je balayai du regard le sol de la terrasse. « Je ne vois pas de douilles, alors ou bien le tueur s'est servi d'un automatique et les a ramassées dans le noir, ce qui semble assez peu vraisemblable, ou bien il s'agissait d'un revolver. Dans tous les cas, il conviendrait de retrouver l'arme du crime en priorité. »

Lansky regarda le capitaine Sanchez.

« On a déjà cherché, répondit le capitaine.

– Cherché? m'exclamai-je. Où ça?

– La terrasse. L'appartement. Le huitième étage.

– Il l'a peut-être jetée dans le parc, dis-je en indiquant le Campo de Marte. Une arme atterrirait là au beau milieu de la nuit, personne ne s'en rendrait compte.

– À moins qu'il l'ait emportée avec lui, objecta le capitaine.

– Possible. D'un autre côté, le colonel Ventura était au casino hier soir, ce qui veut dire qu'il y avait de nombreux policiers dans et autour de l'hôtel. J'imagine mal un type ayant commis un meurtre prendre le risque de tomber sur un flic alors qu'il a sur lui un pistolet qui vient de faire feu six ou sept fois. Surtout un tueur professionnel. Et franchement, ça sent le professionnel à plein nez. Il faut avoir la tête froide pour tirer autant de balles, faire mouche à plusieurs reprises, et espérer s'en tirer à bon compte. Un amateur aurait probablement paniqué et raté davantage sa cible. Peut-être même lâché l'arme. À mon avis, l'assassin s'en est tout bonnement débarrassé en sortant de l'hôtel. D'après mon expérience, on peut faire entrer et sortir en fraude un tas de trucs dans un hôtel aussi grand que celui-ci. Les serveurs vont et viennent avec des plats couverts. Les bagagistes portent des valises. Le tueur a peut-être balancé l'arme dans un panier à linge, tout simplement. »

Le capitaine Sanchez appela un de ses hommes et ordonna une fouille du Campo de Marte et des paniers à linge de l'hôtel.

Je retournai dans le bureau et, contournant les taches de sang sur la pointe des pieds, me penchai sur Max Reles. Il y avait quelque chose que recouvrait un mouchoir : quelque chose de sanguinolent qui avait traversé le tissu en coton.

« Qu'est-ce que c'est que ça? demandai-je au capitaine lorsqu'il eut fini de donner des instructions à ses hommes.

– Son globe oculaire. Il a dû sauter quand une des balles est ressortie du crâne. »

J'opinai.

« Alors, c'est un sacré .38. On pourrait s'attendre à ça avec un .45, mais pas un .38. Puis-je voir la balle que vous avez trouvée, capitaine? »

Sanchez me la passa.

Je la regardai puis hochai la tête.

« Non, vous devez avoir raison, ça ressemble bien à un .38. Mais quelque chose a dû insuffler un surcroît de vitesse à cette balle.

— Comme?

— Je n'en ai aucune idée.

— Vous avez été policier, *señor*?

— Il y a longtemps de ça. Et je ne voulais nullement insinuer que vous ne connaissez pas votre métier, capitaine. Je suis sûr que vous avez vos propres méthodes pour diriger une enquête. Mais Mr Lansky m'a demandé de lui donner mon opinion, et c'est ce que j'ai fait. »

Le capitaine Sanchez aspira une bouffée du petit cigarillo puis le laissa tomber sur le sol de la scène de crime.

« Vous avez dit que le colonel Ventura se trouvait au casino hier soir. Est-ce que cela signifie que vous vous y trouviez également?

— Oui. J'ai joué au backgammon jusqu'aux environs de dix heures quarante-cinq, après quoi je suis monté rejoindre le *señor* Reles et ses invités pour prendre un verre. Mr Lansky et son frère en faisaient partie. De même que la personne qui se trouve dans la salle de séjour. Mr Dalitz. Waxey également. Je suis resté jusqu'à onze heures trente environ, moment où nous sommes tous partis afin de permettre à Max Reles de se préparer pour son coup de téléphone avec le président. Je m'étais mis d'accord avec mon partenaire de backgammon – le *señor* Garcia, propriétaire du Shanghai Theater – pour que nous retournions au casino et que nous continuions notre partie. Si bien que j'ai attendu, mais il n'est pas revenu. Dans l'intervalle, j'ai bu un verre avec le *señor* Nuñez, le directeur du casino. Puis je suis rentré chez moi.

— À quelle heure?

— Juste après minuit et demi. Je me souviens de l'heure parce que je suis sûr que le feu d'artifice a fini quelques minutes avant que je monte en voiture.

— Je vois. » Le capitaine alluma un autre cigarillo et laissa une partie de la fumée s'échapper entre ses dents d'une blancheur éclatante.

« Par conséquent, il se pourrait que ce soit vous qui ayez tué le *señor* Reles, n'est-ce pas ?

— Ça se pourrait, en effet. Tout comme il se pourrait que ce soit moi qui aie dirigé l'attaque contre la caserne de Moncada. Mais ce n'est pas le cas. Max Reles venait juste de m'offrir une place extrêmement bien payée. Place que je n'ai plus. De sorte que mon mobile pour le tuer paraît on ne peut moins convaincant.

— C'est tout à fait exact, capitaine, intervint Meyer Lansky. Max avait fait du *señor* Hausner son directeur général. »

Le capitaine Sanchez acquiesça comme s'il acceptait la confirmation par Lansky de mon histoire ; mais il n'en avait pas complètement terminé avec moi, et je me maudissais à présent d'avoir eu l'imprudence de répondre aux questions précédentes de Lansky concernant le meurtre de Max Reles.

« Depuis combien de temps connaissiez-vous le défunt ? demanda-t-il.

— Nous nous sommes rencontrés à Berlin, voilà une vingtaine d'années. Jusqu'à il y a deux jours, je ne l'avais pas revu depuis.

— Et tout de suite il vous a proposé un travail ? Il devait avoir une très grande estime pour vous, *señor* Hausner.

— Il avait ses raisons, je présume.

— Peut-être teniez-vous quelque chose suspendu au-dessus de sa tête. Quelque chose du passé.

— Vous voulez dire, comme un chantage, capitaine ?

— C'est exactement ce que je veux dire, oui.

— Cela aurait été vrai il y a vingt ans. En fait, nous avions tous les deux quelque chose sur l'autre. Mais rien qui m'aurait donné un pouvoir sur lui. Plus maintenant.

— Et lui. Détenait-il un pouvoir sur vous ?

— Sûr. On peut le dire ainsi, pourquoi pas ? Il m'a offert de l'argent pour mes services. Ce qui doit être la chose qui a le plus de pouvoir sur cette île, que je sache. »

Le capitaine repoussa sa casquette à visière et se gratta le front.

« Tout de même, je n'arrive pas à comprendre. Pourquoi ? Pourquoi vous avoir offert ce travail ?

— Comme j'ai dit, il avait ses raisons. Mais si vous tenez à ce que j'avance des hypothèses, capitaine, je suppose que ça lui plaisait que je l'aie bouclée pendant vingt ans. Que j'aie tenu la promesse que je lui avais faite. Que je n'aie pas peur de lui dire d'aller au diable.

— Et peut-être que vous n'aviez pas peur non plus de le tuer. »

Je souris et secouai la tête.

« Non, écoutez-moi jusqu'au bout, continua le capitaine. Cela faisait de nombreuses années que Max Reles vivait à La Havane. Un citoyen probe, respectueux des lois, payant ses impôts. Un ami du président. Puis voilà qu'il vous rencontre, quelqu'un qu'il n'a pas vu depuis vingt ans. Et deux ou trois jours après, il est assassiné. Une sacrée coïncidence, n'est-ce pas ?

— Si vous le prenez comme ça, je me demande bien pourquoi vous ne m'arrêtez pas. À coup sûr, ça vous éviterait de prendre le temps et la peine de mener une enquête criminelle digne de ce nom avec preuves médico-légales et témoins m'ayant vu tirer. Bref, la procédure habituelle. Embarquez-moi au poste, hein ? Vous réussirez peut-être à m'extorquer des aveux avant d'avoir fini votre service. Ce ne serait pas la première fois que vous feriez ce genre de chose, j'imagine.

— Vous ne devriez pas croire tout ce que vous lisez dans *Bohemia*, *señor*.

— Non ?

— Pensez-vous vraiment que nous torturons les suspects ?

— D'ordinaire, c'est une question à laquelle je ne pense pas, capitaine. Mais peut-être que j'irai rendre visite à quelques-uns des prisonniers de l'île des Pins pour voir ce qu'ils ont à dire sur le sujet, après quoi je reviendrai vers vous. Ça me changerait de me gratter les pieds chez moi. »

Mais Sanchez n'écoutait pas. Il regardait le revolver qu'un de ses hommes lui présentait sur une serviette, telle une couronne de laurier ou d'olivier sauvage. J'entendis le policier expliquer que l'arme avait été retrouvée dans un panier de linge au huitième étage. Il y avait une étoile rouge sur la poignée. Ça avait tout l'air d'être l'arme du crime. À commencer par le fait qu'elle était munie d'un silencieux.

« Il semble que le *señor* Hausner avait raison, n'est-ce pas capitaine ? » dit Meyer Lansky.

Sanchez et le flic pivotèrent et mirent le cap sur la salle de séjour.

« Il était temps, dis-je à Lansky. Ce crétin de flic aurait bien aimé me coller ça sur le dos.

— Ah oui ? Moi, j'ai bien aimé la façon dont vous lui avez parlé. Ça me ressemblait. Je suppose que c'est l'arme du crime.

— J'en mettrais ma main au feu. Un Nagant à sept cartouches. Ils en ressortiront probablement sept du corps de Max et des murs.

— Un Nagant ? Jamais entendu parler.

— Inventé par un Belge. Mais l'étoile rouge sur la poignée signifie que celui-ci est de fabrication russe, expliquai-je.

— Russe, hein ? Êtes-vous en train de me dire que Max a été tué par les communistes ?

— Non, Mr Lansky, je parlais du revolver. Les commandos de la mort soviétiques se sont servis d'une arme de ce type pour massacrer des officiers polonais en 1940. Ils les ont abattus d'une balle dans la nuque puis ont enterré les cadavres dans la forêt de Katyn et en ont ensuite rejeté la responsabilité sur les Allemands. Il y avait une pléthore de revolvers semblables en Europe à la fin de la guerre. Mais pas des masses de ce côté de l'Atlantique, bizarrement. Surtout avec un silencieux Bramit. Rien que ça laisserait supposer qu'il s'agit d'un travail de professionnel. Voyez-vous, même équipé d'un silencieux, n'importe quel flingue continuerait à faire du bruit. Peut-être même suffisamment pour alerter Waxey. Mais le Nagant est la seule arme à feu qu'on puisse rendre totalement silencieuse. Vous comprenez, il n'y a pas d'espace vide entre le barillet et le canon. C'est ce qu'on appelle un système fermé de mise à feu. Autrement dit, vous pouvez supprimer à cent pour cent tout bruit provenant du canon… pourvu, bien sûr, que vous disposiez d'un silencieux Bramit. Franchement, c'est l'arme idéale pour perpétrer un meurtre en toute discrétion. Le Nagant expliquerait également la vitesse plus grande de la balle de calibre .38. Suffisante pour arracher un globe oculaire se trouvant sur la trajectoire. Alors voilà ce que je pense. Celui qui a tué Max Reles n'a pas eu besoin de le faire pendant le feu d'artifice d'hier soir. Il aurait pu le descendre n'importe quand entre minuit et le moment où Waxey a découvert le corps ce matin, et personne n'aurait rien entendu. Ah, et soit dit en passant, ce n'est pas exactement le genre d'arme qu'on peut acheter chez l'armurier du coin. Encore moins avec un silencieux. Aujourd'hui, les Popovs préfèrent le Tokarev TT, plus léger. C'est un automatique, au cas où vous ne le sauriez pas.

— Non, je ne savais pas, reconnut Lansky. Mais il se trouve que je ne suis pas aussi ignorant en ce qui concerne les Russes que vous pourriez le croire, Gunther. Ma famille vient de Grodno, à la frontière russo-polonaise. Mon frère Jake et moi en sommes partis tout gosses. Pour fuir les Russes. Jake connaissait un de ces officiers polonais qui se sont fait massacrer. Aujourd'hui, les gens parlent de l'antisémitisme allemand, mais, pour ma famille, les Russes étaient tout aussi impitoyables. Sinon plus. » Jake Lansky hocha la tête. « Oui, c'est mon avis. Et c'était aussi celui du vieux. Eh bien, comment se fait-il que vous en sachiez autant sur cette histoire ?

— Pendant la guerre, j'ai appartenu aux services de renseignement militaire allemands, répondis-je. Et, par la suite, j'ai fait un bref séjour dans un camp soviétique de prisonniers de guerre. Si je ne tiens pas à divulguer mon nom, c'est que j'ai tué deux Popovs en tentant de m'échapper d'un train à destination d'une mine d'uranium de l'Oural. Je n'en serais sans doute jamais revenu. Très peu de prisonniers de guerre allemands sont revenus d'Union soviétique. Si jamais ils m'attrapent, je suis bon pour la corde, Mr Lansky.

— Je pensais bien qu'il s'agissait d'un truc de ce genre. » Lansky secoua la tête puis regarda le corps inerte. « Quelqu'un devrait le couvrir.

— À votre place, je ne ferais pas ça, Mr Lansky. Pas encore. Des fois que le capitaine Sanchez s'aperçoive qu'il vaut mieux suivre les procédures adéquates.

— Ne vous inquiétez pas à son sujet, dit Lansky. Si jamais il vous crée des problèmes, j'appellerai son patron pour qu'il le vire. Peut-être que je le ferai de toute façon. Venez. Sortons de cette pièce. Je ne peux plus supporter d'être ici. Max était comme un second frère pour moi. Je l'ai connu quand j'avais quinze ans, à Brownsville. C'était le gamin le plus intelligent que j'aie jamais rencontré. Avec une éducation convenable, il aurait pu devenir tout ce qu'il voulait. Peut-être même président des États-Unis. »

Nous entrâmes dans la salle de séjour. Sanchez s'y trouvait en compagnie de Waxey et de Dalitz. Le pistolet reposait dans un sac en plastique sur la table où Max et moi avions déjeuné moins de quarante heures auparavant.

« Et alors, qu'est-ce qui va se passer maintenant ? demanda Waxey.

— On va l'enterrer, répondit Meyer Lansky. Comme un bon Juif. C'est ce que Max aurait souhaité. Une fois que les flics en auront fini avec le corps, nous aurons trois jours pour faire les préparatifs.

— Laisse-moi m'en charger, dit Jake. Ce sera un honneur.

— Quelqu'un devrait prévenir sa petite amie, fit remarquer Dalitz.

— Dinah, chuchota Waxey. Elle s'appelle Dinah. Ils allaient se marier. Avec un rabbin, le verre à vin brisé et tout le tremblement. Elle est juive aussi, vous savez.

— Je l'ignorais, répondit Dalitz.

— Elle s'en remettra, affirma Meyer Lansky. Quelqu'un devrait l'avertir, sûr et certain, mais elle s'en remettra. Comme toujours les jeunes. Dix-neuf ans, elle a toute la vie devant elle. Paix à l'âme de Max. Je pensais qu'elle était trop jeune pour lui, mais qu'est-ce que j'en sais ? On ne peut pas reprocher à un type d'avoir envie d'un petit peu de bonheur. Pour un homme comme Max, on ne pouvait pas faire mieux que Dinah. Mais tu as raison, Moe, quelqu'un devrait lui dire.

— Me dire quoi ? Qu'est-ce qui est arrivé ? Où est Max ? Pourquoi la police est-elle là ? »

C'était Dinah.

« Est-ce que quelqu'un va enfin m'expliquer ? Comment va Max ? Est-ce qu'il est malade ? Bon Dieu, mais qu'est-ce qui se passe ici ? »

Puis elle vit l'arme sur la table. Je suppose qu'elle dut deviner le reste car elle se mit à crier, à tue-tête. Un cri à réveiller les morts.

Mais pas cette fois-ci.

14

Waxey raccompagna Dinah à la Finca Vigía dans la Cadillac Eldorado rouge. Vu les circonstances, peut-être aurais-je dû la ramener
moi-même. J'aurais pu fournir à Noreen un peu de soutien alors
qu'il lui fallait s'occuper du chagrin de sa fille. Mais Waxey avait hâte
d'échapper au regard perçant, inquisiteur, de Meyer Lansky, comme
s'il avait l'impression que le gangster juif le soupçonnait d'avoir joué
un rôle dans le meurtre de Max Reles. De plus, il y avait de grandes
chances que j'aurais été une gêne plutôt qu'autre chose. Je n'avais
rien d'une épaule sur laquelle pleurer. Plus maintenant. Pas depuis la
guerre, quand tant de femmes allemandes avaient appris, par nécessité, à pleurer toutes seules.

Le chagrin : je n'avais plus la patience pour ça. À quoi bon avoir
du chagrin quand les gens mouraient ? Ça ne les faisait pas revenir,
c'est sûr. Et ils ne vous étaient pas particulièrement reconnaissants
de votre chagrin. Les vivants surmontent toujours la disparition des
morts. C'est ce que les morts ne peuvent pas comprendre. Si jamais
les morts revenaient, ils seraient seulement vexés de voir que vous
avez réussi malgré tout à surmonter leur disparition.

Il était environ quatre heures de l'après-midi lorsque je me sentis
de taille à me rendre chez Hemingway pour offrir mes condoléances.
En dépit du fait qu'elle m'avait privé d'un salaire de vingt mille dollars par an, la mort de Max ne m'inspirait aucun regret. Mais, pour
Dinah, j'étais prêt à faire semblant.

La Pontiac n'était pas là, seulement une Oldsmobile blanche avec un pare-soleil qu'il me sembla reconnaître.

Ramón m'autorisa à entrer, et je trouvai Dinah dans sa chambre. Elle était assise dans un fauteuil, fumant une cigarette, surveillée de près par un buffle d'eau à l'expression lugubre. Le buffle me ressemblait, et on voyait facilement pourquoi il avait l'air lugubre : la valise de Dinah était ouverte sur le lit. Remplie de ses vêtements comme si elle s'apprêtait à quitter le pays. Sur une table à côté du bras de son fauteuil étaient posés un verre et un cendrier en bois exotique. Elle avait les yeux rouges et semblait avoir pleuré toutes les larmes de son corps.

« Je suis venu voir comment vous alliez, dis-je.

— Comme vous pouvez le constater, répondit-elle calmement.

— Vous allez quelque part ?

— Je croyais que vous aviez été policier. »

Je souris.

« C'est ce que disait Max. Quand il voulait m'asticoter.

— Et ça marchait ?

— À l'époque, oui. Mais il n'y a plus grand-chose qui me fasse sortir de mes gonds. Je suis un peu plus cuirassé aujourd'hui.

— Eh bien, Max ne peut pas en dire autant. »

Je ne relevai pas.

« Que diriez-vous si je vous racontais que c'est ma mère qui l'a tué ?

— Je dirais que vous feriez mieux de garder ce genre de pensée délirante pour vous. Tous les amis de Max n'ont pas aussi mauvaise mémoire que moi.

— Mais j'ai vu le revolver. L'arme du meurtre. Dans l'appartement au Saratoga. C'était le revolver de ma mère. Celui qu'Ernest lui a donné.

— C'est une arme assez courante, dis-je. J'en ai vu des ribambelles pendant la guerre.

— Son revolver a disparu, rétorqua Dinah. J'ai déjà cherché. »

Je secouai la tête.

« Vous vous souvenez de l'autre jour ? Quand vous avez dit qu'elle était suicidaire ? J'ai emporté le revolver, au cas où elle déciderait de s'en servir contre elle-même. J'aurais dû vous en informer à ce moment-là. Désolé.

— Vous mentez. »

Elle avait raison, mais je n'étais pas près de l'admettre.

« Non, je ne mens pas.

— Le revolver a disparu et elle aussi.

— Il y a sûrement une raison simple à son absence.

— La raison étant qu'elle l'a tué. Elle l'a fait. Ou Alfredo Lopez. C'est sa voiture dehors. Ni l'un ni l'autre n'aimaient Max. Une fois, Noreen n'a pas hésité à me dire qu'elle voulait le tuer. Pour m'empêcher de l'épouser.

— Que savez-vous au juste de votre défunt petit ami ?

— Je sais que ce n'était pas précisément un saint, si c'est ce que vous insinuez. Il ne l'a jamais prétendu. » Elle rougit. « Où voulez-vous en venir ?

— À ceci : Max était très loin d'être un saint. Ça ne va pas vous plaire, mais vous allez l'entendre tout de même. Max Reles était un gangster. Durant la Prohibition, il avait été un bootlegger sans pitié. Abe, le frère de Max, était un tueur à gages avant que quelqu'un le jette par une fenêtre d'hôtel.

— Je ne veux pas vous écouter. »

Dinah se leva en secouant la tête, mais je la forçai à se rasseoir.

« Si. Vous allez écouter parce que vous ne l'avez encore jamais entendu, en fait. Ou, dans le cas contraire, vous avez sans doute préféré vous enfouir la tête dans le sable comme une stupide petite autruche. Vous allez écouter parce que c'est la vérité. Chaque fichu mot. Max Reles trempait dans tous les sales trafics possibles et imaginables. Plus récemment, il a fait partie d'un syndicat du crime créé en 1930 par Charlie Luciano et Meyer Lansky. S'il a pu poursuivre ses activités, c'est que ça ne le dérangeait pas de supprimer ses concurrents.

— Taisez-vous. Ce n'est pas vrai.

— Il m'a raconté lui-même avoir liquidé avec Abe deux gangsters, les frères Shapiro, en 1933. Dont un qu'il a enterré vivant. À la fin de la Prohibition, il s'est lancé dans le racket de la main-d'œuvre. Lequel se déroulait en partie à Berlin, où j'ai fait sa connaissance.

Alors qu'il était là, il a tué un homme d'affaires allemand nommé Rubusch, qui refusait de céder à ses intimidations. Je l'ai moi-même vu tuer deux autres personnes. Dont une prostituée nommée Dora, avec qui il avait une liaison. Il lui a tiré une balle dans la tête avant de balancer son corps dans un lac. Elle respirait encore quand elle a touché l'eau.

— Dehors ! fit-elle d'un ton brusque. Fichez le camp d'ici.

— Et peut-être que votre mère vous a déjà parlé de l'homme qu'il a assassiné sur un paquebot entre New York et Hambourg.

— Je ne l'ai pas crue et je ne vous crois pas non plus.

— Bien sûr que si. Vous le croyez de bout en bout. Parce que vous n'êtes pas idiote, Dinah. Vous avez toujours su quel genre de personnage c'était. Peut-être que ça vous plaisait. Que ça vous donnait de petits frissons d'excitation d'être avec quelqu'un comme ça. Ce sont des choses qui arrivent. Nous éprouvons tous une fascination pour les êtres vivant dans l'ombre. Peut-être est-ce ça, je n'en sais rien, et en réalité je m'en fiche. Mais, même si vous ne saviez pas que Max Reles était un gangster, vous deviez vous en douter. Et même fortement, vu les énergumènes qu'il fréquentait. Meyer et Jake Lansky, Santo Trafficante, Norman Rothman, Vincent Alo. Tous des gangsters. Lansky étant le plus tristement célèbre. Il y a quatre ans de ça, il comparaissait devant une commission sénatoriale enquêtant sur le crime organisé aux États-Unis. De même que Max. Raison pour laquelle ils sont venus à Cuba.

« Je sais que Max a assassiné six personnes, mais je suis certain qu'il y en a un tas d'autres. Des gens qui l'ont contrarié. Des gens qui lui devaient de l'argent. Des gens qui ont juste eu le malheur de se trouver sur son chemin. Il m'aurait tué, moi aussi, si je n'avais pas su quelque chose de compromettant à son sujet. Quelque chose qu'il ne pouvait pas courir le risque d'ébruiter. Max a été abattu avec un revolver. Mais sa propre arme de prédilection était un pic à glace qu'il enfonçait dans l'oreille de ses victimes. Voilà quel genre d'homme c'était, Dinah. Un gangster pourri, sanguinaire. Un des nombreux gangsters pourris et sanguinaires qui dirigent les hôtels et casinos de La Havane, dont chacun avait probablement de bonnes raisons de vouloir se débarrasser de Max Reles.

« Alors, cessez vos divagations ridicules sur votre mère. Croyez-moi, elle n'a rien à voir là-dedans. Tenez votre langue, ou elle finira par se faire tuer à cause de vous. Et vous également, s'il s'avère que vous devenez gênante. Ne répétez à personne ce que vous m'avez dit. Vous avez compris ? »

Dinah acquiesça, de mauvaise grâce.

Je montrai le verre près de son bras.

« Vous le buvez ? »

Elle le considéra puis secoua la tête.

« Non. D'ailleurs, je n'aime pas le whisky. »

Je tendis la main et le pris.

« Vous permettez ?

— Je vous en prie. »

Je vidai le contenu, que je gardai un instant dans ma bouche avant de laisser le whisky couler lentement dans ma gorge.

« Je parle trop, dis-je. Mais voilà qui aide certainement. »

Elle secoua la tête.

« Très bien. Vous avez raison. Je me doutais qu'il était comme ça. Mais j'avais peur de le quitter. Peur de ce qu'il pourrait faire. Au début, c'était juste une manière de m'amuser un peu. Je m'ennuyais ici. Max m'a présentée à des gens que je connaissais uniquement par les journaux. Frank Sinatra. Nat King Cole. Vous imaginez ? » Elle hocha la tête. « Vous avez raison. Et comme vous l'avez dit, ça me pendait au nez.

— Nous faisons tous des erreurs. Dieu sait que j'en ai fait moi-même quelques-unes. » Il y avait un paquet de cigarettes sur le haut de ses vêtements dans la valise. Je l'attrapai. « Vous permettez ? J'ai arrêté. Mais une clope ne serait pas de refus.

— Servez-vous. »

Je l'allumai promptement et aspirai quelques bouffées pour tenir compagnie au whisky.

« Où irez-vous ?

— Aux États-Unis. À Rhode Island et Brown University, comme le voulait ma mère. Je suppose.

— Et le chant ?

— C'est Max qui vous a dit ça, je présume ?

– En fait, oui. Il semblait avoir la plus grande estime pour vos talents. »

Dinah sourit tristement.

« Je ne sais pas chanter. Même si Max avait l'air de penser le contraire. Je me demande bien pourquoi. Je suppose qu'il avait une haute opinion de moi sur tous les plans, y compris celui-là. Mais je ne sais pas chanter et je ne sais pas jouer la comédie. Pendant un moment, ça a été agréable de faire comme si tout ça était possible. Mais, au fond de moi, je savais que ce n'étaient que des chimères. »

Une voiture remonta l'allée. Je regardai par la fenêtre ouverte et vis la Pontiac s'arrêter à côté de l'Oldsmobile. Les portières s'écartèrent, et un homme et une femme en descendirent. Ils ne portaient pas de vêtements de plage, mais c'est quand même de là qu'ils venaient, et il n'y avait pas besoin d'être détective pour s'en rendre compte. Dans le cas d'Alfredo Lopez, le sable se trouvait principalement sur ses genoux et ses coudes ; dans le cas de Noreen, presque partout ailleurs. Ils ne me virent pas. Ils étaient bien trop occupés à se sourire et à s'épousseter tandis qu'ils montaient d'un pas nonchalant les marches menant à la porte d'entrée. Son sourire à elle vacilla un peu lorsqu'elle m'aperçut à la fenêtre. Peut-être rougit-elle. C'est possible.

Je gagnai le hall et les rencontrai alors qu'ils franchissaient la porte. Leur sourire avait eu le temps de virer à la culpabilité, mais une culpabilité n'ayant rien à voir avec la mort de Max Reles. De ça, j'étais certain.

« Bernie, lança-t-elle avec gêne. Quelle charmante surprise.

– Si tu le dis. »

Noreen se dirigea vers le chariot à boissons et entreprit de s'en confectionner une solide. Lopez fumait une cigarette, l'air penaud, tout en faisant semblant de lire un magazine sur un porte-revues de la taille d'un kiosque à journaux.

« Qu'est-ce qui t'amène ? » demanda-t-elle.

Jusqu'ici, elle avait fait un travail formidable pour ne pas croiser mon regard. Non que j'essayais vraiment de capter le sien. Mais nous savions tous les deux que je savais ce que Lopez et elle avaient fait. On pouvait littéralement le sentir sur eux. Comme de la friture. Je décidai de donner une brève explication puis de déguerpir.

« Je suis venu voir si Dinah allait bien, répondis-je.

– Pourquoi est-ce qu'elle n'irait pas bien ? Il s'est passé quelque chose ? » Noreen me regardait, son inquiétude pour sa fille l'emportant provisoirement sur son embarras. « Où est-elle ? Comment va-t-elle ?

– Très bien. Mais Max Reles n'a pas l'air au mieux de sa forme, pour la bonne raison que quelqu'un lui a collé sept balles dans la peau en fin de soirée. En fait, il est mort. »

Noreen cessa un instant de préparer sa boisson.

« Je vois, dit-elle. Pauvre Max. » Puis elle fit la grimace. « Écoutez-moi. Quelle fichue hypocrite je fais. Comme si j'étais réellement désolée de sa mort. Sans compter que ça ne me surprend pas outre mesure, sachant ce qu'il était. » Elle secoua la tête. « Pardon d'avoir l'air insensible. Comment est-ce que Dinah prend ça ? Oh, Seigneur… elle n'était pas là, n'est-ce pas, quand il…

– Non, elle n'était pas là. Dinah va très bien. Elle commence déjà à remonter la pente, comme tu peux t'en douter.

– Est-ce que la police a une idée de qui a tué Max ? demanda Lopez.

– Eh bien, telle est la question, n'est-ce pas ? J'ai eu l'impression que c'est le genre de crime dont les flics espèrent qu'il se résoudra tout seul. Ou que quelqu'un le résoudra à leur place. »

Lopez hocha la tête.

« Oui, vous avez probablement raison. La milice de La Havane peut difficilement se mettre à poser un tas de questions sans prendre le risque de faire chavirer toute la charrette de pommes pourries. Au cas où il se révélerait qu'un des autres gangsters de La Havane est responsable de la mort de Max. Il n'y a jamais eu de règlement de comptes à Cuba. Pas à l'encontre d'un caïd. La dernière chose dont Batista a besoin, j'imagine, c'est d'une guerre des gangs à sa porte. » Il sourit. « Oui, je crois que je suis heureux de pouvoir dire que la dimension politique de cette histoire paraît abominablement compliquée. »

Comme le montrerait la suite, les choses étaient encore beaucoup plus compliquées que ça.

15

Je rentrai vers sept heures et mangeai le dîner froid que Yara m'avait laissé dans une assiette couverte. En mastiquant, je parcourus le journal du soir. Il y avait une jolie photo de Marta, l'épouse du président, inaugurant une école dans Boyeros; et quelque chose à propos de la visite prochaine à La Havane de George Smathers, le sénateur de Floride. Mais aucune mention de Max Reles, même pas dans la rubrique nécrologique. Après le dîner, je me servis un verre. Rien de transcendant. Je me contentai de verser de la vodka du réfrigérateur dans un verre propre et de la boire. Après quoi, je me préparai à prendre la place de l'ami mort de Montaigne. Ce qui semblait une assez bonne définition d'un lecteur. Quand le téléphone se mit soudain à sonner, me rappelant qu'il y a des fois où un ami mort est votre meilleur ami.

Mais ce n'était pas un ami. C'était Meyer Lansky, et il n'avait pas l'air content.

« Gunther ?

– Oui.

– Où donc étiez-vous passé ? J'ai appelé tout l'après-midi.

– Je suis allé voir Dinah, la petite amie de Max.

– Ah. Comment va-t-elle ?

– Comme vous avez dit. Elle s'en remettra.

– Écoutez, Gunther, je veux vous parler, mais pas au téléphone. Je n'aime pas les téléphones. Je les ai toujours eus en horreur. Ce numéro : 7-8075. C'est un numéro de Vedado, non ?

– Oui. J'habite dans Malecón.

– Alors nous sommes pratiquement voisins. J'occupe une suite à l'hôtel National. Pouvez-vous venir à neuf heures ? »

Je retournai mentalement quelques excuses polies, mais aucune ne semblait suffisamment polie pour un gangster comme Meyer Lansky. Aussi je répondis :

« Bien sûr. Pourquoi pas ? Une petite promenade le long du front de mer ne me ferait pas de mal.

– Rendez-moi un service, voulez-vous ?

– Je pensais que j'étais en train de le faire.

– En venant ici, achetez-moi deux paquets de Parliament. L'hôtel est à court. »

Je suivis le Malecón vers l'est, achetai les cigarettes de Lansky et entrai dans le plus grand hôtel de la ville. Ça ressemblait davantage à une cathédrale que la cathédrale de La Havane dans Empedrado. Le hall surpassait et de loin la nef de San Cristobal, avec un plafond en bois joliment peint qui aurait rendu jaloux bien des palais médiévaux. De plus, ça sentait bien meilleur que dans une cathédrale, dans la mesure où il y grouillait une masse humaine bien lavée, sinon parfumée, même si, à mes yeux d'expert, l'hôtel proprement dit paraissait salement en sous-effectif, avec de longues files de clients devant la réception, la caisse et la conciergerie, telle une foule faisant la queue pour acheter des billets dans une gare de chemin de fer. Quelque part, quelqu'un jouait sur un piano de pacotille rappelant un cours de danse dans une école de ballet pour filles. Il y avait quatre horloges disposées sur toute la longueur du hall. Dont aucune n'était synchronisée, et elles sonnaient l'heure l'une après l'autre comme si le temps lui-même était une notion élastique à La Havane. Près des portes de l'ascenseur, un mur s'ornait d'un portrait en pied du président et de son épouse, tous deux habillés en blanc – elle avec un tailleur deux pièces sur mesure et lui un uniforme militaire de style tropical. On aurait dit une version des Perón à prix réduit.

Je pris l'ascenseur jusqu'au sommet de l'édifice. Contrairement à l'atmosphère d'une gare de chemin de fer, l'étage de direction était d'un calme sépulcral. Très probablement encore plus calme, la plupart des sépulcres n'étant pas tapissés de moquettes à dix dollars le mètre carré. Les portes des suites de direction étaient toutes à claire-voie, sans doute pour favoriser la circulation de l'air ou de la fumée de cigare. L'étage sentait autant qu'une cave de producteur de tabac.

La suite de Lansky était la seule à avoir son propre portier. C'était un grand gaillard, avec des manches carrées et un torse comme un planning de tâches ménagères. Il pivota pour me faire face alors que j'avançais aussi silencieusement que Hiawatha le long du couloir, et je le laissai me fouiller comme s'il cherchait ses allumettes dans mes poches. Il ne les trouva pas. Puis il ouvrit la porte, me faisant entrer dans une suite de la taille d'un club de billard désert. L'atmosphère n'était pas moins feutrée. Mais, au lieu d'un autre Juif à la glande pituitaire hyperactive, je fus accueilli par une petite rousse aux yeux verts, d'une quarantaine d'années, ayant l'allure d'une coiffeuse de New York. Elle me sourit aimablement, me dit s'appeler Teddy et être la femme de Meyer Lansky. Puis elle me fit traverser une salle de séjour jusqu'à des fenêtres coulissantes donnant sur un balcon couvert.

Assis sur une chaise en osier, Lansky regardait fixement la mer dans l'obscurité tel Canut.

« Vous ne pouvez pas la voir, dit-il. Mais vous pouvez assurément la sentir. Et vous pouvez l'entendre. Écoutez. Écoutez ce bruit. »

Il leva son index comme pour attirer mon attention sur le chant d'un rossignol dans Berkeley Square.

J'écoutai attentivement. À mes oreilles peu fiables, cela ressemblait en tout point au bruit de la mer.

« Ce va-et-vient continuel des vagues. Tout change dans ce monde pourri, mais pas ce bruit. Depuis des milliers d'années, ce bruit est toujours le même. Un bruit dont je ne me lasse jamais. » Il poussa un soupir. « Et il y a des moments où je me sens terriblement las de presque tout. Ça ne vous arrive jamais, Gunther ? De vous sentir las ?

— Las ? Mr Lansky, il y a des moments où je me sens tellement las des choses que je me dis que je devrais être mort. S'il n'y avait le fait que je dors très bien, la vie serait presque insupportable. »

Je lui donnai ses cigarettes. Il se mit à sortir son portefeuille jusqu'à ce que je l'arrête.

« Gardez ça. J'aime bien l'idée que vous me deviez de l'argent. Ça paraît plus sûr que le contraire. »

Lansky sourit.

« Vous buvez quelque chose ?

— Non, merci. Je préfère avoir l'esprit clair quand je parle affaires avec Satan.

— C'est ce que je suis pour vous ? »

Je haussai les épaules.

« Qui s'assemble se ressemble. » Je le regardai allumer une des cigarettes puis ajoutai : « Je veux dire, c'est pour ça que je suis ici, non ? Pour affaires ? Je suppose que vous ne m'avez pas fait venir pour me raconter quel type fantastique était Max. »

Lansky me lança un regard aigu.

« Avant de mourir, Max m'a tout dit sur vous. Ou du moins tout ce qu'il savait. Gunther, j'irai droit au fait. Il y a trois raisons pour lesquelles Max voulait que vous travailliez pour lui. Vous êtes un ancien flic. Vous connaissez les hôtels et vous n'êtes affilié à aucune des familles qui possèdent des intérêts ici à La Havane. Il y a deux de ces raisons et une à moi qui me font penser que vous êtes l'homme qu'il faut pour découvrir qui a tué Max. Écoutez-moi jusqu'au bout, s'il vous plaît. S'il y a bien une chose que nous ne pouvons pas avoir à La Havane, c'est une guerre des gangs. C'est déjà suffisamment difficile avec les rebelles. Nous n'avons pas besoin de problèmes en plus. Nous ne pouvons pas compter sur les flics pour mener une enquête en bonne et due forme. Comme vous l'avez sûrement compris d'après la conversation que vous avez eue avec le capitaine Sanchez. À vrai dire, ce n'est pas un mauvais flic. Mais j'ai bien aimé la façon dont vous l'avez rembarré. Et j'ai l'impression que vous n'êtes pas quelqu'un qui se laisse facilement intimider. Pas par les flics. Pas par moi. Pas par mes associés.

« Bref, j'ai discuté avec quelques-unes des personnes que vous avez rencontrées hier soir et nous ne souhaitons pas vous voir diriger le Saratoga, comme c'était convenu entre Max et vous. À la place, nous aimerions que vous enquêtiez sur la mort de Max. Le capitaine Sanchez vous fournira toute l'assistance que vous désirez, mais vous aurez carte blanche, pour ainsi dire. Tout ce que nous voulons, c'est éviter tout litige éventuel entre nous. Vous faites ça, Gunther, vous enquêtez sur ce meurtre, et je vous devrai bien plus que le prix de deux paquets de cigarettes. D'une part, je vous paierai ce que vous aurait donné Max. Et, d'autre part, je serai votre ami. Réfléchissez à ça avant de dire non. Je peux être un excellent ami pour les gens qui m'ont rendu service. De toute façon, nous sommes tous d'accord, mes associés et moi. Vous pourrez aller où vous voudrez. Parler à qui vous voudrez. Les pontes, les soldats. Partout où vous conduiront les indices. Sanchez ne se mettra pas en travers de votre chemin. Dites-lui de sauter, il demandera à quelle hauteur.

— Il y a bien longtemps que j'ai enquêté sur un meurtre, Mr Lansky.

— Je n'en doute pas.

— Et je ne suis plus aussi diplomate qu'avant. Dag Hammarskjöld, ce n'est pas moi. Supposez que je découvre qui a tué Max. Que se passera-t-il ensuite ? Vous y avez songé ?

— Laissez-moi m'occuper de ça. Veillez à interroger chacun. Et à ce que chacun vous donne un alibi. Norman Rothman et Lefty Clark au Sans Souci. Santo Traficante au Tropicana. Mes propres hommes, les frères Cellini au Montmartre. Joe Stassi, Tom McGinty, Charlie White, Joe Rivers, Eddie Levison, Moe Dalitz, Sam Tucker, Vincent Alo. Sans oublier les Cubains, bien sûr : Amedeo Barletta et Amleto Battisti — aucun lien de parenté — à l'hôtel Sevilla. Du calme. Je vous fournirai une liste qui pourra vous servir de point de départ. Une liste de suspects si vous aimez mieux. Avec mon nom tout en haut.

— Ça pourrait prendre un moment.

— Naturellement. Vous voudrez faire les choses à fond. Et, pour que tout le monde sache que c'est équitable, vous ne devrez omettre personne. Il faut que la justice se voie pour être rendue, pour ainsi dire. » Il jeta la cigarette par-dessus le balcon. « Eh bien, vous êtes d'accord ? »

J'opinai. Je n'avais pas encore trouvé d'excuse suffisamment polie à opposer au petit homme, surtout après qu'il eut offert d'être mon ami. De plus, il valait mieux être prudent.

« Vous pouvez commencer tout de suite. »

– Cela vaudrait probablement mieux.

– Qu'est-ce que vous allez faire en premier ? »

Je haussai les épaules.

« Retourner au Saratoga. Voir si quelqu'un a remarqué quelque chose. Jeter un nouveau coup d'œil à la scène de crime. Parler à Waxey, je présume.

– Il vous faudra d'abord le retrouver, répliqua Lansky. Waxey a disparu. Il a ramené la fille chez elle ce matin, et personne ne l'a revu depuis. » Il eut un haussement d'épaules. « Peut-être qu'il réapparaîtra à l'enterrement.

– Quand est-ce ?

– Après-demain. Au cimetière juif de Guanabacoa.

– Je connais. »

Mon chemin pour revenir du National m'obligeait à repasser devant la Casa Marina. Et cette fois, j'entrai.

16

Le lendemain matin, il faisait beau mais venteux, et les vagues de ce milieu d'hiver s'abattaient sur le Malecón tel un déluge envoyé par un dieu attristé par la méchanceté du genre humain. Je me réveillai de bonne heure en me disant que j'aurais bien dormi un peu plus longtemps, ce que j'aurais probablement fait si le téléphone ne s'était pas mis à sonner. Soudain, tout le monde à La Havane semblait avoir envie de me parler.

C'était le capitaine Sanchez.

« Comme va le grand détective ce matin ? »

Il n'avait pas l'air particulièrement ravi à l'idée que je joue les limiers pour Lansky. Ça ne me plaisait pas trop à moi non plus.

« Encore au lit, répondis-je. Je me suis couché tard.

— Des suspects à interroger ? »

Je songeai aux filles à la Casa Marina et à la manière dont Doña Marina, qui dirigeait également une chaîne de boutiques de lingerie dans La Havane, réagissait quand vous posiez des tas de questions à ses filles avant de décider laquelle emmener au troisième étage.

« On peut dire ça.

— Vous pensez trouver l'assassin aujourd'hui ?

— Aujourd'hui, sans doute pas. Pas un temps pour ça.

— Vous avez raison, dit Sanchez. C'est une journée pour trouver des corps, pas ceux qui les ont tués. Tout à coup, nous voilà avec des cadavres aux quatre coins de la ville. Il y en a un dans le port, aux installations pétrochimiques de Regla.

— Est-ce que je suis les pompes funèbres ? Pourquoi me dites-vous ça ?

— Parce qu'il conduisait une voiture quand il est tombé à l'eau. Mais pas n'importe quelle voiture. Une grosse Cadillac Eldorado rouge. Décapotable. »

Je fermai les yeux une seconde. Puis je dis :

« Waxey.

— Nous ne l'aurions jamais retrouvé si un bateau de pêche n'avait pas accroché le pare-chocs en tirant son ancre et remonté la voiture à la surface. Je suis à présent en route pour Regla. Je me disais que vous aimeriez peut-être venir.

— Pourquoi pas ? Ça fait un moment que je ne suis pas allé pêcher.

— Soyez devant votre immeuble dans quinze minutes. Nous irons là-bas ensemble. En chemin, vous pourrez peut-être me refiler quelques tuyaux pour devenir un bon détective.

— Ce ne serait pas la première fois que je fais ça.

— Je plaisantais, dit-il avec raideur.

— Alors voilà un excellent début, capitaine. Si vous voulez devenir un bon détective, il vous faudra avoir le sens de l'humour. C'est mon premier tuyau. »

Vingt minutes plus tard, nous pénétrions dans Regla après avoir fait le tour du port. C'était une petite ville industrielle, facilement reconnaissable de loin aux panaches de fumée s'échappant de l'usine pétrochimique, même si, historiquement, elle était mieux connue comme un haut lieu de la Santeria et l'endroit où se déroulaient les *corridas* de La Havane jusqu'à ce que l'Espagne perde le contrôle de l'île.

Sanchez conduisait la grosse berline noire de la police comme un taureau de combat, chargeant les feux rouges, freinant au dernier moment ou tournant brusquement et sans prévenir à gauche ou à droite. Lorsque nous nous arrêtâmes en exécutant un dérapage au bout d'une longue jetée, j'étais prêt à enfoncer une épée dans les muscles de son cou.

Un petit groupe de policiers et de dockers s'étaient rassemblés pour observer l'arrivée d'une barge et de la voiture engloutie qu'elle avait retirée de l'ancre du bateau de pêche et hissée sur un énorme tas de charbon. La voiture elle-même ressemblait à une variété fantastique de poisson de pêche sportive, un marlin rouge – si une telle chose existait –, ou à une espèce gigantesque de crustacé.

Je descendis à la suite de Sanchez des marches en pierre rendues glissantes par la récente marée haute et, comme un des hommes à bord de la barge se saisissait d'un anneau d'amarrage, nous sautâmes sur le pont en mouvement.

Le capitaine de la barge s'approcha pour parler à Sanchez, mais je ne comprenais pas ce qu'il disait à cause de son accent cubain à couper au couteau, ce qui arrivait assez fréquemment quand je quittais La Havane. Du genre bourru, il arborait un luxueux cigare qui était ce qu'il y avait de plus propre et de plus respectable chez lui. Le reste de l'équipage faisait cercle autour de nous, mâchant du chewing-gum et attendant un ordre. Lequel finit par venir, et d'un bond l'un des hommes escalada la montagne de charbon, qu'il recouvrit d'une bâche pour que Sanchez et moi puissions grimper jusqu'à la voiture sans devenir aussi dégoûtants que lui. Nous nous hissâmes péniblement sur la bâche et gravîmes avec précaution la pente de charbon instable pour jeter un coup d'œil au véhicule. La capote blanche, relevée, était sale mais pratiquement intacte. Le pare-chocs avant que le bateau de pêche avait accroché était sérieusement tordu. L'intérieur évoquait davantage un aquarium. Mais, pour Dieu sait quelle raison, la Cadillac rouge parvenait encore à avoir l'air de la plus belle voiture de La Havane.

Ayant toujours à l'esprit l'uniforme bien repassé de Sanchez, l'homme d'équipage nous avait devancés afin d'ouvrir la porte du conducteur avec l'aval du capitaine. Lorsque le feu vert lui fut donné et que la porte s'ouvrit, un torrent s'échappa de la voiture, trempant les jambes de l'homme d'équipage pour le plus grand amusement de ses collègues en train de jacasser.

Le chauffeur de la Cadillac se pencha lentement au-dehors comme un homme qui s'endort dans son bain. Pendant un instant, je crus que le volant l'empêcherait de sortir, mais la barge plongea dans la mer agitée, puis remonta, faisant basculer le cadavre sur la bâche tel un paquet de linge sale. C'était effectivement Waxey, et, bien qu'il eût l'aspect d'un noyé, ce n'était pas la mer qui l'avait tué (ni de la musique tonitruante) même si ses oreilles, ou ce qu'il en restait, étaient incrustées de ce qui ressemblait à du corail rouge sombre.

« C'est bien triste, dit Sanchez.

— Je ne le connaissais pas vraiment.

— La voiture, je veux dire. La Cadillac Eldorado est celle que je préfère entre toutes. » Il secoua la tête, admiratif. « Magnifique. J'aime bien le rouge. C'est une jolie couleur. Mais, pour ma part, je pense que je l'aurais prise noire, avec des pneus à flanc blanc et une capote blanche. Le noir fait plus classe, d'après moi.

— Le rouge semble être la couleur du moment, dis-je.

— Vous parlez de ses oreilles ?

— Pas de sa manucure.

— Une balle dans chaque oreille, semble-t-il. Un message, hein ?

— Comme si c'était Cable & Wireless, capitaine.

— Il a entendu quelque chose qu'il n'aurait pas dû.

— Retournez la médaille. Il n'a pas entendu quelque chose qu'il aurait dû.

— Comme quelqu'un tirant sur son employeur sept fois dans la pièce d'à côté, vous voulez dire ? »

J'acquiesçai.

« Vous croyez qu'il était impliqué dans le meurtre ?

— Posez-lui la question.

— Je suppose que nous ne le saurons jamais avec certitude. » Sanchez ôta sa casquette à visière et se gratta la tête. « Dommage, murmura-t-il.

— Encore la voiture ?

— Que je n'aie pas pu l'interroger avant. »

17

Les Juifs arrivaient à Cuba depuis l'époque de Colomb. Beaucoup de ceux auxquels on avait refusé l'entrée des États-Unis dans un passé plus récent s'étaient vu offrir l'asile par les Cubains, qui, en référence au pays d'où la plupart venaient, les appelaient des *polacos*. À en juger par le nombre de tombes du cimetière juif de Guanabacoa, il y avait beaucoup plus de *polacos* à Cuba qu'on n'aurait pu le penser. Le cimetière se trouvait sur la route de Santa Fé, derrière un portail imposant. Pas vraiment le mont des Oliviers, mais les tombes, toutes en marbre blanc, parsemaient une jolie colline dominant une plantation de manguiers. Il y avait même un petit monument aux victimes juives de la Seconde Guerre mondiale où, disait-on, plusieurs pains de savon avaient été enterrés en guise de rappel symbolique de leur destin présumé.

J'aurais pu dire à toute personne intéressée que, en dépit de la croyance aujourd'hui largement répandue selon laquelle les scientifiques nazis avaient fabriqué du savon avec les cadavres des Juifs assassinés, cela n'avait jamais existé. Traiter les Juifs de « savons » n'avait été qu'une très mauvaise plaisanterie parmi les membres de la SS, et, partant, une façon de plus de déshumaniser – et parfois de menacer – leurs victimes les plus nombreuses. Dans la mesure où les cheveux des détenus des camps de concentration avaient souvent été utilisés à l'échelle industrielle, qualifier les Juifs de « feutres » – feutre pour les vêtements, les matériaux d'isolation, les tapis et dans l'industrie automobile allemande – aurait été une dénomination beaucoup plus exacte.

Mais ce n'est pas ce que les gens venus aux obsèques de Max Reles avaient envie d'entendre.

Je fus moi-même légèrement surpris lorsqu'on m'offrit une kippa devant la porte du Guanabacoa. Non que je ne m'attendais pas à me couvrir la tête à un enterrement juif. J'avais déjà mon chapeau. Ce qui m'étonna dans le fait de me voir proposer une kippa, ce fut la personne qui me la tendit. Il s'agissait de Szymon Woytak, le Polonais cadavérique propriétaire du magasin de souvenirs nazis dans Maurique. Il en portait une lui-même, ce qui, joint à sa présence à l'enterrement, me parut constituer un fort indice qu'il était juif lui aussi.

« Qui s'occupe de la boutique ? » lui demandai-je.

Il eut un haussement d'épaules.

« Je ferme toujours quelques heures quand je donne un coup de main à mon frère. C'est le rabbin qui lit le Kaddish pour votre ami Max Reles.

— Et vous êtes quoi ? Le marchand de programmes ?

— Je suis le chantre. Je chante les psaumes et ce que désire d'autre la famille du défunt.

— Comme le *Horst-Wessel* ? »

Woytak sourit patiemment et passa une kippa à la personne derrière moi.

« Écoutez, il faut bien que chacun gagne sa vie, non ? »

Il n'y avait pas de famille. Pas à moins de compter la pègre juive de La Havane. En tête, les frères Lansky, Teddy, la femme de Meyer, Moe Dalitz, Norman Rothman, Eddie Levinson, Morris Kleinman et Sam Tucker. Mais cela ne manquait pas de gentils à part moi : Santo Trafficante, Vincent Alo, Tom McGinty et les frères Cellini, pour n'en citer que quelques-uns. Ce qui me sembla intéressant – et ce qui aurait pu présenter un intérêt pour les théoriciens raciaux du Troisième Reich – étant à quel point tout le monde a l'air juif avec une kippa.

Plusieurs fonctionnaires gouvernementaux et policiers, dont le capitaine Sanchez, étaient là aussi. Batista n'assista pas aux funérailles de son ancien associé par crainte d'être assassiné. C'est en tout cas ce que Sanchez me raconta par la suite.

Noreen et Dinah ne vinrent pas non plus. Du reste, je ne m'attendais pas à les voir. Noreen pour la simple raison qu'elle avait peur de Reles autant qu'elle le détestait. Dinah parce qu'elle était déjà rentrée aux États-Unis. Comme c'était exactement ce que Noreen avait toujours voulu que fasse sa fille, elle devait être bien trop heureuse, j'imagine, pour se rendre à un enterrement. Pour ce que j'en savais, elle était retournée à la plage avec Lopez. Ce qui ne me regardait pas. Ou, du moins, c'est ce que je n'arrêtais pas de me répéter.

Alors que les porteurs amenaient cahin caha le cercueil près de la tombe, le capitaine Sanchez surgit à côté de moi. Nous n'étions pas encore amis, mais je commençais à le trouver sympathique.

« Quel est cet opéra allemand où le meurtrier est désigné par sa victime ? demanda-t-il.

— *Götterdämerung*, répondis-je. *Le Crépuscule des dieux.*

— Peut-être aurons-nous de la chance. Si ça se trouve, Reles nous le montrera du doigt.

— Je me demande ce que ça donnerait devant un tribunal.

— Nous sommes à Cuba, mon cher, rétorqua Sanchez. Dans ce pays, les gens croient encore au Baron Samedi. » Il baissa la voix. « Et à propos de notre seigneur de la mort vaudou, nous avons notre propre créature du monde invisible ici avec nous aujourd'hui. Celle qui accompagne les âmes de la terre des vivants jusqu'au cimetière. Sans parler de deux de ses plus sinistres avatars. L'homme en uniforme beige qui ressemble à un général Franco jeune ? C'est le colonel Antonio Blanco Rio, chef du service de renseignement militaire cubain. Croyez-moi, *señor*, cet homme a fait disparaître plus d'âmes à Cuba que n'importe quel esprit vaudou. Le type à sa gauche est le colonel Mariano Faget, de la milice. Pendant la guerre, Faget dirigeait une unité de contre-espionnage qui a réussi à détecter plusieurs agents nazis signalant les mouvements des sous-marins américains et cubains aux Allemands.

— Que leur est-il arrivé ?

— Ils ont été fusillés.

— Intéressant. Et le troisième homme ?

– L'officier de liaison de Faget avec la CIA. Le lieutenant José Castaño Quevedo. Un très vilain personnage.

– Et pourquoi sont-ils là au juste ?

– Pour rendre hommage au disparu. Il est certain que, de temps à autre, le président demandait à votre ami Max de payer ces hommes en s'arrangeant pour qu'ils gagnent dans son casino. En fait, généralement, ils n'ont même pas à se donner le mal de jouer. Ils débarquent dans le salon privé du Saratoga, ou d'ailleurs de n'importe quel autre des casinos, et ramassent quelques poignées de jetons qu'ils vont changer à la caisse. Naturellement, le *señor* Reles savait parfaitement comment s'y prendre avec ce genre d'individus. Et on peut gager qu'ils auront fait de sa mort une affaire tout ce qu'il y a de personnelle. Aussi s'intéressent-ils vivement aux progrès de votre enquête.

– Vraiment ?

– Vous pouvez y compter. Peut-être l'ignorez-vous, mais ce n'est pas seulement pour Meyer Lansky que vous travaillez, mais pour eux aussi.

– Voilà qui est réconfortant.

– Vous devriez surtout vous méfier du lieutenant Quevedo. Il est très ambitieux, ce qui n'est pas une bonne chose pour un policier ici à Cuba.

– Vous n'êtes pas ambitieux, capitaine Sanchez ?

– J'en ai l'intention. Mais pas pour le moment. Je serai ambitieux après les élections d'octobre. Jusqu'à ce que je voie qui l'emporte, rien ne me plaira davantage que de faire très peu de chose dans ma carrière. À propos, le lieutenant m'a demandé de vous espionner.

– Ça semble plutôt présomptueux de vous demander ça à vous, un capitaine.

– À Cuba, un grade ne constitue pas un indicateur de l'importance de quelqu'un. Par exemple, le directeur de la police nationale est le général Canizares, mais chacun sait que le pouvoir appartient en réalité à Blanco Rio et au colonel Piedra, le chef de notre bureau d'investigation. De la même façon, avant de devenir président, Batista était l'homme le plus puissant de Cuba. Maintenant qu'il l'est, il ne l'est plus, si vous voyez ce que je veux dire. Actuellement, tout le pouvoir se trouve aux mains de l'armée et de la police. Raison pour laquelle Batista se croit toujours la cible d'assassins. En un sens, c'est son travail. De détourner l'attention. Parfois, mieux vaut se faire passer pour ce qu'on n'est pas. Vous ne croyez pas ?

– Capitaine. C'est toute l'histoire de ma vie. »

18

Deux jours plus tard, j'étais au Tropicana, où je regardais le spectacle en attendant de parler aux frères Cellini. La chair nue était à l'ordre du jour pour les interprètes, et même des tas. Ils s'efforçaient de rendre la chose plus attrayante en arborant des paillettes et des triangles à des endroits judicieusement placés, mais le résultat était à peu près le même : du bacon avec du fromage dessus, quel que soit le mode de préparation. La plupart des garçons donnaient l'impression qu'ils auraient été beaucoup plus contents dans une robe de cocktail. Quant aux filles, elles n'avaient pas l'air contentes du tout. Tous souriaient, mais les sourires sur leurs petits visages rigides avaient été moulés à l'envers à l'usine de poupées. En même temps, ils dansaient avec toute la joie de vivre de gosses qui savent que la première pirouette ratée ou le moindre levé de jambe non synchronisé leur vaudrait un aller simple pour Matanzas ou tout autre bled de bouseux dont ils venaient.

Située dans Truffin Avenue, à Marianao, une des banlieues de La Havane, le Tropicana occupait le luxuriant jardin paysager d'une villa – aujourd'hui détruite – ayant appartenu à l'ambassade américaine à Cuba. La villa avait fait place à un bâtiment d'une saisissante modernité, avec cinq voûtes semi-circulaires en béton armé reliant une série de plafonds vitrés qui créaient l'illusion d'un spectacle à demi-sauvage organisé sous les étoiles et les arbres. À côté de cet amphithéâtre, qui semblait tout droit sorti d'un film de science-fiction pornographique, une verrière plus petite abritait un casino. Lequel possédait même un salon privé muni d'une porte blindée derrière laquelle les responsables gouvernementaux pouvaient jouer sans crainte d'être assassinés.

Je n'étais pas plus intéressé par tout ça que par le spectacle, ou la musique de l'orchestre. La plupart du temps, je me contentais d'observer la cendre au bout de mon cigare ou les visages des gogos aux autres tables : des femmes avec les épaules nues et trop de maquillage, et des hommes avec des cheveux brillants de vaseline, des pinces à cravate et des costumes de joueurs de cricket. Deux ou trois fois, les filles vinrent se pavaner entre les tables, histoire de vous donner la possibilité d'examiner leur tenue de plus près et de vous demander comment un truc aussi petit pouvait protéger la pudeur d'une fille. J'avais les yeux encore éblouis par ces merveilles quand, à ma grande surprise, je vis soudain Noreen Eisner traverser la boîte dans ma direction. Contournant une fille toute poitrine et plumes, elle s'assit en face de moi.

Noreen était probablement la seule femme du Tropicana à ne pas exhiber soit un décolleté soit la cantine tout entière. Elle portait un tailleur deux pièces lavande avec des poches ajustées, des chaussures à hauts talons et deux rangées de perles. L'orchestre jouait trop fort pour qu'elle puisse dire quelque chose ou pour que je puisse l'entendre, de sorte que, jusqu'à la fin du numéro, nous nous regardâmes en silence en pianotant impatiemment sur la table. Ce qui me donna largement le temps de me demander ce qu'il y avait de si urgent pour qu'elle ait fait tout le trajet depuis la Finca Vigía. J'imaginais mal que sa présence ici puisse être une coïncidence. Je supposais qu'elle était passée à mon appartement en premier et que Yara lui avait dit où j'étais. Peut-être même avait-elle épanché sa bile parce que je ne lui avais pas permis de venir avec moi au Tropicana, ce qui signifiait que l'arrivée de Noreen n'aurait pas contribué à la convaincre que ma visite à la boîte de nuit était d'ordre strictement professionnel comme je l'avais prétendu. Il y aurait probablement une sorte de scène quand je rentrerais à la maison.

J'espérais que Noreen était là pour me dire ce que j'avais envie d'entendre. Elle avait l'air suffisamment grave pour ça en tout cas. Et sobre aussi. Ce qui représentait un changement. Elle tenait un sac de soirée bleu marine orné de perles avec décoration en chintz à fleurs brodées au petit point. Ouvrant le fermoir en argent, elle sortit un paquet d'Old Gold et en alluma une à l'aide d'un briquet laqué gris avec de petits rhinocéros dessus, la seule chose chez elle qui fût en totale conformité avec le Tropicana.

Comme la plupart des orchestres de La Havane, celui-ci dépassa quelque peu les limites du tolérable. Je ne possédais pas d'arme à feu à Cuba, mais, dans le cas contraire, j'aurais été ravi de me servir d'un ensemble de maracas ou d'un tambour de conga pour effectuer un petit exercice de tir – en fait, n'importe quel instrument latino-américain pourvu qu'il fût actuellement en usage. Finalement, je n'y tins plus. Je me levai et, prenant la main de Noreen, je l'entraînai vers la sortie.

« Au foyer, dit-elle. C'est là que tu passes tes moments de loisir, n'est-ce pas ? » Par habitude, elle me parlait en allemand. « Au temps pour Montaigne !

– En fait, il avait déjà écrit un essai sur cet endroit et sur la coutume de porter des vêtements. Ou pas. Si nous étions nés avec le besoin de mettre des robes et des pantalons, la nature, affirme-t-il, nous aurait sans nul doute pourvus d'une peau plus épaisse pour résister aux rigueurs des saisons. Dans l'ensemble, je le trouve plutôt bon. La plupart du temps, il voit juste. À vrai dire, la seule chose que ce brave homme n'explique pas, c'est pourquoi tu as pris la peine de venir jusqu'ici pour me voir. Encore que j'aie ma petite idée là-dessus.

– Allons-nous promener dans le jardin », dit-elle calmement.

Nous sortîmes. Le jardin du Tropicana était un paradis tropical planté de palmiers royaux et de gigantesques mamoncillos. D'après la sagesse populaire caribéenne, les filles apprennent l'art d'embrasser en mangeant la chair douceâtre du fruit du mamoncillo. Pour une raison ou pour une autre, j'avais le sentiment que m'embrasser était la dernière chose que Noreen avait en tête.

Au milieu de l'allée évasée se trouvait une grande fontaine en marbre qui avait orné naguère l'entrée de l'hôtel National. Un bassin rond entouré de huit nymphes nues grandeur nature. À en croire la rumeur, les propriétaires du Tropicana avaient payé la fontaine trente mille pesos, mais elle me rappelait une de ces écoles de gymnastique créées autrefois à Berlin par Alfred Koch sur les bords du lac de Motzen pour les matrones obèses aimant se lancer des balles médicinales en tenue d'Ève. Ce qui, malgré tout ce que Montaigne avait à dire sur la question, faisait que je me réjouissais que l'humanité ait inventé le fil et l'aiguille.

« Eh bien, dis-je, de quoi voulais-tu me parler ?

— Ce n'est pas facile pour moi.

— Tu es écrivain. Tu trouveras bien quelque chose. »

Elle tira en silence des bouffées de sa cigarette, considéra cette idée un instant puis eut un haussement d'épaules laissant supposer qu'elle avait fini par penser à une façon de s'y prendre. Sa voix était douce. Dans le clair de lune, elle semblait toujours aussi ravissante. De la voir me remplissait d'une sourde nostalgie, comme si le parfum des fleurs blanc-vert de mamoncillo recelait quelque essence magique qui rendait les imbéciles comme moi amoureux des reines comme elle.

« Dinah est retournée aux États-Unis, dit-elle sans toutefois en venir au fait. Mais tu le savais, n'est-ce pas ? »

J'acquiesçai.

« C'est à propos de Dinah ?

— Je m'inquiète pour elle, Bernie. »

Je secouai la tête.

« Elle a quitté l'île. Elle va aller à Brown. Je ne vois pas ce qui pourrait t'inquiéter. Je veux dire, c'est ce que tu voulais ?

— Oh, bien sûr. Non, c'est la manière dont elle a brusquement changé d'avis. Sur tout.

— Max Reles a été assassiné. Je suppose que ce n'est pas sans rapport avec sa décision.

— Ces gangsters avec qui il était lié. Tu en connais quelques-uns ?

— Oui.

— Est-ce qu'ils ont déjà une idée de qui a tué Max ?

— Absolument aucune.

— Bien. » Elle jeta sa cigarette et en alluma rapidement une autre. « Tu vas probablement penser que je suis folle. Mais, vois-tu, il m'a traversé l'esprit que, peut-être, Dinah n'était pas étrangère à sa mort.

— Qu'est-ce qui te fait dire ça ?

— Pour commencer, mon revolver – celui qu'Ernest m'a donné – il a disparu. C'était une arme russe. Je l'avais laissé quelque part dans la maison et je n'arrive pas à le retrouver. Fredo – Alfredo Lopez, mon ami avocat – connaît quelqu'un dans la police, qui lui a dit que Reles avait été abattu avec un revolver russe. De sorte que je me suis mise à me poser des questions. À me demander si Dinah n'aurait pas pu l'avoir fait. »

Je secouais la tête. Je pouvais difficilement lui raconter que Dinah avait suspecté sa propre mère d'être une meurtrière.

« Il y a ça et aussi le fait qu'elle ait semblé reprendre le dessus aussi vite. Comme si elle n'avait jamais été amoureuse de lui. Je veux dire, ça n'a pas éveillé les soupçons de ces types de la mafia qu'elle ne soit pas allée aux obsèques ? Comme si elle s'en moquait ?

— À mon avis, ils ont dû se dire qu'elle était trop bouleversée.

— C'est bien ça le problème, Bernie. Elle ne l'était pas. Et ce qui m'inquiète, c'est que, si jamais ils en viennent à se persuader qu'elle est pour quelque chose dans l'assassinat de Max, ils risquent de réagir. Peut-être d'envoyer quelqu'un à ses trousses.

— Je ne pense pas que ça marche comme ça, Noreen. Pour le moment, tout ce qui les préoccupe, c'est la possibilité que Max Reles ait été tué par un des leurs. Vois-tu, s'il s'avérait qu'un des autres propriétaires d'hôtel ou de casino est derrière ce meurtre, cela pourrait déclencher une guerre des gangs. Laquelle aurait des conséquences très néfastes pour les affaires. Ce qu'ils ne veulent à aucun prix. De plus, c'est à moi qu'ils ont demandé d'essayer de découvrir qui a tué Max.

— La mafia t'a demandé d'enquêter sur le meurtre de Max ?

— En tant qu'ancien inspecteur de la Criminelle. »

Noreen secoua la tête.

« Pourquoi toi ?

— Ils pensent, j'imagine, que je peux être objectif, indépendant. Plus objectif que la milice cubaine. Dinah a dix-neuf ans, Noreen. Elle me fait l'effet d'être pas mal de choses. Entre autres, une sale petite garce égoïste. Mais ce n'est pas une meurtrière. De plus, escalader une façade de huit étages et tirer de sang-froid sur un homme sept fois de suite n'est pas à la portée de tout le monde. Tu ne crois pas ? »

Noreen acquiesça et se mit à regarder au loin. Elle laissa tomber par terre sa deuxième cigarette, à moitié fumée, avant d'en allumer une troisième. Quelque chose continuait de la tracasser.

« Tu peux donc être sûre que je n'imputerai pas la responsabilité à Dinah.

— Merci. Je t'en suis reconnaissante. C'est une garce, tu as raison. Mais c'est ma fille, et je ferai absolument tout pour préserver sa sécurité.

— Je sais. » J'expédiai mon cigare en direction de la fontaine. Il atteignit le derrière nu d'une des nymphes et tomba dans l'eau. « Est-ce vraiment ce que tu voulais me dire ?

— Oui », répondit-elle. Elle réfléchit un instant. « Mais ce n'était pas tout, tu as raison, bon Dieu. » Elle se mordit l'articulation du doigt. « Je ne sais pas pourquoi j'essaie de t'embobiner. Il y a des moments où j'ai l'impression que tu me connais mieux que je ne me connais moi-même.

— C'est toujours une possibilité. »

Elle jeta la troisième cigarette, ouvrit son sac, prit un petit mouchoir assorti et se moucha avec. « L'autre jour. Quand tu étais à la maison. Et que tu nous as vus revenir de la plage de Plata Mayor, Fredo et moi. Je suppose que tu as deviné que nous sortions ensemble. Que nous étions devenus, euh, intimes.

— J'essaie de ne pas trop jouer aux devinettes ces temps-ci. Surtout s'agissant de choses dont j'ignore tout.

— Fredo t'aime bien, Bernie. Il te doit une fière chandelle. Pour le soir des brochures.

— Oh, je sais. Il me l'a dit.

— Tu lui as sauvé la vie. Je n'ai pas vraiment compris sur le moment. Et je ne t'ai pas remercié comme j'aurais dû. Mais ce que tu as fait était très courageux. » Elle ferma un instant les yeux. « Je ne suis pas venue te voir au sujet de Dinah. Oh, j'avais probablement envie de t'entendre dire qu'elle n'avait pas pu l'avoir tué, mais je l'aurais su. Une mère sait ce genre de chose. Elle n'aurait pas pu me le cacher.

– Alors, pourquoi es-tu venue ?

– À cause de Fredo. Il a été arrêté par le SIM – la police secrète
– et accusé d'aider l'ancien ministre de l'Éducation du gouvernement Prió, Aureliano Sanchez Arango, à entrer illégalement dans
le pays.

– Et c'est le cas ?

– Non, bien sûr que non. Lorsqu'il a été arrêté, cependant, il se
trouvait en compagnie d'un membre de l'AAA. L'Association des
amis d'Aureliano. L'un des principaux groupes d'opposition à Cuba.
Mais Fredo ne jure que par Castro et les rebelles de l'île des Pins.

– Eh bien, je suis sûr que, quand il leur expliquera ça, ils se feront
un plaisir de le renvoyer chez lui. »

La plaisanterie ne sembla pas du goût de Noreen.

« Ce n'est pas drôle. Ils pourraient malgré tout le torturer dans
l'espoir de lui faire dire où se cache Aureliano. Ce qui serait double-
ment regrettable, vu qu'il ne sait rien, naturellement.

– Tout à fait d'accord. Mais je ne vois vraiment pas ce que je
peux faire.

– Tu lui as sauvé la vie une fois, Bernie. Peut-être que tu pourrais
recommencer.

– Pour que Lopez puisse t'avoir à ma place ?

– C'est ce que tu veux ?

– D'après toi ? » Je haussai les épaules. « Pourquoi pas ? Étant
donné la situation, ça n'aurait rien d'étrange. Ou est-ce que tu as
oublié ?

– Bernie, cela fait vingt ans de ça. Je ne suis plus la même femme
que celle que j'étais alors. Comme tu peux sûrement t'en rendre
compte.

– La vie nous joue parfois des tours.

– Peux-tu faire *quelque chose* pour lui ?

– Qu'est-ce qui te fait croire que ce soit seulement du domaine
du possible ?

– Tu connais le capitaine Sanchez. Les gens racontent que vous
êtes amis, lui et toi.

– Quels gens ? » Je secouai la tête, exaspéré. « Écoute, même si
c'était mon ami – ce dont je ne suis pas sûr du tout –, Sanchez appar-

tient à la milice. Et tu as dit toi-même que Lopez avait été arrêté par le SIM. Ce qui signifie que ça n'a rien à voir avec la milice.

— L'homme qui a arrêté Fredo assistait aux obsèques de Max Reles, répondit Noreen. Il s'agit du lieutenant Quevedo. Peut-être que, si tu lui demandais, le capitaine Sanchez accepterait de lui parler. D'intercéder en faveur de Fredo.

— En disant quoi ?

— Je ne sais pas. Mais tu auras peut-être une idée.

— Noreen. Il s'agit d'un cas désespéré.

— Ce n'est pas pour ceux-là que tu avais du talent jadis ? »

Je secouai la tête et me détournai.

« Tu te souviens de cette lettre que je t'ai écrite, à mon départ de Berlin ?

— Pas vraiment. Comme tu as dit, ça fait longtemps de ça.

— Mais si. Je t'appelais mon chevalier céleste.

— C'est l'intrigue de *Tannhäuser*, Noreen. Pas moi.

— Je te demandais de toujours chercher la vérité et de venir au secours des gens qui avaient besoin de ton aide. Parce que c'est ce qu'il faut faire, même si c'est dangereux. Je te le demande à nouveau.

— Tu n'as pas le droit d'exiger ça. C'est impossible. J'ai changé moi aussi, au cas où tu ne l'aurais pas remarqué.

— Je ne crois pas.

— Plus que tu ne peux l'imaginer. Un chevalier céleste, dis-tu ? » Je me mis à rire. « Plutôt un chevalier des enfers. Pendant la guerre, j'ai été incorporé dans la SS, parce que j'étais policier. Je ne te l'avais pas dit ? Mon armure est affreusement sale, Noreen. Tu n'imagines pas à quel point.

— Tu as fait ce que tu devais faire, je présume. Mais, à l'intérieur, je pense que tu es probablement demeuré l'homme que tu as toujours été.

— Dis-moi : pourquoi devrais-je m'occuper de Lopez ? J'ai déjà bien assez de pain sur la planche. Je ne peux pas l'aider, ce qui est la vérité, alors pourquoi me donnerais-je seulement le mal d'essayer ?

— Parce que la vie est ainsi. » Me prenant la main, Noreen scruta mon visage – dans quel but, je n'en sais rien. « Oui, la vie est ainsi, n'est-ce pas? Chercher la vérité. Secourir des gens dont on pense qu'on ne peut rien faire pour eux, mais essayer tout de même. »

Je me sentis rougir de colère.

« Tu dois me confondre avec une espèce de saint, Noreen. Du genre à accepter de se laisser martyriser pourvu que son auréole soit bien droite sur la photo. Si je devais me jeter dans la fosse aux lions, je préférerais que ce soit pour quelque chose de beaucoup plus important que d'avoir mon nom célébré dans les prières d'une laitière le dimanche matin. Je n'ai jamais été l'homme des gestes inutiles. Ce qui me vaut d'être encore en vie, mon ange. Mais il n'y a pas que ça. Tu parles de la vérité comme si ça signifiait quelque chose. Mais quand tu me jettes la vérité à la figure, c'est juste deux poignées de sable. Nullement la vérité. Pas celle que je veux entendre, en tout cas. Pas venant de toi. Alors, ne nous leurrons pas, hein? Je n'ai aucune envie de jouer les gogos pour te faire plaisir. Du moins, pas tant que tu continueras à me traiter comme si j'en étais un. »

Noreen se livra à une imitation de poisson tropical, tout yeux exorbités et bouche béante, avant de secouer la tête. « Je ne sais absolument pas de quoi tu parles. » Puis elle me rit au nez, d'un rire qui sonnait faux, et, avant que j'aie pu dire un mot de plus, elle tourna les talons et s'éloigna rapidement vers le parking.

Je retournai dans le Tropicana.

Les Cellini ne me donnèrent pas beaucoup de tuyaux. Donner n'était pas précisément leur fort. Ni répondre à des questions. Les vieilles habitudes ont la vie dure, je suppose. Ils ne cessèrent de me répéter combien ils étaient désolés de la mort d'un type aussi chouette que Max et désireux de coopérer dans l'enquête de Lansky, tout ça sans avoir la moindre idée de ce dont je leur parlais. Si on leur avait demandé le prénom de Capone, ils auraient probablement haussé les épaules et répondu qu'ils n'en savaient rien. Ou même nié qu'il en ait un.

Il était tard quand je rentrai chez moi. Le capitaine Sanchez m'attendait. Il s'était pris un verre et un cigare et lisait un livre dans mon fauteuil favori.

« Il semble que je jouisse d'une grande popularité auprès de toutes sortes de gens ces jours-ci, déclarai-je. Ils passent à l'improviste comme s'il s'agissait d'un club.

— Ne le prenez pas mal, dit Sanchez. Vous et moi, nous sommes amis. De plus, la dame m'a laissé entrer. Yara, c'est bien ça ? »

Je parcourus l'appartement du regard, mais elle était déjà partie manifestement.

Il haussa les épaules d'un air d'excuse.

« Je crois que je lui ai fait peur.

— Je présume que vous avez l'habitude, capitaine.

— Je devrais moi-même être rentré, mais vous savez ce qu'on dit. Le crime ne respecte pas les heures de bureau.

— On dit ça ?

— Un nouveau cadavre a été découvert. Un homme du nom d'Irving Golstein. Dans un appartement de Vedado.

— Jamais entendu parler de lui.

— Il travaillait à l'hôtel Saratoga. Il était chef de partie au casino.

— Je vois.

— J'espérais que vous pourriez m'accompagner à l'appartement. Étant un détective célèbre. Sans parler de son employeur. En un sens.

— Bien sûr. Pourquoi pas ? Je comptais seulement aller me coucher et dormir douze heures.

— Excellent.

— Laissez-moi juste une minute, que je me change, voulez-vous ?

— Je vous attendrai en bas, *señor*. »

19

Le lendemain matin, je fus réveillé par le téléphone.

C'était Robert Freeman. Il appelait pour me proposer un contrat de six mois afin d'ouvrir le marché ouest-allemand du havane à J. Frankau.

« Toutefois, je ne pense pas que Hambourg soit le bon endroit où commencer, Carlos, me dit-il. À mon avis, Bonn serait mieux. D'abord, il y a le fait que c'est la capitale de l'Allemagne de l'Ouest, naturellement. Les deux chambres du Parlement sont installées là, sans parler des institutions gouvernementales et des ambassades étrangères. Bref, le genre de milieux aisés que nous convoitons, en fin de compte. Et puis la ville se trouve dans la zone d'occupation britannique. Comme nous sommes une société britannique, cela devrait également nous faciliter les choses. En outre, Bonn n'est qu'à vingt-cinq kilomètres de Cologne, l'une des plus importantes villes d'Allemagne. »

Tout ce que je savais sur Bonn, c'est que Beethoven y était né et qu'avant la guerre, cela avait été le lieu de résidence de Konrad Adenauer, le premier chancelier de la RFA. Lorsque Berlin avait cessé d'être la capitale de tout sauf de la guerre froide et que l'Allemagne de l'Ouest avait eu besoin d'une capitale, Adenauer avait choisi, fort commodément pour lui, la petite ville paisible où il avait coulé des jours paisibles tout au long du Troisième Reich. Il se trouve que j'étais allé à Bonn. Une seule fois. Par erreur. Mais, avant 1949, rares étaient ceux qui en avaient entendu parler, a fortiori qui savaient où elle se situait, et, encore aujourd'hui, on l'appelait ironiquement « le village fédéral ». Bonn était petite, Bonn était insignifiante, mais Bonn était par-dessus tout un petit coin tranquille, et je me demandais pourquoi je n'avais pas songé plus tôt à y habiter. Pour un homme comme moi, résolu à mener une existence totalement anonyme, ça semblait parfait.

Je dis rapidement à Freeman que Bonn ne me posait pas de problème et que je commencerais à organiser mon voyage pour me rendre là-bas dès que possible. Il me répondit qu'il s'occupait de la question primordiale de mes références professionnelles.

J'allais rentrer chez moi. Après presque cinq ans d'exil, j'allais retourner en Allemagne. Avec de l'argent en poche. Je n'arrivais pas à y croire.

Il y avait ça, et les événements de la veille au soir, à l'appartement dans Vedado.

Aussitôt lavé et habillé, je filai au National et grimpai à la grande suite spacieuse de l'étage de direction pour informer les frères Lansky que j'avais « résolu » l'affaire Reles. Même s'il était difficile d'appeler ça une affaire. Un exercice de relations publiques aurait été une façon plus juste de décrire mes investigations pour autant que les hôtels et casinos véreux de La Havane cadrent avec l'idée que l'on se fait d'un public.

« Vous voulez dire que vous avez un nom ? »

La voix de Meyer avait le timbre chaud, ruisselant d'huile bouillante, d'un chef indien dans un western. Jeff Chandler, peut-être. Le petit homme avait aussi le même visage impénétrable. Indubitablement, le nez était en tout point identique.

Comme la fois précédente, nous nous installâmes sur le balcon avec la même vue sur la mer, sauf que, maintenant, je pouvais la voir aussi bien que l'entendre et la sentir. Le hurlement discordant de cette mer-là allait me manquer.

Meyer portait un pantalon en toile gris, un cardigan assorti, une chemisette blanche et des lunettes de soleil à montures épaisses qui lui donnaient davantage l'air d'un comptable que d'un gangster. Jake était vêtu de manière non moins décontractée. Chemise en coton genre éponge, Stetson en paille de bookmaker avec un ruban aussi mince et serré que sa bouche. À l'arrière-plan rôdait la grande silhouette anguleuse de Vincent Alo, que je connaissais mieux à présent sous le surnom de Jimmy-les-yeux-bleus. Il portait un pantalon de flanelle, un cardigan blanc en mohair à col large et une cravate en soie à motifs. Le cardigan était ample, mais pas assez pour cacher la côtelette de rechange qu'il avait sous le bras. Il incarnait assez bien l'image que l'on se fait en général du séducteur italien, pour autant que la pièce soit une tragédie de la vengeance écrite par Sénèque pour le divertissement de l'empereur Néron.

Nous buvions du café dans de petites tasses, à l'italienne, le petit doigt en l'air.

« Oui, j'ai un nom.

– Je vous écoute.

– Irving Goldstein.

– Le type qui s'est suicidé ? »

Goldstein avait été chef de partie au Saratoga, où il occupait une chaise haute dominant la table de craps. Originaire de Miami, il avait fait ses armes comme croupier dans plusieurs maisons de jeu clandestines de Tampa avant son arrivée à Cuba en avril 1953. Arrivée faisant suite à l'expulsion de Cuba de treize donneurs de cartes travaillant aux casinos du Saratoga, du Sans Souci, du Montmartre et du Tropicana.

« Avec l'aide du capitaine Sanchez, j'ai fouillé son appartement de Vedado hier soir. Et nous avons découvert ceci. »

Je passai à Lansky un dessin technique et lui laissai le temps d'y jeter un coup d'œil.

« Goldstein entretenait une liaison avec un des travestis masculins du Palette Club. Selon mes informations, avant sa mort, Max s'en était aperçu, et, très mal à l'aise avec l'homosexualité de Goldstein, il l'avait prié de se chercher une place dans un autre casino. Le directeur du casino du Saratoga, Nuñez, m'a confirmé que les deux hommes s'étaient disputés peu avant le meurtre de Max. Je suis persuadé que la dispute portait là-dessus. Et que Goldstein a tué Max pour se venger du fait qu'il l'avait viré. Il avait donc le mobile. Il avait certainement l'opportunité : Nuñez m'a dit que Goldstein avait fait sa pause vers deux heures du matin la nuit du meurtre. Et qu'il était resté éloigné des tables de craps pendant une vingtaine de minutes.

— Et votre preuve, c'est… ceci? » Lansky brandit la feuille de papier que je lui avais donnée. « J'ai beau regarder ce truc, je ne comprends toujours pas ce que c'est. Jake? » Lansky tendit le papier à son frère, qui le contempla d'un air ébahi comme s'il s'agissait d'un nouveau système de guidage de missiles.

« C'est un dessin extrêmement précis et détaillé d'un silencieux Bramit. Un suppresseur de bruit fait sur mesure pour le revolver Nagant. Comme je vous l'ai déjà expliqué, en raison du système fermé de mise à feu du Nagant…

— Ça veut dire quoi? demanda Jake. Un système fermé de mise à feu. Tout ce que je sais sur les revolvers, c'est comment tirer avec. Et même à ce moment-là, ils me fichent les chocottes.

— Surtout à ce moment-là », renchérit Meyer. Il secoua la tête. « Je n'aime pas les revolvers.

— Ce que ça veut dire? Simplement ceci : le Nagant possède un mécanisme qui, lorsqu'on arme le chien, fait d'abord tourner le barillet puis le pousse en avant, supprimant l'espace vide entre lui et le canon qui existe sur tous les autres modèles de revolvers. Cet écart comblé, la vitesse se trouve accrue; plus important, cela fait du Nagant la seule arme que l'on puisse véritablement réduire au silence. Durant la guerre, Goldstein a été dans l'armée puis en garnison en Allemagne. J'imagine qu'il a dû troquer des revolvers avec des soldats de l'Armée rouge. Comme le faisaient un tas de types.

— Et vous pensez que ce *faygele* a fabriqué lui-même le silencieux. C'est bien ça que vous êtes en train de dire?

— Il était homosexuel, Mr Lansky. Ça ne signifie pas qu'il n'était pas capable de manier avec précision des outils pour travailler le métal.

— Pas de doute », grommela Alo.

Je secouai la tête.

« Le dessin était caché dans son bureau. Et, en toute sincérité, je ne crois pas que je pourrai mettre la main sur une meilleure preuve. »

Meyer Lansky opina. Il prit un paquet de Parliament sur la table basse et en alluma une avec un briquet en argent.

« Qu'est-ce que tu en penses, Jake ? »

Jake fit la moue.

« Bernie a raison. Il est toujours difficile de dénicher des preuves dans de telles circonstances, mais ce dessin a l'air de ce qui s'en rapproche le plus. Comme tu ne le sais que trop bien, Meyer, les fédéraux ont plaidé des affaires avec moins que ça. De plus, si ce Goldstein a effectivement dérouillé Max, alors il s'agit d'un des nôtres, et nous n'avons de dette à régler avec personne. Il s'agit d'un Juif. Du Saratoga. Ce qui fait que tout est propre et net, exactement ce que nous voulions. Franchement, je ne vois pas comment nous aurions pu parvenir à un meilleur résultat. Les affaires peuvent continuer sans la moindre interruption.

— Rien n'est plus important, approuva Meyer Lansky.

— Comment s'est-il suicidé, d'ailleurs ? demanda Vincent Alo.

— En s'ouvrant les veines dans un jacuzzi, répondis-je. À la romaine.

— Je suppose que ça change de la levrette », remarqua Alo.

Meyer Lansky tressaillit. Il était évident qu'il n'appréciait guère ce genre de plaisanterie.

« Oui, mais pourquoi ? demanda-t-il. Pourquoi se suicider ? Ne vous en déplaise, Bernie, il avait réussi à s'en tirer, pas vrai ? Plus ou moins. Alors pourquoi se zigouiller lui-même ? Son secret était bien gardé. »

Je haussai les épaules.

« J'ai parlé à des gens au Palette Club. La boîte a pour particularité que certaines filles sont des vraies et d'autres des entourloupes. Le truc, c'est que vous ne pouvez pas faire la différence. Il semble que, au début, Irving Goldstein ait eu le même problème. À savoir que la fille dont il croyait être tombé amoureux était en fait un homme. Lorsqu'il a découvert la vérité, il a essayé de s'y faire, et c'est à ce moment-là que Max s'en est rendu compte. Les employés de la Palette pensent que la honte a fini par le miner. À mon avis, il envisageait de se supprimer, mais, avant ça, il a décidé de se venger de Max.

— Qui sait ce qu'un mec pareil a dans la tête ? dit Alo. Un sacré méli-mélo, hein ? »

Meyer Lansky acquiesça.

« D'accord. Je marche. Vous avez fait du bon boulot, Gunther. Une solution simple et rapide sans froisser personne. Je n'aurais pas pu être mieux servi si j'avais été à La Zaragozana. »

Un restaurant célèbre dans le vieux La Havane.

« Jimmy? Donne son argent à ce gars-là. Il l'a bien gagné.

— Sûr, Meyer », dit Vincent Alo, puis il sortit de la suite.

« Vous savez, Gunther, reprit Lansky, l'année prochaine, les choses vont vraiment décoller pour nous ici à La Havane. Il y a cette gentille petite loi qui doit entrer en vigueur. Sur les hôtels. Tous les nouveaux établissements se verront exemptés de taxes, ce qui signifie qu'il y aura encore plus d'argent à récolter sur cette île qu'on ne pouvait le rêver. En ce qui me concerne, je songe à un nouvel hôtel-casino, qui sera le plus grand du monde, en dehors de Las Vegas. Le Riviera. Et un homme comme vous pourrait m'être utile dans ce genre d'endroit. En attendant, j'aimerais que vous veniez au Montmartre et que vous travailliez là-bas pour moi. Vous pourriez faire la même chose que ce que vous deviez faire au Saratoga.

— Je vais y réfléchir, soyez-en sûr, Mr Lansky.

— C'est maintenant Vincent qui va diriger le Saratoga. »

Vincent Alo avait regagné le balcon. Il tenait un sac à jetons pour flambeurs. Il sourit, mais ses yeux bleus demeurèrent sans expression. On voyait facilement comment il avait acquis son surnom de Jimmy-les-yeux-bleus. Ses yeux étaient aussi bleus que la mer et tout aussi froids.

« Ça ne ressemble pas à vingt mille dollars, dis-je.

— Les apparences sont parfois trompeuses », rétorqua Alo. Il défit le cordon coulissant fermant le haut du sac et en tira une plaque violette de mille dollars. « Il y en a dix-neuf autres identiques dans ce sac. Vous l'apportez à la caisse du Montmartre, et on vous filera votre fric. C'est aussi simple que ça, mon ami boche. »

Le néoclassique Montmartre, dans les rues P et 25, ne se trouvait qu'à quelques pas du National. Ancien cynodrome, il occupait tout un pâté de maisons et était le seul casino de La Havane ouvert vingt-quatre heures sur vingt-quatre. Il n'était pas encore midi que le Montmartre faisait déjà des affaires florissantes. À cette heure matinale, la plupart des joueurs étaient chinois. Comme à n'importe quel moment de la journée, habituellement. Et ils n'auraient pas pu montrer moins d'intérêt pour le grand spectacle de la soirée, *Midnight in Paris*, qu'annonçaient les haut-parleurs du casino.

Pour moi, en revanche, l'Europe semblait plus proche et plus attirante à mesure que je m'éloignais du guichet de la caisse avec quarante portraits du président William McKinley. Et la seule raison pour laquelle je n'avais pas décliné tout net la proposition de Lansky d'un emploi à plein temps, c'est que je ne tenais pas à lui dire que je quittais le pays. Cela aurait pu éveiller ses soupçons. Au lieu de quoi, je comptais déposer mon argent avec le reste de ce que j'avais mis de côté à la Banque royale du Canada et ensuite, muni de mes références toutes neuves, quitter Cuba dans les plus brefs délais.

Je me sentais un regain d'énergie tandis que je repassais les grilles de l'hôtel National pour récupérer la voiture que je prévoyais de laisser à Yara à titre de cadeau d'adieu. Je n'avais pas été aussi optimiste quant à la réalisation de mes projets depuis mes retrouvailles avec ma défunte épouse Kirsten à Vienne, au mois de septembre 1947. Si optimiste que je me disais même que j'irais peut-être trouver le capitaine Sanchez pour voir s'il ne m'était pas possible de faire quelque chose pour Noreen Eisner et Alfredo Lopez, après tout.

En fin de journée, l'optimisme n'est rien d'autre qu'un espoir naïf et mal fondé.

20

Le Capitolio avait été construit dans le style du Capitole des États-Unis à Washington, D.C., par le dictateur Machado, mais il était trop grand pour une île comme Cuba. Il aurait été trop grand pour une île comme l'Australie. À l'intérieur de la rotonde se dressait une statue de Jupiter de dix-sept mètres de haut, ressemblant beaucoup à un oscar et qui, pour la plupart des touristes visitant le Capitolio, semblait faire une excellente photographie. Maintenant que j'avais l'intention de quitter Cuba, je me disais que j'aurais peut-être dû prendre moi-même quelques photos. Afin de pouvoir me rappeler tout ce qui me ferait défaut quand j'habiterais Bonn et que j'irais me coucher à neuf heures du soir. Qu'y avait-il d'autre à faire à Bonn à neuf heures du soir ? Si Beethoven avait vécu à La Havane – surtout à un jet de pierre de la Casa Marina –, il aurait eu bien de la chance d'écrire ne serait-ce qu'un quatuor à cordes, sans parler de seize. Mais on pouvait passer toute sa vie à Bonn sans même s'apercevoir qu'on était sourd.

Le poste de police dans Zulueta se trouvait à dix minutes de marche du Capitolio, mais ça ne me dérangeait pas de marcher. Quelques mois plus tôt, devant le commissariat de Vedado, un professeur de l'université de La Havane avait été tué par une bombe, des rebelles ayant confondu sa Hudson 1952 noire avec un modèle identique conduit par le chef adjoint du bureau d'investigation cubain. Depuis lors, j'avais toujours pris bien soin de ne pas laisser ma Chevrolet Styline devant un poste de police.

Le poste lui-même était un vieux bâtiment colonial avec une façade en stuc blanc pelée et des volets verts aux fenêtres. Un drapeau cubain pendait mollement à un portique carré, telle une serviette de bain aux couleurs vives tombée d'une des fenêtres des étages supérieurs. À l'extérieur, les égouts ne sentaient pas très bon. À l'intérieur, vous le remarquiez à peine tant que vous ne respiriez pas.

Sanchez était au deuxième étage, dans un bureau donnant sur un petit jardin public. Il y avait un drapeau à une hampe dans le coin et, au mur, un portrait de Batista face à une vitrine bourrée de fusils au cas où le patriotisme de parade du drapeau et du portrait n'aurait pas le résultat escompté. Il y avait aussi une petite table en bois bon marché avec plein d'espace autour pour si vous aviez un ténia. Les murs et le plafond étaient gris poussière, et le linoléum marron sur le plancher gauchi faisait penser à une carapace de tortue morte.

« Vous savez, ça a été une sacrée chance que je trouve ce dessin, dit Sanchez.

— Les tâches policières comportent presque toujours une part de chance.

— Sans compter que votre assassin était déjà mort.

— Des objections ?

— Comment pourrait-il y en avoir ? Vous avez résolu l'affaire et en même temps raccordé entre eux les fils en suspens. C'est ce que j'appelle du travail de détective. Oui vraiment, je comprends pourquoi Lansky a jugé que vous étiez l'homme de la situation. Un vrai Nero Wolfe.

— Vous dites ça comme si je lui avais confectionné un costume cousu main, à la manière d'un tailleur.

— Voilà que vous êtes cruel. Je n'ai jamais mis les pieds chez un tailleur de ma vie. Pas avec mon salaire. Je possède une jolie guayabera en lin, et c'est à peu près tout. Pour quoi que ce soit d'un peu plus habillé, je mets habituellement mon meilleur uniforme.

— Celui sans les taches de sang ?

— Là, vous me prenez pour le lieutenant Quevedo.

– Je suis content que vous en parliez, capitaine. »

Sanchez secoua la tête.

« Une telle chose est impossible. Jamais personne ayant des oreilles n'est content d'entendre le nom du lieutenant Quevedo.

– Où pourrais-je le trouver ?

– Vous ne trouvez pas le lieutenant Quevedo. Pas si vous avez pour deux sous de bons sens. C'est lui qui vous trouve.

– Il ne doit pas être si difficile à joindre. Je l'ai vu à l'enterrement, vous vous souvenez ?

– C'est son habitat naturel.

– Un grand type. Le crâne rasé, avec un visage net, pour un Cubain. Enfin, je veux dire que son visage avait quelque chose de vaguement américain.

– Il vaut mieux voir le visage des hommes plutôt que leur cœur, vous ne pensez pas ?

Du reste, vous m'avez expliqué que je travaillais non seulement pour Lansky, mais aussi pour Quevedo. De sorte que…

– J'ai dit ça ? Peut-être bien. Comment peut-on décrire quelqu'un comme Meyer Lansky ? L'homme est aussi glissant qu'un ananas coupé en tranches. Mais Quevedo, c'est autre chose. Nous avons un dicton dans la milice : "Dieu nous a créés et cela nous émerveille ; mais plus encore dans le cas du lieutenant Quevedo." En le mentionnant aux obsèques, je voulais seulement attirer votre attention sur lui comme je l'aurais fait pour un serpent venimeux. Afin que vous puissiez l'éviter.

– Votre avertissement est noté.

– Je suis soulagé de l'entendre.

– Mais j'aimerais tout de même lui parler.

– Et de quoi, je me le demande. »

Il haussa les épaules, ignora la boîte à cigares de luxe et alluma une cigarette.

« C'est mon affaire.

– En fait, non. Ce n'est pas votre affaire. » Il sourit. « C'est incontestablement l'affaire du *señor* Lopez. Peut-être, dans les circonstances présentes, est-ce aussi l'affaire de la *señora* Eisner. Mais la vôtre, *señor* Hausner ? Non, je ne crois pas.

– Maintenant, c'est vous qui semblez aussi glissant qu'un ananas en tranches, capitaine.

– Ce qui n'a peut-être rien d'étonnant. Voyez-vous, j'ai obtenu mon diplôme de droit en septembre 1950. Deux de mes condisciples à l'université étaient Fidel Castro Ruiz et Alfredo Lopez. Contrairement à Fidel, Alfredo et moi ne connaissions rien à la politique. À cette époque, l'université était étroitement liée au gouvernement de Grau San Martin, et je croyais que je pourrais contribuer au changement démocratique de notre police en devenant moi-même policier. Bien sûr, Fidel n'était pas de cet avis. Mais, après le coup d'État de Batista en mars 1952, je me suis dit que je perdais probablement mon temps, et j'ai décidé de montrer moins de zèle pour la défense du régime et de ses institutions. J'essaierais seulement d'être un bon policier et pas un instrument de la dictature. Est-ce que cela a un sens, *señor* ?

– Chose curieuse, oui. Pour moi, en tout cas.

– Naturellement, ce n'est pas aussi facile que ça en a l'air.

– Je sais ça aussi.

– J'ai dû faire des compromis à maintes occasions. J'ai même songé à quitter la milice. C'est Alfredo qui m'a persuadé que je serais plus utile en restant policier. »

J'opinai du chef.

« C'est moi, continua-t-il, qui ai informé Noreen Eisner qu'Alfredo avait été arrêté et par qui. Elle m'a demandé ce qu'il fallait faire, et je lui ai répondu que je n'en avais pas la moindre idée. Mais, comme vous le savez sûrement, elle n'est pas du genre à abandonner facilement. Aussi, sachant que vous vous connaissiez depuis longtemps, je lui ai suggéré de faire appel à vous.

– À moi ? Mais pourquoi lui avoir dit ça ?

– Je ne parlais pas tout à fait sérieusement. J'étais excédé par elle, à vrai dire. Et aussi par vous, je dois le reconnaître. Exaspéré et, ma foi, un peu jaloux également.

– Jaloux ? De moi ? Pourquoi diable seriez-vous jaloux de moi ? »

Le capitaine Sanchez remua sur sa chaise et sourit d'un air penaud.

« De multiples raisons, répondit-il. La façon dont vous avez résolu cette affaire. La confiance que Meyer Lansky semble avoir dans vos talents. Le joli appartement dans Malecón. Votre voiture. Votre argent. N'oublions pas ça. Oui, je l'admets volontiers, j'étais jaloux de vous. Mais pas au point de vous laisser faire ce que vous avez en tête. Parce que, je l'admets volontiers également, je vous aime bien, Hausner. Et, en mon âme et conscience, je ne peux pas permettre que vous vous fourriez dans la gueule du lion. » Il secoua la tête. « Je lui ai dit que je n'étais pas sérieux, mais évidemment elle ne m'a pas cru et elle est allée vous parler.

— Peut-être que je me suis déjà fourré dans la gueule d'un lion.

— Peut-être. Mais il ne s'agit pas du même lion. Tous les lions sont différents.

— Alors nous sommes amis, c'est ça ?

— Oui, je suppose. Mais Fidel disait qu'on ne devrait jamais se fier à quelqu'un uniquement parce que c'est un ami. C'est un bon conseil. Vous feriez bien de vous en souvenir. »

J'acquiesçai.

« Sûr. Et, croyez-moi, j'en connais un rayon dans ce domaine. S'occuper de mézig est en général ce que je fais de mieux. Je suis un spécialiste de la survie. Mais, de temps à autre, je ressens ce besoin idiot de donner un coup de main à quelqu'un. Quelqu'un comme votre ami Alfredo Lopez. Voilà un moment que je n'ai rien fait d'aussi désintéressé.

— Je vois. Du moins, je crois que je commence. Vous pensez qu'en l'aidant, lui, vous l'aiderez, elle. C'est ça ?

— Quelque chose de ce genre. Peut-être.

— Et qu'est-ce que vous pensez pouvoir dire à un homme comme Quevedo qui le persuaderait de relâcher Lopez ?

— C'est entre lui et moi, et ce que j'appellerais de façon pittoresque ma conscience. »

Sanchez poussa un soupir.

« Je ne vous avais pas pris pour un sentimental. Mais c'est ce que vous êtes, à mon avis.

— Vous avez oublié le mot "stupide", pas vrai ? Mais c'est encore plus existentiel que ça, comme disent les Français. Après toutes ces années, je n'ai pas encore complètement accepté ma propre insignifiance. Je continue à penser que ce que je fais a de l'importance. Absurde, non ?

— Je connais Alfredo Lopez depuis 1945, dit Sanchez. C'est un assez chic type. Mais je ne vois pas comment Noreen Eisner peut le préférer à un homme tel que vous.

— C'est peut-être ce que j'ai envie de lui prouver.

— Tout est possible, je suppose.

— Je ne sais pas. Peut-être est-il mieux que moi.

— Non, seulement plus jeune. »

21

Le bâtiment du SIM, dans le centre de Marianao, paraissait tout droit sorti de *Beau Geste* : un fort de bandes dessinées, blanc, à deux étages, où vous auriez pu trouver une compagnie de légionnaires morts adossés au toit crénelé. Il formait un étrange contraste avec le reste du voisinage, surtout composé d'écoles, d'hôpitaux et de petits pavillons à l'allure confortable.

Je me garai à quelques rues de là et marchai jusqu'à l'entrée, où un chien était couché sur l'accotement herbeux. Les chiens dormant dans les rues de La Havane avaient une façon plus méticuleuse de faire ça que tous ceux que j'avais vus jusqu'à présent, comme s'ils tenaient à ne pas gêner le passage. Certains tellement méticuleux qu'ils semblaient morts. Mais vous les caressiez à vos risques et périls. Cuba était à juste titre le lieu d'élection du proverbe : « Il ne faut pas réveiller le chien qui dort. » Un excellent conseil à tous égards. Si seulement je l'avais suivi.

De l'autre côté de la lourde porte en bois, je déclinai mon nom à un soldat non moins somnolent et, l'ayant informé de mon désir de voir le lieutenant Quevedo, j'attendis devant un autre portrait de F.B., celui où il portait l'uniforme avec les épaulettes en abat-jour et un sourire de chat ayant mangé toute la crème. Compte tenu de ce que je savais maintenant sur sa part dans le casino, je me dis qu'il avait largement de quoi sourire.

Lorsque j'en eus assez d'être sous l'emprise du visage autosatis- fait du président cubain, je m'approchai d'une grande fenêtre sur- plombant un terrain de manœuvres où étaient stationnés plusieurs véhicules blindés. À les voir, j'imaginais mal comment Castro et ses rebelles avaient pu croire qu'ils avaient la moindre chance contre l'armée cubaine.

Finalement, je fus accueilli par un grand gaillard en uniforme beige avec des boutons aussi brillants que les bottes, les dents et les lunettes de soleil. On aurait dit qu'on s'apprêtait à faire son propre portrait.

« *Señor* Hausner ? Je suis le lieutenant Quevedo. Si vous voulez bien venir par ici, s'il vous plaît. »

Je le suivis en haut et, tandis que nous marchions, le lieutenant Quevedo faisait la conversation. Il avait des manières décontractées et semblait différent de la description que le capitaine Sanchez avait brossée de lui. Nous longeâmes un couloir ressemblant à une bio- graphie en images du petit président par le magazine *Life* : F.B. en uniforme de sergent ; F.B. avec le président Grau ; F.B. en trench- coat escorté par trois gardes du corps afro-cubains ; F.B. et plusieurs membres de son état-major ; F.B. affublé d'une casquette d'officier ridiculement trop grande, prononçant un discours ; F.B. assis dans une voiture à côté de Franklin D. Roosevelt ; F.B. faisant la couver- ture du magazine *Time* ; F.B. avec Harry Truman ; et, pour finir, F.B. avec Dwight D. Eisenhower. Comme si les véhicules blindés ne suf- fisaient pas à faire face aux rebelles, il y avait aussi les Américains. Et trois présidents avec ça.

« Nous l'appelons notre mur des héros, dit Quevedo en plai- santant. Comme vous pouvez le voir, nous n'en avons qu'un seul. Certains le traitent de dictateur. Dans ce cas, c'est un dictateur extrê- mement populaire, me semble-t-il. »

Je m'arrêtai un instant devant la couverture du magazine *Time*. J'en avais un exemplaire quelque part chez moi. Il comportait une remarque critique sur Batista qui ne figurait pas sur celui-ci, mais je n'arrivais pas à me rappeler quoi.

« Vous vous demandez peut-être où est passé le titre, fit observer Quevedo. Et ce qu'il disait.

— Vous croyez ?

– Mais bien sûr. » Quevedo sourit avec bienveillance. « Il disait : "Batista à Cuba : il a contourné les sentinelles de la démocratie." Ce qui est une exagération. Par exemple, à Cuba, il n'y a aucune limitation de la liberté d'expression, ou de la presse, ou de la liberté de culte. Le Congrès peut abroger n'importe quel texte législatif ou refuser de voter ce qu'il veut faire passer. Il n'y a pas de généraux dans son Conseil des ministres. Est-ce vraiment ce qu'on entend par le terme dictature ? Peut-on comparer notre président à Staline ? Ou à Hitler ? Je ne pense pas. »

Je m'abstins de répondre. Ses propos n'étaient pas sans me rappeler ceux que j'avais moi-même tenus au dîner de Noreen. Toutefois, dans la bouche de Quevedo, ça paraissait nettement moins convaincant. Il ouvrit la porte d'une immense pièce. Elle contenait un grand bureau en acajou ; une radio avec un vase dessus ; un autre bureau, plus petit, sur lequel trônait une machine à écrire ; et un poste de télévision allumé, mais dont on avait coupé le son. Un match de base-ball était en cours, et, sur les murs, on voyait des photos non pas de Batista, mais de joueurs de base-ball comme Antonio Castaño et Guillermo « Willie » Miranda. Il n'y avait pas grand-chose sur le bureau : un paquet de Trend, un magnétophone, deux verres à whisky ornés du drapeau américain, un magazine avec une photo d'Ana Gloria Varona, la star du mambo.

Quevedo m'indiqua un siège devant le bureau puis, croisant les bras, il se jucha sur le bord et me toisa comme un collégien lui posant un problème.

« Naturellement, je sais qui vous êtes. Et je ne crois pas me tromper en disant que le regrettable meurtre du *señor* Reles a maintenant reçu une explication satisfaisante.

– Oui, en effet.

– Et vous êtes ici pour le compte du *señor* Lansky ou pour le vôtre ?

– Le mien. Je sais que vous êtes un homme occupé, lieutenant, j'irai donc droit au fait. Vous détenez un prisonnier nommé Alfredo Lopez. Est-ce exact ?

– Oui.

– J'espérais pouvoir vous convaincre de le laisser partir. Ses amis m'assurent qu'il n'a rien à voir avec Arango.

– Et pourquoi vous intéressez-vous à Lopez au juste ?

– C'est un avocat, comme vous le savez. En tant qu'avocat, il m'a rendu un service appréciable, voilà tout. Je voulais lui renvoyer l'ascenseur.

– Très louable. Même les avocats ont besoin d'une représentation.

– Vous parliez de démocratie et de liberté d'expression. Je partage entièrement votre point de vue, lieutenant. Aussi je suis ici pour empêcher une erreur judiciaire. Je n'ai assurément rien d'un partisan de M. Castro et de ses rebelles. »

Quevedo opina.

« Castro est un criminel-né. Certains journaux le comparent à Robin des Bois, mais je ne vois pas la chose ainsi. Cet homme est absolument impitoyable et dangereux, comme tous les communistes. Ce qu'il est probablement depuis 1948, alors qu'il faisait encore ses études. Mais, au fond de lui-même, il est pire qu'un communiste. C'est un communiste et un autocrate par nature. Un stalinien.

– Je suis tout à fait d'accord avec vous, lieutenant. Je n'ai absolument aucun désir de voir ce pays sombrer dans le communisme. Je méprise tous les communistes.

– Je suis content de l'entendre.

– Comme j'ai dit, je voulais rendre service à Lopez, voilà tout. Il se trouve que je pourrais sans doute vous rendre service également.

– Un échange de bons procédés, en quelque sorte.

– Possible. »

Quevedo sourit.

« Là, vous m'intriguez. » Il prit le paquet de Trend sur le bureau et alluma un des petits cigares. Fumer des cigares aussi minuscules semblait presque antipatriotique. « Je vous en prie, continuez.

– D'après ce que j'ai lu dans la presse, les rebelles de la caserne de Moncada étaient mal armés. Des fusils de chasse, quelques M1, une Thompson, un fusil à verrou Springfield.

– C'est parfaitement exact. En majeure partie, nos efforts visent à empêcher l'ancien président Prio de fournir des armes aux rebelles. Jusqu'ici, nous avons obtenu d'excellents résultats. Au cours des deux dernières années, nous avons saisi pour plus d'un million de dollars d'armes.

— Et si je vous révélais l'emplacement d'une cache contenant de tout, depuis des grenades jusqu'à une mitrailleuse avec bandes de munitions ?

— Je répondrais qu'en tant qu'invité de mon pays, il est de votre devoir de me dire où l'on peut trouver ces armes. » Il tira des bouffées de son cigare. « J'ajouterais que je peux certainement prendre des dispositions pour que votre ami soit libéré immédiatement une fois découverte la cache d'armes. Mais puis-je vous demander comment vous avez appris son existence ?

— Il y a quelque temps, je traversais El Calvario. Il était tard, la visibilité mauvaise, j'avais probablement un peu trop bu, et je conduisais sans nul doute trop vite. J'ai perdu le contrôle de ma voiture et fait une sortie de route en dérapant. Tout d'abord, j'ai cru que j'avais un pneu à plat ou un essieu cassé. Alors je suis descendu jeter un coup d'œil à l'aide d'une lampe électrique. En fait, mes pneus avaient remué un amas de terre et brisé des planches couvrant quelque chose enfoui dans le sol. J'ai soulevé une des planches, éclairé l'intérieur avec la lampe et vu une caisse de MARK 2 FHGs et une autre de Browning M19. Il y en avait probablement bien davantage, seulement il ne m'a pas paru très prudent de m'attarder dans les parages. Aussi j'ai remis de la terre sur les planches et marqué l'endroit avec des pierres pour pouvoir le retrouver. Néanmoins, je suis allé vérifier hier soir, et les pierres n'avaient pas bougé, ce qui me laisse supposer que la cache est toujours là.

— Pourquoi ne pas l'avoir signalé tout de suite ?

— J'en avais l'intention, lieutenant. Mais, en rentrant chez moi, je me suis dit que, si j'avertissais les autorités, quelqu'un risquait de penser qu'il y avait beaucoup plus que ce que ce que je vous ai raconté, et mes nerfs ont lâché. »

Quevedo haussa les épaules.

« Vos nerfs ne semblent guère avoir de problèmes aujourd'hui.

— N'en soyez pas si sûr. À l'intérieur, mon estomac se retourne comme un tambour de machine à laver. Mais, je vous le répète, je dois un service à Lopez.

— Il a bien de la chance d'avoir un ami tel que vous.

— C'est à lui d'en juger.

— Très juste.

— Eh bien ? Marché conclu ?

— Vous nous conduirez à cette cache d'armes ? »

J'acquiesçai.

« Alors, oui. Marché conclu. Mais comment ferons-nous ? » Il se leva et se mit à arpenter son bureau pensivement. « Voyons. Je sais. Nous prendrons Lopez avec nous et, si les armes sont bien là où vous le dites, alors vous pourrez l'emmener. Aussi simple que ça. Êtes-vous d'accord ?

— Oui.

— Parfait. J'aurai besoin d'un peu de temps pour tout organiser. Pourquoi n'attendriez-vous pas ici en regardant la télévision pendant que je mets les choses en place ? Vous aimez le base-ball ?

— Pas spécialement. Je n'y comprends pas grand-chose. Dans la vie réelle, il n'y a jamais trois chances. »

Quevedo secoua la tête.

« C'est un jeu de flic. Croyez-moi, j'y ai réfléchi. Voyez-vous, quand vous frappez avec une matraque, ça change tout. »

Sur ce, il s'en alla.

J'attrapai le magazine sur le bureau, histoire d'en apprendre un peu plus sur Ana Gloria Verona. Elle était plutôt du genre incendiaire, avec un postérieur à casser des noix et une poitrine opulente ayant désespérément besoin d'un pull taille enfant. Quand j'eus fini de l'admirer, j'essayai de regarder le base-ball. Mais cela me parut un de ces sports étranges où l'histoire est manifestement plus importante que le jeu. Au bout d'un moment, je fermai les yeux, ce qui ne va pas de soi dans un poste de police.

Quevedo revint environ vingt minutes plus tard, seul et tenant un attaché-case. Il haussa les sourcils et me regarda d'un air interrogateur.

« On y va ? »

Je descendis avec lui.

Alfredo Lopez se tenait entre deux soldats dans le hall d'entrée, enfin tout juste. Sale, pas rasé, il avait les yeux au beurre noir, mais ce n'était pas le pire. Ses mains venaient d'être bandées, ce qui rendait les menottes quelque peu superflues. En me voyant, il essaya de sourire, mais l'effort fut probablement trop pour lui, et il faillit s'évanouir. Les deux soldats le saisirent par les épaules et le soutinrent comme pour un procès à grand spectacle.

Je voulus interroger Quevedo sur ses mains, mais je me ravisai, soucieux de ne pas dire ou faire quoi que ce soit qui puisse me détourner de l'objectif que je m'étais fixé. Cependant, il ne faisait guère de doute pour moi que Lopez avait été torturé.

Quevedo continuait de se montrer aimable.

« Avez-vous une voiture ?

— Une Chevrolet Styline grise, répondis-je. Je suis garé juste en bas de la rue. Je reculerai jusqu'ici, après quoi vous pourrez me suivre. »

Quevedo parut ravi.

« Excellent. Vers El Calvario, dites-vous ? »

J'acquiesçai.

« La circulation à La Havane étant ce qu'elle est, si jamais nous nous perdions de vue, retrouvons-nous au bureau de poste local.

— Très bien.

— Une dernière chose. » Le sourire devint glacial. « S'il s'agit d'un piège. D'une comédie savamment montée pour m'inciter à sortir et à m'assassiner...

— Ce n'est pas un piège.

— La première personne à être abattue sera notre ami ici présent. » Il tapota l'étui à sa ceinture en un geste éloquent. « De toute manière, je vous abattrai tous les deux si la cache d'armes ne se trouve pas à l'endroit où vous le dites.

— Les armes y sont bien, répliquai-je. Et vous ne serez pas assassiné, lieutenant. Les gens comme vous et moi ne sont jamais assassinés. Ils sont exécutés purement et simplement. Ce sont les Batista, les Truman et les rois Abdullah de ce monde qui se font assassiner. Alors du calme. Détendez-vous. Parce que c'est votre jour de chance. Ce que nous allons faire vous vaudra le grade de capitaine. Vous devriez peut-être profiter de votre bonne étoile pour acheter un billet de loterie ou parier sur un chiffre à la *bolita*. Du reste, nous devrions peut-être en acheter un tous les deux. »

C'était probablement aussi bien que je ne l'aie pas fait.

22

Un œil sur le rétroviseur et la voiture de l'armée dans mon sillage, je me dirigeai vers l'est par le nouveau tunnel passant sous la rivière Almendares, puis vers le sud à travers Santa Catalina et Vibora. Sur le terre-plein central le long du boulevard, des jardiniers municipaux taillaient les arbres en forme de cloche, sauf qu'aucune ne sonnait l'alarme dans ma tête. Je continuai à me dire que je pouvais m'en tirer en signant un pacte avec le diable. Je l'avais déjà fait, après tout, et avec des diables bien pires que le lieutenant Quevedo. Heydrich en premier lieu. Goering ensuite. On ne pouvait pas trouver plus diabolique que ça. Mais vous avez beau vous croire très malin, il y a toujours quelque chose d'imprévu auquel vous devriez être prêt. J'étais prêt à tout, pensais-je. Sauf à la seule chose qui se produisit.

Il faisait plus chaud. Plus chaud que sur la côte nord. Et la plupart des maisons du coin appartenaient à des gens ayant de l'argent. Ce qui se voyait au fait qu'ils avaient aussi de grandes grilles à leurs grosses maisons. On pouvait dire combien d'argent avait un homme à la hauteur des murs blancs et à la quantité de métal de son portail noir. Les grilles imposantes étaient une publicité pour une réserve de richesses à confisquer et à redistribuer. Si les communistes s'emparaient jamais de La Havane, ils n'auraient pas à chercher longtemps les individus les mieux nantis à qui voler de l'argent. Il ne fallait pas être intelligent pour être communiste. Pas quand les riches vous facilitaient au maximum la tâche.

Une fois arrivé à Mantilla, j'obliquai vers le sud dans Managua, qui était un quartier plus pauvre, plus miteux, et continuai jusqu'à ce que je tombe sur la route principale pour Santa Maria del Rosario à l'ouest. On voyait que l'endroit était plus pauvre et plus miteux à cause des enfants et des chèvres errant librement au bord de la route, et des hommes portant des machettes avec lesquelles ils travaillaient dans les plantations voisines.

Lorsque j'aperçus le court de tennis abandonné et la villa délabrée avec sa grille rouillée, je serrai fermement le volant et passai sur la bosse tout en effectuant un virage avec la chevrolet de manière à quitter la route et à m'engager entre les arbres. Comme je freinais brusquement, la voiture regimba tel un taureau de rodéo, faisant plus de poussière qu'un exode d'Égypte. Je coupai le moteur et restai là sans rien faire, les mains nouées derrière la tête au cas où le lieutenant serait du genre nerveux. Je ne tenais pas à me faire descendre en prenant ma boîte à cigares dans ma poche.

La voiture de l'armée s'arrêta derrière moi et les deux soldats en sortirent, suivis de Quevedo. Lopez demeura sur le siège arrière. Il n'irait nulle part. Sauf peut-être à l'hôpital. Je me penchai par la fenêtre et, fermant les yeux, offris un instant mon visage aux rayons du soleil tout en écoutant le bloc moteur se refroidir. Lorsque je rouvris les yeux, les deux soldats étaient allés prendre des pelles dans le coffre de la voiture et attendaient des instructions. Je montrai un point devant nous.

« Vous voyez ces trois pierres blanches. Creusez au milieu. »

Je fermai à nouveau les yeux, mais cette fois en priant pour que tout se passe comme je l'avais espéré.

Quevedo se dirigea vers la Chevrolet. Il avait son attaché-case. Il ouvrit la portière côté passager et se glissa à côté de moi. Puis il baissa la vitre, mais pas assez pour m'épargner l'odeur âcre de son eau de Cologne. Pendant un moment, nous observâmes sans rien dire les deux soldats en train d'enlever la terre.

« Ça vous gêne si je mets la radio ? demandai-je en tendant la main vers le bouton.

— Je pense, comme vous allez pouvoir le constater, que ma conversation est plus que suffisante pour retenir votre attention », répondit-il d'un ton sinistre. Il ôta sa casquette et frotta son crâne rasé. On aurait cru le bruit d'une chaussure qu'on astique. Puis il sourit, d'un sourire teinté d'une pointe d'humour, mais je n'aimais quand même pas ça. « Est-ce que je vous ai dit que j'avais suivi un entraînement avec la CIA, à Miami ? »

Nous savions tous les deux que ce n'était pas vraiment une question. Bien peu de ses questions en étaient vraiment. La plupart du temps, elles visaient à déstabiliser, ou alors il connaissait déjà la réponse.

« Oui, j'ai passé six mois là-bas, l'été dernier. Avez-vous déjà été à Miami ? Sans doute l'endroit le moins intéressant qu'on puisse espérer voir. La Havane sans âme. Mais peu importe. Et maintenant que je suis de retour ici, une de mes fonctions consiste à assurer la liaison avec le chef de poste de l'Agence à La Havane. Comme vous pouvez probablement l'imaginer, la politique étrangère américaine est dictée par la peur du communisme. Une peur justifiée, dois-je ajouter, étant donné les allégeances de Lopez et de ses amis de l'île des Pins. Aussi l'Agence prévoit-elle de nous aider à mettre sur pied un nouveau bureau de renseignement anticommuniste l'année prochaine.

— Exactement ce dont l'île a besoin, fis-je remarquer. Davantage de police secrète. Dites-moi, en quoi ce nouveau bureau de renseignement anticommuniste différera-t-il de l'actuel ?

— Bonne question. Eh bien, nous aurons plus d'argent des Américains, bien sûr. Beaucoup plus. C'est toujours ça de pris. En outre, le nouveau service sera entraîné, équipé et chargé directement par la CIA d'identifier et de réprimer les seules activités communistes ; contrairement au SIM, qui a pour tâche d'éliminer toute forme d'opposition politique.

— Bref, la démocratie dont vous parliez, c'est ça ?

— Non, vous avez tort de vous montrer sarcastique, insista Quevedo. Le nouveau bureau sera placé sous les ordres directs de la plus grande démocratie du monde. Ce qui mérite considération, assurément. Et, bien sûr, il va sans dire que le communisme international n'est pas spécialement connu pour sa propre tolérance à l'égard de l'opposition. Dans une certaine mesure, il faut combattre le feu par le feu. J'aurais pensé que vous seriez le premier à le comprendre et à l'admettre, *señor* Hausner.

— Lieutenant, quand je vous ai dit que je n'avais aucun désir de voir ce pays devenir rouge, je le pensais. Mais c'est tout. Je m'appelle Carlos Hausner, pas le sénateur Joseph McCarthy. »

Le sourire de Quevedo s'élargit. Il aurait sûrement fait une excellente imitation d'un serpent dans une fête d'enfants, à supposer qu'on eût laissé des enfants s'approcher d'un homme comme Quevedo.

« Oui, parlons-en, si vous le voulez bien. De votre nom, je veux dire. Lequel n'est pas plus Carlos Hausner que vous n'avez jamais été citoyen argentin, n'est-ce pas ? »

Je commençai à parler, mais il ferma les yeux comme s'il n'entendait pas être contredit et tapota l'attaché-case sur ses genoux.

« Non, vraiment. J'en sais pas mal à votre sujet. Tout est là-dedans. J'ai une copie du dossier de la CIA sur vous, Gunther. Voyez-vous, il n'y a pas qu'ici que règne un nouvel esprit de coopération avec les États-Unis. En Argentine également. La CIA ne tient pas moins à empêcher le communisme de se développer dans ce pays qu'à Cuba. Parce que les Argentins ont leurs propres rebelles, tout comme nous. Ainsi, rien que l'année dernière, les communistes ont fait exploser deux bombes sur la place principale de Buenos Aires, tuant sept personnes. Mais j'anticipe.

« Lorsque Meyer Lansky m'a raconté que vous aviez travaillé dans le renseignement allemand, luttant contre le communisme russe pendant la guerre, j'avoue que j'ai été vivement intéressé, si bien que j'ai voulu en apprendre davantage. Égoïstement, je me demandais si nous ne pourrions pas vous utiliser dans notre propre guerre contre le communisme. J'ai donc contacté le chef de poste de l'Agence et je lui ai demandé de voir auprès de son homologue à Buenos Aires ce qu'ils pouvaient nous dire sur vous. Et ils nous en ont dit beaucoup. Il apparaît que votre vrai nom est Bernhard Gunther et que vous êtes né à Berlin. Que vous avez d'abord été dans la police, puis dans la SS et pour finir dans le renseignement militaire allemand – l'Abwehr. La CIA a effectué des vérifications auprès du Registre central des criminels de guerre et des suspects pour la sécurité – le CROWCASS – et aussi du Centre documentaire de Berlin. Et, alors que rien n'indique que vous soyez recherché pour quelque crime de guerre que ce soit, il semble bien qu'un mandat ait été lancé contre vous par la police de Vienne. Pour les meurtres de ces deux malheureuses femmes. »

Il semblait inutile de démentir ses allégations, même si je n'avais tué personne à Vienne. Néanmoins, je me dis que je pourrais peut-être lui fournir une explication qui le satisfasse politiquement.

« Après la guerre, dis-je, et du fait de mon expérience de la lutte contre les Russes, j'ai été recruté par le contre-espionnage américain : d'abord le 970ᵉ CIC en Allemagne puis le 430ᵉ CIC en Autriche. Comme vous le savez sûrement, le CIC était le précurseur de la CIA. Bref, j'ai contribué à démasquer un traître dans leur organisation. Un dénommé John Belinsky, qui travaillait apparemment pour le MVD russe. Cela se passait en septembre 1947. Les deux femmes, c'était plus tard. En 1949. J'en ai tué une parce qu'elle était l'épouse d'un criminel de guerre notoire. L'autre, un agent russe. Les Américains le nieront sans doute aujourd'hui, bien entendu, mais ce sont eux qui m'ont fait sortir d'Autriche. Par le réseau d'exfiltration qu'ils avaient créé pour les nazis en fuite. Ils m'ont fourni un passeport de la Croix-Rouge au nom de Carlos Hausner et m'ont mis sur un bateau en partance pour l'Argentine, où, pendant quelque temps, j'ai travaillé pour la police secrète. Le SIDE. Du moins, jusqu'à ce que ma mission finisse par embarrasser le gouvernement et que je devienne persona non grata. Ils m'ont obtenu un passeport argentin et quelques visas, et voilà comment je me suis retrouvé ici. Depuis lors, j'ai essayé d'éviter les embrouilles.

— Vous avez eu une vie intéressante, ça ne fait aucun doute. »

J'acquiesçai.

« C'est ce que Confucius avait coutume de dire.

— Pardon ?

— Rien. Je mène une vie paisible ici depuis 1950. Mais récemment, je suis tombé par hasard sur une vieille connaissance, Max Reles, qui, sachant que j'avais appartenu à la police criminelle de Berlin, m'a offert un emploi. Emploi que je m'apprêtais à prendre quand on l'a tué. Lansky connaissait à présent une partie de mon passé, et, à la mort de Max, il m'a demandé de regarder par-dessus l'épaule de la milice locale. Ma foi, on ne dit pas non à Meyer Lansky. Pas dans cette ville. Et nous voilà. Mais je ne vois vraiment pas comment je pourrais vous aider, lieutenant Quevedo. »

Il y eut un cri venant d'un des soldats creusant devant nous. L'homme jeta sa pelle, s'agenouilla, scruta le sol, se releva, puis nous fit signe qu'il avait trouvé ce qu'ils cherchaient.

Je les montrai du doigt.

« Je veux dire, à part le coup de main que je vous ai déjà donné avec cette cache d'armes.

— Et dont je vous suis très reconnaissant, comme je vais bientôt vous le prouver pour votre plus grande satisfaction, *señor* Gunther. Puis-je vous appeler ainsi ? C'est votre nom, après tout. Non, je désirerais autre chose. Quelque chose de tout à fait différent. Ne vous méprenez pas. C'est bien. C'est même très bien. Mais je souhaiterais quelque chose de plus durable. Laissez-moi m'expliquer. J'ai cru comprendre que Lansky vous avait proposé de travailler pour lui. Non, ce n'est pas tout à fait vrai. Je n'ai pas seulement cru le comprendre. En fait, c'était mon idée… qu'il vous offre un travail.

— Merci.

— Je vous en prie. J'imagine qu'il paiera bien. Lansky est un homme généreux. Pour lui, il s'agit simplement d'une bonne pratique commerciale. Chaque chose a son prix. C'est un joueur, évidemment. Et, comme la plupart des joueurs intelligents, il déteste l'incertitude. S'il ne peut pas avoir de certitude, il fera ce qui s'en rapproche le plus et couvrira son pari. C'est là que vous intervenez. Voyez-vous, mes supérieurs aimeraient être avertis si jamais il essaie de couvrir son pari sur Batista en accordant un soutien financier aux rouges.

— Vous voulez que je l'espionne, c'est ça ?

— Exactement. Pour un homme comme vous, cela ne devrait pas être très difficile. Après tout, Lansky est un Juif. Espionner un Juif doit être une seconde nature chez un nazi. »

Il semblait inutile de discuter ce point.

« Et en échange ?

– En échange, nous acceptons de ne pas vous expulser vers l'Autriche pour répondre à ces accusations de meurtre. De plus, vous pourrez garder ce que Lansky vous verse.

– Vous savez, j'avais prévu de faire un petit voyage chez moi en Allemagne. Pour régler des affaires de famille.

– Je regrette que ce ne soit plus possible. En effet, si vous partiez, quelle garantie aurions-nous que vous reviendrez un jour ? Et nous aurions perdu une excellente occasion d'espionner Lansky. À ce propos, dans votre intérêt, il vaudrait peut-être mieux que vous ne rapportiez pas notre conversation à votre nouvel employeur. Avec cet individu, les gens dont la loyauté est un tant soit peu douteuse ont la fâcheuse habitude de disparaître. Comme le *señor* Waxman, par exemple. Lansky a très probablement tué ce type. Il n'en irait pas autrement dans votre cas, à mon avis. Pour ce genre d'homme, "mieux vaut prévenir que guérir" constitue un mode de vie. Et qui peut lui reprocher d'être prudent ? Après tout, il a investi des millions à La Havane. Et jamais il ne tolérera que quoi que ce soit fasse obstacle à ça. Ni vous. Ni moi. Pas même le président en personne. Tout ce qu'il veut, c'est continuer à gagner de l'argent, et que ce soit sous un régime ou un autre ne fait guère, sinon aucune différence à ses yeux et à ceux de ses amis.

– Des fantasmes, affirmai-je. Lansky n'irait certainement pas aider les communistes.

– Pourquoi pas ? » Quevedo eut un haussement d'épaules. « Là, vous êtes tout simplement stupide, Gunther. Et pourtant vous n'êtes pas un homme stupide. Écoutez, cela vous intéressera peut-être de savoir que, d'après la CIA, lors de la dernière élection présidentielle américaine, Lansky a fait un don substantiel à la fois aux républicains, qui ont gagné, et aux démocrates, qui ont perdu. De cette manière, le vainqueur quel qu'il soit ne manquerait pas de lui témoigner sa reconnaissance, bien évidemment. Voilà à quoi je veux en venir. Comprenez-vous ? Une influence politique n'a pas de prix. Lansky ne le sait que trop bien. Comme je le disais, il s'agit d'un simple calcul commercial. J'en ferais autant si j'étais à sa place. En outre, je sais déjà que Max Reles donnait en cachette de l'argent aux familles de quelques-uns des rebelles de Moncada.

Comment suis-je au courant ? Lopez nous a fourni spontanément l'information. »

Je me retournai pour regarder l'autre voiture. Lopez dormait sur le siège arrière. Ou peut-être pas. Le soleil éclairait directement son visage mal rasé. On aurait dit un Christ mort.

« Spontanément ? Vous pensez que je crois ça ?

— À la fin, je ne pouvais plus l'arrêter. Vous comprenez, je lui avais déjà arraché tous les ongles.

— Espèce de salaud !

— Allons. C'est mon travail. Et peut-être était-ce également le vôtre, il y a longtemps. Dans la SS. Qui peut le dire ? Pas vous, je parie. Je suis sûr qu'en creusant davantage, on pourrait aussi découvrir sur vous des secrets peu reluisants, mon ami nazi. Mais ce n'est pas ça qui m'intéresse. Ce que j'aimerais savoir à présent, c'est si Reles donnait cet argent avec l'aval de Lansky. Et ce que j'aimerais beaucoup savoir, c'est si lui-même en fait autant.

— Vous êtes fou. Castro a pris quinze ans. Avec lui derrière les barreaux, la révolution n'est qu'un loup sans dents. Et moi aussi, au demeurant.

— Vous vous trompez sur ces deux points. À propos de Castro, j'entends. Il possède quantité d'amis. Des amis puissants. Dans la police. Dans notre système judiciaire. Même dans le gouvernement. Je vois que vous ne me croyez pas. Mais savez-vous que l'officier qui a capturé Castro après l'attaque de la caserne de Moncada lui a aussi sauvé la vie ? Que le tribunal qui l'a jugé à Santiago lui a permis de faire un discours de deux heures pour sa propre défense ? Que Ramón Hermida, notre actuel ministre de la Justice, a veillé à ce que, au lieu d'isoler Castro des autres prisonniers, comme le recommandait l'armée, ils soient tous envoyés à l'île des Pins, où on les autorise à avoir des livres et de quoi écrire ? Et il n'y a pas que Hermida au sein du gouvernement à être un ami de ce criminel. Certains au sénat et à la chambre des représentants parlent déjà d'amnistie. Tellaheche. Rodriguez. Aguero. Amnistie, je vous demande un peu. Dans n'importe quel autre pays, on l'aurait fusillé. Et à juste titre. Je vous le dis tout à fait franchement, mon ami. Je serais surpris que Castro fasse plus de cinq ans de prison. Oui, c'est un homme chanceux. Cependant, il faut plus qu'une bonne étoile pour avoir autant de chance que lui. Il faut des amis. Et ce léopard-là ne change pas ses taches. Le jour où Castro sortira de prison, la révolution commencera vraiment. Mais, en ce qui me concerne, je ferai tout mon possible pour que ça n'arrive pas. »

Il alluma un petit cigare.

« Quoi ? Vous ne dites rien ? Je pensais que vous auriez besoin de davantage de persuasion. Qu'il vous faudrait des pièces justificatives pour vous convaincre que je connais votre véritable identité. Mais, à ce que je vois, j'aurais pu m'épargner la peine d'apporter cet attaché-case.

— Je sais qui je suis, lieutenant. Je n'ai pas besoin que quiconque me le prouve. Pas même vous.

— Consolez-vous. Ce n'est pas comme si vous deviez espionner pour rien. Et La Havane n'est pas la pire ville qui existe. Surtout quand on dispose de vos ressources. Mais vous m'appartenez à présent. Est-ce clair ? Lansky pensera que vous êtes à lui, mais c'est à moi que vous ferez votre rapport, une fois par semaine. Nous nous fixerons rendez-vous dans un endroit gentil et calme. La Casa Marina, éventuellement. Vous aimez bien y aller, je crois. Nous pourrons choisir une chambre où l'on ne nous dérangera pas, et chacun pensera que nous prenons du bon temps avec une petite putain serviable. Oui, vous sauterez quand je vous dirai de sauter et vous pousserez de petits cris quand je vous le demanderai. Et quand vous serez vieux et chenu – c'est-à-dire plus vieux et un peu plus chenu que vous ne l'êtes actuellement –, alors peut-être que je vous laisserai retourner sous votre pierre comme le vilain petit nazi que vous êtes. Mais attention. Au moindre écart, je vous promets que vous vous retrouvez dans le premier avion pour Vienne avec un nœud coulant autour du cou. Ce que vous méritez très probablement. »

J'encaissai tout ça sans un mot. Il me tenait à sa merci. Comme si j'étais un marlin suspendu par la queue au-dessus de la jetée de Barlovento et qu'on prend en photo. Et pas n'importe quel marlin. Un marlin rentrant chez lui quand on l'avait sorti du golfe avec une canne et un moulinet. Je n'avais même pas réussi à me débattre. Mais j'en avais envie. Et plus que ça. J'avais salement envie de tuer

Quevedo sur-le-champ, voire de l'assassiner – oui, j'aurais été absolument ravi de lui offrir une mort digne d'un opéra. Pourvu que je puisse appuyer sur la détente avec ce salopard et son sourire arrogant dans ma ligne de mire.

Je jetai un coup d'œil vers la voiture de l'armée et vis que Lopez s'était un peu remis et qu'il me regardait aussi. Se demandant probablement quel genre de marché pourri j'avais passé pour sauver sa peau. Ou peut-être était-ce Quevedo qu'il regardait. Peut-être espérait-il avoir l'occasion d'appuyer lui-même sur la détente. Dès que ses ongles auraient repoussé. De surcroît, il avait plus le droit de le faire que moi. Ma haine du jeune lieutenant n'en était qu'à ses débuts. Lopez avait une bonne longueur d'avance sur moi à cet égard.

Il ferma à nouveau les yeux, appuya sa tête contre le dossier. Les deux soldats sortaient une caisse d'un trou dans le sol. Il était temps de s'en aller. À condition qu'on nous le permette. Quevedo était tout à fait du genre à rompre un accord s'il en avait la possibilité. Et je ne pourrais pas l'en empêcher non plus. J'avais toujours su que c'était un risque, et je m'étais figuré que ça en valait la peine. Après tout, ce n'était pas ma cache d'armes. Mais je n'avais pas imaginé que Quevedo ferait de moi son mouchard de service. Je me détestais déjà. Encore plus que d'ordinaire.

Je me mordis la lèvre un instant puis déclarai :

« Très bien. J'ai rempli ma part du marché. Ce marché-là. La cache d'armes contre Lopez. Eh bien ? Est-ce que vous allez le laisser partir comme vous l'avez promis ? Je serai votre sale petit espion, Quevedo, mais seulement si vous remplissez votre propre part. Vous m'entendez ? Vous tenez parole ou vous pouvez me renvoyer à Vienne et aller vous faire foutre.

– Un discours courageux. Je vous admire. Non, vraiment. Un de ces jours, quand vous serez un peu moins émotif par rapport à tout ça, vous pourrez me raconter par le menu ce que c'était que d'être policier dans l'Allemagne de Hitler. Je serai absolument enchanté d'en apprendre davantage et d'essayer de comprendre à quoi cela pouvait ressembler. L'Histoire m'a toujours intéressé. Qui sait ? Peut-être nous découvrirons-nous des points communs. »

Il leva un index comme s'il venait soudain de penser à quelque chose.

« Ce que je n'arrive absolument pas à comprendre, c'est pourquoi vouloir vous mouiller pour un homme comme Alfredo Lopez.

– Croyez-moi, je me pose la même question. »

Quevedo sourit d'un air incrédule.

« Je ne marche pas. Pas une seconde. En venant de Marianao tout à l'heure, je l'ai interrogé sur vous. Et il m'a répondu qu'avant aujourd'hui, il ne vous avait rencontré que trois fois dans toute son existence. Deux fois chez Ernest Hemingway. Et une fois à son bureau. Et il a dit que c'était vous qui lui aviez rendu service et non l'inverse. Avant aujourd'hui, c'est-à-dire. Que vous l'aviez déjà tiré du pétrin. Il n'a pas dit lequel. Et franchement, je lui avais déjà posé tellement de questions que je ne me suis pas senti le courage de poursuivre dans cette voie. Sans compter qu'il n'avait plus d'ongle à perdre. » Il secoua la tête. « Alors. Pourquoi ? Pourquoi l'aider à nouveau ?

– Non que ce soit vos fichus oignons, mais Lopez m'a redonné une raison de croire en moi.

– Quelle raison ?

– Rien que vous comprendriez. C'est à peine si je comprends moi-même. Mais ça a suffi pour que je continue à espérer que ma vie ait un sens.

– J'ai dû me tromper sur son compte. Je l'avais pris pour un imbécile se berçant d'illusions. Mais vous parlez de lui comme si c'était une sorte de saint.

– Chaque homme trouve sa rédemption là où il peut. Un jour, peut-être, quand vous serez à la place où je me trouve actuellement, vous vous en souviendrez. »

23

Je ramenai Alfredo Lopez à la Finca Vigía. Il était en piteux état, mais je ne savais pas où se trouvait l'hôpital le plus proche, et lui non plus.

« Je vous dois la vie, Gunther. Et tous mes remerciements.

— Laissez tomber. Vous ne me devez rien. Mais, s'il vous plaît, ne me demandez pas pourquoi. J'ai eu mon comptant d'explications pour la journée. Ce fumier de Quevedo a la fâcheuse habitude de poser des questions auxquelles on préférerait ne pas répondre. »

Lopez sourit.

« À qui le dites-vous.

— Bien sûr. Je m'excuse. Ce n'était rien en comparaison de ce que vous avez dû subir.

— Une cigarette ne serait pas de refus. »

J'avais un paquet de Lucky dans la boîte à gants. Au carrefour de la route de Santa Francisco de Paula, je m'arrêtai et en mis une dans sa bouche.

« Tenez », fis-je en prenant une allumette et en la grattant.

Il tira quelques bouffées et me remercia d'un signe de tête.

« Laissez-moi faire ça pour vous. » J'ôtai la cigarette de ses lèvres. « Simplement, n'espérez pas que je vous accompagne aussi aux toilettes. »

Je remis la cigarette dans sa bouche et démarrai.

Nous arrivâmes à la maison. Un vent violent avait soufflé la nuit précédente. Des feuilles et des branches de ceiba jonchaient les marches. Un grand Noir les ramassait et les entassait dans une brouette, mais il aurait aussi bien pu les étaler par terre, comme si on lui avait ordonné de célébrer le retour de Lopez en déroulant un tapis de palmes. Ou alors il travaillait lentement. À croire qu'il avait gagné deux chiffres à la *bolita*.

« Qui est-ce ? demanda Lopez.

– Le jardinier », répondis-je.

Je garai la voiture à côté de la Pontiac et coupai le moteur.

« Oui, bien sûr. Pendant un instant… » Il poussa un grognement. « L'ancien jardinier s'est suicidé, vous savez. Il s'est noyé dans le puits.

– Ça explique sans doute pourquoi personne ici ne boit beaucoup d'eau.

– Noreen pense qu'il y a un fantôme.

– Non, ce serait moi. » Je le regardai et fronçai les sourcils. « Pouvez-vous monter les marches ?

– J'aurai probablement besoin d'un peu d'aide.

– Vous devriez être à l'hôpital.

– C'est ce que je n'ai pas arrêté de dire à Quevedo. Mais à ce moment-là, il avait cessé de m'écouter. C'était après m'avoir offert une manucure gratuite. »

Je sortis de la voiture et claquai la portière. Ici, ça équivalait à tirer la sonnette. Je fis le tour jusqu'au côté passager et lui ouvris la porte. Il allait avoir pas mal besoin de ce genre de chose dans les jours à venir, et je me voyais déjà repartir en la laissant se débrouiller. J'en avais fait suffisamment. S'il voulait se gratter l'arrière du crâne, Noreen pouvait s'en occuper.

Elle émergea de la porte d'entrée alors que Lopez s'aventurait hors de la voiture, titubant comme un ivrogne qui aurait encore de la marge. Avec précaution, il se cramponna un moment au montant de la fenêtre avec l'intérieur de ses poignets, puis fit un effort pour sourire à Noreen qui dévalait les marches. Ses lèvres s'écartèrent, et la cigarette qu'il continuait à fumer tomba sur le devant de sa chemise. Je saisis la cigarette, comme si la chemise avait réellement de l'importance. Il ne la remettrait certainement pas au bureau. Cette année, la mode n'était guère aux giclées de sang sur du coton blanc maculé de sueur.

« Fredo, lança-t-elle d'une voix fébrile. Est-ce que ça va ? Mon Dieu, qu'est-il arrivé à tes mains ?

— Les flics voulaient Horowitz à leur concert de bienfaisance », remarquai-je.

Fredo sourit, mais ça n'amusa pas Noreen.

« Je ne vois pas ce qu'il y a de drôle, Bernie. Vraiment pas.

— Tu aurais dû être là, je suppose. Bon, quand tu auras fini de me chapitrer, ton ami juriste que voici serait mieux à l'hôpital. Où je l'aurais emmené si Fredo n'avait pas insisté pour que nous passions d'abord ici afin de te convaincre qu'il se portait comme un charme. Je présume qu'il te met plus haut dans ses priorités que de reprendre le piano. Ce qui se comprend tout à fait, naturellement. Je serais moi-même assez de son avis. »

Noreen n'avait pas prêté attention à la plus grande partie de mon discours. Elle revint sur sa longueur d'onde au moment où je dis « hôpital », déclarant :

« Il y en a un à Cotorro. Je vais le conduire là-bas.

— Monte et je vous emmène.

— Non, tu en as assez fait. Est-ce que ça a été très compliqué ? De le tirer des griffes de la police.

— Un peu plus compliqué que de glisser une demande dans la boîte à suggestions. Et c'était l'armée qui le détenait, pas la police.

— Écoute, pourquoi n'attendrais-tu pas dans la maison ? Fais comme chez toi. Sers-toi un verre. Demande à Ramón de te préparer quelque chose à manger si tu en as envie. Je n'en ai pas pour longtemps.

— Il faut vraiment que j'y aille. Après les événements de la matinée, je ressens un besoin urgent de renouveler mes polices d'assurance.

— Bernie, s'il te plaît. Je veux te remercier comme il se doit. Et te parler de quelque chose.

— Très bien. Je peux supporter ça. »

Je la regardai s'éloigner. Puis j'entrai et flirtai avec le chariot à boissons, mais, n'étant pas d'humeur à faire languir le bourbon de Hemingway, j'avalai un verre d'Old Forester en moins de temps qu'il n'en faut pour le verser. Un autre grand verre en attente dans ma main, je fis le tour du propriétaire tout en m'efforçant de repousser la comparaison évidente entre ma propre situation et celle des trophées sur les murs d'Hemingway. Je m'étais fait avoir par le lieutenant Quevedo aussi sûrement que si on m'avait tiré dessus avec un fusil à lunette. Et l'Allemagne me semblait à présent aussi lointaine que les neiges du Kilimandjaro ou les vertes collines d'Afrique.

Une des pièces était pleine de caisses d'emballage et de valises, et, le temps d'un serrement de cœur, je crus qu'elle quittait Cuba, jusqu'à ce que je me dise qu'elle s'apprêtait probablement à emménager dans sa nouvelle maison à Marianao.

Après un moment, et un verre supplémentaire, je sortis et grimpai la tour de quatre étages. Ce qui n'avait rien de difficile. Un escalier à moitié couvert menait au sommet. Il y avait une baignoire au premier étage et des chats tapant le carton au deuxième. C'est au troisième qu'étaient rangés les fusils, dans des vitrines fermées à clé, et, vu mon état d'esprit, il valait sans doute mieux que je n'aie pas apporté de clés. Le dernier étage comportait un petit bureau et une grande bibliothèque pleine de livres à caractère militaire. Je restai là un long moment. Je me fichais pas mal des goûts littéraires d'Hemingway, mais il n'y avait rien à redire à la vue. Max Reles aurait beaucoup aimé. De chaque fenêtre, on ne voyait que ça. À des kilomètres à la ronde. Jusqu'au moment où le jour commença à baisser. Et même plus.

Lorsqu'il ne resta qu'un ruban orange au-dessus des arbres, j'entendis une voiture et vis les phares de la Pontiac et la tête du petit chef indien remonter l'allée. Noreen sortit de la voiture, seule. Quand je redescendis de la tour, elle était dans la maison et se versait un verre de son côté, avec une bouteille de vermouth Cinzano et de l'eau gazeuse. En entendant mes pas, elle dit :

« Tu en veux un autre ?

— Je me servirai moi-même », répondis-je en me dirigeant vers la petite table.

Elle se détourna comme je passais près d'elle. J'entendis un tintement de glaçons tandis qu'elle inclinait le verre et avalait le contenu glacé.

« Ils le gardent en observation.

— Bonne idée.

— Ces salauds lui ont arraché tous les ongles. »

Sans Lopez dans le coin pour voir le côté comique, je n'allais plus faire de blagues là-dessus. Je ne tenais pas à ce que Noreen se montre à nouveau acerbe avec moi. J'en avais eu ma dose pour la journée. Tout ce que je souhaitais, c'était m'asseoir dans un fauteuil et qu'elle me caresse la tête, ne serait-ce que pour me rappeler qu'elle se trouvait toujours sur mes épaules et pas accrochée au mur de quelqu'un.

« Je sais. Ils me l'ont dit.

— L'armée ?

— Ce n'est sûrement pas la Croix-Rouge qui a fait ça. »

Elle portait un pantalon bleu marine et un cardigan en laine bouclette assorti. Le pantalon n'était pas particulièrement lâche à l'endroit crucial ; quant au cardigan, il aurait peut-être eu besoin de deux boutons en cuir tressé en plus sur les pentes douces de sa poitrine. Sa main arborait un saphir qui était la grande sœur de ceux qui se trouvaient à ses oreilles. Les chaussures étaient en cuir brun foncé, tout comme la ceinture à sa taille et le sac à main qu'elle avait jeté sur un fauteuil. Noreen avait toujours été douée en matière d'accessoires. C'est seulement moi qui jurais avec le reste de sa personne. Elle paraissait gauche et mal à l'aise.

« Merci, dit-elle. Pour ce que tu as fait.

— Je ne l'ai pas fait pour toi.

— Non. Et je crois que je peux comprendre pourquoi. Mais merci quand même. C'est sans aucun doute la chose la plus courageuse qu'il m'ait été donné d'entendre depuis que je suis à Cuba.

— Ne me dis pas ça. Je me sens déjà suffisamment mal. »

Elle secoua la tête.

« Pourquoi ? Je ne te comprends absolument pas.

— Parce que ça me donne l'air de ce que je ne suis pas. En dépit de ce que tu pensais naguère, mon ange, je n'ai jamais eu l'étoffe d'un héros. Si j'étais de près ou de loin la personne que tu imagines, je n'aurais pas vécu aussi longtemps. Je serais mort dans une plaine ukrainienne, ou oublié à jamais dans une saloperie de camp russe de prisonniers de guerre. Sans parler de ce qui s'est passé avant, dans ces temps relativement candides où les gens pensaient que les nazis représentaient le dernier cri en matière de mal absolu. Tu te dis que tu peux mettre de côté tes principes et signer un pacte avec le diable juste pour t'éviter des embêtements et rester en vie. Mais tu le fais si souvent que tu finis par ne même plus savoir de quels principes il s'agissait. Je croyais pouvoir me tenir à l'écart de tout ça. Je croyais pouvoir vivre dans un sale petit monde pourri et ne pas le devenir moi-même. Eh bien, je suis toujours vivant. Je suis toujours vivant parce que, pour dire la vérité, je ne vaux pas mieux que ces ordures. Je suis vivant parce que d'autres gens sont morts, dont quelques-uns que j'ai tués moi-même. Ce n'est pas du courage. C'est seulement ça. » Je montrai la tête d'antilope au mur. « Elle au moins sait de quoi je parle, contrairement à toi. La loi de la jungle. Tuer ou être tué. »

Noreen secoua la tête.

« Des sottises. Tu racontes des sottises. On était en guerre. Tuer ou être tué. C'est ça, la guerre. Et cela fait dix ans. Des tas d'hommes éprouvent les mêmes sentiments par rapport à ce qu'ils ont fait à ce moment-là. Tu es trop dur avec toi-même. » Elle prit ma main et posa sa tête contre ma poitrine. « Je ne te laisserai pas dire des choses pareilles sur toi, Bernie. Tu es un homme bon. Je le sais. »

Elle me regarda, attendant que je l'embrasse. Je restai là tandis qu'elle m'étreignait. Je ne m'écartai pas, ne la repoussai pas. Je ne l'embrassai pas non plus. Même si j'en avais salement envie. Au lieu de ça, je la gratifiai d'un sourire railleur.

« Et Fredo ?

— Ne parlons pas de lui pour l'instant. J'ai été stupide, Bernie. Je m'en rends compte à présent. J'aurais dû être franche avec toi dès le début. Tu n'es pas réellement un assassin. » Elle hésita. Ses yeux étaient remplis de larmes. « N'est-ce pas ?

— Je t'aime, Noreen. Même après toutes ces années. Je ne le savais pas moi-même jusque récemment. Je t'aime, mais je ne peux pas te mentir. C'est probablement ce que ferait un homme qui voudrait vraiment t'avoir. Te mentir, j'entends. Il dirait n'importe quoi pour te récupérer coûte que coûte. J'en suis persuadé. Eh bien, c'est au-dessus de mes forces. Il faut qu'il y ait quelqu'un en ce monde à qui on puisse dire la vérité. »

Je la pris par les épaules et la regardai droit dans les yeux.

« J'ai lu tes livres, mon ange. Je te connais. Tout est là, entre les couvertures, caché sous la surface à la manière d'un iceberg. Tu es quelqu'un de bien, Noreen. Moi pas. Je suis un meurtrier. Et je ne parle pas uniquement de la guerre. En fait, j'ai tué quelqu'un pas plus tard que la semaine dernière, et ce n'était assurément pas une question de tuer ou être tué. J'ai tué un homme parce qu'il l'avait mérité et parce que j'avais peur de ce qu'il pourrait faire. Mais, surtout, je l'ai tué parce que je voulais le tuer.

« Ce n'est pas Dinah qui a tiré sur Max Reles, mon ange. Ni même ses petits copains de la mafia dans le casino. C'est moi. Moi qui l'ai tué. J'ai descendu Max Reles. »

24

« Comme tu le sais, Reles m'avait offert une place au Saratoga, et j'avais accepté, mais seulement dans l'intention de trouver une possibilité de le tuer. Comment s'y prendre semblait le point le plus épineux. Max était hautement protégé. Il habitait un appartement au dernier étage de l'hôtel auquel on ne pouvait accéder qu'en se servant d'un ascenseur commandé par une clé. Et les portes de l'ascenseur dans l'appartement étaient étroitement surveillées par Waxey, le garde du corps de Max, qui fouillait tous les visiteurs.

« Mais j'ai eu l'idée de la façon dont je pourrais y arriver dès que j'ai vu le genre de revolver que ton ami Hemingway t'avait donné. Le Nagant. J'en avais rencontré pas mal du même type durant la guerre. C'était l'arme de service des officiers de l'armée et de la police russes, et, à une importante modification près – un silencieux Bramit –, l'instrument d'exécution préféré de leurs services spéciaux. Entre janvier 1942 et février 1944, j'ai travaillé pour le Bureau des crimes de guerre de la Wehmacht enquêtant sur les atrocités commises aussi bien par les Alliés que par les Allemands. Un des crimes dont nous avons eu à nous occuper est le massacre de la forêt de Katyn. Cela se passait en avril 1943, à la suite de la découverte, par un agent de renseignement militaire, d'une fosse commune contenant les corps de quatre mille Polonais à une vingtaine de kilomètres à l'ouest de Smolensk. Tous ces hommes étaient des officiers de l'armée polonaise et avaient été exécutés d'une balle dans la nuque par les unités spéciales du NKVD. Et tous à l'aide du même modèle de revolver : le Nagant.

« Les Russes avaient procédé de façon sournoise et méthodique. Comme à leur habitude. Désolé, mais c'est la pure vérité. Il aurait été impossible de liquider quatre mille hommes sans prendre au préalable certaines précautions afin de dissimuler le bruit des exécutions à ceux qui attendaient leur tour. Sinon, ils se seraient dressés contre leurs bourreaux et les auraient submergés. De sorte que les meurtres eurent lieu la nuit, dans des cellules sans fenêtre qu'on avait insonorisées au moyen de matelas et en utilisant des revolvers Nagant équipés de silencieux. Un de ces silencieux est entré en ma possession au cours de l'enquête, et j'ai pu étudier sa conception et le tester sur un champ de tir. Ce qui veut dire que, dès que j'ai vu ton revolver, j'ai compris que je pourrais en confectionner un chez moi dans mon atelier.

« Mon second problème était le suivant : comment pénétrer dans l'appartement en terrasse avec le revolver ? Il se trouve que Max m'avait fait un cadeau : un jeu de backgammon fabriqué sur mesure dans une mallette contenant également les pions, les dés et les cornets à dés. Mais il y avait aussi la place pour un revolver et son nouveau silencieux. Et je pensais qu'il y avait peu de chances pour que Waxey l'examine, d'autant plus que la mallette avait des serrures à combinaison.

« Max m'avait expliqué qu'il avait l'habitude de jouer aux cartes une fois par semaine avec des membres de la pègre de La Havane. Il m'avait dit également que la partie se terminait toujours à onze heures trente, soit quinze minutes exactement avant qu'il se retire dans son bureau et prenne un appel téléphonique du président, qui possède des parts du Saratoga. Il m'a demandé de venir et, quand j'y suis allé, j'ai emporté avec moi la mallette contenant le revolver et je l'ai déposée sur sa terrasse. Après avoir quitté l'appartement avec les autres à onze heures trente, je suis redescendu au casino et j'ai attendu quelques minutes. C'était le nouvel an chinois, le soir où ils tirent un tas de feux d'artifice dans le Barrio Chino. Ce qui produit un vacarme assourdissant, bien sûr. En particulier sur le toit du Saratoga.

« Bref, à cause des feux d'artifice, je me figurais que Reles finirait son coup de fil avec le président de bonne heure. Le directeur du casino m'avait à peine vu regagner le casino après être monté à l'appartement la première fois que je suis retourné au huitième étage. Ce qui était le plus loin que je puisse aller, sans une clé de l'ascenseur.

« Mais, au coin de l'immeuble, on réparait l'enseigne au néon du Saratoga, ce qui veut dire qu'il y avait des échafaudages sur lesquels quelqu'un pouvait se hisser du huitième étage jusqu'à l'appartement en terrasse. Quelqu'un n'ayant pas le vertige. Ou quelqu'un résolu à tuer Max Reles à quasiment n'importe quel prix. Ça a été une sacrée escalade, je peux te le dire. Et j'ai eu besoin de mes deux mains. Jamais je n'aurais pu y parvenir avec le revolver à la main ou enfoncé dans ma ceinture. Raison pour laquelle il fallait que je le laisse sur la terrasse de Max.

« Max était encore au téléphone quand je me suis retrouvé à nouveau là-haut. Je pouvais l'entendre discuter avec Batista, examiner les chiffres avec lui. Il semble que le président prenne ses trente pour cent dans le Saratoga très au sérieux. J'ai ouvert la mallette, sorti le revolver, vissé le silencieux dessus, puis, à pas feutrés, je me suis approché de la fenêtre ouverte. À cet instant, peut-être ai-je eu quelques doutes. Et puis j'ai repensé à 1934 et à la façon dont il avait abattu deux personnes de sang-froid juste devant moi, alors que nous nous trouvions à bord d'un bateau sur le lac de Tegel. Tu étais déjà en route pour les États-Unis quand ça s'est passé, mais il a menacé de te faire tuer par son frère Abe à ton arrivée à New York si je ne coopérais pas avec lui. Je me savais en sécurité. Plus ou moins. Je possédais déjà des preuves de sa corruption qui l'auraient envoyé en taule. Mais je n'avais aucun moyen d'empêcher son frère de te tuer. Après ça, nous nous tenions mutuellement, au moins jusqu'à ce que les Jeux olympiques aient pris fin et qu'il soit rentré aux États-Unis. Mais, comme je l'ai dit, il le méritait. Et, dès qu'il a reposé le téléphone, j'ai tiré. En réalité, ce n'est pas tout à fait exact. Il m'a vu juste avant que je presse la détente la première fois. Je crois qu'il a même souri.

« J'ai tiré sept fois de suite. Je suis allé au bord de la petite terrasse et j'ai jeté le revolver dans un panier de serviettes posé près de la piscine au huitième étage. Puis je suis redescendu. J'ai recouvert le revolver avec davantage de serviettes puis je me suis nettoyé dans une des salles de bains. Lorsque les feux d'artifice ont commencé, je me trouvais déjà dans l'ascenseur me ramenant au casino. De fait, j'avais oublié les feux d'artifice quand j'avais bricolé le silencieux, autrement je me ne me serais peut-être pas donné ce mal. Mais, finalement, ça m'a permis d'utiliser après-coup les feux d'artifice comme une garantie d'un genre différent.

« Le lendemain, je suis retourné au Saratoga comme si de rien n'était. Il n'y avait pas d'autre choix. Je devais me comporter normalement ou les soupçons retomberaient sur moi. Le capitaine Sanchez a effectivement tenté de me faire porter le chapeau dès le tout début. Et il aurait peut-être réussi si je ne m'étais pas débrouillé pour persuader Lansky que le meurtre avait très bien pu ne pas avoir lieu en profitant du bruit des feux d'artifice – comme tout le monde semblait le penser. Et la police a été très utile à cet égard. Elle n'avait même pas pris la peine de rechercher l'arme du crime. Fort de mon expérience d'ancien détective de l'hôtel Adlon, j'ai suggéré une fouille des sacs de linge. Et peu après, elle a découvert le revolver.

« Dès que ces truands ont vu le silencieux, ils se sont mis à penser qu'il s'agissait peut-être d'un meurtre de professionnel – un incident en rapport avec leurs activités à La Havane et n'ayant probablement aucun lien avec des événements survenus vingt ans plus tôt. Mieux encore, j'ai été en mesure d'affirmer que le silencieux signifiait que le meurtre avait pu être commis à n'importe quel moment et pas nécessairement durant les feux d'artifice, comme le prétendait le capitaine. Ce qui discréditait totalement sa théorie faisant de moi l'assassin pour me donner l'air d'un fin limier. Bref, c'était Gunther sorti de l'auberge, pensai-je, sauf que j'avais été trop convaincant pour mon propre bien. Meyer Lansky avait apprécié la façon dont j'avais fait la pige au flic ; et, comme Max lui avait déjà touché deux mots de mon passé d'inspecteur de la Criminelle à Berlin, Lansky a décidé, afin d'éviter une guerre de la mafia à La Havane, que j'étais à présent l'homme le mieux qualifié pour mener l'enquête sur la mort de Reles.

« Pendant un moment, j'ai été atterré. Puis j'ai commencé à entrevoir la possibilité de me blanchir entièrement. Tout ce qu'il me fallait, c'était un terrain sûr pour rejeter le blâme sans que quelqu'un d'autre se fasse descendre. Je n'imaginais pas un instant qu'ils tueraient Waxey, le garde du corps de Max, en guise de police d'assurance, au cas où il aurait quelque chose à voir là-dedans. Alors on peut dire que je l'ai tué lui aussi. C'était malheureux. Quoi qu'il en soit, par un coup de chance pour moi, sinon pour lui, un des chefs de table du Saratoga, un certain Irving Goldstein, avait une liaison avec un travesti du Palette Club ; et quand j'ai appris qu'il s'était suicidé parce que Max s'apprêtait à le flanquer dehors sous prétexte que c'était une tapette, il m'a semblé fait sur mesure pour endosser le meurtre. De sorte que, avant-hier soir, je suis allé fouiller son appartement avec le capitaine Sanchez, et j'ai dissimulé le dessin technique que j'avais fait du silencieux Bramit en m'arrangeant pour que Sanchez tombe dessus.

« Un peu plus tard, j'ai montré le dessin à Lansky et je lui ai dit que c'était un élément suffisant à première vue pour penser que Goldstein avait probablement tué Max Reles. Et Lansky a été d'accord. Il a été d'accord parce qu'il en avait envie, parce que toute autre conclusion aurait été mauvaise pour les affaires. Plus important, ça me mettait hors de cause. Bon. Alors voilà. Tu peux te détendre. Ce n'est assurément pas ta fille qui l'a tué. C'est moi.

— Je me demande comment j'ai pu la soupçonner, dit Noreen. Quel genre de mère je suis !

— N'y songe même pas. » J'eus un sourire ironique. « En fait, quand elle a aperçu l'arme du crime à l'appartement, elle l'a immédiatement reconnue et elle m'a confié qu'elle pensait que c'était peut-être toi qui avais tué Max. J'ai fait tout mon possible pour la persuader qu'il s'agissait d'un modèle courant à Cuba. Même si ce n'est pas vrai. C'est la seule arme russe que j'aie jamais vue sur l'île. Naturellement, j'aurais pu lui avouer la vérité, mais, lorsqu'elle a annoncé qu'elle retournait en Amérique, ça m'a semblé inutile. Je veux dire, si je l'avais fait, il aurait fallu que je lui explique aussi tout le reste. Au bout du compte, c'est bien ce que tu désirais, non ? Qu'elle quitte La Havane et qu'elle aille à l'université ?

— Et c'est pour ça que tu l'as tué. »

J'inclinai la tête.

« Tu avais tout à fait raison. Tu ne pouvais pas la laisser rester avec un type comme ça. Il devait l'emmener dans une fumerie d'opium, et Dieu sait où encore. Je l'ai tué à cause de ce qu'elle aurait pu devenir si elle l'avait réellement épousé.

— Et de ce que Fredo t'a dit quand vous étiez à son bureau dans l'immeuble Bacardi.

— Il te l'a raconté ?

— Sur le chemin de l'hôpital. C'est pour ça que tu l'as aidé, n'est-ce pas ? Parce qu'il t'a dit que Dinah était ta fille.

— J'attendais de l'entendre de ta bouche, Noreen. Et maintenant que c'est fait, je suppose que je peux en parler. Est-ce vrai ?

— C'est un peu tard pour poser la question, tu ne crois pas ? Compte tenu de ce qui est arrivé à Max.

— Je pourrais te renvoyer la balle, Noreen. Est-ce vrai ?

— Oui, c'est vrai. Désolée. J'aurais dû te le dire, mais cela aurait signifié dire à Dinah que Nick n'était pas son père ; et, jusqu'à la mort de ce dernier, elle avait toujours eu de meilleures relations avec lui qu'avec moi. J'aurais eu l'impression de retirer ça à Dinah à un moment où j'avais le plus besoin d'exercer une influence sur elle, comprends-tu ? Si je le lui avais dit, j'ignore quel aurait été le résultat. Lorsque c'est arrivé – je veux dire, en 1935, au moment de sa naissance –, j'ai voulu t'écrire. À plusieurs reprises. Mais, à chaque fois que j'y pensais, je voyais combien il était bon avec elle, et je n'en avais tout simplement pas le courage. Il a toujours cru que Dinah était sa fille. Mais une femme ne se trompe pas sur ces choses-là. À mesure que les mois puis les années passaient, cela semblait de moins en moins pertinent. Finalement, la guerre a éclaté, ce qui a paru mettre un terme pour de bon à toute idée de t'écrire que tu avais une fille. Je n'aurais pas su où envoyer la lettre. Lorsque je t'ai revu, dans la librairie, je ne pouvais pas y croire. Et, naturellement, j'ai pensé te le dire ce soir-là. Mais tu as fait une remarque d'assez mauvais goût, qui m'a laissée supposer que tu pourrais bien venir grossir les rangs des mauvaises influences de La Havane. Tu paraissais tellement sur la défensive et cynique que c'est à peine si je te reconnaissais.

— Oui, ça m'arrive aussi. Ces derniers temps, c'est à peine si je me reconnais moi-même. Ou pire encore, je reconnais mon propre père. Je regarde dans la glace et je le vois qui me regarde à son tour avec un mépris amusé pour mes précédents échecs à comprendre que je suis et serai toujours exactement comme lui. Sinon totalement lui. Mais tu as eu bien raison de ne pas lui dire que j'étais son père. Max Reles n'était pas le seul homme qu'elle devait éviter de fréquenter. Moi aussi. Je le sais. Et je n'ai pas l'intention d'essayer de la voir ou d'établir une quelconque relation avec elle. C'est un peu tard pour ça, je pense. Tu n'as donc pas de souci à te faire à ce sujet. Cela me suffit de savoir que j'ai une fille et de l'avoir rencontrée. Grâce à Alfredo Lopez.

— Comme je l'ai dit, j'ignorais qu'il t'avait mis au courant jusqu'à ce que nous allions à l'hôpital tout à l'heure. Les avocats ne sont pas censés parler aux inconnus des affaires de leurs clients, n'est-ce pas ?

— Parce que je lui ai sauvé la mise avec ces brochures, il s'est figuré qu'il me devait quelque chose et que j'étais le genre de père qui pourrait aider Dinah d'une façon ou d'une autre. C'est en tout cas ce qu'il m'a expliqué.

— Il avait raison. Je suis contente qu'il l'ait fait. » Elle me serra plus fort. « Et tu l'as aidée. J'aurais tué Max moi-même si j'en avais été capable.

— Nous faisons tous ce que nous pouvons.

— Et c'est la raison pour laquelle tu es allé au quartier général du SIM et que tu les as persuadés de laisser partir Fredo. Parce que tu voulais lui rendre service en retour.

— Ce qu'il m'a dit. Ça m'a donné une sorte d'espoir que ma vie n'était pas totalement vaine.

— Mais comment ? Comment as-tu fait pour les convaincre de le libérer ?

— Il y a quelque temps, j'ai découvert par hasard une cache d'armes sur la route de Santa Maria del Rosario. Je l'ai échangée contre sa vie.

— Rien de plus ?

— Que pourrait-il y avoir d'autre ?

— Je ne sais pas comment te remercier.

— Retourne écrire tes livres et je retournerai jouer au backgammon et fumer des cigares. Apparemment, tu t'apprêtes à emménager dans ta nouvelle maison. J'ai cru comprendre que Hemingway revenait bientôt.

— Oui, il sera là en juin. Hem a de la chance d'être encore en vie après ce qui s'est passé. Il a été grièvement blessé dans deux accidents d'avion consécutifs. Et sérieusement brûlé dans un feu de brousse. En principe, il devrait être mort. Plusieurs journaux américains ont même publié sa nécrologie.

— Alors il est ressuscité. On ne peut pas tous en dire autant. »

Plus tard, je retournai à ma voiture, et, dans l'obscurité changeante, je crus voir la silhouette du jardinier mort, debout près du puits où il s'était noyé. Peut-être la maison était-elle hantée, après tout. Et si elle ne l'était pas, je savais l'être moi-même, et probablement à jamais. Certains meurent en une journée. Pour d'autres, comme moi, cela prend beaucoup plus longtemps. Des années peut-être. Certes, tel Adam, nous mourrons tous, mais il n'est pas donné à chacun de revivre, à l'instar d'Ernest Hemingway. Si les morts ne ressuscitent pas, que devient l'esprit d'un homme ? Et, dans le cas contraire, avec quel corps vivons-nous à nouveau ? Je ne connaissais pas la réponse. Ni moi ni personne. Peut-être, si jamais les morts pouvaient ressusciter et qu'ils soient incorruptibles, et que je puisse me changer pour toujours comme par magie, alors, oui, peut-être que mourir vaudrait la peine de se faire tuer, ou de se tuer soi-même.

De retour à La Havane, j'allai à la Casa Marina, où je demeurai la nuit avec deux filles de bonne volonté. Elles ne me permirent pas de me sentir moins seul. Elles m'aidèrent seulement à passer le temps. Le peu qui nous est imparti.

Pour l'éditeur, le principe est d'utiliser des papiers composés de fibres naturelles, renouvelables, recyclables et fabriquées à partir de bois issus de forêts qui adoptent un système d'aménagement durable.

En outre, l'éditeur attend de ses fournisseurs de papier qu'ils s'inscrivent dans une démarche de certification environnementale reconnue.

Cet ouvrage a été composé par Asiatype, Inc.
et achevé d'imprimer au Canada
par Transcontinental Gagné
en janvier 2012

Imprimé au Canada

Dépôt légal : février 2012
N° d'édition : 04